机械制造装备设计

东北大学 王启义 主 编
王仁德 副主编

北 京
冶 金 工 业 出 版 社
2002

内 容 提 要

本书介绍机械制造装备设计的基础理论、基本知识和基本方法，内容包括总论、金属切削机床设计、机床夹具设计、工业机器人设计、物料储运装备设计、机械加工生产线总体设计，各章附有复习题与作业题。本书以机械制造装备设计方法为主线，以总体设计、运动设计和结构设计为重点，注意学生分析问题和解决问题能力的培养。本书采用科技新成果和新标准，理论联系实际，注意分析规律，突出重点，总结要点，增强系统性，便于教学和自学，并能指导设计工作。

本书可作为高等院校"机械制造及其自动化"专业方向的教学用书，也可供从事机械制造装备设计与研究工作的工程技术人员和研究生参考。

图书在版编目(CIP)数据

机械制造装备设计/王启义主编.—北京：冶金工业出版社，2002.4

ISBN 7-5024-2951-4

Ⅰ.机…　Ⅱ.王…　Ⅲ.机械制造-工艺装备-设计　Ⅳ.TH162

中国版本图书馆 CIP 数据核字(2002)第 004813 号

出版人　曹胜利(北京沙滩嵩祝院北巷 39 号，邮编 100009)

责任编辑　宋　良　美术编辑　王耀忠　责任校对　王贺兰　责任印制　李玉山

利森达印务有限公司印刷；冶金工业出版社发行；各地新华书店经销

2002 年 4 月第 1 版，2002 年 4 月第 1 次印刷

787mm×1092mm 1/16；20.25 印张；487 千字；313 页；1-3000 册

35.00 元

冶金工业出版社发行部　电话：(010)64044283　传真：(010)64027893

冶金书店　地址：北京东四西大街 46 号(100711)　电话：(010)65289081

（本社图书如有印装质量问题，本社发行部负责退换）

前 言

本书是根据1998年“机械设计制造及其自动化”专业教学指导委员会推荐的指导性教学计划组织编写的，是“机械制造及其自动化”专业方向的一门主要设计类专业教材。根据《高等教育法》要求，通过本课程教学，应使学生比较系统地掌握机械制造装备设计的基础理论、基本知识和基本方法，具有从事机械制造装备设计工作的初步能力。本课程一般要在相关技术基础课、实践性教学、机械设计基本训练及计算机应用初步技能等前导教学环节的基础上讲授。

本书内容共6章，包括总论、金属切削机床设计、机床夹具设计、工业机器人设计、物料储运装备设计及机械加工生产线总体设计，各章附有复习题与习题。本书以机械制造装备设计方法为主线，以总体设计、运动设计和结构设计为重点，注意学生分析问题和解决问题能力的培养。

新世纪的到来标志着即将进入知识经济时代，知识创新、技术创新成果不断涌现，教材应给出更新的知识和较大的信息量，使学生掌握新知识并增强工作能力。

本课程是一门新设的专业课。编者按课程目的要求重新组织编写，突出教材特点，体现教材内容的基础性、系统性、条理性和启发性；未对各种结构一一介绍，仅重点介绍设计思路、原理和方法，避免偏专、偏窄、偏乱的弊端；采用科技新成果和新标准，力争做到理论联系实际，注意分析规律，突出重点，总结要点，增强系统性，便于教学和自学，并能指导设计工作。

东北大学王启义、王仁德任本书主编、副主编，负责全书的组织与统稿工作。王启义编写1.1、1.4.1～1.4.3、2.3.1～2.3.4、2.9，王仁德编写第1章其余内容、2.1、2.2、2.4，东北大学李华编写2.3.5～2.3.7、2.5，沈阳工业大学张新敏编写2.6、2.7，大连铁道学院赵永成编写2.8，沈阳建工学院穆存远编写第3章，东北大学蔡光启编写第4章，沈阳工业学院黄树涛和张志军编写第5、6章，华东冶金学院余晓流参加部分编写工作。

本书可供高等院校“机械制造及其自动化”专业方向的教学用书，也可供从事机械制造装备设计与研究工作的工程技术人员和研究生参考。

本书是新设课程教材，书中欠妥之处敬请读者批评指正。

编 者

目　录

1 总 论

1.1 机械制造业概述

我们正处于一个前所未有的变革时代，科学技术的迅猛发展，促使制造业发生了巨大变化。新世纪的到来，经济竞争必将成为世界各国竞争的焦点和社会发展的主要动力，竞争核心将是新产品和制造技术的竞争。人类进入知识经济时代，以知识经济为基础、以高新技术产业为主体的知识经济(Knowledge Economy)正在日益广泛和深刻地影响着经济增长方式、产业结构、市场结构、就业结构以至人们生活和社会变化的各个方面。与工业经济相比，知识经济有许多根本性变化，必将影响到制造业今后的发展。

1.1.1 制造业形势与发展

1.1.1.1 新时期对制造业的挑战

制造(Manufacturing)是人类所有经济活动的基石，是人类历史发展和文明进步的动力。随着人类工业文明的不断进步，制造业已发展成为一个国家经济发展的基础产业，成为社会财富的主要制造者和国民经济的重要来源；同时，它还为国民经济各部门包括国防和科学技术的进步与发展，提供先进的手段和装备。当今世界工业发达国家和新兴工业化国家都拥有发达的制造业。1990 年 20 个发达国家和地区制造业占其国内生产总值(GDP)比例平均为 22.15%，其中日本和德国为 29%、31%；1994 年美国为 22%，1995 年新加坡为 25%。

历史进入新世纪，国际形势的变化、人们消费观念的改变、贸易全球化、科技进步、信息社会和知识经济的到来，以及环境保护与可持续发展思想的深入，使全球制造业再次进入一个巨大变革的时代。

随着经济发展和市场日趋饱和，产品消费节奏明显加快，消费行为更具选择性，批量生产的产品逐渐为个性化和多样化的产品所取代，产品的生产与服务的界限变得模糊，制造业正在成为“服务”行业。消费特点的转变促使生产需求发生变化，“客户化、小批量、快速交货”的需求不断增加。市场的动态多变性促使制造业改变策略，时间因素被提到首要地位，如图 1-1 所示。

当今任何一个企图以高科技含量、高质量产品和市场快速响应能力来赢得竞争的制造企业，必须具备时间、质量、价格和创新四方面的竞争能力。因此，不断地改进产品功能、提高产品质量、缩短生产周期和新产品研制开发周期、降低生产成本、完善行销及售后服务，已成为制造企业面临的共同任务。

随着世界“自由”贸易体制的逐渐完善，制造业、制造产品和制造技术必然走向国际化，不可能离开全球一体化市场而独立求得发展。这已成为当今面向市场经济、集约化生产的

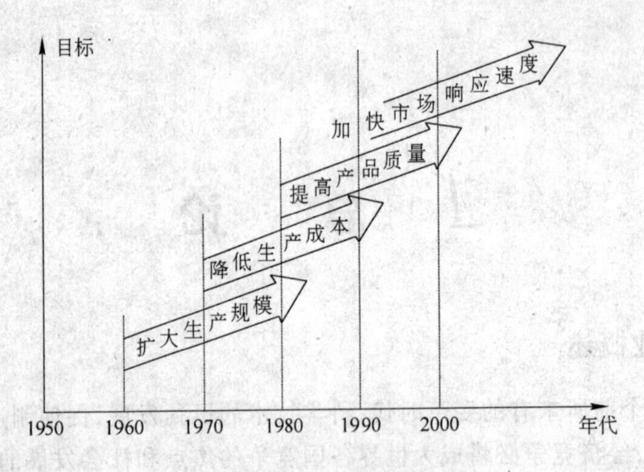

图 1-1　制造业经营策略的变迁

制造业的显著特征。

人类正迈向信息时代，以微电子、信息（计算机与通信、控制理论、人工智能等）、新材料和系统科学为代表的新一代工程科学与技术的迅猛发展，急剧地改变了现代制造业的设计方法、产品结构、生产方式、生产工艺和设备以及生产组织结构，产生了一批新的制造技术和制造模式。现代制造业已成为发展速度快，技术创新能力强，技术密集和知识密集的部门，众多产品的技术含量和附加值增大，进入高科技产品的行列。同时，各种高新技术的综合使用，促进了制造技术在宏观（制造系统的集成）和微观（精密、超精密和微细加工与检测）两个方面的蓬勃发展，成为涵盖整个生产过程的各个环节（包括市场分析、产品设计、工艺规划、加工准备、制造装配、监控检测、质量保证、生产管理、售后服务及回收再利用等），包括人、机器、能源和信息等多种资源的组织、控制与管理，横跨多个学科的集成技术。

当前靠大量消耗资源和破坏环境为代价的工业发展模式和工艺技术系统，与可持续发展的矛盾日益尖锐。随着环境保护意识的增强与可持续发展思想的深入，制造业及其产品越来越受到环境方面的制约。一个企业的环境适应性如何，直接关系其竞争能力、应变能力甚至生存能力。因此，面向可持续发展的生态安全型和资源节约型制造技术及产品，将是制造业亟待解决的重要问题。

在 20 世纪末，各工业发达国家和新兴工业化国家都将先进制造技术的研究与开发，列为国家关键技术和优先发展领域。一场在制造领域围绕市场需求、以提高制造质量和生产效益为中心的高科技竞争正在全球范围内展开，其中最具代表性的是美国的先进制造技术计划、关键制造技术计划和敏捷制造智能技术计划（TEAM），日本的智能制造技术（IMS）国际合作计划，韩国的高级先进制造技术计划（G-7）和德国的 2000 制造计划等。

先进制造技术（Advanced Manufacturing Technology ，AMT）是制造技术的最新发展动向。AMT 是以人为主体，以计算机为重要工具，不断汲取机械、光电子、信息、材料、环保、生物以及现代系统管理等领域的最新科技成果，涵盖产品整个生命周期的各个环节的先进工程技术的总称，它以提高对动态多变的产品市场的适应能力和竞争能力为中心，以实现优质、高效、灵活、洁净生产和提供优质、快捷服务，取得理想经济效益为目标。

新时期制造技术的发展必将沿着 20 世纪末开拓的道路进一步向系统化、信息化、智能化和全球化的方向发展，一场以现代制造技术为重点的工业革命即将到来。

1.1.1.2 制造业发展趋势

A 制造模式演变

20 世纪是制造业空前发展的重要时期，以精密和微细加工技术为目标，各种制造工艺和装备层出不穷；另外，制造系统的集成也异常活跃，制造模式不断更新。在不到百年的发展历程中，经历了六个重要发展阶段，如表 1-1 所示。

20 世纪 20 年代，美国福特汽车公司开创了“少品种大批量”的生产模式，又称福特生产模式，制造系统第一次显示出强大威力。

表 1-1 制造业各主要发展阶段的生产模式和经营策略

发展阶段	年 代	生产模式	制造策略	制造装备和技术特点	生产组织和管理特点
1	1910～1940 年	福特生产模式	制定合理工序和科学工时定额（泰勒管理方式）	机械化制造装备	建立设计、工艺和生产等功能专业化部门
2	1940～1950 年	大批量生产自动化	生产过程动态统计	组合机床和刚性自动线	以质量为核心的部门间协调
3	1950～1960 年	中、小批量生产自动化	柔性自动化生产	数控机床和加工中心	成组技术应用
4	1960～1980 年	多品种小批量生产自动化	以计算机辅助为特征的制造技术的开发和应用	DNC、工业机器人、CAD、CAPP、CAM 和 CAE 技术	按用户订单组织生产
5	1980～1990 年	计算机集成制造系统	设计、制造 和管理集成信息系统支持下的自动化生产	FMC/FMS、FA、CAD/CAPP/CAM 集成设计与制造技术	准时化生产（JIT）、控制库存、设计制造信息一体化
6	1990 年以后	快速响应的智能化制造系统	智能制造、并行工程、精益生产、敏捷制造、与环保协调发展的制造	柔性制造设备和柔性自动线、计算机辅助产品开发（CADE）	将技术、管理和人员资源集成为一个协调的、相互联系的系统

二战结束后，电子技术、计算机技术和信息技术的发展，为生产领域中的自动控制创造了条件，制造技术朝着全面自动化方向快速迈进。数控机床加工与计算机控制相结合，以计算机为辅助工具的自动化技术逐步得以实现，出现了计算机辅助设计（Computer Aided Design ,CAD），计算机辅助制造（Computer Aided Manufacturing ,CAM），计算机辅助工艺（Computer Aided Process Planning ,CAPP）、加工和装配及检验自动化、物料储运自动化等单元技术，并形成综合性自动化生产工艺系统。

在生产管理中采用计算机进行信息处理也取得巨大进展，如生产预测、工艺过程的计划与调度，采购与库存控制、生产控制、销售控制与成本控制等，进而形成了管理信息系统（Management Information System ,MIS），进行最优决策，以便实时有效地进行生产控制。

生产工艺自动化与生产管理自动化相结合，就形成了计算机集成制造系统（Computer Integrated Manufacturing System ,CIMS），以计算机为工具的信息集成得以实现。这样，制造自动化水平由 20 世纪 70 年代之前的单机自动化、刚性生产线，经 70 年代的柔性生产线，发展到 80 年代出现了以 CIMS 为代表的生产与管理的全面自动化。进入 90 年代，制造企业活动转向以满足用户需求为核心，不断提高快速响应市场的能力。但复杂而不易维护、庞大而不灵活、昂贵而不经济的 CIMS，不能适应市场需求快节奏变化而受冷落，这时快速可重组制造系统、并行工程（Concurrent Engineering, CE）、精益生产（Lean Production, LP）、敏捷制造（Agile Manufacturing, AM）等新的制造技术和制造模式应运而生，成为新生力量。

B 设计与工艺紧密结合

当今多品种单件小批量生产所占比重在不断加大，产品设计必须考虑结构工艺性，工艺过程牵动产品设计与生产已成为缩短生产周期和降低成本的关键。为使产品设计在制造过程中一次成功，在 20 世纪 80 年代末产生了并行工程。

并行工程是一种系统的集成方法，它将产品开发过程的各个环节（包括制造过程和支持过程）作为一个密切关联的整体，以计算机为核心工具，将其组成闭环反馈系统。通过集成企业生产活动中各阶段和各部门，使之并行、协同地工作，以缩短新产品的开发周期，提高质量、降低成本；从设计开始就考虑从产品概念设计到报废处理的整个生命周期的所有因素，包括质量、成本、进度计划和用户需求，以便及早发现问题，及时加以改进。与串行的计算机集成制造（Computer Integrated Manufacturing，CIM）运作方式相比，CE 在于并行的团队工作方式（Team-work）和强有力的通信支持，是协调人与人、人与机、机与机之间关系的系统工程。

实施 CE 的企业对制造工艺和经济性有不同侧重，又相应出现了面向制造的设计（Design for Manufacturing，DFM）、面向装配的设计（Design for Assembly，DFA）、面向检测的设计（Design for Test-ability）等并行工程的方法与技术，改变了制造企业的组织结构和工作方式。90 年代出现的快速原型技术（Rapid Prototyping，RP）和虚拟制造技术（Virtual Manufacturing，VM）为 CE 发展增加了新动力，成为产品设计开发和制造工艺相连接必不可少的重要环节。

RP 可迅速地将设计思想物化为具有一定结构和功能的产品原型或直接制成零件，以便对产品设计进行早期检验或对产品性能进行早期测试，从而使制造过程的反复大为减少。VM 是仿真技术的扩展，它以计算机支持的数字多媒体技术为基础，对全部制造活动进行统一的数字化建模和仿真，在产品设计阶段实时地、并行地“虚拟”出产品未来的制造全过程及其结果，预测产品性能、产品制造技术、产品质量控制与管理、估计产品成本等，从而更有效、更经济、柔性灵活地组织生产，达到产品的开发周期和成本的最小化，产品设计质量的最优化，生产效率的最高化。因此，VM、RP 与设计过程有机结合，为以人为核心的计算机辅助智能设计创造了前提，也为全球性资源共享和快速响应市场创造了条件。

C 技术与管理协调发展

制造业包括制造技术与制造管理两部分工作，制造技术水平决定着制造管理方式并推动其变革；反之，制造管理方式又影响着制造技术的进步。20 世纪 70 年代信息和自动化技术的发展，特别是超大规模集成电路的出现，使各种工艺技术及装备如 CAD/CAM、机电一体化设备、计算机数控（Computer Numerical Control，CNC）机床、柔性制造单元（Flexible Manufacturing Cell，FMC）和柔性制造系统（Flexible Manufacturing System，FMS）等得到很快发展，促使产品成本构成发生根本性变化，劳动力消耗已不再是主要因素，降低成本应着眼于采用系统科学、运筹学、系统工程等原理和方法，实现现代化管理，提高企业整体效益。这时，准时化生产（Just In Time，JIT）、精益生产（LP）原则、全面质量管理（Total Quality Management，TQM）开始出现。LP 从管理角度解决企业的竞争需求，以“人”为中心，以“简化”为手段，以“尽善尽美”为目标，把责权利尽量下放到各层次，采取一种分布式管理机制，特别适用于有一定生产批量的自动化生产系统。

D 人、知识和信息关系

CIM 中不仅有数据流、信息流，还有起关键作用的、存在于专家头脑中的制造知识和技能。20世纪90年代初，以人工神经网络（Artificial Neural Network，ANN）、模糊逻辑（Fuzzy Logic，FL）、遗传算法（Genetic Algorithm，GA）为代表的新一代计算智能技术补充了符号智能的不足，使制造过程各环节中制造知识的获取、表示、存储和推理成为可能，因此体现制造系统化、自动化和智能化综合发展的智能制造技术和智能制造系统（Intelligent Manufacturing Technology and Intelligent Manufacturing System，IMT&IMS）的研究与开发，在世界范围内蓬勃兴起。

1.1.1.3 我国制造业形势

我国当前工业化已进入中期阶段或称“半工业化”阶段，工业化仍是今后经济发展的主题。1993年我国三大产业（农业、工业和服务业）比重依次为21.19%、51.77%和27.04%，其中制造业在工业生产中的比重为45%，制造业仍然是我国经济发展的战略重点。

我国加入WTO将使经济和科技与世界更紧密地融合，国内与国际市场进一步接轨，制造业进入全球化竞争市场，为制造业发展创造了机遇。但是，我国制造业也承受着国际市场竞争的巨大压力，面临着“挡不住、出不去”的严峻局面，缺乏自主开发能力和国际市场竞争能力。我国制造业也有较大的优势，已建立起门类齐全、相当规模的制造业体系，制造技术已有相当基础。不少企业已掌握一批先进的制造技术和管理方法。制造业科技水平已取得明显进步，不少产品已打入国际市场。众多高等学校和科研院所在制造科学方面取得瞩目成就，在制造技术的基础性研究和先进制造技术领域中已达到很高水平。

图1-2为一个产品的利润构成及其与时间的关系，一个有竞争力的企业，必须不断推出新产品去引导市场，当一个产品（如产品1）的利润下降到一定程度时，就要及时推出另一个新产品（如产品2）才能保持企业的高额利润。图示可见在基于知识的竞争环境下，单纯引进而无创新是没有出路的。一般来讲，工业发达国家转让的产品或技术，大多属于国外市场已近饱和或将要淘汰，继而将推出更新的产品，使你引进而制造的产品又面临市场的丧失，不可能具备市场竞争能力。

面对新世纪世界制造技术的发展趋势，结合我国国情，应着重提高我国制造业的竞争能力。必须提高产品的质量、降低成本及提高快速响应市场的能力，在激烈的竞争环境中求“生存、发展并扩大竞争优势”。

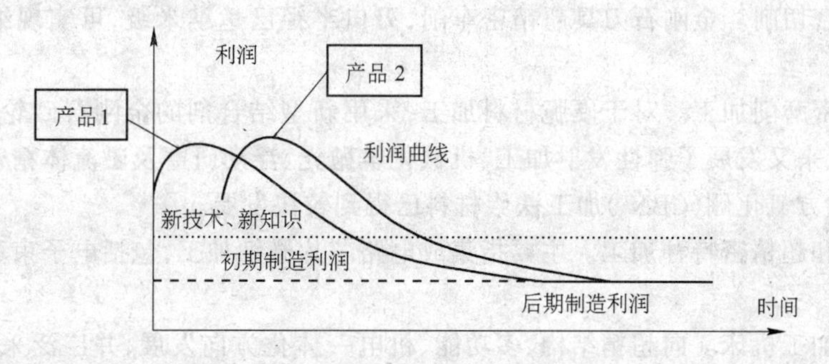

图1-2 产品利润的构成及其时效

1.1.2 加工制造技术发展趋势

加工制造技术是对被加工对象状态的改形和改性技术的总称。当代加工制造技术的重要特征是与计算机、微电子和信息技术的融合。其主要发展趋势包括新一代机械制造装备技术、虚拟制造技术、精密和超精密加工技术、特种加工技术、微米/纳米制造技术、超高速切削磨削技术、少无夹具制造技术及制造过程设计技术等。

1.1.2.1 新一代机械制造装备技术

金属切削机床是机械制造装备的主体，也是迄今国内外研究最多的机械制造装备。早在20世纪30年代西欧就开展了机床精度和切削振动机理的研究工作，60、70年代国际上的研究工作达到高峰，在机床的静态性能、动态性能、加工性能、振动和噪声、热稳定性、精度保持性、可靠性、性能试验、故障诊断与维修等方面都达到相当高的水平。近年来在新一代制造装备技术上又有了较大的发展和突破。

(1)新型加工设备的研究开发。已取得不少进展，如多轴联动加工中心、拉削车削高效曲轴加工机床、点磨机床、加工与装配作业集成机床等。近年出现的并联机床(虚轴机床)突破了传统机床结构方案，在国内外有了快速发展。

(2)在数控化基础上朝智能化方向发展。充分利用精度补偿、应用技术软件、传感器和控制技术的最新科技成果，研制新一代高质量、高效率和低消耗的智能加工中心和智能化加工单元。

(3)采用新材料和新结构，提高制造装备的刚度、抗振性、热稳定性，提高精度和精度保持性，减轻重量等。

(4)新型部件的开发应用。如高精度、高速交流电主轴，国外已商品化产品的转速为20000r/min，最高已达100000r/min，国内已完成8000r/min样机研制。为此要解决高精度大载荷主轴轴承、主轴冷却、刀具配置与夹紧可靠性、电主轴调速可行性等关键技术。再如大功率交流直线电动机技术等。

(5)发展先进的机床和数控系统性能检测、诊断方法与技术。

(6)多品种小批量生产条件下的先进在线加工质量检测技术。

(7)柔性工艺装备和柔性夹具，为快速、低成本工艺准备提供技术。

1.1.2.2 精密和超精密加工技术

精密和超精密加工，一是不断提高极限加工精度，另一是从小批量生产走向大批量产品生产。精密和超精密加工技术包括加工工艺、加工机床、测量技术和作业环境等。

(1)超精密切削。金刚石刀具超精密车削，刃口半径已达纳米级，可实现纳米级厚度的稳定切削。

(2)超精密磨削加工。对于硬脆材料加工，采用新型结合剂的金刚石砂轮，可提高磨削表面质量。近来又发展了弹性发射加工、机械化学抛光、浮动研磨及磁流体精密研磨等实用技术。采用立方氮化硼(CBN)加工铁族材料已得到较快发展。

(3)精密和超精密特种加工。主要指集成电路芯片微细加工，包括电子束和离子束刻蚀加工。

(4)精密加工机床。向超精结构、多功能、机电一体化方向发展，并广泛采用各种测量、控制技术实时补偿误差。美国近年研制的大型光学器件金刚石车床，可加工直径达1620mm、长度达508mm、重达1350kg的工件，定位精度达28nm。大型精密加工机床的关键部件是主轴系统，国外已制成高刚度(>200kgf/μm)精密气浮主轴系统。

1.1.2.3 少无夹具制造技术

在常规制造系统中，需对大量使用的夹具进行设计、制造和装配调试工作，不仅耗费资金，还延长了生产准备时间，成为制造过程中的“瓶颈”，是造成制造柔性差、响应速度慢、生产成本高和企业竞争能力弱的主要原因之一。为此要打破传统的“定位—加工”模式，以新的“寻位—加工”为基础，信息、控制与制造工艺及设备相结合，研究开发无需使用夹具或少量通用夹具的新一代少无夹具制造技术。

1.1.2.4　少切削无切削加工

为了贯彻可持续发展战略，节约原材料和能源消耗，必须大力发展少切削无切削加工技术，一方面要提高毛坯制造精度，发展精密铸造和锻造等技术，减少材料切削加工量；另一方面要发展冲压、挤压、滚压等无切削成形技术。这些加工技术不仅具有材料利用率高、生产率高的特点，而且可以改善材料的性能。

1.2　机械制造装备类型

机械制造过程是一个十分复杂的生产过程，所使用装备的类型很多，总体上可划分为加工装备、工艺装备、储运装备和辅助装备四大类。机械制造装备的基本功能是保证加工工艺的实施，节能、降耗、优化工艺过程，并使被加工对象达到预期的功能和质量要求。

1.2.1　加工装备

加工装备是机械制造装备的主体和核心，是采用机械制造方法制作机器零件或毛坯的机器设备，又称为机床或工作母机。机床的类型很多，除了金属切削机床之外，还有锻压机床、冲压机床、注塑机、快速成型机、焊接设备、铸造设备等。

1.2.1.1　金属切削机床

金属切削机床是采用切削、特种加工等方法，主要用于加工金属，使之获得所要求的几何形状、尺寸精度和表面质量的机器。机床可获得较高的精度和表面质量，完成40%～60%以上的加工工作量。金属切削机床品种繁多，为了便于区别、使用和管理，需从不同角度对其进行分类。

A　按机床工作原理和结构性能特点分类

我国把机床划分为：车床、钻床、镗床、磨床、齿轮加工机床、螺纹加工机床、铣床、刨插床、拉床、特种加工机床、切断机床和其他机床等12大类。其中特种加工机床包括电加工机床、超声波加工机床、激光加工机床、电子束和离子束加工机床、水射流加工机床；电加工机床又包括电火花加工、电火花切割和电解加工机床。特种加工机床可解决用常规加工手段难以甚至无法解决的工艺难题，能够满足国防和高新科技领域的需要。

B　按机床使用范围分类

可把机床分为通用机床、专用机床和专门化机床。

(1)通用机床(又称万能机床)。可加工多种工件，完成多种工序，是使用范围较广的机床，如万能卧式车床、万能升降台铣床等。这类机床的通用程度较高，结构较复杂，主要用于单件、小批量生产。

(2)专用机床。用于加工特定工件的特定工序的机床，如主轴箱的专用镗床。这类机床是根据特定工艺要求专门设计、制造与使用的，因此生产率很高，结构简单，适于大批量生产。组合机床是以通用部件为基础，配以少量专用部件组合而成的一种特殊形式的专用机床。

(3)专门化机床(又称专业机床)。用于加工形状相似尺寸不同工件的特定工序的机床。这类机床的特点介于通用机床与专用机床之间,既有加工尺寸的通用性,又有加工工序的专用性,如精密丝杠车床、凸轮轴车床等,生产率较高,适于成批生产。

为了使设计、制造及管理部门对机床品种有计划地发展和管理,便于用户的订货和管理,需要规范机床型号,我国现行的《金属切削机床型号编制方法》,适用于各类通用、专门化及专用机床(组合机床另有规定)。机床型号是由类(12类)代号、组系代号、主参数以及特性代号等组成。其中特性代号包括:高精度(G)、精密(M)、自动(Z)、半自动(B)、数控(K)、加工中心(自动换刀H)、仿型(F)、轻型(Q)、加重型(C)和简式(J)等。

数控机床是计算机技术、微电子技术、先进的机床设计与制造技术相结合的产物,适应产品的精密、复杂和小批量的特点,是一种高效高柔性的自动化机床,代表了金属切削机床的发展方向。加工中心又称自动换刀数控机床,它是具有刀库和自动换刀装置,能够自动更换刀具,对一次装夹的工件进行多工位、多工序加工的数控机床。

C 按机床精度分类

同一种机床按其精度和性能,又可分为普通机床、精密机床和高精度机床。

此外,按照机床质量(习惯称重量)大小又可分为仪表机床、中型机床、大型机床、重型机床和超重型机床等。

1.2.1.2 锻压机床

锻压机床是利用金属塑性变形进行加工的一种无屑加工设备,主要包括锻造机、冲压机、挤压机和轧制机四大类。

锻造机是使坯料在工具的冲击力或静压力作用下成型,并使其性能和金相组织符合一定要求。按成型的方法可分为自由锻造、胎模锻造、模型锻造和特种锻造;按锻造温度不同可分为热锻、温锻和冷锻。

冲压机是借助模具对板料施加外力,迫使材料按模具形状、尺寸进行剪裁或变形。按加工时温度的不同,可分为冷冲压和热冲压。冲压工艺具有省工、省料和生产率高的突出优点。

挤压机是借助于凸模对放在凹模内的金属材料挤压成形,根据挤压时温度不同,可分为冷挤压、温挤压和热挤压。挤压成形有利于低塑性材料成形,与模锻相比,不仅生产率高,节省材料,而且可获得较高的精度。

轧制机是使金属材料在旋转轧辊的作用下变形,根据轧制温度可分为热轧和冷轧,根据轧制方式可分为纵轧、横轧和斜轧。

1.2.2 工艺装备

工艺装备是产品制造过程中所用各种工具的总称,包括刀具、夹具、模具、测量器具和辅具等。它们是贯彻工艺规程、保证产品质量和提高生产率等的重要技术手段。

1.2.2.1 刀具

能从工件上切除多余材料或切断材料的带刃工具称为刀具,工件的成形是通过刀具与工件之间的相对运动实现的,因此,高效的机床必须同先进的刀具相配合才能充分发挥作用。切削加工技术的发展,与刀具材料的改进以及刀具结构和参数的合理设计有着密切联系。刀具类型很多,每一种机床,都有其代表性的一类刀具,如车刀,钻头,镗刀,砂轮,铣刀,刨刀,拉刀、螺纹加工刀具,齿轮加工刀具等等。刀具种类虽然繁多,但大体上可分为标准刀具和非标准刀具两大类。标准刀具是按国家或部门制定的有关“标准”或“规范”制造的刀具,由专业化的工具厂集中大批量生产,占所用刀具的绝大部分。非标准刀具是根据工件与具体加工的特殊要求设计制造的,也可将标准刀具加以改制而实现,过去我国的非标准刀具主要由用户厂自行生产,随着专业化生产的发展和服务水平的提高,所谓非标准刀具也应由专业厂根据用户要求提供,以利于提高质量,降低成本。

1.2.2.2 夹具

夹具是机床上用以装夹工件以及引导刀具的装置。对于贯彻工艺规程、保证加工质量和提高生产率有着决定性的作用。夹具一般由定位机构、夹紧机构、导向机构和夹具体等部分构成,按照其应用机床的不同可分为车床夹具、铣床夹具 、钻床夹具、刨床夹具、镗床夹具、磨床夹具等;按照其专用化程度又可分为通用夹具、专用夹具、成组夹具和组合夹具等。

通用夹具是已经规格化、标准化的夹具,主要用于单件小批量生产,如车床夹盘,铣床用分度头、台钳等;专用夹具是根据某一工件的特定工序专门设计制造的,主要用于有一定批量的生产中。

1.2.2.3 测量器具

测量器具是以直接或间接方法测出被测对象量值的工具、仪器及仪表等,简称量具和量仪。可分为通用量具、专用量具和组合测量仪等。通用量具是标准化、系列化和商品化的量具,如千分尺、千分表,量块以及光学、气动和电动量仪等。专用量具是专门用于特定零件的特定尺寸而设计的,如量规、样板等,某些专用量规通常会在一定范围内具有通用性。组合测量仪可同时对多个尺寸测量,有时还能进行计算、比较和显示,一般属于专用量具,或在一定范围内通用。数控机床的应用大大简化了生产加工中的测量工作,减少了专用量具的设计、制造与使用;测试技术与计算机技术的发展,使得许多传统量具向数字化和智能化方向发展,适应了现代生产技术的发展。

1.2.2.4 模具

模具是用以限定生产对象的形状和尺寸的装置。按填充方法和填充材料的不同,可分为粉末冶金模具、塑料模具、压铸模具、冲压模具、锻压模具等。数控技术和特种加工技术的发展,促进了模具制造技术的发展,促进了少切削、无切削技术在生产制造中的广泛应用。

1.2.3 储运装备

物料储运装备是生产系统必不可少的装备,对企业生产的布局、运行与管理等有着直接影响。物料储运装备主要包括物料运输装置、机床上下料装置、刀具输送设备以及各级仓库及其设备。

1.2.3.1 物料运输装置

物料运输主要指坯料、半成品及成品在车间内各工作站(或单元)间的输送、满足流水生产线或自动生产线的要求。主要有传送装置和自动运输小车两大类。

传送装置的类型很多,如由辊轴构成流动滑道,靠重力或人工实现物料输送;由刚性推杆推动工件做同步运动的步进式输送带;在两工位间输送工件的输送机械手;链式输送机,带动工件或随行夹具做非同步输送等。用于自动线中的传送装置要求工作可靠、定位精度高、输送速度快、能方便地与自动线的工作协调等。

与传送装置相比，自动运输小车具有较大的柔性，通过计算机控制，可方便地改变输送路线及节拍，主要用于柔性制造系统中。可分为有轨和无轨两大类。前者载重量大，控制方便，定位精度高，但一般用于近距离直线输送；后者一般靠埋入地下的制导电缆等进行电磁制导，也采用激光制导等方式，输送线路控制灵活。

1.2.3.2　机床上下料装置

将坯料送至机床的加工位置的装置称为上料装置；加工完毕后将工件从机床上取走的装置称为下料装置，它们能缩短上下料时间，减轻工人劳动强度。

机床上下料装置类型很多，有料仓式和料斗式上料装置、上下料机械手等。在柔性制造系统中，对于小型工件，常采用上下料机械手或机器人，大型复杂工件采用可交换工作台进行自动上下料。

1.2.3.3　刀具输送设备

在柔性制造系统中，必须有完备的刀具准备与输送系统，完成包括刀具准备、测量、输送及重磨刀具回收等工作，刀具输送常采用传输链、机械手等，也可采用自动运输小车对备用刀库等进行输送。

1.2.3.4　仓储装备

机械制造生产中离不开不同级别的仓库及其装备。仓库是用来存储原材料、外购器材、半成品、成品、工具、夹具等，分别进行厂级或车间级管理。现代化的仓储装备不仅要求布局合理，而且要求有较高的机械化程度，减少劳动强度，采用计算机管理，能与企业生产管理信息系统进行数据交换，能控制合理的库存量等。

自动化立体仓库是一种现代化的仓储设备，具有布置灵活，占地面积小，便于实现机械化和自动化，方便计算机控制与管理等优点，具有良好的发展前景。

1.2.4　辅助装备

辅助装备包括清洗机、排屑设备和测量、包装设备等。

清洗机是用来对工件表面的尘屑油污等进行清洗的机械设备，能保证产品的装配质量和使用寿命，应该给予足够重视，可采用浸洗、喷洗、气相清洗和超声波清洗等方法，在自动装配中应能分步自动完成。

排屑装置用于自动机床、自动加工单元或自动线上，包括切屑清除装置和输送装置。清除装置常采用离心力、压缩空气、冷却液冲刷、电磁或真空清除等方法；输送装置有带式、螺旋式和刮板式等多种类型，保证将铁屑输送至机外或线外的集屑器中，并能与加工过程协调控制。

1.3　机械制造装备设计要求

机械制造装备设计工作是设计人员根据市场需求所进行的构思、计算、试验、选择方案、确定尺寸、绘制图样及编制设计文件等一系列创造性活动的总称，其目的是为新装备的生产、使用和维护提供完整的信息。设计工作是一切产品实现的前提，设计质量的优劣直接影响产品的质量、成本、生产周期及市场竞争能力，产品性能的差距首先是设计差距，据统计，产品成本的60%取决于设计。机械制造装备设计工作要适应科学技术的飞速发展及市场竞争的日趋激烈，要采用先进的设计技术，设计出质优价廉的产品。机械制造装备的类型很多，功能各异，但设计工作的总体要求是精密化、高效化、自动化、机电一体化、向成套设备与技术方向发展，不断增加品种、缩短供货周期，以及满足工业工程和绿色工程的要求等。

A 精密化

随着科学技术的发展和市场竞争的加剧，对产品性能的要求越来越苛刻，对其制造精度的要求越来越高。为此机械制造装备必须向精密化方向发展，全面采取提高精度的技术措施。一方面全面提高零件的加工精度，压缩零件的制造公差；另一方面要采用高精度的装置，如滚珠丝杠、滚动导轨等，同时还要采取各种误差补偿技术，以便提高其几何精度、传动精度、运动精度、定位精度。为了保证在高速、高负荷下保持加工精度，必须提高机械制造装备的刚度、抗振性，以及低温升和热稳定性。为了提高精度保持性，还必须重视零件的选材和热处理，以便提高相对运动表面的硬度、减少磨损，同时还要优化运动部件间的间隙，合理润滑和密封、降低磨损、提高精度保持性和工作可靠性，适应自动化和智能化控制的要求。

B 高效化

不断提高生产效率，一直是机械制造装备设计所追求的目标。生产率通常是指在单位时间内机床、加工单元或生产线所能加工的工件数量，为此必须缩短加工一个工件的平均总时间，其中包括缩短切削加工时间、辅助时间以及分摊到每个工件上的准备时间和结束时间。(详见2.1.3)为了提高切削速度、缩短切削时间，必须采用先进刀具，提高机床及有关装备的强度、刚度、高速运转平稳性、抗振性、切削稳定性等性能，适应高效化的要求；同时在自动化加工的前提下，提高空行程及调整运动速度、将加工时间与辅助时间相重合，采用自动测量技术和数字显示技术等，缩短辅助时间。此外，采用适应控制和智能控制也是提高高效化水平的有效措施。

C 柔性自动化

机械制造装备实现自动化，可以减少加工过程的人工干预，可以保证加工质量及其稳定性，同时提高加工生产率和减轻工人劳动强度。机械加工自动化有全自动化和半自动化之分，全自动化是指能自动完成上料、卸料和加工循环的全过程，半自动化加工中的上下料需人工完成。

实现自动化控制和运行的方法，可分为刚性自动化和柔性自动化两类。刚性自动化是指传统的凸轮和挡块控制，工件发生改变时必须重新设计凸轮及调整挡块，调整困难，因此只能适合于传统的大批量生产，已逐渐被现代化的柔性自动化技术所代替。柔性自动化是由计算机控制的生产自动化，主要有可编程逻辑控制和计算机数字控制。可编程逻辑控制主要用于形状简单的零件加工控制和生产过程控制，计算机数字控制用于复杂形状零件的加工控制和复杂的生产过程控制。计算机数字控制与可编程逻辑控制相结合，实现了单件小批量生产的柔性自动化控制，如数控机床、加工中心、计算机直接数控(DNC)、柔性制造单元(FMC)和柔性制造系统(FMS)以及计算机集成制造(CIM)，使柔性自动化技术不断向前发展，正在改变着机械制造行业生产自动化的面貌。

在计算机数字控制的基础上，生产自动化技术不断向着智能化方向发展。适应控制能在数控机床上根据实际工作条件(如切削力、变形、振动等)的变化，及时自动地改变切削用量(切削速度、吃刀深度和进给速度)，使加工过程处于最佳状态，实现最优化加工精度控制或最优化生产率控制。

D 机电一体化

为了实现机械制造装备的精密化、高效化和柔性自动化，其构成上必须是机电一体化，即实现机械技术，包括机械结构与传动、流体传动、电气传动同微电子技术和计算机技术等有机结合、整体优化，充分发挥各自的特点，组成一个最佳的技术系统，使得机械制造装备进一步减小体积、简化结构、节约原材料，提高传动效率，提高可靠性。

E 结构模块化

为了适应机电产品更新换代周期加快的要求，机械制造装备也要加快更新换代周期，不断推出新产品，满足市场不断变化的需求，为此必须采用先进的设计技术，提高设计效率与质量。在众多先进设计技术中，模块化设计技术显得尤为重要。一方面，通过不同模块的组合，可以快速获得不同性能的众多产品，最大限度地增加产品类型、降低生产成本，缩短新产品设计与制造周期，满足市场需求；另一方面，可方便地对结构模块进行更新，加快机械制造装备的更新换代。实践表明，绝大多数成功的机械制造装备产品，大都采用模块化结构。

F 装备与技术配套化

我国的机械制造装备的制造企业必须改变过去只注重提供单机的状况，应向提供配套装备与相关技术的方向发展，包括成龙配套的机床与相关的工艺装备和物料储运装备，还应进一步提供包括生产组织、工艺方法及工艺参数在内的全套加工技术，真正在机械制造行业中起到“总工艺师”的作用。

G 符合工业工程要求

工业工程是通过生产技术与管理的有机结合，对由人员、物料、设备、能源和信息所组成的系统进行设计、改善和实施的一门综合科学。现代工业工程充分应用计算机、运筹学和系统工程等先进技术，能采用定量分析方法，科学准确地对大型生产系统进行设计与分析，对其工作效率和成本等进行全面优化。

产品设计要符合工业工程的要求，其内容包括在产品开发阶段，要充分考虑产品的结构工艺性、提高标准化和通用化水平；采用最佳工艺方案、选择合理的制造装备，尽可能地减少原材料及能源消耗；合理进行机械制造装备的总体布局，优化操作步骤和方法，提高工作效率，同时减轻体力劳动；对市场和消费者进行调查研究，保证产品正确的质量标准，减少因质量标准制定得过高而造成的不必要浪费等。

H 符合绿色工程要求

所谓绿色工程是一个注重环境保护，节约资源，保证可持续发展的工程。根据绿色工程要求，企业必须纠正过去那种不惜牺牲环境和消耗资源来增加产出的错误作法，使经济发展更多地与地球资源与承受能力达到有机协调。按绿色工程要求设计的产品称为绿色产品，绿色产品设计在充分考虑产品功能、质量、开发周期和成本的同时，优化各有关设计要素，使产品从设计、制造、包装、运输、使用到报废处理的整个生命周期中，对环境影响最小，资源利用效率最高。

绿色产品设计中应考虑的问题很多，如产品材料的选择应是无毒、无污染、易回收、易降解、可重用；产品制造过程应充分考虑对环境的保护、资源回收、废弃物的再生和处理、原材料的再循环、零部件的再利用等。原材料再循环的成本一般较高，应考虑经济上、结构上和工艺上的可行性。为了使零部件能再利用，应通过改变材料、结构布局以及零部件的连接方式等改善和实现产品拆卸的方便性和经济性。

1.4 机械制造装备设计方法

1.4.1 机械制造装备产品设计类型

机械制造装备产品的设计工作可分为新产品设计和变型产品设计两大类。

A 新产品设计

新开发的或在性能、结构、材质、原理等某一方面或几个方面具有重大变化的,以及技术上有突破创新的产品,称为新产品。新产品开发设计是指从市场调研到新产品定型投产的全过程。因此新产品设计一般需要较长的开发设计周期,投入较大的工程量。企业要在激烈的竞争环境中"生存、发展并扩大竞争优势",必须要适时地推出具有竞争力的新产品,要做到生产一代,研制一代,构思一代,根据市场需求预测,采用知识创新和技术创新手段,开发设计具有高技术附加值的自主版权的新产品。

B 变型产品设计

在现有产品基本工作原理和总体结构不变的基础上,仅对部分结构、尺寸或性能参数加以改变的产品,称为变型产品。变型产品的开发设计周期较短,工作量和难度较小,设计效率和质量较高,可以对市场做出快速响应。变型设计的基础是现有产品,它应是工作可靠,技术成熟和性能先进的产品,将其作为"基型产品",以较少规格和品种的变型产品来最大限度地满足市场的各种需求。

1.4.2 机械制造装备新产品开发设计内容与步骤

机械制造装备新产品开发设计内容与步骤的基本程序包括决策、设计、试制和定型投产四个阶段。JB/T 5055—91 推荐了三种模式,第一种模式的工作程序比较全面完整,适用于精度较高或较复杂的、重要的或批量生产的新产品;其余两种模式的工作程序有所简化,适用于单件、小批量生产的产品,或一次性生产的大型产品及专项合同产品。可根据生产类型、产品复杂程度、产品设计类型等情况,适当调整工作程序和内容。

1.4.2.1 决策阶段

该阶段是对市场需求、技术和产品发展动态、企业生产能力及经济效益等进行可行性调查研究,分析决策开发项目和目标。主要内容有:

A 市场调研和预测

根据用户需求,收集市场和用户信息,预测产品发展动态和水平比较,提出新产品市场预测报告。

B 技术调查

分析国内外同类产品的结构特征、性能指标、质量水平与发展趋势,对新产品的设想(包括使用条件、环境条件、性能指标、可靠性、外观、安装布局及应执行的标准或法规等),对新采用的原理、结构、材料、技术及工艺进行分析,确定需要的攻关项目和先行试验等,提出技术调查报告。

C 可行性分析

对新产品设计和生产的可行性进行分析,并提出可行性分析报告,包括产品的总体方案、主要技术参数、技术水平、经济寿命周期,企业生产能力、生产成本与利润预测等。

D 开发决策

对上述报告组织评审，提出评审报告及开发项目建议书，供企业领导决策，批准立项。

1.4.2.2 设计阶段

该阶段要进行设计构思计算和必要的试验，完成全部产品图样和设计文件。设计阶段又分为初步设计、技术设计和工作图设计三阶段设计工作。

A 初步设计

初步设计是完成产品总体方案的设计。按 ZB/T J01 035.5 规定，编制技术任务书(通用产品)或技术建议书(专用产品)，确定产品的基本参数及主要技术性能指标，总体布局及主要部件结构，产品主要工作原理及各工作系统配置，标准化综合要求等。必要时进行试验研究，提出试验研究报告。对初步设计进行评审，通过后可作为技术设计的基础。

B 技术设计

技术设计是设计、计算产品及其组成部分的结构、参数并绘制产品总图及其主要零、部件图样的工作。在试验研究、设计计算及技术经济分析的基础上修改总体设计方案，编制技术设计说明书，并对技术任务书中确定的设计方案、性能参数、结构原理等变更情况、原因与依据等予以说明。技术设计中的试验研究，是对主要零部件的结构、功能及可靠性进行试验，为零部件设计提供依据。在技术设计评审通过后，其产品技术设计说明书、总图、简图、主要零部件图等图样与文件，可作为工作图设计的依据。

C 工作图设计

工作图设计是绘制产品全部工作图样和编制必需的设计文件的工作，以供加工、装配、供销、生产管理及随机出厂使用。要严格贯彻执行各级各类标准，要进行标准化审查和产品结构工艺性审查。工作图设计又称为详细设计或施工设计。

1.4.2.3 试制阶段

该阶段通过样机试制和小批试制，验证产品图样、设计文件和工艺文件、工装图样等的正确性，产品的适用性和可靠性。

A 样机试制

首先要编制产品试制的工艺方案和工艺规程等，试制 1～2 台样机后，经试验、生产考验后进行鉴定，提出改进设计方案，对设计图样和文件进行修改定型。

B 小批试制

小批试制 5～10 台，为批量生产作工艺准备，根据鉴定及试销后的质量反馈，进一步修改有关图样和文件，完善产品设计。

1.4.2.4 定型投产阶段

该阶段是完成正式投产的准备工作，对工艺文件、工艺装备定型，对设备、检测仪器进行配置、调试和标定等。要求达到正式投产条件，具备稳定的批量生产能力。

1.4.3 机械制造装备新产品设计评审与文件

1.4.3.1 设计评审

为保证新产品设计的功能、质量、成本与进度达到计划或合同的规定，根据 JB/T 5055 规定，在新产品开发设计的不同阶段，对设计方案、产品结构性能、工艺性、技术经济指标等进行全面、系统地审查，及时发现并纠正设计、试制工作中的缺陷与不足。设计评审工作由企业各方人员组成的评审组负责，分为下述四类评审。

A　初步设计评审

对技术任务书及总图(草图)进行评审，确认计划任务书(或合同)要求的满足程度，以及是否具备满足这些要求的条件。

B　技术设计评审

对产品的总图、主要零部件图(草图)及设计计算书等进行评审，以确认其设计的正确性与合理性。

C　最终设计评审

对产品设计改进方案进行评审，以确认其设计改进的正确与完善程度，以及是否具备小批试制或试生产的条件。

D　工艺方案评审

对产品工艺方案和工艺文件进行评审，以确认其工艺设计的正确性、合理性与完整性。

企业可根据产品特点确定设计评审的相关项目与内容，通过评审应提出设计评审报告。

1.4.3.2　新产品设计文件

根据 ZB/T J01 035.5 规定，新产品设计文件包括：技术任务书或技术建议书，试验研究大纲，试验研究报告，计算书，技术经济分析报告，技术设计说明书，文件及图样目录，明细表及汇总表，设计评审报告，使用说明书，标准化审查报告，试制总结等。

A　技术任务书或技术建议书

技术任务书或技术建议书是设计单位对计划任务书或计划协议书提出体现产品合理方案的改进性和推荐性意见的文件。经主管部门批准或用户同意后，作为产品技术设计的依据。内容包括：设计依据，产品用途及使用范围，基本参数及主要技术性能指标，总布局草图、传动系统图及有关原理图，主要部件结构概述，国内外同类型产品水平分析比较，标准化综合要求，关键技术元件及有关问题分析，新产品设计方案在性能、寿命与成本等方面的分析等。

B　计算书

这是新产品性能、主要结构及系统等方面理论计算的文件，包括：计算目的，计算方法，公式来源及公式说明，计算过程及结果等。

C　使用说明书

这是供用户了解产品，正确吊运、安装、调整、使用和维修产品的文件(GB 9969.1)。包括：产品的主要用途与适用范围，主要规格及技术参数，主要结构概述，系统(传动、电气、液压及气动等)说明，吊运与保管，安装与调整，使用与操作，维护与保养，常见故障及其排除方法，附件及易损件等。

D　技术经济分析报告

这是论证新产品在技术经济上合理性的文件，内容包括：确定对产品性能、质量及成本费用有重大影响的主要零、部件；与同类型产品相应零部件技术经济指标的分析比较；分析主要零部件的结构、性能、精度及材质等，论证达到技术先进和经济合理的结构方案；预期达到的经济效果等。

E　标准化审查报告

这是对新产品设计、试制过程中贯彻和实施标准化综合要求情况审查的文件。内容包括:产品图样和设计文件的正确性、完整性和统一性;产品标准化系数即(标准件数+外购件数)/零件总数;标准化经济效果;产品基本参数及性能指标符合标准情况;贯彻各级各类标准情况及未贯彻原因;对新产品标准化情况的综合评价及审查结论等。

1.4.4 系列化产品设计

从基型产品出发,演变出其他型号和规格的产品,构成产品的变型系列,又称为系列化产品设计,是产品设计合理化的一条重要途径,是满足市场多种需求、提高产品质量和降低产品成本的重要途径。

1.4.4.1 系列化产品设计工作要点

A 合理选择与设计基型产品

基型产品一般选择系列产品中应用最广泛的中档产品,如卧式车床产品中,一般选择床上最大回转直径,即主参数为400mm的普通型卧式车床作为基型。

基型产品应是精心设计的新产品,要采用先进科学的设计方法去寻找最佳工作原理与结构方案,进行选材与确定结构尺寸参数,并且注意零部件结构的规范化、通用化和标准化,充分考虑进行变型设计的可能性。

B 合理制定产品系列型谱

系列化产品的系列型谱制定要在基型产品设计之后或在基型产品方案规划中统筹考虑。可采用下列方法完成:

(1)确定基型系列。所谓基型系列是改变基型产品的性能或尺寸参数,一般是主参数,使其按一定的公比(又称级差)排列,组成一系列基型产品,即基型纵系列产品。如卧式车床产品主参数系列为320,400,500,630,800,1000mm等,其公比$\varphi=1.25$。

(2)以基型产品或各系列基型产品为基础进行全面功能分析,寻找变结构方案,扩展基型或系列基型产品的功能,形成所谓适应型或派生型变型产品,即横系列产品。卧式车床的变型产品有万能型、生产型、马鞍型、精密型、轻型、高速型等。

(3)系列型谱制定过程中要进行广泛的市场调查与预测研究,确定用户的需求,既要防止型号过多,增加设计与生产成本;又要防止型号过少,不能满足用户的多种需求。

C 采用相似设计方法

因为纵系列产品,无论是基型系列还是派生系列,都是参数不同,但工作原理相同、结构形状相似的产品,因此,可采用相似设计方法,进一步提高设计效率与质量。

D 零部件通用化、标准化与模块化

系列化产品设计要坚持零部件通用化、标准化,同时要加强零部件结构的规范化,形成标准化的可更换模块,形成模块化产品。

1.4.4.2 系列级差选择与计算

A 系列级差选择

纵系列变型产品主参数之间的公比称为级差,级差的选择和计算是系列化产品设计中的关键问题。

在一定范围内,使用者希望级差小些,增加系列产品的种类,便于选用。而生产单位则希望级差大些,减少系列产品的种类,增加批量以降低成本。选择级差时必须兼顾这两个方面的要求。一般选择标准公比系列R5、R10、R20、R40,其公比$\varphi=1.58(\sqrt[5]{10})$、1.26

($\sqrt[10]{10}$)、1.12($\sqrt[20]{10}$)和1.06($\sqrt[40]{10}$)。如果纵系列很大,也可分段选用不同的标准公比。

B 级差计算

对于给定范围及级数的参数级差,可按几何级数计算其公比。

$$\varphi = \sqrt[(n-1)]{\frac{T_n}{T_1}} \tag{1-1}$$

式中 φ——系列参数级差或公比;

T_1——首项;

T_n——末项;

n——项数。

根据主参数的级差,可通过求解相似比方程确定相似产品的其他参数级差。

1.4.4.3 相似比方程

一组物理过程的基本参数之间,在数量上有一定的比例关系称为相似。相似是自然界的一种基本规律或现象,有基本参量相似,如长度、力、时间、温度、电量、光强等,它们之间成固定比例;还有系统相似,如几何相似、动力相似、运动相似等。

解决相似问题的关键是根据基本参数的相似比求其他参数的相似比,可通过求解相似比方程的方法进行计算。

系统的物理或几何参数关系式可表达为:

$$A = CX^m Y^n Z^p \tag{1-2}$$

式中 A——因变量参数;

C——常数;

X、Y、Z——自变量参数;

m、n、p——指数,可为任意实数。

相似系统存在相同的参数关系式及相应的参数比。

已知 $\varphi_A = A_2/A_1, \varphi_X = X_2/X_1, \varphi_Y = Y_2/Y_1$

$A_1 = CX_1^m Y_1^n Z_1^p$

$A_2 = CX_2^m Y_2^n Z_2^p$

则有 $\varphi_A = \varphi_X^m \varphi_Y^n \varphi_Z^p$

1.4.4.4 相似产品与半相似产品

相似系列产品有几何相似及半相似两大类。几何相似产品系列的主要尺寸和参数之间都相似;半相似产品系列有部分参数尺寸不成比例关系,因为这些参数或尺寸必须根据使用或工艺要求来确定。如卧式车床系列产品,其床身上最大回转直径即主参数之间成比例,而床身长度应根据加工长度确定,因此床身长度之比不等于主参数之比,主轴变速箱上手柄的高度要根据人机工程学要求、从方便操作出发确定;主轴变速箱铸件壁厚要从强度和铸造工艺性要求确定等等。

1.4.5 模块化产品设计

1.4.5.1 模块化设计特点

模块化设计是发达国家普遍采用的一种先进设计方法,不仅广泛应用于机械、电子、建筑、轻工等领域，而且扩展到计算机软件设计和艺术创作等领域。在不同领域中模块及模块化设计的具体含义与方法各有差异。

机电产品的模块化设计是确定一组具有同一功能和结合要素（指连接部位的形状、尺寸、公差等）、但性能和结构不同且能互换或组合的结构或功能单元，形成产品的模块系统，选用不同的模块进行组合，便可形成不同类型和规格的产品。

组合机床是一种典型的模块化专用机床，是以通用模块化部件如动力头、动力滑台、立柱及底座等为基础，配以少量专用模块化部件如主轴箱、夹具等组合而成。模块化设计特别适合于具有一定批量的变型产品，卧式车床的模块化结构如图 1-3 所示，利用这一模块系统可组合成众多不同用途或性能的变型产品。

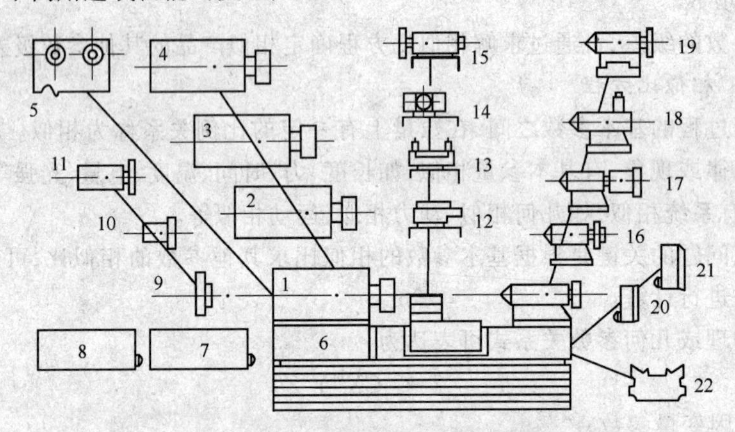

图 1-3　卧式车床模块化结构示意图

1—基本转速范围的主轴箱；2—小转速范围的主轴箱；3—大转速范围的主轴箱；
4—可调转速范围的主轴箱；5—双轴主轴箱；6—进给与车螺纹机构；
7—无螺纹进给机构；8—单速进给机构；9—气动夹紧装置；
10—液压夹紧装置；11—电磁夹紧装置；12 —仿形刀架；13—转位刀架；
14—立轴式转塔；15—卧轴式转塔；16—气动尾座；
17—液压尾座；18—钻孔用尾座；19—双轴尾座；20—快速行程机构；
21—双刀架用快速行程机构；22—双刀架用床身

模块化设计有下述特点

(1)提高设计效率，满足用户要求。产品模块具有规范化、系列化、通用化和标准化特点，一次设计可满足市场上的多种需求，可显著提高设计效率，最大限度地缩短供货周期和满足用户需求。

(2)提高产品质量、降低生产成本。对于系列化和通用化的结构模块，可以精心设计、批量加工，甚至可以组织专业化生产，因而可大幅度提高产品质量、降低生产成本。

(3)促进产品更新换代。对于已经模块化的产品，可快速响应市场需求，不断设计出新型的模块，发展变型产品。

(4)方便维修。模块化产品的维修十分方便，一旦设备发生故障，可更换整个模块。

(5)模块的结合部位结构较复杂，加工要求高；结构复杂的产品，有时难于保证外观的美观与匀称。

1.4.5.2　模块化设计方式

模块化设计特别适用于有一定批量的变型产品的系列化设计，可根据系列型谱进行横系列模块设计、纵系列模块设计和跨系列模块设计。

A　横系列模块化设计

在基型产品模块化结构的基础上，通过更换或添加功能模块，扩大产品的功能和适应性。这种设计方法应用最广，图 1-3 所示即属于横系列模块设计。

B　纵系列模块化设计

纵系列模块设计一般在基型产品横系列模块系统基础上，保持产品功能与原理方案基本相同，采用相似设计方法，改变其尺寸或性能参数，形成主参数成等比数列排列的一系列产品。

C　跨系列模块化设计

对于具有相近动力部件的产品，可进行跨系列模块化设计，常见的有跨系列基础件模块、动力模块或其他功能模块。如坐标镗床、坐标磨床和自动测量机等可采用相同基础件模块。

1.4.5.3　功能模块

在模块化设计中，首先要理解和区分两种相互联系又有区别的模块：功能模块和结构模块，结构模块又称为生产模块。

A　功能模块划分

功能模块是产品中实现各种功能单元的具体方案或载体，是从满足技术功能的角度来划分和定义的，是方案设计中应用的一种概念模块。

功能模块划分的出发点是产品的功能分析，这是模块化设计的基础，在方案设计阶段完成。功能模块的划分一般采用系统分析方法，将产品的总功能自上向下逐层分解为分功能、子功能，……直至功能单元。产品功能分解的程度和功能模块的大小决定于产品的复杂程度和方案设计等的具体要求。从设计工作的实际出发，功能模块可以具有单一的功能，也可以是若干单元功能的组合。产品功能分解可用功能树表示，功能模块可用模块树或形态矩阵来表示。

B　功能模块类型

根据功能模块的作用，可划分成如下类型。

(1)基础功能模块。是产品构成中基本的、反复出现的和不可缺少的功能模块类型，可以单独出现或与其他功能模块相结合形成一个具体的生产模块或结构模块。如卧式车床中的主运动模块、进给运动模块、床身支撑模块等。

(2)辅助功能模块。完成产品的辅助功能，如卧式车床中的快速移动模块、加工冷却模块等，这些模块一般不能单独使用，其结构尺寸等由基础功能模块决定。

(3)特殊功能模块。为满足用户的特殊要求，是产品功能的某种扩展或补充，其生产批量较基础功能模块少，如卧式车床中的工件自动夹紧模块。

(4)适应功能模块。是适应其他系统或边界条件等必须设置的模块，其结构尺寸只是部分地或在一定范围内确定的，根据用户的具体要求或使用环境等，其结构尺寸可作一定调整，是一种变尺寸或变结构的模块。

(5)非模块化功能块。是一种根据用户要求进行设计的功能模块，由于其生产批量少，其结构及结合要素可不必追求规范化与标准化，这样做有时会有利于降低设计与制造成本。

1.4.5.4 结构模块

结构模块是根据产品的结构特点和企业的具体生产条件,从有利于生产和方便装配或组装目的而确定的模块,它是构成产品的具体模块,又称为生产模块,它们可能是一个或几个完整的功能模块及其组合,也可能仅包含某功能模块的一部分。

从产品结构和企业实际情况出发,在完成产品功能模块划分的基础上,合理确定结构模块,是产品模块化设计的又一关键问题。结构模块可以是产品部件、组件、零件或大型零件的一部分,还可根据分级模块思想进行灵活组合。

(1)部件模块。这种模块既是生产模块,也是单功能或多功能组合而成的功能模块。有较高的独立性和完整性,方便设计与生产管理,是使用最为广泛的一种生产模块。

(2)组件模块。把构成部件的各个组件设计成不同的生产模块,可以使部件具有不同的功能或性能,与部件模块相比,系统的柔性会有很大提高。

(3)零件模块。将产品中的某些零件作为结构模块,可以获得最大的系统柔性,最大限度地增加生产批量。组合夹具就是一种以零件模块构成的组合产品。

(4)大型零件的分段模块。对于大型铸件和焊接件,还可以进一步划分为分段模块,通过组合可以满足不同规格的产品需求,可以方便加工制造,减少对大型机床的需求,同时还可减少木模、砂芯等的数量。有利降低生产成本。

(5)分级模块思想。为了更好地发展模块化设计,还可采用分级模块思想,把产品的结构模块划分成不同的级别,低一级模块可组合成高一级的模块。这种设计思想不仅可最大限度地提高模块化系统的柔性,而且由于低级模块功能单一,结构简单,可以更方便地提高结构模块的规范化、系列化和标准化水平。

1.4.5.5 模块化产品的设计要点

除了一般的产品设计要求外,模块化产品设计要特别注意以下几点。

A 统一规划,分步实施

模块化产品设计,要在产品规划和方案设计阶段制定产品的系列型谱,以此为依据完成结构模块系统的设计工作,然后可根据企业实际情况和市场的具体需求,有步骤地完成所有结构模块的技术设计与施工设计,对于批量小的结构模块,还可在供货合同签订后再行组织设计工作。

B 搞好技术文件编制工作

由于模块的设计不直接与产品相联系,因此必须注意编制好技术文件,指导产品的构成、制造与检测,具体包括以下内容:

(1)模块目录表,包括模块编码、有关性能、功能的说明;

(2)模块化产品目录,包括使用的模块类型、组合关系及产品的检测、使用说明等。

C 模块化产品的计算机管理

采用计算机对模块化产品进行管理,不仅可以完成结构模块目录和模块化产品目录及有关性能、功能的计算机管理,便于进行有关信息的检索与修改完善,还可具有以下两点功能:

(1)对组合成的产品进行全面评价,因此可根据用户要求进行组合方案的优化;

(2)在对组合产品全面评价的基础上,提出新模块开发及其组合建议,扩大模块化产品的功能,最大限度地满足市场需求。

1.4.6 现代设计方法特点

在过去的工程设计中多采用直觉法、类比法，以古典力学和数学为基础的简单公式或经验数据进行手工计算和手工设计，设计效率低、质量差、周期长。随着科学技术的发展，特别是近些年来计算方法、控制理论、系统工程、创造工程、价值工程等学科的发展，尤其是计算机的广泛应用，出现了许多跨学科的现代设计方法，如计算机辅助设计、优化设计、模块化设计、创新设计、造型与色彩设计、有限元分析、价值工程分析、人机工程学、反求工程、三次设计、动态设计、并行工程设计、虚拟设计、稳健设计、智能设计、全生命周期设计、绿色工程设计等等，使工程设计进入了一个创新、高质量和高效率的新阶段。

现代设计方法与现代科技发展相适应，具有明显的特点。

A 设计手段计算机化

采用计算机辅助设计(CAD)技术，在计算机硬件系统和软件系统的支持下进行方案分析、结构造型、工程分析，自动绘图及产品信息管理等，使设计工作发生了根本性变化，把设计人员从繁琐的手工劳动中解放出来，可集中精力投身到创造性设计工作中，大大提高了设计效率和质量，而且为采用各种现代设计方法，进一步提高设计水平创造了条件。

B 设计方法综合化

设计手段的计算机化，使现代设计可以建立在系统工程、创造性工程基础上，综合应用信息论、优化论、相似论、模糊论、可靠性理论等自然科学理论和价值工程、决策论、预测学等社会科学理论，不断总结设计规律，完善设计方法，使所采用的设计方法综合化、合理化，提供解决不同问题的科学途径。

C 设计对象系统化

设计工作中用系统观点进行全方位设计，避免了传统设计工作中局部地、孤立地处理问题，在设计工作中始终把设计、制造、销售、维护、报废等多方面问题作为一个整体来考虑，不仅使产品满足功能与价格的要求，而且符合工业美学原则，人机工程原则、环境保护原则，工业工程原则等。

D 设计目标最优化

设计目标最优化一直是设计者追求的目标，但在传统设计工作中由于问题复杂和设计手段落后，只能靠设计者的经验和感觉来确定。在计算机辅助设计环境下，通过计算机分析、图形仿真等，不仅可以实现单目标优化，而且能实现多目标的整体优化，使所设计的产品在技术性能、经济性、可行性等诸方面，实现整体最优效果。

E 设计问题模型化

随着设计建模与分析计算技术的发展，可以把各种问题进行高度抽象与概括，建立各种设计模型，特别是数学模型，应用计算机进行分析求解，保证了设计工作的科学化与自动化。不仅可以建立静态的线性模型，而且可以建立动态的非线性模型；不仅可以建立零件或组件模型，而且可以建立部件、整机或系统模型，大大提高了设计问题求解的可靠性和精确性。

F 设计过程程式化与并行化

设计过程中，一方面，将设计过程划分成不同的阶段，在不同阶段建立不同的设计模型，采用不同的设计方法，利用计算机方便、快捷地处理设计问题，使设计过程程式化，进而实现自动化；另一方面，利用计算机网络通讯和信息共享能力，可以打破传统的串行处理设计问题模式，采用并行工程方法，可以大大缩短设计工作周期。不仅使设计问题并行处理，还可将其他生产准备工作，如机械加工工艺规程设计、工装设计、数控编程等，与设计工作并行进行，形成多种任务并行与交叉处理的局面，加上采用面向制造的设计和面向装配的设计等新的设计理念与方法，可以大大缩短产品的设计与制造周期，切实提高产品的市场竞争能力。

1.5 机械制造装备的造型、色彩与人机工程设计

1.5.1 产品造型与色彩设计

产品造型与色彩设计是现代机械制造装备设计的重要内容，它是决定产品质量、价格和市场竞争力的主要因素之一。造型与色彩设计要贯穿至产品开发和研制全过程。在产品初步设计阶段，要提出造型和色彩方案，画出立体透视草图（或小稿）进行分析比较。技术设计时还要绘制产品的立体透视效果图，通过工整、细致地绘图，能够逼真表现产品的造型和色彩；必要时还应制作外观模型等。当今国际上某些著名软件如Pro/E、UG等，都可进行计算机辅助造型和色彩设计。产品造型与色彩设计的目标是获得产品的优美外观质量。原则是好用、经济、美观和创新，要求功能与型色、技术与艺术相协调，体现产品功能、结构和艺术的综合美感。

1.5.1.1 产品造型设计

工业产品的各种零部件都是由若干几何形体所组成，这些形体又是由点、线、面构成。造型设计是将产品的结构和功能等物质技术与艺术性内容相结合，组成一个三维空间立体造型，必须符合美学原则，熟练运用形态构成原理，掌握形态的表现特征和相关形态的形成心理以及视觉误差，这是获得美观大方、款式新颖产品造型的重要手段。产品造型要比例协调，均衡稳定，以“统一”为主、“变化”为辅，线型要简洁大方，给人以舒适、协调和静中有动的感觉。

A 尺度与比例

尺度是指要使产品造型具有使用合理、与人的生理感觉和谐、与使用环境协调等特点。如操纵手柄和按钮等，不论何种产品，其基本尺寸应与人手相适应，符合人的尺度感。

产品造型的形体比例是指造型的整体与局部、局部与细部之间的大小对比关系，追求视觉的比率美。造型表面多为矩形，长宽比可选择黄金比率（1:0.618）或均方根比例（$1:\sqrt{n}$，$n=2,3,\cdots$）。在产品造型设计中，各部分通常采用相等或相近的比例，容易得到协调效果，如图1-4所示。

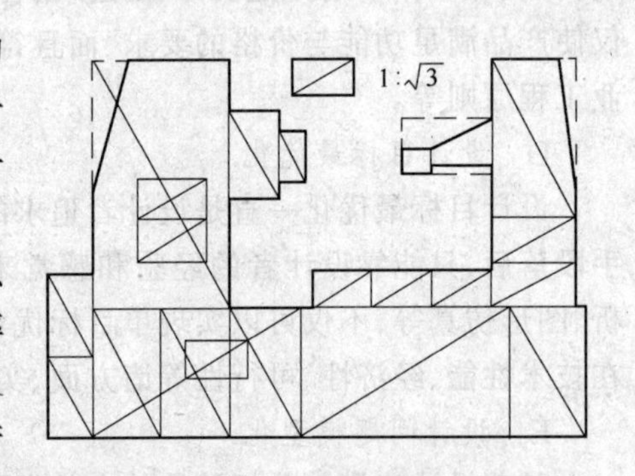

图1-4 滚齿机形体比例关系

B 对称与均衡

产品造型应具有良好的视觉平衡效果，给人以稳定的感觉。对称和均衡是取得良好视觉平衡的基本形式。

对称是自然界最常见的平衡方式，可给人以庄重、稳定和安全的感觉，大型机床如锻压机，一般采用对称造型。

均衡是对于不对称形体的处理方式，根据力学平衡原理、不对称形体以支点表现出形体

大小与到支点距离乘积相等的平衡感，达到均衡效果，同时还会具有静中有动、动中有静的条理美和动态美。此外，还可通过色彩、机理和表面装饰加强均衡效果。

C 统一与变化

统一是指造型物群体之间或造型物各组成部分之间，在形状、线型、色彩、部位、姿态、质地和数量等方面的同一性、类似性、条理性与和谐性。变化是指上述诸方面间的差异性、对比性。完美的造型必须强调统一性。现代工业产品门类日益繁多，强调产品外观的规整化、单纯化、简洁化已成为发展趋势。为了使造型物形象各异，生动活泼，具有吸引力，可在统一、协调、完整的同一性中，适当揉入差异性，加强彼此间的对比性，但变化要适当，不宜过分，避免庞杂、紊乱和离心。

D 节奏与韵律

在视觉艺术中，形体的几何构成要素有规律的连续分布构成节奏，节奏做有规律的渐变即获得韵律，韵律的获得可借助于形状的渐变、排列的渐变、色调的渐变、分量的渐变等形式。无论是节奏还是韵律，都具有一种超越人们意识的吸引力。在造型设计中灵活应用节奏和韵律，可以产生和谐、愉快或具有吸引力的视觉效果。

1.5.1.2 产品色彩设计

产品色彩依附于形体，但比形体更富有吸引力，能先于形体来影响人的感官，对有效发挥产品功能、美化工作环境也会起到重要作用。色彩应与产品类型、结构特点、使用环境、市场需求以及不同地区和民族的习俗爱好有关。

A 产品色彩设计要点

(1)环境与功能。色彩应充分表达产品的功能特征，并与使用环境相协调。如使用环境油污较大时，为了耐油污，通常用色宜深沉。机床的面板、显示部分用色要求明显醒目但不刺眼。警示部分色调要鲜艳以引起注意，隐蔽部分色调要沉静。

(2)整体协调统一。大面积宜采用低纯度色彩为主体色，以明快、雅致、洁净的色彩统一全局，使主调明确。再用小面积高纯度的色彩进行点缀，使总体显得丰富、变化、有生气。整体色彩一般用单色或两套色，不宜多于三套色。

(3)突出工艺理化性能。产品色彩要充分利用各种材料的质地纹理和机械加工效果，具有机械制造产品的色彩意境。如加工中心刀库上的刀具、机床的手柄、工作台、导轨、防护罩等，在机床上具有恒定性，应将其作为重要色彩因素加以考虑，通过机械加工及电镀、氧化处理等理化工艺手段，产生特有的金属色彩效果，可起到调节、点缀和对比作用。

(4)注意创造性。色彩设计注意新颖性、创造性，使产品有活力而更具竞争性。

B 产品色彩设计的基本手法

(1)单色与套色。采用一种色为主体色时，给人以简洁、大方的感觉，整体效果好，以冷色调为主；采用两套色时，可使色彩丰富，产生对比与统一的效果，可减弱形体笨重感，强调重点部位等。一般采用左右分色、上下分色、综合分色、中间色带及主次分色等多种手法；采用大面积的低纯度色为主调，局部再施以高纯度色进行对比，应用也较多。

(2)色彩的冷暖感。要根据产品功能和使用环境来选择色彩的“冷暖”。如炎热地区宜选冷色，如蓝色、蓝紫色、蓝绿色等；寒冷地区宜选暖色，如红、橙、黄色。

(3)色彩的轻重。浅淡色、暖色显得轻而深，暗色和冷色显得重，故可用于处理产品形体的稳定与均衡。欲使产品外观稳定，则在产品下部实施深暗色，上部用浅色；欲使产品外观显得轻巧，则在产品下部用浅淡色。

(4)色彩的大小感。亮色、暖色因膨胀感而显大，暗色、冷色因收缩感而显小。故可用以调整产品的形体比例关系，获得整体比例协调。

(5)色彩的远近感。通常，暖色、鲜艳的色彩显得向前、凸出，而冷色、灰色显得后退、隐蔽，故可用于产品重点部位的强调，以及次要或繁琐部位的隐退，使之增加产品的空间层次、丰富立体造型的空间效果。

(6)色彩的软硬感。明亮色彩感觉软，深暗色彩感觉硬，故可用以表达产品的性能及创造宜人的色调。

此外色彩还有浓淡感、干湿感、动静感、朴素与华丽感等主观效果，在色彩设计中也应予以重视。

1.5.2 产品人机工程设计

人机工程学是20世纪50年代发展起来的一门学科，是研究人机关系的一门学科，它的目标是根据人的生理与心理特征，设计出适宜人操作的机器，适宜人的工作范围和环境，使用方便的操纵器，醒目的显示与控制器，力求以较少付出，获取最高的人机效率。它不仅涉及工程技术理论，而且涉及生理学、人体解剖学、心理学和劳动卫生学等理论与方法，是一门综合性的边缘学科。

1.5.2.1 人体静态与动态形体尺寸

产品设计中应充分考虑与人体尺寸参数有关的问题。指导设计规范GB 10000—88中对人体静态尺寸参数进行了统计分析。人体静态尺寸随人种、地区和性别而异，我国的人体平均身高为169cm，女性与男性平均矮10～11cm。

人体动态尺寸是指人在工作位置上的活动空间尺度，主要包括立姿、坐姿和综合姿势的四肢活动空间，如图1-5、图1-6和图1-7所示。

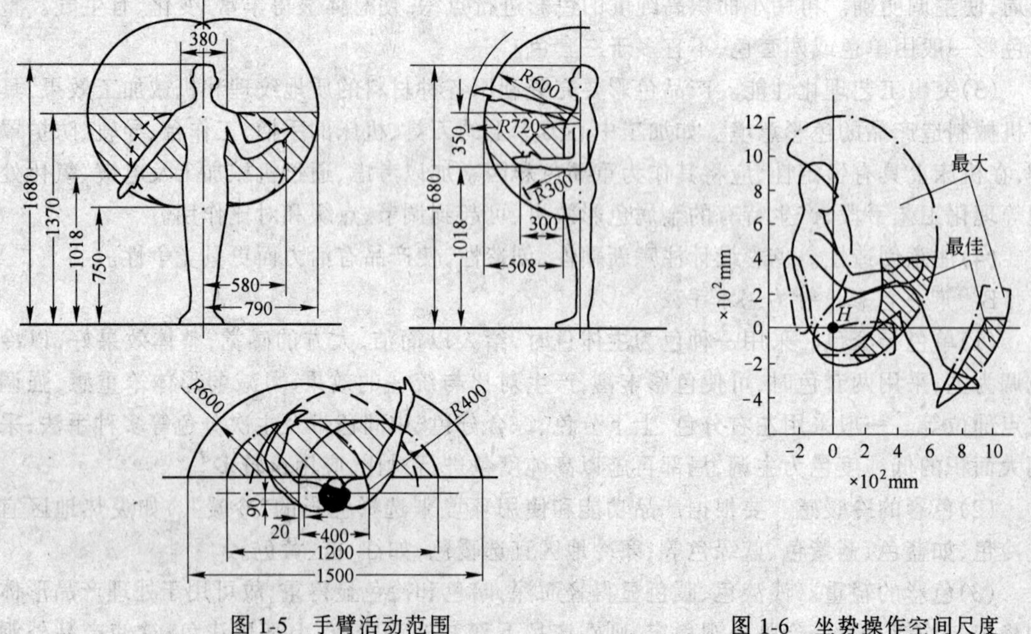

图1-5 手臂活动范围

图1-6 坐势操作空间尺度

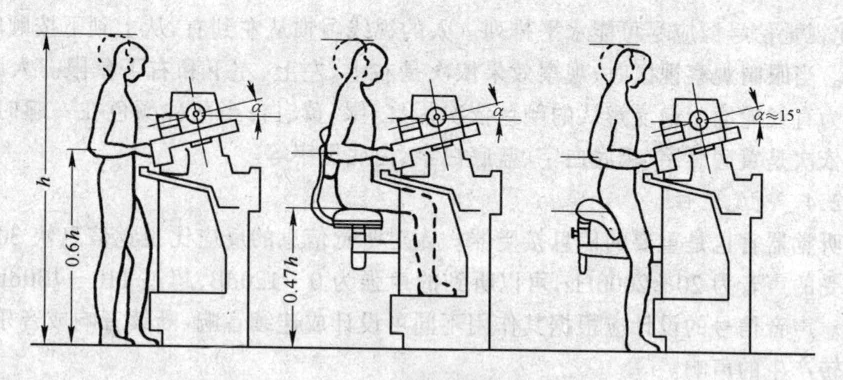

图 1-7　综合姿势操作空间尺度

1.5.2.2　肢体运动与操纵力

人在操作和使用机器时，上肢动作比下肢快，手的前后运动较左右运动快，上下运动比水平运动快，从上往下较从下往上运动快，右手从左向右较从右向左运动快，顺时针方向运动较逆时针方向快。手做离开身体运动比朝向身体的运动准确性高，逆时针转动比顺时针转动准确性高，较长距离运动误差比短距离的运动误差小；下肢操作力比上肢大，右手比左手有力，手前伸的力比收回的力大等。

1.5.2.3　视觉特性

据统计，人感知信息的 80％～90％是由视觉器官接收的，因此设计产品时，信息源应尽可能在人的视野和视距范围内。

视野是指人的头部和眼球固定不动情况下，眼睛自然可见的空间范围，如图 1-8 所示。视野可划分为 4 个区，最佳视区为最清晰区，良好视区是短时间内可辨认区，有效视区为集中注意力可辨认区，极限视区是模糊不清的视区。

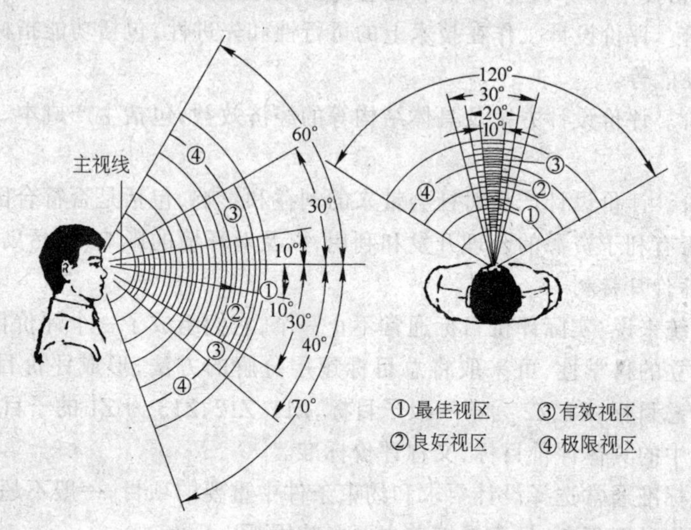

图 1-8　人在垂直方向的视野(左)和水平方向的视野(右)

视距是指人在操作过程中正常的观察距离，一般为 380～760mm 之间。因此应根据工作要求的精确程度、性质和内容来确定最佳视区。

人眼的运动沿水平方向比垂直方向灵活，感觉水平尺寸的误差比垂直尺寸精确，且不易疲劳，因此视觉信号源应尽可能水平排列。人的视线习惯从左到右，从上到下按顺时针方向移动视线。当眼睛观察视区时，观察效果依次是右上、左上、左下和右下象限。人眼最易辨认的轮廓为直线轮廓。最易辨认的颜色依次为红、绿、黄、白；当两种颜色在一起时，最易辨认的顺序依次是黄底黑字、黑底白字、蓝底白字、白底黑字等。

1.5.2.4 听觉特性

人的听觉器官也是重要的信息接受器。人对听觉信息的反应比视觉信息快 30～50ms；人耳可接受的声音为 20～2000Hz，可以听到的声强为 0～120dB，超过 110～130dB，人会感到不舒服。声音信号的设计应根据其作用不同可设计成连续音响、断续音响或音乐等，有别于机器运转产生的声响。

1.6 机械制造装备设计评价方法

工程设计具有多约束性、多目标性和相对性三个特点，其工作过程是分析、综合、评价和决策过程的反复运用，因此，评价在设计工作中具有重要意义。评价不仅是为决策提供依据，而且也为发现问题、改善设计工作提供依据，所以，应该学习与掌握评价的原理与方法，以便建立正确的设计思想。评价方法很多，如简单地比较排队法、数学分析法和试验分析法等。设计中通常采用数学分析法，运用数学工具进行计算，给出定量的评价结果。

1.6.1 评价目标与评分

设计评价中，无论采用什么方法，首先要建立合理的评价目标体系，确定统一的评价标准，才能采用科学的评价方法，统一各种不同意见，尽量消除评价者的主观偏差。

1.6.1.1 评价内容

评价内容包括技术评价、经济评价和社会评价三方面内容。

(1)技术评价。评价设计工作在技术上的可行性和先进性，包括功能指标、性能指标、可靠性、使用维护性能等。

(2)经济评价。评价设计方案及具体结构等的经济效益，包括生产成本、利润、运行成本及投资回收期等。

(3)社会评价。评价设计产品对社会带来的利益和影响，包括是否符合国家科技发展的政策和规划，是否有利于资源的合理开发和利用，以及对环境的影响(如污染、噪声)等。

1.6.1.2 评价目标树

对于技术系统来说，实际评价目标通常不止一个，它们组成了一个评价目标系统。为了保证评价目标建立的科学性，可采取将总目标逐层分解的方法，形成评价目标树，如图 1-9 所示。其中 Z 为总目标，Z1、Z2 为第一级子目标，Z11、Z12、Z13 为 Z1 的子目标，最后一级子目标为评价目标中的具体评价目标，又称评价标准。

评价目标或标准通常选择设计要求和约束条件中重要的项目，一般不超过 6～10 项，项目过多使评价工作过于复杂，且容易掩盖主要影响因素。

1.6.1.3 确定目标重要性系数

在评价目标体系中，各评价目标的重要程度是不同的，因此要使用重要性系数(加权系数)以示区别。为了便于计算，每个评价目标的重要性系数是小于 1 的数，但各目标重要性系数之和应等于 1，因此各目标的重要性系数可根据目标树，采用相对重要性系数相乘求

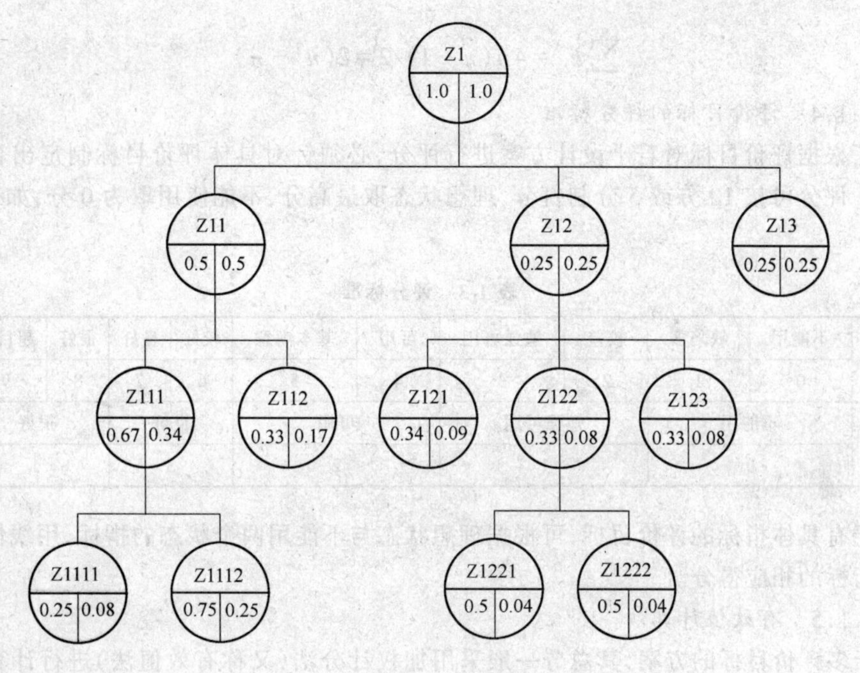

图 1-9 目标系统与重要性系数

出。如图 1-9 中，每个评价目标圆圈内有两个数字，左边的数字表示隶属于同一上级目标的各子目标之间的相对重要性系数，其总和也应等于 1；右边数字表示本目标的重要性系数，其值等于它的相对重要性系数与相关各上级目标相对重要性系数的乘积，如 Z1112 的重要性系数为 $0.75\times0.67\times0.5\times1.0=0.25$。

隶属于同一上级目标的各同级子目标之间的相对重要性系数可采用经验法，由设计人员或设计组共同商定，也可采用判别表计算法求出。

判别表计算法是将各评价目标的重要性两两比较打分，若同等重要各给 2 分，重要性不同则重要项给 3 分，另一项给 1 分，若重要性相差悬殊则分别给 4 分和 0 分，将评分列于表 1-2 中。则各评价目标的加权系数 g_i 可由下式计算出：

$$g_i = k_i \Big/ \sum_{i=1}^{n} k_i \tag{1-3}$$

式中 k_i——各评价目标的总分；

n——评价目标数。

表 1-2 加权系数判别计算表

比较目标 / 评价目标	F_1	F_2	F_3	F_4	k_i	$g_i = k_i \Big/ \sum_{i=1}^{n} k_i$
F_1		1	0	1	2	0.083
F_2	3		1	2	6	0.25
F_3	4	3		3	10	0.417
F_4	3	2	1		6	0.250
重要性 $F_3>(F_2, F_4)>F_1$					$\sum_{i=1}^{4} k_i = 24$	$\sum_{i=1}^{4} g_i = 1$

$$\sum_{i=1}^{n} k_i = 4n(n-1)/2 = 2(n^2 - n)$$

1.6.1.4 评价目标的评分标准

为了根据评价目标对若干设计方案进行评分，必须针对具体评价目标制定出合理的评分标准。评分可按10分或5分制打分，理想状态取最高分，不能使用取为0分，如表1-3所示。

表 1-3 评分标准

十分制	不能用	缺陷多	较差	勉强可用	可用	基本满意	较好	良好	很好	超目标	理想
	0	1	2	3	4	5	6	7	8	9	10
五分制	不能用		勉强可用		可用		良好		很好		理想
	0		1		2		3		4		5

对于有具体指标的评价目标，可根据理想状态与不能用两个状态的指标，用线性函数求出具体指标的相应得分。

1.6.1.5 有效值计算法

对于多评价目标的方案，其总分一般采用加权计分法（又称有效值法）进行计算。对于 m 个设计方案，确定 n 项评价目标，则各方案的各评价目标评分可用矩阵表示为：

$$\boldsymbol{P} = \begin{bmatrix} P_1 \\ P_2 \\ \vdots \\ P_m \end{bmatrix} = \begin{bmatrix} P_{11} & P_{12} & \cdots & P_{1n} \\ P_{21} & P_{22} & \cdots & P_{2n} \\ \vdots & \vdots & \vdots & \vdots \\ P_{m1} & P_{m2} & \cdots & P_{mn} \end{bmatrix} \tag{1-4}$$

各评价目标的加权系数可表示为：

$$\boldsymbol{G} = [g_1 \quad g_2 \quad \cdots \quad g_n] \tag{1-5}$$

则 m 个设计方案的有效值矩阵可表示为

$$\boldsymbol{N} = \boldsymbol{G}\boldsymbol{P}^T = [N_1 N_2 \cdots N_j \cdots N_m] \tag{1-6}$$

其中　第 j 项设计方案的有效值为

$$N_j = g_1 p_{j1} + g_2 p_{j2} + \cdots + g_n p_{jn} \tag{1-7}$$

1.6.2 技术经济评价方法

对设计工作评价，经常采用技术经济评价方法，该方法已被列为德国工程师协会技术准则 VDI 2225。该方法的特点是求设计方案的技术价和经济价，它们都是相对理想状态的相对值，有利于进行决策。

A 设计方案的技术评价

$$W_t = \sum_{i=1}^{n} P_i g_i / P_{max} \tag{1-8}$$

式中 W_t——设计方案的技术价；

P_i——各技术评价目标的评分；

g_i——各技术评价目标的加权系数，取 $\sum g_i = 1$；

P_{max}——最高分值或理想分值。

显然 W_t 越大,说明方案的性能越好。理想方案的 $W_t=1$,若 $W_t<0.6$,则表示方案在技术上不合格,必须加以改进才考虑选用。

B 设计方案的经济评价

设计方案的经济评价用经济价 W_e 表示,是理想生产成本与实际生产成本之比。理想方案的 $W_e=1$,若 $W_e<0.7$,则表示该方案的经济评价不合格。

$$W_e=\frac{H_1}{H}=\frac{0.7H_2}{H} \tag{1-9}$$

式中 H_1——理想生产成本;

H_2——允许生产成本;

H——实际生产成本。

C 技术经济综合评价

技术经济综合评价可采用计算法和作图法,其中计算法较为简单,还可分为直线法和抛物线法。

(1)直线法

$$W_o=\frac{1}{2}(W_t+W_e) \tag{1-10}$$

(2)抛物线法

$$W_o=\sqrt{W_tW_e} \tag{1-11}$$

对于可行方案,必须满足 $W_o\geqslant0.65$。

1.6.3 产品成本估算方法

在产品设计工作中,为了对产品进行经济评价,需要对产品成本进行估算。

1.6.3.1 产品成本的组成

产品成本的组成如图 1-10 所示,主要包括材料成本和开发与制造成本两大部分,每一部分又可根据其结算方式划分为单件成本和公共成本。单件成本是直接消耗于产品的费用,如材料费和加工费等。公共成本则属于企业整体消耗和管理费用分摊到每个产品上的费用。

材料成本中的单件成本主要是直接用于制造的原材料、外协件和外购件费用;公共成本则包括材料供应、运输、保管过程中所需的花费。

制造成本是与产品制造有关的费用。其中根据定额工时可估算出加工工资成本;计入设备折旧、电、水费用后可算出加工成本;计入材料成本、分摊的开发、工装等费用后可算出产品的制造成本;将公共成本分摊进去后就是产品(自身)成本;计入利润后得到纯销售价;如需给代理人佣金,则记入后得毛销售价;再计入包装运输、各类税金和各种调价因素后,最终得到的是市场售价。调价因素包含的内容很多,主要与市场政策法规、销售潜力、竞争的产品和对手情况有关。调价可以是上浮或下调,有时为了开辟新市场,提高竞争力,市场售价也有可能低于自身成本。

1.6.3.2 成本估算方法

产品设计完成后,理论上可以按图 1-8 所示的成本组成内容,逐项精确计算出产品的成

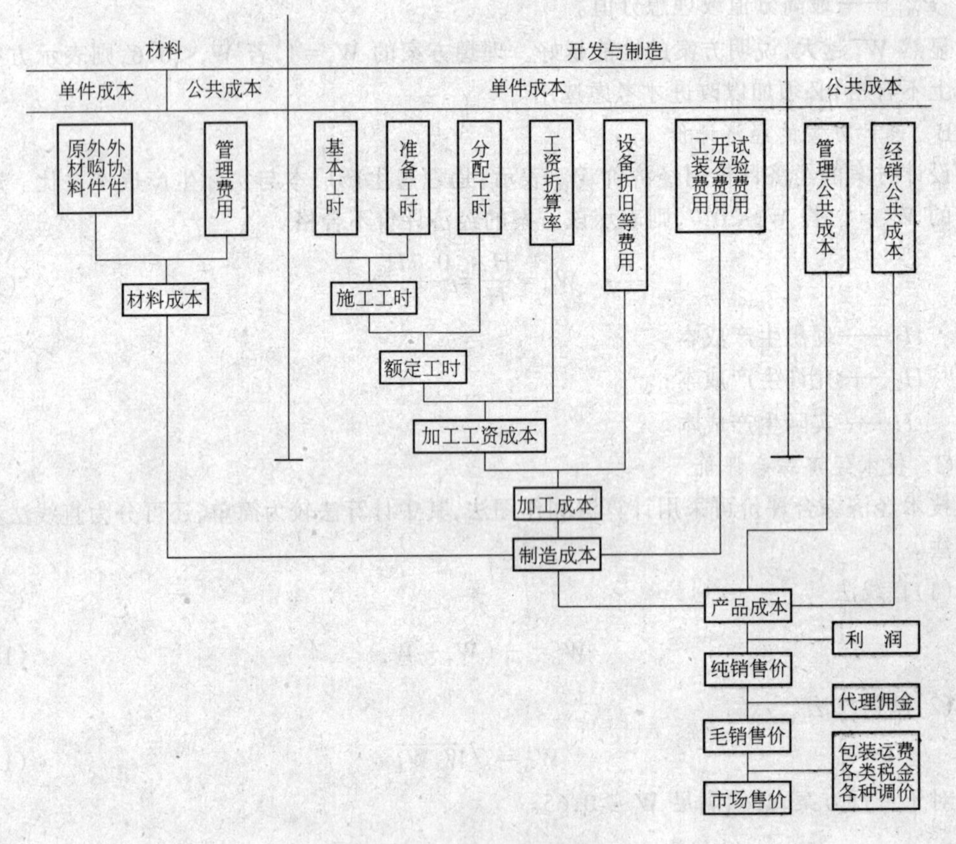

图 1-10 产品成本的组成

本，但实际上由于工作量浩大，特别是我国企业缺乏精确完整的基础数据，产品成本的精确计算比较困难，因此，通常采用较粗略的成本估算方法。

粗略成本可以按产品重量估算，按材料成本折算，应用回归分析或相似关系等方法进行估算。

A 按重量估算法

产品的生产成本可以看成重量的函数

$$C = f_{w} \cdot W \tag{1-12}$$

式中 C——产品生产成本(元)；

f_{w}——重量成本系数(元)/kg；

W——产品重量(kg)。

一般来说，重量成本系数 f_{w} 不是常数，可根据若干种典型零件的重量和成本用最小二乘回归的办法求得。

B 按材料成本折算法

据统计，每类产品的材料成本相对于生产成本的比值大致在一定范围内，可表示为

$$C = C_{M} / m \tag{1-13}$$

式中 C——产品生产成本；

C_{M}——产品材料成本；

m——产品材料成本率。

不同产品的结构、材料和制造特点不同,其材料成本率也会不同。材料成本率可根据现有同类产品的实际生产成本和材料成本进行计算。德国工程师协会技术准则 VDI 2225 给出了各类产品的材料成本率的参考值,如表 1-4 所示。

新产品的材料成本可按下式计算:

$$C_{\mathrm{M}} = 1.25W + 1.15Z \tag{1-14}$$

$$W = \sum_{i=1}^{n} V_i r_i k_i$$

$$Z = \sum_{j=1}^{m} Z_j$$

式中 W——自制件材料成本;

Z——外购件成本;

V_i——某种自制件体积;

r_i——材料单位体积重量;

k_i——单位重量材料价格;

n——自制件种类数;

m——外购件种类数。

表 1-4 各类产品的材料成本率的参考值

产品类型	m	产品类型	m
吸尘器	80%	柴油马达	53%
起重机	78%	蒸汽透平机	44%~49%
小汽车	65%~75%	挂钟	47%
卡车	68%~72%	电动机	45%~47%
铁路货车	68%	重型机床	44%
缝纫机	62%	电视机	38%
台式电话	58%	电测仪	26%~38%
铁路客车	57%	中型机床	34%
水轮机	56%	精密钟表	31%

C 相似产品的成本估算

对于几何或结构相似的产品可根据相似关系进行产品成本估算。

$$C = \frac{n_0}{n} C_{\mathrm{R0}} \varphi_l^{0.5} + C_{\mathrm{F0}} \varphi_l^2 + C_{\mathrm{M0}} \varphi_l^4 \tag{1-15}$$

式中 C——产品生产成本;

n_0——基型产品或已知产品的生产批量;

n——相似产品的生产批量;

C_{R0}——基型产品的生产准备成本;

C_{F0}——基型产品的加工成本;

C_{M0}——基型产品的材料成本；

φ_l——相似产品与基型产品的几何尺寸相似比，$\varphi_l = l/l_0$。

根据统计，相似产品的加工准备成本比与 $\varphi_l^{0.5}$ 成正比；加工成本与加工面积有关，加工成本比与 φ_l^2 成正比；材料成本与零部件体积有关，故加工成本比与 φ_l^3 成正比。

D　应用回归分析进行成本估算

应用统计分析办法，可求出影响产品成本的几个特征参数，如功率、主参数、重量或体积等，采用回归分析方法找出它们与成本之间的数学关系。回归方程通常采用指数函数形式。

$$C = KT_1^{k_1} T_2^{k_2} \cdots T_n^{k_n} \tag{1-16}$$

式中　C——产品估算成本；

K——回归系数；

$T_1, T_2, \cdots, T_n$——特征参数；

$k_1, k_2, \cdots, k_n$——各特征参数的回归指数。

1.6.4　降低产品成本途径

无论从提高产品竞争力、还是减少资源消耗、增加企业利润等方面出发，降低产品成本是提高社会效益的根本途径。

降低成本涉及企业生产的许多方面，应该通过全面分析了解影响产品成本的主要因素，找出生产成本中的薄弱环节，有针对性地采取有效措施。在众多降低生产成本的措施中，通过产品设计来降低成本是重要的一环。德国工程师协会技术准则 VDI 2225 曾做过定量的统计分析，表明产品设计开发在生产总过程中所占时间不多，但对成本的影响却占 70%。设计阶段中所决定的产品工作原理、零件数量、结构尺寸、材料选用等，将直接影响加工方法、使用性能等，因此对产品成本影响最大。降低产品成本可以从以下几个方面着手：

1.6.4.1　优选设计方案

设计中应特别注意原理方案对成本的影响。产品设计的目的是为了实现特定的功能，不同的设计方案其制造成本等必然不同。设计人员应对设计方案进行全面的经济分析，力求在满足设计功能的前提下，采用最低成本方案。

一般情况下，减少产品的零件数量，从加工、运输、装配、资金等方面考虑，都会使产品成本下降，同时缩短供货期。经对 5 种产品调查统计，通过减少零件数量，平均能降低生产成本 10%。对此也要认真分析，如大传动比系统，有时采用多级传动，虽然会增加零件数量，由于零件尺寸减少，同样会使成本明显下降。

1.6.4.2　降低材料成本

A　选用廉价材料

在满足性能前提下，尽量选用价廉材料。如采用普通碳素钢代替优质碳素钢；使用工程塑料代替金属和木材；用粉末冶金材料制造批量耐磨零件等。铝合金材料虽比钢材价高，但由于其重量轻、延伸率大等优点，会补偿价格稍贵的缺点，在运输机械上得到越来越多的应用。

B　采用节约材料的结构

用薄壳加筋板代替厚板，可以减轻重量，并大大提高构件的强度与刚度，对受弯矩或扭矩等载荷作用的构件，采用合理的截面形状，既能节约材料，又能达到理想的强度和刚度，如相同抗弯强度,工字形状截面材料仅为方形截面的1/5～1/8等。

1.6.4.3 零件标准化、部件通用化、产品系列化和结构模块化

零件标准化、部件通用化、产品系列化和结构模块化可以减少零件种类,是提高零件批量的有效措施,不仅可以提高设计质量和效率,降低设计费用,也可有效地降低生产成本。

1.6.4.4 提高产品结构工艺性

提高产品结构的工艺性,应保证产品结构合理组合,遵守各种加工方法的结构工艺性规范,提高产品的装配工艺性、维修工艺性和加工工艺性,进一步降低生产成本,提高产品质量。

A 产品结构合理组合,提高装配工艺性和维修工艺性。

(1)将产品合理地分解成部件。将部件分解成组件、将组件分解成零件,可以实现平行装配与检验,既缩短设计周期,又能保证装配质量。

(2)将形状复杂、加工工艺性差的大型零件分解成形状较简单、工艺性较好的小型零件,给加工、装配和运输带来方便。

(3)将形状简单的若干零件合并为一个零件,减少接合部位和接合表面数量,提高零件性能,减少装配工作量,方便生产组织与管理,节约原材料。

(4)统一和简化零件结合部位的结构,减少结合部位数量,避免双重配合,简化并统一调整方式,调整时尽可能不拆或少拆已装好的零件等,提高产品的装配工艺性和维修工艺性。

(5)零件结构应便于自动储存、识别、整理、夹取和移动,提高装配工艺性。

B 提高零件的加工工艺性

零件的加工工艺性与零件的材料和毛坯类型,结构形状、尺寸、精度等有关,没有一个绝对的标准,应依据制造厂现有的加工设备和工装条件,外协加工条件,与老产品结构的通用性,材料、毛坯和半成品的供货情况,质量检验条件和可能性以及传统的工艺习惯等加以评价。

零件结构应满足铸、锻、焊和车、铣、磨、刨、钻等机械加工对结构工艺性的要求,设计中要注意参照有关的结构工艺性规范。设计铸件时,应力求使形状简单、拔模容易、型芯少并便于支撑,保证铸件在浇注时能自由收缩,避免截面的急剧变化、过长的分型线和金属的局部积聚等。设计焊接零件时,要充分发挥板壁和肋板的承载及抵抗变形的作用,尽量减少焊接和钳工工作量,设法减少焊接变形,尽可能不用仰焊等。对于大型零件,尽量将加工部位集中安排在少数几个方面或平面上,便于一次加工,减少加工中的翻转和调头次数,对所有加工面都有较大的支撑面和基准面,便于加工时的定位、夹紧和检测。

1.6.4.5 零部件及其材料的再应用

产品零部件及其材料的再应用,不仅有利于降低产品的生产成本,同时也是节约原材料消耗,保护地球上的有限资源,保证人类社会可持续发展的重要措施,因此受到了人们越来越广泛的重视。为了保证产品报废后,有关零部件及其材料能方便地再回收和利用,必须在产品设计阶段加以考虑,采用相应技术措施,便于有关耐用零部件的拆卸,便于不同原材料的分离和回收。

复习题与习题

1 机械制造业在国民经济中的地位如何,其发展趋势体现在哪些方面?

2 机械制造技术的发展趋势如何?

3 什么是机械制造装备,有哪些类型,其功能是什么?

4　概括说明新时期对机械制造装备设计的要求？

5　现代设计方法的主要特点是什么？

6　产品设计工作有哪几种基本类型，其主要工作步骤和内容如何？

7　什么是系列化产品设计，其主要技术内容是什么？

8　什么是相似设计？

9　为什么要重视应用产品模块化设计方法，怎样开展产品的模块化设计工作？

10　如何进行产品设计的经济技术评价？

11　什么是产品成本基本构成，如何降低产品成本？

12　为什么要重视产品的造型、色彩设计与人机工程设计，其设计要点是什么？

2 金属切削机床设计

2.1 机床产品评价指标

在机床设计中,必须充分注意机床产品的评价指标以及用户的具体要求,以便设计出技术先进、经济合理,即质优价廉的机床,提高机床在国内外市场上的竞争力。

2.1.1 机床工艺范围

机床工艺范围是指机床适应不同生产要求的能力。一般包括在机床上完成的工序种类、工件的类型、材料、尺寸范围以及毛坯种类等。根据机床的工艺范围,可将机床设计成为通用机床、专门化机床和专用机床三种不同类型。

机床工艺范围要根据市场需求及用户要求合理确定。不仅要考虑单个机床的工艺范围,还要考虑生产系统整体,合理配置不同机床以及确定各自工艺范围,以便追求系统优化效果。

数控机床是一种能进行自动化加工的通用机床,由于数字控制的优越性,常常使其工艺范围比普通机床更宽,更适用于机械制造业多品种小批量的要求。加工中心(自动换刀数控机床)由于具有刀库和自动换刀装置等,一次装夹能进行多面多工序加工,不仅工艺范围宽,而且有利于提高加工效率和加工精度。

2.1.2 机床精度和精度保持性

A 机床精度

机床精度是反映机床零部件加工和装配误差大小的重要技术指标,会直接影响工件的尺寸、形位误差和表面粗糙度。机床精度包括几何精度、传动精度、运动精度、定位精度及工作精度等。

(1)几何精度。指最终影响机床工作精度的那些零部件的精度,包括尺寸、形状、相互位置精度等,如直线度、平面度、垂直度等,是在机床静止或低速运动条件下进行测量,可反映机床相关零部件的加工与装配质量。

(2)传动精度。机床内联系传动链两端件之间相对运动的准确性,反映传动系统设计的合理性及有关零件的加工和装配质量。

(3)运动精度。机床主要零部件在工作状态速度下无负载运转时的精度,包括回转精度(如主轴轴心漂移)和直线运动的不均匀性(如运动速度周期性波动)等。运动精度与传动链的设计、加工与装配质量有关。

(4)定位精度。机床有关部件在直线坐标和回转坐标中定位的准确性,即实际位置与要求位置之间误差的大小,主要反映机床的测量系统、进给系统和伺服系统的特性。

(5)工作精度。机床对规定试件或工件进行加工的精度,不仅能综合反映出上述各项精度,而且还反映机床的刚度、抗振性及热稳定性等特性。

B 机床精度等级

机床的精度可分为普通级、精密级和高精度级三种精度等级。其公差大致为1∶0.4∶0.25。国家有关标准对不同类型和等级机床的检验项目及允许误差都有比较明确的规定，在机床设计与制造中必须贯彻执行，并注意留出一定的精度储备量，如有的厂家将规定精度标准压缩三分之一作为生产标准执行。

C 机床精度保持性

机床的精度保持性是指机床在工作中能长期保持其原始精度的能力，一般由机床某些关键零件，如主轴、导轨、丝杠等的首次大修期所决定，对于中型机床首次大修期应保证在八年以上。为了提高机床的精度保持性，要特别注意关键零件的选材和热处理，尽量提高其耐磨性，同时还要采用合理的润滑和防护措施。

2.1.3 机床生产率

机床的生产率通常是指单位时间内机床所能加工的工件数量，即

$$Q=\frac{1}{t}=\frac{1}{t_1+t_2+t_3/n} \tag{2-1}$$

式中 Q——机床生产率；

t——单个工件的平均加工时间；

t_1——单个工件的切削加工时间；

t_2——单个工件加工过程中的辅助时间；

t_3——加工一批工件的准备与结束工作时间；

n——一批工件的数量。

要提高机床的生产率可以采用先进刀具提高切削速度、采用大切深、大进给、多刀多切削等缩短切削时间。采用空行程机动快移、自动工件夹紧、自动测量和数字显示等，缩短辅助时间。

2.1.4 自动化程度

机床自动化加工可以减少人对加工的干预，减少失误，保证加工质量；减轻劳动强度，改善劳动环境；减少辅助时间，有利于提高劳动生产率。机床的自动化可分为大批大量生产自动化和单件小批量生产自动化。大批大量生产的自动化，通常采用自动化单机（如自动机床、组合机床或经过改造的通用机床等）和由它们组成的自动生产线。对于单件小批量生产自动化，则必须采用数控机床等柔性自动化设备，在数控机床及加工中心的基础上，配上计算机控制的物料输送和装卸装备，可构成柔性制造单元（Flexible Manufacturing Cell，简称FMC）和柔性制造系统（Flexible Manufacturing System，简称FMS）。

2.1.5 机床性能

机床在加工过程中产生的各种静态力、动态力以及温度变化，会引起机床变形、振动、噪声等，给加工精度和生产率带来不利影响。机床性能就是指机床对上述现象的抵抗能力。由于影响的因素很多，在机床性能方面，还难于像精度检验那样，制定出确切的检测方法和评价指标。

2.1.5.1 传动效率

传动效率是衡量机床能否有效利用电动机输出功率的能力，可用下式表示：

$$\eta = P/P_E \approx (P_E - P_0)/P_E = 1 - P_0/P_E \tag{2-2}$$

式中 η——机床传动效率；

P——机床输出功率；

P_E——电动机输出功率；

P_0——机床空运转功率。

机床的功率损失主要转化成摩擦热，会造成传动件的磨损和引起机床热变形，因此，传动效率是间接反映机床设计与制造质量的重要指标之一。对于普通机床，主轴最高转速时的空运转功率不应超过主电机功率的三分之一。机床的传动效率与机床传动链的长短及传动件的速度有关，也受轴承预紧、传动件平衡和润滑状态等因素影响(详见 2.2.3.4B)。

2.1.5.2 刚度

又称静刚度，是机床整机或零部件在静载荷作用下抵抗弹性变形的能力。如果机床刚度不足，在切削力等载荷作用下，会使有关零部件产生较大变形，恶化这些零部件的工作条件，特别会引起刀具与工件间产生较大位移，影响加工精度。

机床是一个由众多零件组合而成的复杂弹性体，为了提高机床刚度，要分析对刀具与工件间弹性位移影响较大的零部件，如主轴组件、刀架、支撑导轨等，同时要注意机床结构刚度的均衡与协调，防止出现薄弱环节。

2.1.5.3 抗振能力

机床的抗振能力是指抵抗产生受迫振动和切削自激振动(切削颤振)的能力，习惯上称前者为抗振性，后者为切削稳定性。机床的受迫振动是在内部或外部振源、即交变力的作用下产生的，如果振源频率接近机床整机或某个重要零部件的固有频率时，会产生"共振"，必须加以避免。切削颤振是机床-刀具-工件系统在切削加工中，由于内部具有某种反馈机制而产生的自激振动，其频率一般接近机床系统的某个固有频率。

机床零部件的振动会恶化其工作条件、加剧磨损、引起噪声；刀架与工件间的振动会直接影响加工质量、降低刀具耐用度，是限制机床生产率发挥的重要因素。

为了提高机床的抗振性能，应采取下列必要措施：

(1)提高机床主要零部件及整机的刚度，提高其固有频率，使其远离机床内部或外部振源的频率。

(2)改善机床的阻尼性能，特别注意机床零件结合面之间的接触刚度和阻尼、对滚动轴承及滚动导轨作适当预紧等。

(3)改善旋转零部件的动平衡状况，减少不平衡激振力，这一点对高速机床尤为重要。

2.1.5.4 噪声

机床在工作中的振动还会产生噪声，这不仅是一种环境污染，而且能反映机床设计与制造的质量。随着现代机床切削速度的提高、功率的增大、自动化功能的增多，噪声污染问题也越来越严重，降低噪声是机床设计者的重要任务之一。根据有关规定，普通机床和精密机床不得超过 85dB(A)，高精度机床不超过 75dB(A)，对于要求严格的机床，前者应压缩到 78dB(A)，后者应降低到 70dB(A)。除声压级以外，对噪声的品质也有严格要求，不能有尖叫声和冲击声，应达到所谓"悦耳"的要求。机床噪声源包含机械噪声、液压噪声、电磁噪声和空气动力噪声等不同成分，在机床设计中要提高传动质量，减少摩擦、振动和冲击，减少机械噪声。

2.1.5.5 热变形

机床工作中由于受到内部热源和外部热源的影响,使机床各部分温度发生变化,引起热变形。机床热变形会破坏机床的原始精度,引起加工误差,还会破坏轴承、导轨等的调整间隙,加快运动件的磨损,甚至会影响正常运转。据统计,热变形引起的加工误差可达总误差 70%以上,特别是对于精密机床、大型机床以及自动化机床,热变形的影响是不容忽视的。

机床的内部热源有电动机发热,液压系统发热,轴承、齿轮等摩擦传动发热以及切削热等;机床的外部热源主要是机床的环境温度变化和周围的辐射热源。机床开始工作时各部分温度较低,因此温升速度较快,随着温度升高,散热作用加强,温升速度减缓,如果热源在单位时间内发热量恒定,则经过一段时间,机床各部分的温升和热变形会基本保持稳定,处于热平衡状态。

机床设计中要求采取各种措施减少内部热源的发热量、改善散热条件、均衡热源、减少温升和热变形;还可采用热变形补偿措施,减少热变形对加工精度的影响等。

2.1.6 机床宜人性

机床宜人性是指为操作者提供舒适、安全、方便、省力等劳动条件的程度。机床设计要布局合理、操作方便、造型美观、色彩悦目,符合人机工程学原理和工程美学原理,使操作者有舒适感、轻松感,以便减少疲劳,避免事故,提高劳动生产率。机床的操作不仅要安全可靠,方便省力,还要有误动作防止、过载保护、极限位置保护、有关动作的连锁、切屑防护等安全措施,切实保护操作者和设备的安全。机床工作中要低噪声、低污染、无泄漏、清洁卫生、符合绿色工程要求等。应该指出,在当前激烈的市场竞争中,机床的宜人性具有先声夺人的效果,在产品设计中应该给予高度重视。

2.1.7 机床成本

机床产品的成本是指寿命周期成本,包括制造成本和使用成本,是评价机床产品的重要指标。一般说来,机床成本的 80%左右在设计阶段就已经确定,为了尽可能地降低机床成本,机床设计工作应在满足用户需求的前提下,努力做到结构简单,工艺性好,方便制造,装配、检验与维护;机床产品结构要模块化,品种要系列化,尽量提高零部件的通用化和标准化水平。

2.2 机床初步设计

金属切削机床的初步设计,又称总体方案设计,是一项全局性的设计工作,其任务是研究确定机床产品的最佳设计方案,为技术设计工作提供依据。初步设计工作的质量将影响机床产品的结构、性能、工艺和成本,关系到产品的技术水平和市场竞争能力。机床初步设计主要包括:拟定机床的工艺方案、运动方案,确定技术参数和机床总体布局等。

2.2.1 机床工艺方案拟定

机床工艺方案的主要内容有:确定加工方法、刀具类型、工件的工艺基准及夹压方式等。工艺方法在很大程度上决定了机床的类型、规格、运动、技术参数、布局及生产率等。因此,对工件进行工艺分析,通过调查研究拟定出经济合理的工艺方案,是机床设计的重要基础。

工艺方案的拟定,应正确处理加工质量、生产率和经济性这三者的关系。

工件是机床的加工对象,是机床设计的依据。不同的工件表面可采用不同的加工方法,但相同的工件表面也可采用不同的加工方法,如平面加工可采用铣、刨、拉、磨、车等;回转表面加工可采用车、钻、镗、拉、磨、铣等。而且,工件的工艺基准、夹压方式及刀具类型等也是各式各样的。可见,一种工件的加工,可采用多种工艺方案来实现,随之所设计的机床也不同。因此,机床是实现工艺方案的一种工具。新工艺方法的出现,必然会促进新型机床的发展。

通用机床在生产中已广泛应用,其工艺比较成熟。通用机床的工艺方案可参照已有的成熟工艺来设计,但有时必须根据市场需求,在传统工艺基础上,扩大工艺范围,以增加机床的功能和适应新工艺发展的需求。例如卧式车床增加仿形刀架附件,在完成传统车削工艺外,还可以进行仿形车削加工。又如立式车床增加磨头附件,还可对大型回转工件进行精加工等。数控加工中心由于采用了刀库和自动换刀装置,形成了可实现多种加工方法、工序高度集中的新型机床。

专用机床工艺方案的拟定,通常根据特定工件的具体加工要求,确定出多种工艺方案,通过方案比较加以确定,常需要绘制出加工示意图或刀具布置图等。

2.2.2 机床运动方案拟定

机床运动方案拟定的主要内容有:确定机床运动的类型,传动联系,运动的分配及传动方式等。

2.2.2.1 机床运动类型的确定

机床运动方案拟定中,首先要确定机床运动的类型。根据运动的功能,可将机床运动划分成表面成形运动和辅助运动两大类。表面成形运动(或简称成形运动)是保证得到工件要求的表面形状的运动。成形运动又分为简单成形运动和复合成形运动,简单成形运动都是相对独立的旋转运动或直线运动,如外圆车削加工中的工件回转运动和车刀沿工件轴线的直线运动。复合成形运动可分解成两个或两个以上的旋转运动或直线运动,但分解后的旋转运动或直线运动之间必须保持严格的相对运动关系,这种严格的相对运动关系在普通机床上是由内联系传动链来完成,在数控机床上由坐标轴之间的联动控制来完成。表面成形运动根据运动速度和消耗动力的大小又可分为主运动和进给运动,其中主运动是形成机床切削速度或消耗主要动力的成形运动,如车床上工件的旋转运动;进给运动是维持切削连续进行的运动,一般速度较低、动力消耗较小,如车床上刀架的纵向运动和横向运动。根据成形运动的类型,主运动和进给运动可能是简单成形运动,也可能是复合成形运动的一部分。

机床辅助运动类型很多,如切入及退刀运动、空行程调整运动、转位运动、各种操纵和控制运动等。

2.2.2.2 机床运动的分配

由工艺方法确定的表面成形运动,还只是工件与刀具间的相对运动,因此还会有不同的运动分配形式。机床运动的分配是由多种因素决定的,应由全面的经济技术分析加以确定。一般应注意下述问题:

(1)简化机床的传动和结构　一般把运动分配给重量小的执行件,如毛坯为棒料的自动车床,由工件旋转作为主运动;对于毛坯为卷料的车床,由于卷料不便于旋转,可由车刀旋转做主运动,形成套车加工。管螺纹加工机床也采用套车加工。

(2)提高加工精度　对于一般钻孔加工,主运动和进给运动都由钻头完成,但在深孔加工中,为了提高被加工孔中心线的直线度,由工件回转运动形成主运动。

(3)缩小占地面积　对于中小型外圆磨床,由于工件长度较小,多由工件移动完成进给运动,对于大型外圆磨床,为了缩短床身、减少占地面积,多采用砂轮架纵向移动实现进给运动。

2.2.2.3　机床传动形式选择

机床有机械、液压、电气、气动等多种传动形式,每种形式中又可采用不同类型的传动元件。为满足机床运动的功能要求、机床性能和经济要求,要对多种传动方案进行分析、对比,合理选择传动形式,并与机床的整体水平相适应。

2.2.3　机床技术参数确定

机床技术参数包括主参数和一般技术参数,一般技术参数又包括机床的尺寸参数、运动参数和动力参数。

2.2.3.1　主参数

主参数(或称主要规格)是机床最重要的一个或两个技术参数,它表示机床的规格和最大工作能力。通用机床和专门化机床的主参数已有标准规定,并已形成系列。它们通常是机床加工最大工件的尺寸,如卧式车床是床身上最大的回转直径、铣床是工作台的宽度、钻床是最大钻孔直径等。也有例外,如拉床是指额定拉力。有些机床还有第二主参数,一般是指主轴数、最大跨距或最大加工长度等。专用机床的主参数一般以工件或被加工表面的尺寸参数来代表。

2.2.3.2　尺寸参数

机床的尺寸参数是指机床的主要结构尺寸,特别包括与工件有关的尺寸和标准化工具或夹具的安装面尺寸,前者如卧式车床刀架上最大回转直径,后者如卧式车床主轴前端锥孔直径及其他有关尺寸等。通用机床的主要尺寸参数已在有关标准中做了规定,其他一般参数可根据使用要求,参考同类同规格机床加以确定。

2.2.3.3　运动参数

运动参数是机床执行件如主轴、刀架、工作台的运动速度,可分为主运动参数和进给运动参数两大类。

A　主运动参数

机床主运动为回转运动时,主运动参数是机床的主轴速度;为直线运动时(如刨、插床),其主运动参数是刀具每分钟的往复次数(次/min),或称双行程数。

主运动是回转运动的专用机床,由于是完成特定工序,通常只需要一种固定的主轴转速,即

$$n = 1000v/\pi d \tag{2-3}$$

式中　n——主轴转速(r/min);

v——切削速度(m/min);

d——工件或刀具直径(mm)。

主运动是回转运动的通用机床或专门化机床,需适应不同尺寸、不同材料工件的加工,

主轴应在一定范围内实现变速，为此在机床设计中要确定主轴的最高和最低转速，如果采用有级变速，还要确定变速级数和中间各级转速的排列。

a 最高转速和最低转速的确定

根据式(2-3)可知，主轴最高、最低转速可由下式求出：

$$n_{max} = 1000 v_{max} / \pi d_{min} \tag{2-4}$$

$$n_{min} = 1000 v_{min} / \pi d_{max} \tag{2-5}$$

式中 n_{max}、n_{min}——主轴的最高、最低转速(r/min)；

v_{max}、v_{min}——最高、最低的切削速度(m/min)；

d_{max}、d_{min}——相应最大、最小计算直径(mm)。

使用式(2-4)和式(2-5)时，必须通过调查和分析，在机床的全部工艺范围内，要选择可能出现最低转速和最高转速的若干加工类型，再根据相应的切削速度和加工直径进行计算，从中选定 n_{max}、n_{min}。最大、最小计算直径由下式确定：

$$d_{max} = k \cdot D \tag{2-6}$$

$$d_{min} = R_d \cdot d_{max} \tag{2-7}$$

式中 D——机床的最大加工直径(mm)；

R_d——计算直径范围，$R_d = 0.20 \sim 0.35$，卧式车床 $R_d = 0.25$，摇臂钻床 $R_d = 0.20$，多刀车床 $R_d = 0.30$；

k——系数，根据现有机床调查而定，卧式车床 $k = 0.5$，丝杠车床 $k = 0.1$，多刀车床 $k = 0.9$，摇臂钻床 $k = 1.0$。

为给今后工艺和刀具方面的发展留有贮备，一般可将 n_{max}的计算值提高 20%～25%。

b 主轴转速数列

对于有级变速传动，主轴转速一般按等比级数排列，即 $n_1 = n_{min}, n_2 = n_{min}\varphi, n_3 = n_{min}\varphi^2, \cdots\cdots, n_Z = n_{max} = n_{min}\varphi^{Z-1}$，则

$$R_n = n_{max} / n_{min} = \varphi^{Z-1} \tag{2-8}$$

$$Z = \frac{\lg R_n}{\lg \varphi} + 1 \tag{2-9}$$

式中 R_n——主轴变速范围；

φ——主轴转速数列的公比；

Z——主轴转速级数。

主轴转速采用等比级数排列，主要为了实现均匀的相对速度损失。如某一工序要求的合理转速为 n，该转速却处于主轴转速数列的 n_j 与 n_{j+1}之间，为了保证刀具的耐用度，一般选取低于理想转速 n 的转速 n_j，此时便会出现所谓相对速度损失 $A = (n - n_j)/n$。当理想转速 n 趋近于 n_{j+1}时，会出现最大相对速度损失 A_{max}，即

$$A_{max} = \lim_{n \to n_{j+1}} \frac{n - n_j}{n} = \frac{n_{j+1} - n_j}{n_{j+1}} = 1 - \frac{1}{\varphi} = \text{const} \tag{2-10}$$

c 标准公比和标准转速数列

为了便于机床的设计与使用，机床主轴转速数列的公比 φ 值已经标准化，如表 2-1 所示。

表 2-1 标准公比 φ

φ	1.06	1.12	1.26	1.41	1.58	1.78	2
$\sqrt[E]{10}$	$\sqrt[40]{10}$	$\sqrt[20]{10}$	$\sqrt[10]{10}$	$\sqrt[20/3]{10}$	$\sqrt[5]{10}$	$\sqrt[4]{10}$	$\sqrt[10/3]{10}$
$\sqrt[E]{2}$	$\sqrt[12]{2}$	$\sqrt[6]{2}$	$\sqrt[3]{2}$	$\sqrt{2}$	$\sqrt[3/2]{2}$	$\sqrt[6/5]{2}$	2
A_{max}	5.7%	11%	21%	29%	37%	44%	50%
与1.06的关系	1.06^1	1.06^2	1.06^4	1.06^6	1.06^8	1.06^{10}	1.06^{12}

标准公比值的制定原则是:

(1)限制最大相对速度损失 $A_{max}\leqslant 50\%$,因此 $1<\varphi\leqslant 2$;

(2)为方便记忆和使用,转速数列为10进位,即相隔一定数级,使转速呈10倍关系,即 $n_j\varphi^{E_1}=10n_j$(E_1 为相隔的转速级数),$\varphi=\sqrt[E]{10}$;

(3)转速数列为2进位,即相隔一定级数,使转速成2倍关系,以便于采用转速成倍数关系的双速或三速电动机,即 $n_j\varphi^{E_2}=2n_j$(E_2 为相隔的转速级数),$\varphi=\sqrt[E_2]{2}$。

在7个标准公比 φ 值中,只有1.06、1.12和1.26完全满足上述三原则,1.58和1.78仅符合10进位,1.41和2仅符合2进位。

若采用标准公比时,转速数列可以从表2-2中查出。表中列出的是1~15000间公比为1.06时的全部数值;对于其他标准公比,可根据其与1.06的整数次方关系,以整数次方数为间隔查出转速数列。例如某卧式车床 $n_{min}=25$(r/min),$Z=12$,$\varphi=1.41$,则相应转速数列可由25查起,按相隔6级取值,即25,35.5,50,71,100,140,200,280,400,560,800,1120。

表2-2不仅可用于主轴转速数列,还可用于双行程数列、进给量数列以及机床尺寸和功率等数列。

表 2-2 标准数列

1	2	4	8	16	31.5	63	125	250	500	1000	2000	4000	8000
1.06	2.12	4.25	8.5	17	33.5	67	132	265	530	1060	2120	4250	8500
1.12	2.24	4.5	9	18	35.5	71	140	280	560	1120	2240	4500	9000
1.18	2.36	4.75	9.5	19	37.5	75	150	300	600	1180	2360	4750	9500
1.25	2.5	5	10	20	40	80	160	315	630	1250	2500	5000	10000
1.32	2.65	5.3	10.6	21.2	42.5	85	170	335	670	1320	2650	5300	10600
1.4	2.8	5.6	11.2	22.4	45	90	180	355	710	1400	2800	5600	11200
1.5	3	6	11.8	23.6	47.5	95	190	375	750	1500	3000	6000	11800
1.6	3.15	6.3	12.5	25	50	100	200	400	800	1600	3150	6300	12500
1.7	3.35	6.7	13.2	26.5	53	106	212	425	850	1700	3350	6700	13200
1.8	3.55	7.1	14	28	56	112	224	450	900	1800	3550	7100	14100
1.9	3.75	7.5	15	30	60	118	236	475	950	1900	3750	7500	15000

d 标准公比 φ 的选用

在机床主轴转速范围一定的情况下,公比 φ 越小,相对速度损失越小,但转速级数越多,主传动系统结构越复杂,反之亦然。因此,公比 φ 的选择应根据机床的结构和使用特点合理来确定。一般说来,下列原则可供参考。

(1)小型通用机床,由于工件尺寸小,切削时间较短而辅助时间较长,转速损失的影响不明显,但要求机床结构简单,体积小,因此,可选取较大的标准公比,取 $\varphi=1.58$、1.78或2。

(2)中型通用机床，由于应用广泛，兼顾速度损失适当小些和结构不致过于复杂，公比应取中等值，取 $\varphi=1.26$ 或 1.41。

(3)大型通用机床，由于工件尺寸大因而切削时间较长，速度损失影响明显，需选用较合理切速，而主传动系统结构复杂些、体积大些是允许的，因此，应选用较小的公比，取 $\varphi=1.06$、1.12、1.26。

(4)自动和半自动机床，用于成批或大批量生产，生产率高，转速损失的影响较为显著，但这类机床转速范围一般不大，且多用交换齿轮变速，因此，公比应选用小些，取 $\varphi=1.12$ 或 1.26。

确定主运动参数小结：①确定主轴极限转速 n_{min} 和 n_{max}；②初定主轴变速范围 $R_n=n_{max}/n_{min}$；③选定公比 φ 值；④确定主轴转速级数 $Z=(\lg R_n/\lg\varphi)+1$，并圆整为整数；⑤选定主轴各级转速值；⑥修正主轴变速范围 R_n。

B　进给运动参数

数控机床的进给运动均采用无级调速方式，普通机床的进给运动既有无级调速方式，又有有级调速方式。

采用有级变速时，进给量一般为等比级数排列，其确定方法与主轴转速的确定方法相同，即首先根据工艺要求确定最大、最小进给量，然后选取进给量数列的公比或级数。

对于各种螺纹加工的机床，如卧式车床、螺纹车床和螺纹铣床等，因被加工螺纹的导程是分段成等差级数，因此，进给量也必须分段成等差级数排列。对于刨床和插床，若采用棘轮结构，由于受结构限制，进给量也设计成等差数列。

2.2.3.4　动力参数

机床动力参数包括电动机的功率，液压缸的牵引力，液压马达、伺服电动机或步进电动机的额定转矩等。各传动件的参数(如轴或丝杠的直径、齿轮与蜗轮的模数等)，都是根据动力参数设计计算的。机床的动力参数可通过调查类比法、试验法和计算法加以确定。

(1)调查法。对国内外同类型、同规格机床的动力参数进行统计分析，对用户使用或加工情况进行调查分析，作为选定动力参数的依据。

(2)试验法。利用现有的同类型、同规格机床进行若干典型的切削加工试验，测定有关电动机及动力源的输入功率，作为确定新产品动力参数的依据，这是一种简便、可靠的方法。

(3)计算法。对动力参数可进行估算或近似计算。专用机床由于工况单一，通过计算可得到比较可靠的结果。通用机床工况复杂，切削用量变化范围大，计算结果只能作为参考。

A　主电动机功率的估算

在主传动结构尚未确定之前，主电动机功率可按下式估算：

$$P_E=P_m/\eta_m \tag{2-11}$$

式中　P_E——主电动机功率(kW)；

P_m——切削功率(kW)；

η_m——主传动系统结构传动效率的估算值。

对于通用机床，$\eta_m=0.70\sim0.85$，结构简单、速度较低时取大值；反之取小值。切削功率 P_m 应通过工艺分析来确定。

B　主电动机功率的近似计算

在主传动系统的结构确定之后，可进行主电动机功率的近似计算：

$$P_E = P_0 + P_m/\eta \tag{2-12}$$

式中 P_0——主传动系统的空载功率(kW)；

η——主传动系统的机械效率,等于各传动副机械效率的乘积,即 $\eta = \eta_1\eta_2\eta_3\cdots$。

空载功率 P_0 是指消耗于机床空转时的功率损失,其主要影响因素是各传动件空转时的摩擦、搅油、空气阻力等,与传动件的预紧状态及装配质量有关。中型机床可用下列实验公式进行计算：

$$P_0 = k(3.5d_a\sum n_i + ncd_m)\times 10^{-6} \tag{2-13}$$

式中 d_m——主轴前后轴颈的平均直径(mm)；

n——主轴转速(r/min),应取切削功率 P_m 计算条件下的主轴转速,如果求 P_{0max},则取主轴最高转速 n_{max}；

d_a——主传动系统中除主轴外所有传动轴的轴颈的平均直径(mm)；

$\sum n_i$——当主轴转速为 n 时,除主轴外所有运转的传动轴转速之和(r/min)；

c——轴承系数,滚动滑动两支承主轴 $c = 8.5$,滚动三支承主轴 $c = 10$；

k——润滑油黏度影响系数,30 号机油 $k = 1.0$,20 号机油 $k = 0.9$,10 号机油 $k = 0.75$。

C 进给运动电动机功率确定

进给运动电动机功率确定时,可按下述三种情况考虑。

(1)进给运动与主运动共用电动机。进给运动所需功率远小于主运动,如卧式车床、六角车床仅占 3%～4%,钻床占 4%～5%,铣床占 10%～15%。

(2)进给运动与快速移动共用电动机。因快速移动所需功率远大于进给运动,且二者不同时工作,可只考虑快移所需功率或转矩,如数控机床伺服进给电动机。

(3)进给运动采用单独电动机。因所需功率很小,可根据主电动机功率估算进给电动机功率。也可按下式计算：

$$P_f = Qv_f/6000\eta_f \tag{2-14}$$

式中 P_f——进给电动机功率(kW)；

Q——进给牵引力(N)；

v_f——进给速度(m/min)；

η_f——进给传动系统的机械效率。

进给牵引力等于进给方向上切削分力和摩擦力之和。进给牵引力估算公式见表 2-3。

表 2-3 进给牵引力的计算

导轨形式 \ 进给形式	水平进给	垂直进给
对三角形或三角形与矩形组合导轨	$KF_Z + f'(F_X + G)$	$K(F_Z + G) + f'F_X$
矩形导轨	$KF_Z + f'(F_X + F_Y + G)$	$K(F_Z + G) + f'(F_X + F_Y)$
燕尾形导轨	$KF_Z + f'(F_X + 2F_Y + G)$	$K(F_Z + G) + f'(F_X + 2F_Y)$
钻床主轴		$F_Q \approx F_f + f\frac{2T}{d}$

表中 G——移动件的重力(N)；

F_Z, F_Y, F_X——切削力的三向分力(N,在局部坐标系内),其中 F_Z 为进给方向的分力,

F_X 为垂直导轨面的力，F_Y 为横向力；

F_f——钻削进给抗力；

f'——当量摩擦因数，在正常润滑条件下，铸铁对铸铁的三角形导轨的 $f'=0.17\sim0.18$，矩形导轨的 $f'=0.12\sim0.13$，燕尾形导轨的 $f'=0.2$；铸铁对塑料的 $f'=0.03\sim0.05$；滚动导轨的 $f'=0.01$ 左右；

f——钻床主轴套筒上的摩擦因数；

K——考虑颠覆力矩影响的系数；三角形和矩形导轨的 $K=0.1\sim1.15$；燕尾形导轨的 $K=1.4$；

d——主轴直径(mm)；

T——主轴的转矩(N·mm)。

D 快速移动电动机功率和转矩的确定

快速移动电动机启动时所需功率和转矩最大，要同时克服移动部件的惯性力和摩擦力，即

$$P_k = P_1 + P_2$$

式中 P_k——快移电动机功率(kW)；

P_1——克服惯性力所需功率(kW)；

P_2——克服摩擦力所需功率(kW)，可参考进给运动计算。

$$P_1 = M_1 n / 9500\eta \tag{2-15}$$

式中 M_1——系统折算到电动机轴上的转矩(N·m)；

n——电动机转速(r/min)；

η——传动系统的机械效率。

$$M_1 = J\omega / t_a = J\pi n / 30 t_a \tag{2-16}$$

式中 J——折算到电动机轴上的当量转动惯量(包括电动机转子的转动惯量)($kg·m^2$)；

ω——电动机的角速度(rad/s)；

t_a——电动机的启动时间(s)，中型普通机床 $t_a=0.5s$，大型普通机床 $t_a=1.0s$；数控机床可取伺服电动机机械时间常数的 3～4 倍。

$$J = \sum_k J_k\left(\frac{\omega_k}{\omega}\right)^2 + \sum_i m_i\left(\frac{v_i}{\omega}\right)^2 \tag{2-17}$$

式中 ω_k——各旋转体的角速度(rad/s)；

J_k——各旋转体的转动惯量($kg·m^2$)；

v_i——各直线移动件的速度(m/s)；

m_i——各直线移动件的质量(kg)。

应该指出，P_1 仅在启动过程中存在，当电动机正常运行时即消失。交流异步电动机的启动转矩约为额定转矩的 1.6～1.8 倍；此外，快速移动的时间一般很短，而电动机工作中允许短时间过载，输出转矩可为额定转矩 1.8～2.2 倍。为了减少快移电动机的功率，一般不按功率 P_k 选择电动机，而是根据启动转矩来选择，即

$$M_q > 9500 P_k / n \tag{2-18}$$

式中 M_q——交流电动机的启动转矩(N·m)。

2.2.4 机床总体布局设计

在机床的运动方案及主要技术参数确定后,应进行机床的总体布局设计,机床总体布局的主要内容有:确定机床型式、机床主要零部件及其相对位置关系等。需绘制机床的总体尺寸联系图,应表明机床的主要组成部分的外形尺寸及其相互位置的联系尺寸,保证工件与刀具间、其他各部件间所必须的相对运动和相互位置。这是进一步开展技术设计的依据,也是机床未来调整和安装的依据。机床总体布局设计及尺寸联系图的绘制是很难一次完成的,要由粗到精、由简到繁,需要多次反复修改和补充,逐步完善而成,即使在技术设计阶段,也可能作某些局部调整与修改。当机床的各部件设计完毕后,一般用机床总图代表尺寸联系图。

经过长期的生产实践,通用机床和某些专门化机床的布局已形成了传统型式,如卧式、立式、斜置式、单臂式、龙门式等。专用机床则要根据加工工件的工艺方案和运动方案来确定,型式可以是多种多样。机床的总体布局设计直接影响机床的性能、使用和外观造型,在此项工作中既要注意吸收传统布局的优点,又要注意根据技术发展富于创新性。在机床总体布局设计中应注意下述要求。

A　工件特征要求

机床上被加工工件的形状、尺寸和重量等特征对机床总体布局有着重要影响。例如车削轴类和盘套类工件时,可采用卧式车床布局,见图 2-1(a)。若车削直径较大但重量不大的盘、环类工件时,可采用落地式布局,主轴箱和刀架分别安装在地基上,见图 2-1(b)。对重量大、短而粗工件的车削,可采用立式车床布局,其中,加工直径较小($D \leqslant 1600$mm)时可采用单立柱式布局,见图 2-1(c);加工直径较大($D \geqslant 2000$mm)时可采用双立柱式布局,见图 2-

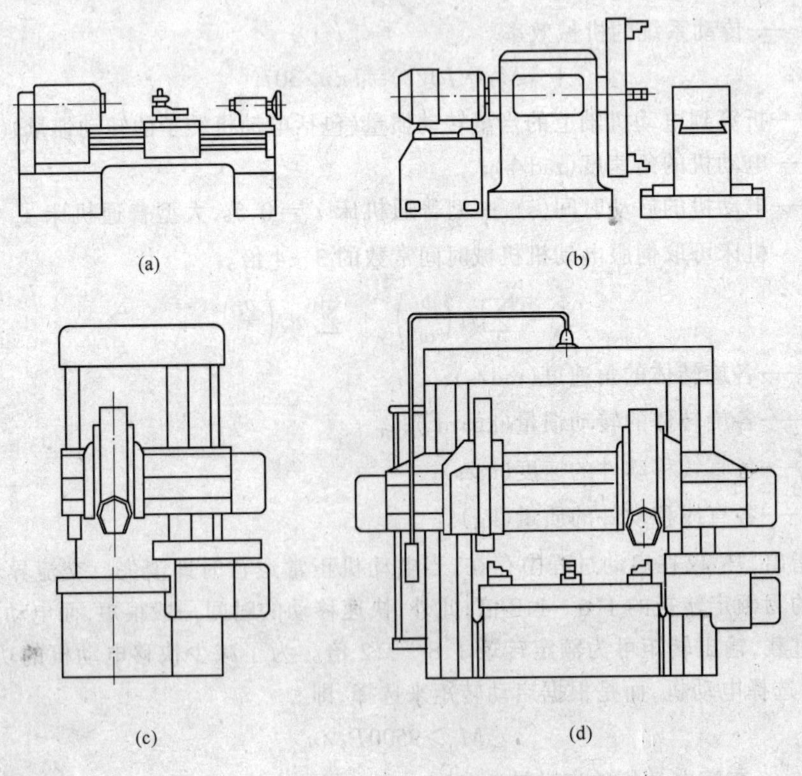

图 2-1　车床布局形式

1 (d)。其他各类普通机床总体布局的差异,也大多与工件特征有关。

B 机床性能要求

根据机床性能要求,在总体布局上应采取相应措施。为了提高机床的加工精度,在总体布局中要缩短传动链,改善受力状况,提高刚度、减少振动和热变形的影响等。如丝杠车床取消了进给箱,由挂轮实现主轴与丝杠间的传动联系,缩短传动链;将丝杠布置在床身两导轨之间,消除了力矩的影响。为了提高刚度、减少振动,龙门刨床、龙门铣床和坐标镗床等采用整体式框架结构;为了减小电动机、变速箱的振动和发热对主轴的影响,可采用分离式传动;单独布置液压站,将液压传动的油箱等与床身分开,减少液压油温计对机床的影响等。

C 生产批量要求

工件的生产批量对机床布局有重要影响。对于单件小批量生产,若加工精度和生产率要求不高,可采用工艺范围广、调整方便、成本和生产率较低的普通机床布局;若要求较高,则采用数控机床和加工中心布局。对于大批量生产,可采用工艺范围较窄但适于高生产率要求的布局。例如车削盘类工件,可分别采用卧式车床、转塔式车床、多刀半自动车床、立式多轴半自动车床等。

D 宜人性要求

车床布局必须符合人机工程原理,处理好人机关系,方便对机床的操作、观察与调整。例如普通卧式车床采用水平式床身,操纵、观察与调整方便,但数控车床一般不需要手工操作,可采用倾斜式床身,刀架位于上方或斜上方,方便操作者的观察,同时便于排屑、改善机床的受力状况。大型立车和落地式镗铣床,将基础部分落入地坑中,使操纵台略高于地面,减少了操作者的登高。

机床的外观造型应在总体布局设计中基本完成,要注意把机床的使用功能、物质技术条件与产品的艺术形象统一起来,贯穿于总体布局设计的始终。

2.2.5 并联机床设计创新

20 世纪 90 年代发展起来的并联机床,是机床史上受人瞩目的重大创新。美国 Giddings & Lewis 公司和美国 Geodetic 公司的两台并联机床样机,于 1994 年首次在芝加哥国际机床展览会上展出,立即引起轰动,被誉为“本世纪机床结构的最大变革与创新”、“21 世纪机床”等,见图 2-2,其工作原理如图 2-3 所示。在机床下方的固定平台 1 上安装工件,在上方的运动平台 2 上

图 2-2 并联机床

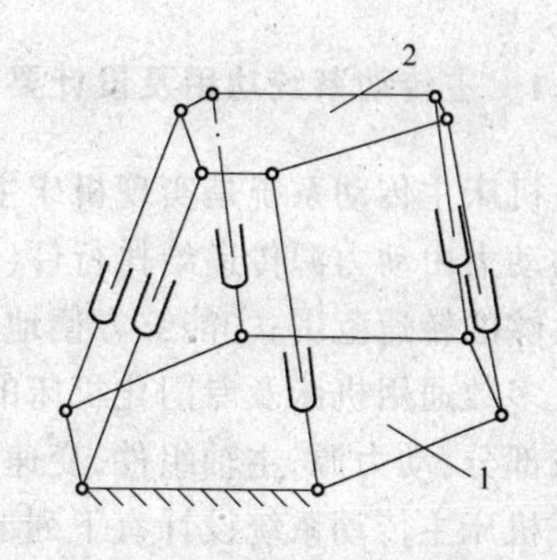

图 2-3 并联机构工作原理

装有主轴和刀具，两个平台之间采用6杆并联结构。通过数控系统、伺服电动机可改变6个驱动杆(滚珠丝杠副)长度，使带有刀具的运动平台的位姿(位置和姿态)发生变化，即可实现切削加工。这种新型机床尚未统一命名，可称为并联机床、并联机器人机床或虚轴机床等。

A 并联机床特点

并联机床与串联机构传统机床相比，有下述优点：

(1)速度高。由于运动平台质量小，加工速度与加速度大，响应速度快；

(2)刚度高。各驱动杆只受拉力或压力，而无弯矩作用，刚度重量比大；

(3)精度高。加工误差可抵消而不积累，可提高加工精度；

(4)柔性大。硬件简单，软件复杂，可实现6轴甚至8轴联动，便于重组，可进行铣、钻、磨、抛光以及异形刀具的刃磨等各类加工，如安装机械手腕、测头或摄像机等末段执行件，还可进行精密装配及测量等作业。

B 并联机床工作原理

最初出现的并联机床，运动平台与固定平台之间用多个驱动杆连接，组成闭环并联机构。工作原理图见图2-3(a)，M、N是两个直线运动副(滚珠丝杠副或液压缸)，A、B、C为圆柱副。当运动副M、N作直线运动时，使并联的两杆(即驱动杆)AB和AC伸长或缩短，则点A(与运动平台连接)随之运动，在平面限定范围内位置发生变化。两杆不同长度则可决定点A的位置；反之，已知点A的位置就需求解两杆的长度。6杆并联机构工作原理图见图2-3(b)，各杆与运动平台2、固定平台1的连接为球副，控制6杆的长度变化，就使运动平台在空间限定范围内的位姿发生变化，可以平动和转动；同样，根据刀具的位姿要求，需求解各杆的长度。

C 并联机床发展趋势

并联机床近年在国外显示出强劲的发展势头，我国在这方面的发展也很快，可望成为21世纪高速轻型数控加工的主力设备。

研究总体方案设计是并联机床开发的首要环节。总体方案应在满足给定自由度条件下，寻求并联机构驱动件的合理配置、驱动方式和总体布局的最优组合，并在运动学、动力学及精度设计方面加快进展。目前，并联机床一个重要发展趋势是采用串并联的混联机构，分别实现平动与转动自由度，可加大工作空间和增强可重组性。此外，采用传统机床成熟驱动方式实现两个方向的平动，用并联机构实现转动和另一方向的平动，工作空间还可加大，加工精度更易保证。

2.3 机床主传动系统设计

2.3.1 主传动系统功用及设计要求

机床主传动系统是实现机床主运动的传动系统，属于外联系传动链，其功用是：①将一定的动力由动力源传递给执行件(如主轴、工作台)；②保证执行件具有一定的转速(或速度)和足够的转速范围；③能够方便地实现运动的开停、变速、换向和制动等。

多数通用机床及专门化机床的主运动是有变速要求的回转运动。机床主传动系统主要构成部分：动力源，主轴组件，变速装置，定比传动机构，开停、制动和换向装置，操纵机构等。

机床主传动系统设计有下列要求：

(1)主轴具有一定的转速和足够的转速范围、转速级数，能够实现运动的开停、变速、换

向和制动,以满足机床的运动要求;

(2)主电动机具有足够的功率,全部机构和元件具有足够的强度和刚度,以满足机床的动力要求;

(3)主传动的有关结构,特别是主轴组件要有足够的精度、抗振性,温升和噪声要小,传动效率要高,以满足机床的工作性能要求;

(4)操纵灵活可靠,调整维修方便,润滑密封良好,以满足机床的使用要求;

(5)结构简单紧凑,工艺性好,成本低,以满足经济性要求。

机床主传动系统的设计内容和程序:主传动的运动参数和动力参数确定之后,还要确定传动方案,进行运动设计、动力设计和结构设计等。

2.3.2 主传动系统方案确定

机床主传动系统方案包括:选择传动布局,选择变速、开停、制动及换向方式。

2.3.2.1 传动布局选择

有变速要求的主传动,可分为集中传动式和分离传动式两种布局方式。

A 集中传动式布局

把主轴组件和主传动的全部变速机构集中于同一个箱体内,称为集中传动式布局,一般将该部件称为主轴变速箱。目前,多数机床采用这种布局方式。其优点是:结构紧凑,便于实现集中操纵;箱体数少,在机床上安装、调整方便。缺点是:传动件的振动和发热会直接影响主轴的工作精度,降低加工质量。适用于普通精度的中型和大型机床。

B 分离传动式布局

把主轴组件和主传动的大部分变速机构分离装于两个箱体内,称为分离传动式布局,并将这两个部件分别称为主轴箱和变速箱,中间一般采用带传动。某些高速或精密机床采用这种传动布局方式。其优点是变速箱中的振动和热量不易传给主轴,从而减少主轴的振动和热变形;当主轴箱采用折回传动时,主轴通过带传动直接得到高转速,故运转平稳,加工表面质量高。缺点是箱体数多,加工、装配工作量较大,成本较高;带传动在低转速时传递转矩较大,容易打滑;更换传动带不方便等。这种布局形式适用于中小型高速或精密机床。

2.3.2.2 变速方式选择

机床主传动的变速方式可分为无级变速和有级变速两种。

A 无级变速

无级变速是指在一定速度(或转速)范围内能连续、任意地变速。可选用最合理的切削速度,没有速度损失,生产率高;一般可在运转中变速,减少辅助时间;操纵方便;传动平稳等,因此在机床上应用有所增加。机床主传动采用的无级变速装置主要有以下几种。

(1)机械无级变速器。靠摩擦传递转矩,通过摩擦传动副工作半径的变化实现无级变速。有多盘式、钢球式(如柯普型)、宽带式、菱锥式等结构。但机构较复杂,维修较困难,效率低;摩擦传动的压紧力较大,影响工作可靠性及寿命;变速范围较窄(变速比不超过10),需要与有级变速箱串联使用。多用于中小型机床。

(2)液压无级变速器。通过改变单位时间内输入液压缸或液动机中的液体量来实现无级变速。特点是变速范围较大,传动平稳,运动换向时冲击小,变速方便等。

(3)电气无级调速。采用直流和交流调速电动机来实现,主要用于数控机床、精密和大型机床。直流并激电动机从额定转速到最高转速之间是用调节磁场(简称调磁)的方式实现调速,为恒功率调速段;从最低转速到额定转速之间是用调节电枢电压(简称调压)的方式进行调整,为恒转矩调速段。恒功率调速范围为2～4,恒转矩调速范围较大,可达几十甚至上百。额定转速通常在1000～2000r/min范围内。直流电动机在早期的数控机床上应用较多。

交流调速电动机通常采用变频调速方式进行调速。调速效率高,性能好,调速范围较宽,恒功率调速范围可达5甚至更大。额定转速为1500r/min或2000r/min等。没有电刷和换向器,采用全封闭外壳,体积小、重量轻,对灰尘和切削液防护好,应用越来越普遍,已逐渐取代直流调速电动机。直流和交流调速电动机的调速范围和功率特性如图2-4所示。

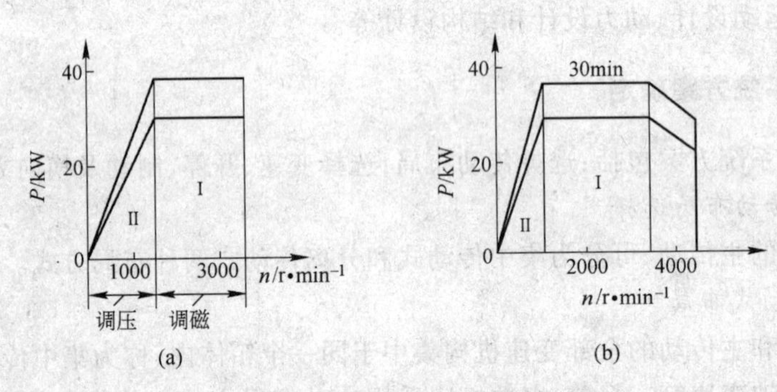

图2-4 直流、交流调速电动机功率特性图

(a)直流调速电动机;(b)交流调速电动机

B 有级变速

有级(或分级)变速是指在若干固定速度(或转速)级内不连续地变速。这是普通机床应用最广泛的一种变速方式。传递功率大,变速范围大,传动比准确,工作可靠。但速度不能连续变化,有速度损失,传动不够平稳。通常由下述机构实现变速:

(1)滑移齿轮变速机构。应用最普遍,优点是:变速范围大,实现的转速级数多;变速较方便,可传递较大功率;非工作齿轮不啮合,空载功率损失较小。缺点是:变速箱结构较复杂;滑移齿轮多采用直齿圆柱齿轮,承载能力不如斜齿圆柱齿轮;传动不够平稳;不能在运转中变速。滑移齿轮多采用双联和三联齿轮,结构简单,轴向尺寸小。个别也采用四联滑移齿轮,但轴向尺寸大,也可将四联齿轮分成两组双联齿轮,但需连锁。

(2)交换齿轮变速机构。交换齿轮(又称配换齿轮、挂轮)变速的优点是:结构简单,不需要操纵机构;轴向尺寸小,变速箱结构紧凑;主动齿轮与从动齿轮可以对调使用,齿轮数量少。缺点是:更换齿轮费时费力;装于悬臂轴端,刚性差。适用于不需要经常变速或者挂轮时间对生产率影响不大、但要求结构简单紧凑的机床,如成批大量生产的某些自动或半自动机床、专门化机床等。

(3)多速电动机。多速交流异步电动机本身能够变速,多为双速或三速。优点是:在运转中变速,使用方便;简化变速箱的机械结构。缺点是:多速电动机在高、低速时输出功率不同,按低速小功率选定电动机,使用高速时大功率不能完全发挥能力;多速电动机体积较大,价格较高。适用于自动或半自动机床、普通机床。

(4)离合器变速机构。机床主轴上有斜齿轮($\beta>15°$)、人字齿轮或重型机床的传动齿轮又大又重时,不能采用滑移齿轮变速,可采用齿轮式或牙嵌式离合器变速。特点是:结构简

单，外形尺寸小；传动比准确，工作中不打滑；能传递较大转矩；但不能在运转中变速。

片式摩擦离合器可实现运转中变速，接合平稳，冲击小；但结构较复杂，摩擦片间存在相对滑动，发热较大。主传动多采用液压或电磁片式摩擦离合器。电磁离合器不能装在主轴上，以免因发热、剩磁现象影响主轴正常工作。片式摩擦离合器多用于自动或半自动机床。

变速用离合器在主传动系统中的安放位置应注意两个问题：其一，尽量将离合器放置在高速轴上，可减小传递的转矩，缩小离合器尺寸。其二，应避免超速现象。当变速机构接通一条传动路线时，在另一条传动路线上的传动件（如齿轮、传动轴）高速空转，称为“超速”现象。这是不允许的，会加剧传动件、离合器的磨损，增加空载功率损失，增加发热和噪声。如图2-5 所示，Ⅰ轴为主动轴，转速 n_{I}，Ⅱ轴为从动轴，转速 n_{II}。图(a)为接通 M_1、脱开 M_2 时，小齿轮 z_3 的空转转速等于 $\frac{80}{40}\times\frac{96}{24}n_{\mathrm{I}}=8n_{\mathrm{I}}$。$z_3$ 与Ⅰ轴的相对转速为 $8n_{\mathrm{I}}-n_{\mathrm{I}}=7n_{\mathrm{I}}$，$z_3$ 出现超速现象。同理，图(b) z_3 也超速；图(c)、(d)则未超速。当两对齿轮的传动比相差悬殊时，特别要注意检查小齿轮是否产生超速现象。

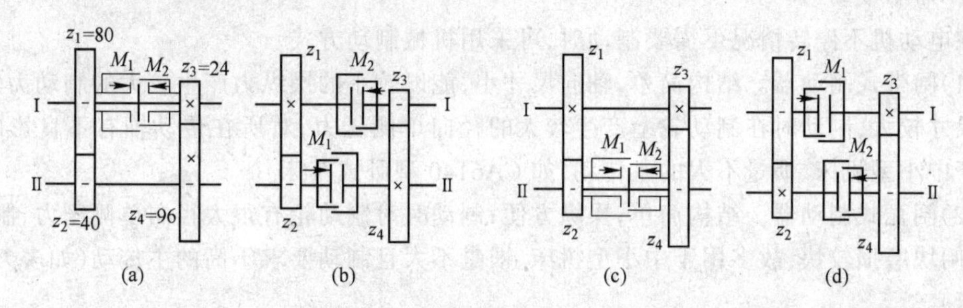

图 2-5 离合器变速机构的超速现象

根据机床的不同使用要求和结构特点，上述各种变速装置可单独使用，也可以组合使用。例如，CA6140 型卧式车床的主传动，主要采用滑移齿轮变速，也采用了齿轮式离合器。CB3463-1 型液压半自动转塔车床的主传动，采用多速电动机、滑移齿轮和液压片式摩擦离合器变速机构。

2.3.2.3 开停方式选择

控制主轴启动与停止的开停方式，分为电动机开停和机械开停两种。

A 电动机开停

电动机开停的优点是操纵方便省力，简化机械结构。缺点是直接启动电动机，冲击较大；频繁启动会造成电动机发热甚至烧损；若电动机功率大且经常启动时，启动电流影响车间电网的正常供电。电动机开停适用于功率较小或启动不频繁的机床，如铣床、磨床及中小型卧式车床等。若几个传动链共用一个电动机且不同时开停时，不能采用这种方式。

B 机械开停

在电动机不停止运转的情况下，可采用机械开停方式使主轴启动或停止。

(1)锥式和片式摩擦离合器。可用于高速运转的离合，离合过程平稳，冲击小，容易控制主轴停转位置，离合器还能兼起过载保护作用，这种离合器应用较多，如卧式车床、摇臂钻床等。

(2)齿轮式和牙嵌式离合器。仅用于低速（$v\leqslant 10\mathrm{m/min}$）运转的离合，结构简单，尺寸较小，传动比准确，能传递较大转矩，但在离合过程中齿端有冲击和磨损。

应优先采用电动机开停方式，当开停频繁、电动机功率较大或有其他要求时，可采用机械开停方式。另外,尽可能将开停装置放在传动链前面且转速较高的传动轴上。这时传递转矩小,结构紧凑;停车后大部分传动件停转,减少空载功率损失。

2.3.2.4 制动方式选择

有些机床主运动不需制动,如磨床和一般组合机床。但多数机床需要制动,如卧式车床、摇臂钻床和镗床。装卸及测量工件、更换刀具和调整机床时,要求主轴尽快停止转动;机床发生故障或事故时,能够及时刹车可避免更大损失。主传动的制动方式可分为电动机制动和机械制动两种。

A 电动机制动

制动时,让电动机的转矩方向与其实际转向相反,使之减速而迅速停转,多采用反接制动、能耗制动等。操纵方便省力,简化机械结构。但频繁制动时,电动机易发热甚至烧损。因此,反接制动适用于直接开停的中小功率电动机,制动不频繁、制动平稳性要求不高以及具有反转的主传动。

B 机械制动

在电动机不停转情况下需要制动时,可采用机械制动方式。

(1)闸带式制动器。结构简单,轴向尺寸小,能以较小的操纵力产生较大的制动力矩;但径向尺寸较大,制动时在制动轮上产生较大的径向单侧压力,对所在传动轴有不良影响,故多用于中小型机床、惯量不大的主传动(如 CA6140 型卧式车床)。

(2)闸瓦式制动器。结构简单,操纵方便;制动时对制动轮有很大径向单侧压力,制动力矩小,闸块磨损较快,故多用于中小型机床、惯量不大且制动要求不高的主传动(如多刀半自动车床)。

(3)片式摩擦制动器。制动时对轴不产生径向单侧压力,制动灵活平稳,但结构较复杂,轴向尺寸较大,可用于各种机床的主运动(如 Z3040 型摇臂钻床、CW6163 型卧式车床等)。

应优先采用电动机制动方式。对于制动频繁,传动链较长、惯量较大的主传动,可采用机械制动方式。应将制动器放在接近主轴且转速较高的传动件上。这样,制动力矩小,结构紧凑,制动平稳。

2.3.2.5 换向方式选择

有些机床主运动不需要换向,如磨床、多刀半自动车床及一般组合机床。但多数机床需要换向,换向有两种不同目的:一是正反向都用于切削,工作中不需要变换转向(如铣床),正反向的转速、转速级数及传递动力应相同;二是正转用于切削而反转主要用于空行程,并且在工作过程中需要经常变换转向(如卧式车床、钻床),为了提高生产率,反向应比正向的转速高、转速级数少、传递动力小。主传动换向方式分为电动机换向和机械换向(圆柱齿轮-多片摩擦离合器)两种。

2.3.3 主传动有级变速系统

机床主传动运动设计的任务是按照已确定的运动参数、动力参数和传动方案,设计出经济合理、性能先进的传动系统。其主要设计内容为:拟定结构式或结构网;拟定转速图,确定各传动副的传动比;确定带轮直径、齿轮齿数;布置、排列齿轮,绘制传动系统图。

2.3.3.1 转速图

转速图是分析和设计机床变速系统的重要工具。转速图由“三线一点”组成:传动轴格线、转速格线、传动线和转速点。

图 2-6(a)是某机床主传动系统图,其传动路线表达式是:

$$\text{主电动机}\begin{pmatrix}1440\text{r/min}\\4\text{kW}\end{pmatrix}-\frac{\phi110}{\phi194}-\text{Ⅰ}-\begin{bmatrix}\frac{36}{36}\\\frac{30}{42}\\\frac{24}{48}\end{bmatrix}-\text{Ⅱ}-\begin{bmatrix}\frac{44}{44}\\\frac{23}{65}\end{bmatrix}-\text{Ⅲ}-\begin{bmatrix}\frac{76}{38}\\\frac{19}{76}\end{bmatrix}-\text{Ⅳ(主轴)}$$

图 2-6(b)为该传动系统的转速图(转速图多为立式排列,亦可卧式排列)。

(1)传动轴格线——间距相同的竖直格线,表示各传动轴,自左而右依次标注 0,Ⅰ,Ⅱ,Ⅲ,Ⅳ,与传动系统图的各轴对应。

(2)转速格线——间距相同的水平格线,表示转速的对数坐标。由于主轴转速是个等比数列,则相邻两转速有下列关系

$$\frac{n_2}{n_1}=\varphi,\quad \frac{n_3}{n_2}=\varphi,\quad \cdots,\quad \frac{n_z}{n_{z-1}}=\varphi$$

两边取对数,得

$$\lg n_2-\lg n_1=\lg\varphi,\quad \lg n_3-\lg n_2=\lg\varphi,\quad \cdots,\quad \lg n_z-\lg n_{z-1}=\lg\varphi$$

可见,任意相邻两转速的对数之差均为同一数 $\lg\varphi$,将转速坐标取为对数坐标时,则任意相邻两转速都相距一格。为了方便,转速图上不写 lg 符号,而是直接标出转速值(即对数真值)。转速格线间距大小,并不代表公比 φ 的数值大小。

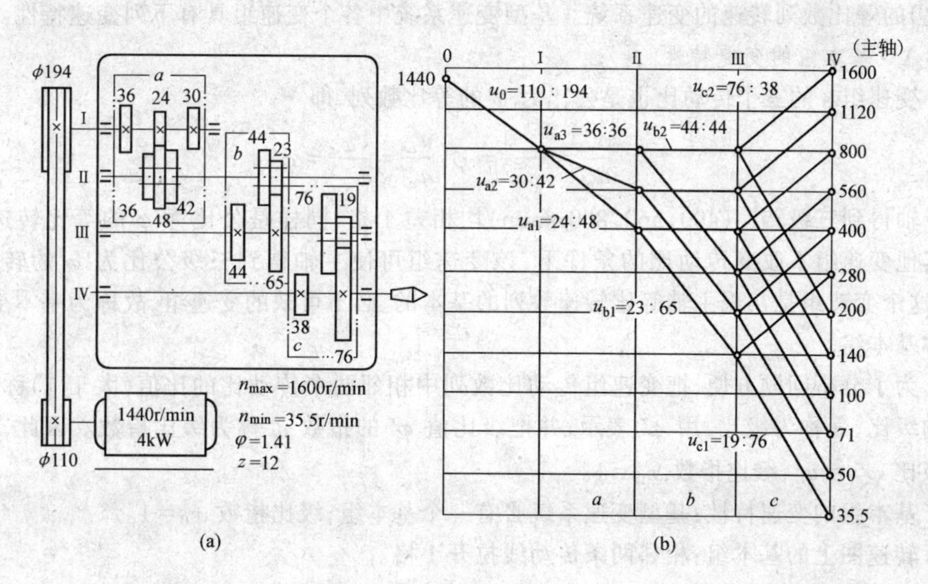

图 2-6 机床主传动系统

(a)传动系统图;(b)转速图

(3)转速点——传动轴格线上的圆点(或圆圈),表示该轴具有的转速。如Ⅳ轴(主轴)上的 12 个圆点,表示具有 12 级转速。

(4)传动线——传动轴格线间的转速点连线,表示相应传动副的传动比。传动线(或称传动比连线)的三个特点是:

1）传动线的高差表明传动比的数值。传动线的倾斜程度反映传动比的大小。传动线水平，表示等速传动，$u=1$；传动线向下方倾斜（按传动方向由主动转速点引向从动转速点），表示降速传动，$u<1$；反之，传动线向上方倾斜，表示升速传动，$u>1$。倾斜程度越大，表示降速比或升速比也越大。因此，传动比的数值 φ^x 可用传动线的高差 x（从动转速点与主动转速点相差的格数）来表示。例如第一变速组（a 组），水平传动线的高差为 0，传动比 $u_{a3}=\varphi^0=1(36:36)$；下斜 1 格的传动线，高差为 -1，$u_{a2}=\varphi^{-1}=1/1.41(30:42)$；下斜 2 格的传动线，高差为 -2，$u_{a1}=\varphi^{-2}=1.41^{-2}=1/2(24:48)$。

2）一个主动转速点引出的传动线数目表示该变速组中不同传动比的传动副数。如第一变速组，由Ⅰ轴的主动转速点向Ⅱ轴引出三条传动线，表示该变速组有三对传动副。

3）两条传动轴格线间相互平行的传动线表示同一个传动副的传动比。如第三变速组（c 组），当Ⅲ轴为 800r/min 时，通过升速传动副（76:38）使主轴得到 1600r/min，因Ⅲ轴共有 6 级转速，通过该传动副可使主轴得到 6 级高转速 280～1600r/min，所以上斜的 6 条平行传动线都表示同一个升速传动副的传动比。

转速图可表达：传动轴的数目，主轴及各传动轴的转速级数、转速值及其传动路线，变速组的个数及传动顺序，各变速组的传动副数及其传动比数值、变速规律等。

2.3.3.2 变速规律

图 2-6 机床主轴的 12 级转速是由三个变速传动组（简称变速组或传动组）串联起来的变速系统实现的。这是主传动变速系统的基本型式，称为基型变速系统（或常规变速系统），即以单速电动机驱动，由若干变速组串联起来的、使主轴得到既不重复又排列均匀（指单一公比）的等比数列转速的变速系统。基型变速系统中各个变速组具有下列变速特性。

A 基本组的变速特性

变速组 a 的三个传动比也是公比为 φ 的等比数列，即

$$\frac{u_{a2}}{u_{a1}}=\frac{\varphi^{-1}}{\varphi^{-2}}=\varphi,\ \frac{u_{a3}}{u_{a2}}=\frac{\varphi}{\varphi^{-1}}=\varphi$$

使Ⅱ轴得到三级转速（400，560，800r/min）均相差 1 格，同样是公比为 φ 的等比转速数列。在其他变速组不改变传动比的条件下，该变速组可使主轴得到三级公比为 φ 的转速。可见，这个变速组是实现主轴等比转速数列的基本的、必不可缺的变速组，故称为基本变速组，简称基本组。

为了分析问题方便，把变速组传动比数列中相邻两个传动比的比值（大于 1）称为传动比的级比，简称为级比，用 φ^{x_i} 表示；并把级比值 φ^{x_i} 的指数 x_i 称为级比指数。因此，基本组的级比 $\varphi^{x_0}=\varphi^1$，级比指数 $x_0=1$。

基本组的变速特性：基型变速系统必有一个基本组，级比指数 $x_0=1$。

转速图上的基本组：相邻两条传动线拉开 1 格。

B 第一扩大组的变速特性

变速组 b 的级比为 $u_{b2}/u_{b1}=\varphi^3$，级比指数为 3，即两条传动线拉开 3 格，使Ⅲ轴得到 6 级转速（140～800r/min）。该变速组可使主轴转速扩大到 6 级连续的等比转速数列。在基本组的基础上，该变速组起到第一次扩大变速的作用，称为第一扩大变速组，简称第一扩大组。

由图 2-6 可见，第一扩大组的级比指数 x_1 应等于基本组的传动副数 $p_0=3$，否则会造成主轴转速重复或转速排列不均匀现象。第一扩大组的变速特性：级比指数 x_1 等于基本

组的传动副数 p_0，即 $x_1 = p_0$。转速图上的第一扩大组：相邻两条传动线拉开的格数等于基本组的传动副数。

C 第二扩大组的变速特性

变速组 c 的级比为 $u_{c2}/u_{c1} = \varphi^6$，级比指数为 6，即传动线拉开 6 格。通过这个变速组使主轴转速进一步扩大为 12 级连续的等比转速数列，它起到第二次扩大变速的作用，故称为第二扩大变速组，简称第二扩大组；它又是这个变速系统的“最后扩大组”。第二扩大组的级比指数 $x_2 = 6$。

第二扩大组的变速特性：第二扩大组的级比指数 x_2 等于基本组的传动副数 p_0 和第一扩大组的传动副数 p_1 的乘积，即 $x_2 = p_0 p_1$。转速图上的第二扩大组：其相邻两条传动线拉开的格数等于基本组的传动副数和第一扩大组的传动副数的乘积。

如果变速系统还有第三扩大组、第四扩大组、……，可依此类推得知各扩大组的变速特性。在转速图上寻找基本组和各扩大组时，可根据其变速特性，先找基本组，再依其扩大顺序找第一扩大组、第二扩大组、……。

综上所述，基型变速系统中各变速组必须遵守变速规律——级比指数规律（简称级比规律）：

(1)基本组的级比指数必等于 1，即 $x_0 = 1$；

(2)任一扩大组的级比指数必大于 1，且等于基本组传动副数与该扩大组之前（按扩大顺序计）各扩大组的传动副数的乘积，即 $x_i = p_0 p_1 p_2 \cdots p_{i-1}$。见表 2-4。

表 2-4 各变速组的级比、级比指数和变速范围

变速组	传动副数 p_i	级比指数 x_i	级比 φ^{x_i}	变速范围 r_i
基本组	p_0	$x_0 = 1$	$\varphi^{x_0} = \varphi$	$r_0 = \varphi^{x_0(p_0-1)} = \varphi^{(p_0-1)}$
第一扩大组	p_1	$x_1 = p_0$	$\varphi^{x_1} = \varphi^{p_0}$	$r_1 = \varphi^{x_1(p_1-1)} = \varphi^{p_0(p_1-1)}$
第二扩大组	p_2	$x_2 = p_0 p_1$	$\varphi^{x_2} = \varphi^{p_0 p_1}$	$r_2 = \varphi^{x_2(p_2-1)} = \varphi^{p_0 p_1(p_2-1)}$
…	…	…	…	…
第 i 扩大组	p_i	$x_i = p_0 p_1 p_2 \cdots p_{i-1}$	$\varphi^{x_i} = \varphi^{p_0 p_1 p_2 \cdots p_{i-1}}$	$r_i = \varphi^{x_i(p_i-1)} = \varphi^{p_0 p_1 p_2 \cdots (p_i-1)}$
…	…	…	…	…
第 j 扩大组	p_j	$x_j = p_0 p_1 p_2 \cdots p_{j-1}$	$\varphi^{x_j} = \varphi^{p_0 p_1 p_2 \cdots p_{j-1}}$	$r_j = \varphi^{x_j(p_j-1)} = \varphi^{p_0 p_1 p_2 \cdots (p_j-1)}$

2.3.3.3 变速组的变速范围

变速组的最大传动比 $u_{i\max}$ 与最小传动比 $u_{i\min}$ 之比，称为该变速组的变速范围，即

$$r_i = \frac{u_{i\max}}{u_{i\min}} = \varphi^{x_i(p_i-1)} \tag{2-19}$$

变速组变速范围 r_i 值中 φ 的指数，等于该变速组的级比指数 x_i 与其传动副数减 1（即 $p_i - 1$）的乘积；也就是该变速组中最高传动线与最低传动线所拉开的格数。基型变速系统中各变速组的变速范围数值见表 2-3。由表可见，最后扩大组的变速范围 r_j 为最大。

主轴的转速范围（或变速范围）R_n 等于各变速组的变速范围的乘积，即

$$R_n = r_0 r_1 \cdots r_i \cdots r_j \tag{2-20}$$

主轴的转速级数为 $Z = p_0 p_1 p_2 \cdots$。

2.3.3.4 结构网和结构式

设计主传动变速系统时，为了便于分析、比较各变速组的变速特性，还常运用形式简单

的结构网或结构式。

图 2-7 是图 2-6 变速系统的结构网。结构网也是由“三线一点”所组成，但转速点和传动线仅表示相对值，只标出各变速组的传动副数及级比指数。结构网的传动线按对称分布画出，如图 2-7(a)。也可按不对称分布画出，“上平下斜”式结构网如图 2-7(b)。在一个结构网中，只允许选用一种表示方式。

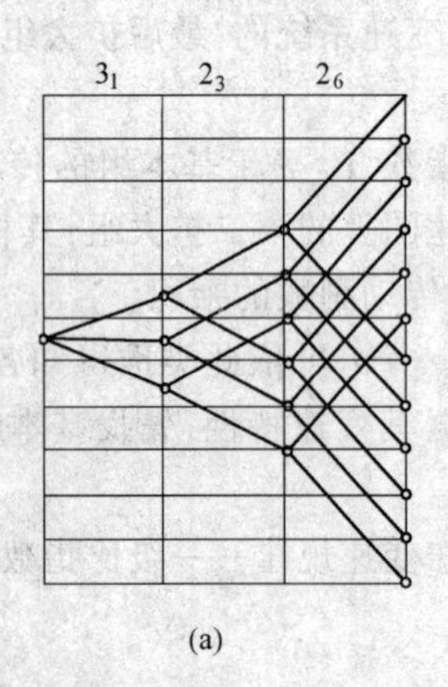

(a)

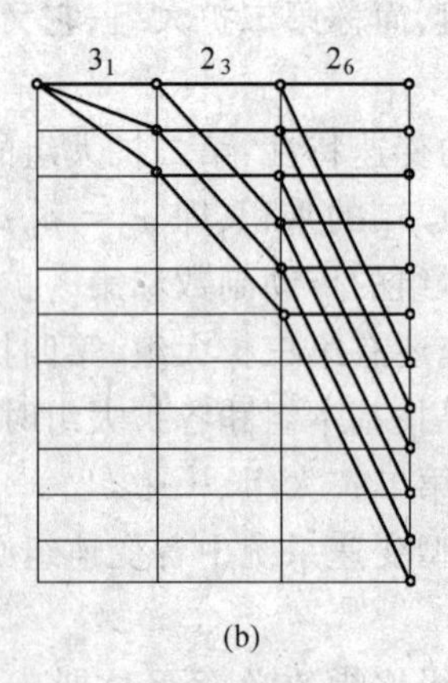

(b)

图 2-7 结构网

(a)对称分布；(b)不对称分布

结构式能够表达变速系统最主要的三个变速参量：主轴转速级数 Z，各变速组的传动副数 p_i 和各变速组的级比指数 x_i。结构式表达：

$$Z = p_{a(\ )} \cdot p_{b(\ )} \cdot p_{c(\ )} \cdots$$

按传动顺序列出各变速组的传动副数，括号内为各变速组的级比指数。

图 2-6 变速系统的结构式可写成：

$$12 = 3_{(1)} \cdot 2_{(3)} \cdot 2_{(6)}$$

还可写成：

$$12 = 3_1 \cdot 2_3 \cdot 2_6 \text{ 或 } 12 = 3_{[1]} \cdot 2_{[3]} \cdot 2_{[6]}$$

结构网或结构式与转速图具有一致的变速特性，但转速图表达得具体、完整，转速和传动比是绝对数值；而结构网和结构式表达变速特性较简单、直观，转速和传动比是相对数值。结构网比结构式更直观，结构式比结构网更简单。结构式与结构网的表达内容相同，二者是对应的。

2.3.3.5 主传动变速系统运动设计要点

A 齿轮变速组的传动比和变速范围限制

直齿圆柱齿轮的极限传动比 $u_{max} = 2$，$u_{min} = 1/4$，其变速范围的限制值 $r_{max} = u_{max}/u_{min} = 8$。变速系统的齿轮变速组应遵守传动比和变速范围这两个限制条件。

为限制变速组的变速范围不致超出极限值，需检验最后扩大组的变速范围 r_j。只要它不超出极限值 r_{max}，其他变速组就不会超出限制，即

$$r_j = \varphi^{x_j(p_j - 1)} = \varphi^{p_0 p_1 p_2 \cdots (p_j - 1)} \leqslant 8 \tag{2-21}$$

B　减小传动件结构尺寸的原则

$$T = 955 \times 10^4 \frac{P}{n_c} = 955 \times 10^4 \frac{P_E \eta}{n_c} \quad (2\text{-}22)$$

式中　T——传动件的传递转矩(N·mm)；

P——该传动件的传递功率(kW)；

P_E——主电动机功率(kW)；

n_c——该传动件的计算转速(r/min)；

η——主电动机到该传动件间的传动效率。

由式可知，当传递功率一定时，提高传动件的转速可降低传递转矩，减小传动件的结构尺寸。为此，应遵守下列一般原则：

(1)变速组传动副要“前多后少”。从电动机到主轴之间的变速系统，总的趋势是降速传动。传动链前面的转速较高，而传动链后面的转速较低，要把传动副数较多的变速组安排在传动链的前面，故

$$p_a \geqslant p_b \geqslant p_c \geqslant \cdots \quad (2\text{-}23)$$

式中　p_a、p_b、p_c、…——顺次为第一、第二、第三变速组、……的传动副数。

(2)变速组传动线要“前紧后松”。如果变速组的扩大顺序与传动顺序一致，即按传动顺序依次为基本组、第一扩大组、第二扩大组、……、最后扩大组，可提高中间传动轴的转速，如图 2-8(a)所示。反之，若扩大顺序与传动顺序不一致，则中间传动轴的转速就会降低，如图 2-8(b)中Ⅱ轴的最低转速要比图 2-8(a)低。

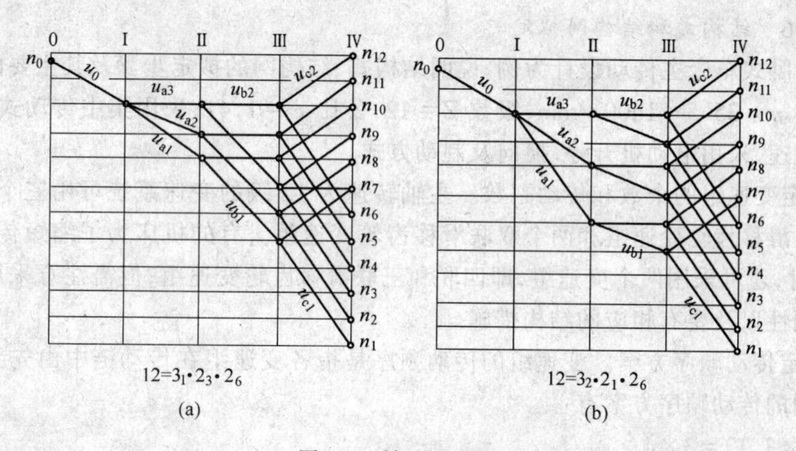

图 2-8　转速图比较

扩大顺序与传动顺序一致时，在结构网与转速图上，前面变速组的传动线分布得紧密些，后面变速组的传动线分布得疏松些，故称为传动线“前紧后松”(或“前密后疏”)的原则，即

$$x_a < x_b < x_c < \cdots \quad (2\text{-}24)$$

式中　x_a、x_b、x_c，…——顺次为第一、第二、第三变速组、……的级比指数。

(3)变速组降速要“前慢后快”。主传动变速系统通常是降速传动，希望传动链前面的变速组降速要慢些，后面的变速组降速可快些，即

$$u_{amin} \geqslant u_{bmin} \geqslant u_{cmin} \geqslant \cdots \quad (2\text{-}25)$$

式中　u_{amin}、u_{bmin}、u_{cmin}、…——顺次为第一、第二、第三变速组、……的最小传动比。

C　改善传动性能的注意事项

提高传动件转速可减小结构尺寸，但转速过高又会恶化传动性能，增大空载功率损失、噪声、振动和发热等。为了改善传动性能，应注意下列事项：

(1)传动链要短。减少传动链中齿轮、传动轴和轴承数量，不仅制造、维修方便，降低成本，还可提高传动精度、传动效率，减少振动和噪声。主轴最高转速区内的机床空载功率损失和噪声最大，需特别注意缩短高速传动链，这是设计高效率、低噪声变速系统的重要途径。

(2)转速和要小。减小各轴转速和，可降低空载功率损失和噪声。要避免传动件有过高的转速，避免过早、过大地升速。

(3)齿轮线速度要低。齿轮线速度是影响噪声的重要因素，通常限制 $v < 15\text{m/s}$。

(4)空转件要少。空转的齿轮、传动轴等元件要少，转速要低，能够减小噪声和空载功率损失。

变速系统运动设计要点小结：一个规律——级比规律。两个限制——齿轮传动比限制 $u_{max} = 2$，$u_{min} = 1/4$；齿轮变速组的变速范围限制 $r_{max} = u_{max}/u_{min} = 8$（直齿）。三项原则——传动副要“前多后少”，传动线要“前紧后松”，降速要“前慢后快”。四项注意——传动链要短，转速和要小，齿轮线速度要低，空转件要少。

学习上述要点的目的在于，掌握变速系统运动设计的基本要领和一般情况下应遵循的规则。但是，实际情况是复杂的，由于结构或其他方面的原因，还需要根据具体情况加以灵活运用。

2.3.3.6　结构式和结构网拟定

现以某卧式车床主传动设计为例，说明结构式、结构网的拟定步骤及其主要内容。设已知主轴转速 $n = 35.5 \sim 1600\text{r/min}$，级数 $Z = 12$，公比 $\varphi = 1.41$；采用集中传动式布局、直齿滑移齿轮变速，采用电动机开停、换向及制动方式。

(1)确定变速组的个数和传动副数。主轴转速为12级的变速系统可用三个变速组，其中一个三联滑移齿轮变速组和两个双联滑移齿轮变速组。有的机床为了缩短传动链，当公比 φ 较小时，还可采用两个变速组，即四联和三联滑移齿轮变速组，但需注意采用四联滑移齿轮的可能性以及要有相应的结构措施。

(2)确定传动顺序方案。变速组的传动顺序是指各变速组在传动链中由先到后的排列顺序。不同的传动顺序方案有：

$12 = 4 \times 3$，$12 = 3 \times 4$；

$12 = 3 \times 2 \times 2$，$12 = 2 \times 3 \times 2$，$12 = 2 \times 2 \times 3$

如无特殊要求，根据传动副“前多后少”的原则，应优先选用 $12 = 4 \times 3$ 和 $12 = 3 \times 2 \times 2$ 两个方案。因结构或使用上的特殊要求，采用其他传动顺序方案时，应进行分析比较。

(3)确定扩大顺序方案。变速组的扩大顺序是指各变速组的级比指数由小到大的排列顺序。根据已选用的传动顺序方案，又可得出若干不同的扩大顺序方案。如无特殊要求，根据传动线“前紧后松”的原则，应使变速组的扩大顺序与传动顺序一致，故可选用 $12 = 4_1 \times 3_4$ 和 $12 = 3_1 \times 2_3 \times 2_6$。采用其他扩大顺序方案时，应进行分析比较。

综上所述，拟定结构式时，要“前多后少”地安排变速组的传动顺序；要“前紧后松”地安排其扩大顺序，使扩大顺序与传动顺序一致，这在一般情况下可得到最佳结构式方案。

(4)检验最后扩大组的变速范围。由式(2-21)知,结构式 $12=4_1\times3_4$ 最后扩大组的变速范围为

$$r_1=\varphi^{x_1(p_1-1)}=1.41^{4(3-1)}=1.41^8=16>8,\text{不允许}$$

结构式 $12=3_1\times2_3\times2_6$ 最后扩大组的变速范围为

$$r_2=\varphi^{x_2(p_2-1)}=1.41^6(2-1)=1.41^6=8,\text{允许}$$

因此,结构式方案确定为 $12=3_1\times2_3\times2_6$。

(5)画结构网。根据已确定的结构式方案画出结构网,如图 2-7 所示。

2.3.3.7 转速图拟定

A 确定 V 带传动

考虑 I 轴转速不宜过低(结构尺寸增大),也不宜过高(带轮转动不平衡引起振动、噪声),初定 $n_{\mathrm{I}}=800\mathrm{r/min}$,带传动比为

$$u_0=\frac{n_{\mathrm{I}}}{n_0(1-\varepsilon)}=\frac{800}{1440(1-0.02)}=\frac{1}{1.764}$$

B 画转速图的格线

该变速系统具有定比传动和三个变速组,画传动轴和转速格线,标定各轴号、主轴各转速点及电动机转速点的转速值,如图 2-9。

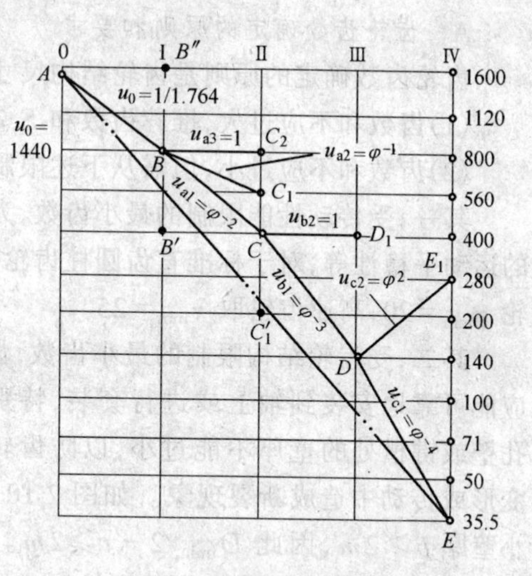

图 2-9 转速图的传动线

C 分配传动比

分配各变速组的传动比,通常是“由后向前”地进行,先分配最后变速组的传动比,再顺次向前分配或“由前向后”交叉进行。分配传动比应注意照顾有特殊要求的传动副、重要传动副以及最后扩大组传动副。

(1)分配第三变速组(Ⅲ - Ⅳ轴间)的传动比。由结构式 $12=3_1\times2_3\times2_6$ 可知,第三变速组即第二扩大组的传动副数 $p_2=2$,级比指数 $x_2=6$。因此,先在Ⅳ轴上找到相距 6 格的两个转速点 E 和 E_1(可选定各轴最低转速点)。根据传动比 $1/4\leqslant u\leqslant2$,$\varphi=1.41$,则Ⅲ轴上相应主动转速点 D 只能有惟一位置,即 $u_{c1}=\varphi^{-4}=1.41^{-4}=1/4$,$u_{c2}=\varphi^2=1.41^2=2$。

(2)分配第二变速组(Ⅱ - Ⅲ轴间)的传动比。第二变速组即第一扩大组有两个传动副,$x_1=3$。因此,由Ⅲ轴上 D 点可定出 D_1 点。Ⅱ轴上相应主动转速点 C 的位置只允许在 $C_1\sim C_1'$ 范围内选定。若选点 C_1' 点,则Ⅱ轴转速过低且升速传动比达极限值;若选 C_1 点,则Ⅱ轴转速偏高且降速传动比达极限值。综合考虑上述问题,现选定 C 点位置,其传动比 $u_{b1}=\varphi^{-3}=1.41^{-3}=1/2.8$,$u_{b2}=\varphi^0=1$。

(3)分配第一变速组(Ⅰ - Ⅱ轴间)的传动比。第一变速组即基本组有三个传动副 $x_0=1$,故于Ⅱ轴上自 C 点向上取相邻三点 C、C_1 和 C_2。其Ⅰ轴上相应转速点 B 只能在 $B'\sim B''$ 范围内选定,考虑结构尺寸和传动性能,以及带轮轴(Ⅰ轴)的转速要求,已选定的 B 点是适宜的。

(4)画全传动线,可得到图 2-6 所示的转速图。但图上仅有各轴转速及各传动副传动比。

转速图的拟定往往需要多次修改,在以后的传动副参数确定甚至结构设计时仍有可能更改。因此应全面考虑,兼顾各个变速组,特别要注意结构尺寸和传动性能的影响,拟定出更加完善合理的转速图方案。

2.3.3.8 齿轮齿数确定

确定齿轮齿数时,需先初定变速组内齿轮副模数和传动轴直径,以便根据结构尺寸判断其齿轮齿数或齿数和是否适宜。主传动齿轮要传递足够动力,齿轮模数一般取 $m \geqslant 2$。在强度允许的条件下尽可能取较小模数,可方便加工、降低噪声。为了便于设计与制造,主传动所用齿轮模数的种类应尽可能少。在同一个变速组内,通常选用相同的模数,这是因为各齿轮副的速度和受力情况相差不大的缘故。而在某些场合,如最后扩大组或折回传动组中,由于各齿轮副的速度和受力情况相差悬殊,在同一个变速组内可选用不同的模数,但一般不多于两种。

A 齿轮齿数确定的原则和要求

齿轮齿数确定的原则是齿轮结构尺寸紧凑,主轴转速误差小。其具体要求是:

(1)齿数和不应过大,推荐齿数和 $S \leqslant 100 \sim 120$。

(2)齿数和不应过小,但需从下述限制条件中选取较大值:

其一,受传动性能限制的最小齿数,为了保证最小齿轮不产生根切以及主传动具有较好的运动平稳性等,对于标准直齿圆柱齿轮,一般取最小齿轮齿数 $z_{\min} = 18 \sim 20$,主轴上小齿轮 $z_{\min} = 20$,高速齿轮取 $z_{\min} = 25$。

其二,受齿轮结构限制的最小齿数,齿轮(尤其是最小齿轮)应能可靠地安装到轴上或进行套装,特别要注意齿轮的齿槽到孔壁或键槽处的壁厚不能过小,以防齿轮热处理时产生过大的变形或传动中造成断裂现象。如图 2-10 所示,应保证齿轮的最小壁厚 $b \geqslant 2m$,因此 $D_{\mathrm{fmin}}/2 - t \geqslant 2m$。对于标准直齿圆柱齿轮,其齿轮齿根圆的最小直径 $D_{\mathrm{fmin}} = (z_{\min} - 2.5)m$,代入上式可得

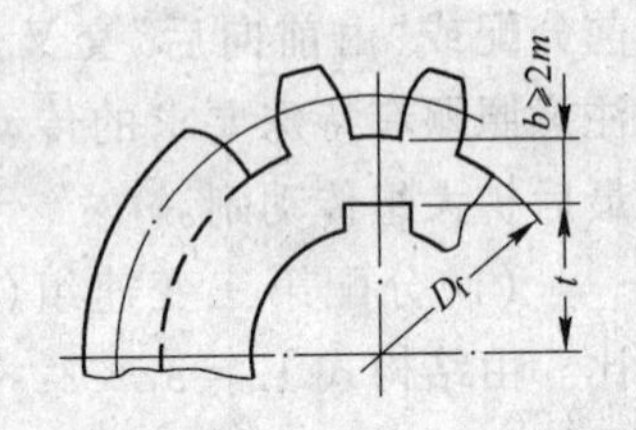

图 2-10 齿轮的最小壁厚

$$z_{\min} \geqslant 6.5 + 2t/m = 6.5 + D/m \tag{2-26}$$

式中 $z_{\min}$——齿轮的最少齿数;

m——齿轮模数(mm);

t——齿轮键槽至轴心线的距离(mm);

D——齿轮花键孔的大径,$D = 2t$(mm)。

其三,受两轴组件结构限制的最小中心距,若齿数和太小,则过小的中心距将导致两轴上的轴承或其他元件之间的距离过近或相碰。

(3)传动比要求。机床的主传动属于外联系传动链,实际传动比(齿轮齿数之比)与理论传动比(转速图给定)之间允许有误差,一般不超出允许值 $[\delta_n] = \pm 10(\varphi - 1)\%$,即

$$|\delta_n| = \left|\frac{n' - n}{n} \times 100\%\right| = \left|\frac{u' - u}{u} \times 100\%\right| \leqslant 10(\varphi - 1)\% \tag{2-27}$$

式中 δ_n——主轴转速的相对误差;

n'、n——主轴的实际转速、标准转速(转速图标定);

u'、u——实现主轴转速的实际传动比、理论传动比;

φ——公比。

B　查表法确定齿轮齿数

若齿轮副传动比是标准公比(或 1.06)的整数次方,变速组内的齿轮模数相等时,可按表 2-5 直接查出齿轮齿数。如图 2-6(b)中第一变速组 a 中三对齿轮传动比为:$u_1=1/2$,$u_2=1/1.41$,$u_3=1$,查表方法:

(1)找出各齿轮副的传动比值 u。$u_1=1/2$ 可查表中 $u=2.00$ 一行;$u_2=1/1.41$ 可查 $u=1.41$ 一行;$u_3=1$ 即查 $u=1.00$ 一行。

(2)确定最小齿轮齿数 $z_{\min}$ 及最小齿数和 $S_{\min}$。该变速组内的最小齿轮必在 $u_1=1/2$ 的齿轮副中,设选定 $z_{\min}=22$,则在 $u=2.00$ 一行中找到 $z_{\min}=22$,顺竖列向上查得其最小齿数和 $S_{\min}=66$。

(3)找出可能采用的齿数和 S 诸数值。自 $S_{\min}=66$ 开始向右查表,找出同时能满足三个传动比 u_1、u_2 和 u_3 要求的齿轮齿数,其齿数和为

$$S=72,84,90,92,96,\cdots$$

(4)确定适用的齿数和 S。在结构允许的条件下可选用较小的齿数和,本例确定 $S=72$ 为宜。

(5)确定各齿轮副的齿数。由表中 $u=2.00$ 一行查得 $z_1=24$,则 $z_1'=S-z_1=72-24=48$;由 $u=1.41$ 一行查得 $z_2=30$,则 $z_2'=S-z_2=72-30=42$;由 $u=1.00$ 一行查得 $z_3=30$,则 $z_3'=S-z_3=72-36=36$。

C　三联滑移齿轮的齿数关系

若变速组采用三联滑移齿轮时,确定其齿数之后,还应检查相邻齿轮的齿数关系。如图 2-11 所示三联滑移齿轮,从中间位置向左移动时,次大齿轮 z_2 要从固定齿轮 z_3' 上方越过,为避免 z_2 与 z_3' 齿顶相碰,对于标准齿轮且模数相同时,必须保证

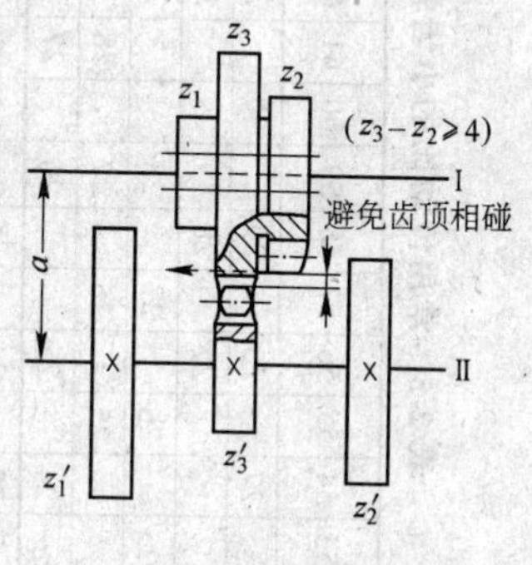

图 2-11　三联滑移齿轮的齿数关系

$$a\geqslant\frac{1}{2}m(z_3'+2)+\frac{1}{2}m(z_2+2)$$

其中　$a=\frac{1}{2}m(z_3+z_3')$,代入上式可得

$$z_3-z_2\geqslant 4$$

即三联滑移齿轮的最大齿轮与次大齿轮的齿数差应大于或等于 4。

当公比较小($\varphi\leqslant 1.26$),且三联滑移齿轮变速组为基本组时,容易发生齿数差小于 4 的情况,可采取下述措施:适当增加齿轮副的齿数和;采用变位齿轮;改变齿轮排列方式,避免 z_2 越过 z_3。

2.3.3.9　齿轮布置与排列

A　滑移齿轮布置

变速组中的滑移齿轮应布置在主动轴上,如图 2-6 中第二、第三变速组。由于主传动多为降速传动,主动轴转速高,可使滑移齿轮的尺寸小、重量轻、滑动省力。若主动轴无法布置

表 2-5　常用传动比的小齿轮适用齿数

u \ S	40	41	42	43	44	45	46	47	48	49	50	51	52	53	54	55	56	57	58	59	60	61	62	63	64	65	66	67	68	69	70	71	72	73	74	75	76	77	78	79	S / u
1.00	20		21		22		23		24		25		26		27		28		29		30		31		32		33		34		35		36		37		38		39		1.00
1.06		20		21		22		23									27		28		29		30		31		32		33		34		35		36		37		38		1.06
1.12	19							22		23		24		25		26		27		28			29		30		31		32		33		34		35		36	36	37	37	1.12
1.19					20		21		22		23					25		26		27		28		29			30		31		32		33		34	34	35	35		36	1.19
1.26		18		19		20					22		23		24		25			26		27		28		29	29		30		31		32		33	33		34		35	1.26
1.33	17		18		19			20		21		22			23		24		25			26		27		28			29		30		31			32		33		34	1.33
1.41		17					19		20			21		22		23			24		25			26		27		28	28		29		30	30		31		32		33	1.41
1.50	16					18		19			20		21			22		23			24		25			26		27	27		28		29	29		30		31	31		1.50
1.58		16			17					19			20		21			22		23	23		24			25		26			27		28	28		29		30	30		1.58
1.68	15			16					18			19			20		21			22			23		24			25		26	26		27	27		28		29	29		1.68
1.78			15					17			18			19			20		21			22			23			24		25	25		26			27			28		1.78
1.88	14			15			16			17			18			19			20		21	21		22	22		23			24			25			26			27		1.88
2.00			14			15			16			17			18			19			20			21			22			23			24			25			26		2.00
2.11					14			15			16			17			18			19			20			21	21		22	22		23	23		24	24			25		2.11
2.24						14				15			16			17			18			19	19			20			21			22	22		23	23		24	24		2.24
2.37								14				15			16			17				18			19			20	20			21			22			23	23		2.37
2.51										14				15			16				17			18				19			20	20		21	21			22	22		2.51
2.66												14				15			16	16			17				18			19	19			20	20			21			2.66
2.82														14	14			15				16				17			18	18			19	19			20	20			2.82
2.99																	14				15				16			17	17			18	18			19	19			20	2.99
3.16																			14				15	15			16	16			17	17				18				19	3.16
3.35																						14				15	15			16	16				17				18	18	3.35
3.55																								14	14				15	15			16	16				17	17		3.55
3.76																											14	14				15	15				16	16			3.76
3.98																														14	14				15	15				16	3.98
4.22																																		14					15	15	4.22
4.47																																					14	14			4.47
4.73																																									4.73

续表 2-5

S / u	80	81	82	83	84	85	86	87	88	89	90	91	92	93	94	95	96	97	98	99	100	101	102	103	104	105	106	107	108	109	110	111	112	113	114	115	116	117	118	119	120	S / u
1.00	40		41		42		43		44		45		46		47		48		49		50		51		52		53		54		55		56		57		58		59		60	1.00
1.06	39		40	40	41	41	42	42	43	43	44	44	45	45	46	46		47		48		49		50		51		52		53		54	54	55	55	56	56	57	57	58	58	1.06
1.12	38	38		39		40		41		42		43		44	44	45	45	46	46	47	47		48		49		50		51	51	52	52	53	53	54	54	55	55	56	56	57	1.12
1.19		37		38		39	39	40	40	41	41		42		43		44	44	45	45	46	46		47		48		49	49	50	50	51	51	52	52		53		54	54	55	1.19
1.26		36	36	37	37		38		39		40	40	41	41		42		43		44	44	45	45		46		47	47	48	48	49	49	50	50		51	51	52	52	53	53	1.26
1.33	34	35	35		36		37	37	38	38		39		40	40	41	41		42		43	43	44	44		45		46	46	47	47		48		49	49	50	50		51	51	1.33
1.41	33		34		35	35		36		37	37	38	38		39		40	40		41		42	42	43	43		44	44	45	45	46	46		47	47	48	48		49	49	50	1.41
1.50	32		33	33		34		35	35		36		37	37		38		39	39	40	40		41	41	42	42		43	43	44	44		45	45	46	46		47	47	48	48	1.50
1.58	31		32	32		33	33		34		35	35		36		37	37		38	38	39	39		40	40		41		42	42		43	43	44	44		45	45	46	46	46	1.58
1.68	30	30		31		32	32		33	33		34		35	35		36	36		37	37	38	38		39	39		40	40	41	41		42	42		43	43	44	44		45	1.68
1.78	29	29		30	30		31			32		33	33		34	34		35	35		36		37	37		38	38		39	39		40	40	41	41	41	42	42		43	43	1.78
1.88	28	28		29	29		30	30		31	31		32	32		33	33		34	34	35	35		36	36		37	37		38	38		39	39		40	40		41	41	42	1.88
2.00		27			28		29	29		30	30		31	31		32	32		33	33		34	34		35	35		36	36		37	37		38	38		39	39	39	40	40	2.00
2.11		26			27			28	28		29	29		30	30		31	31		32	32		33	33		34	34		35	35	35	36	36	36		37	37		38	38		2.11
2.24		25			26	26		27	27		28	28		29	29			30	30		31	31		32	32		33	33	33	34	34	34		35	35		36	36		37	37	2.24
2.37		24			25	25		26	26			27	27		28	28		29	29			30	30		31	31		32	32	32		33	33		34	34		35	35	35		2.37
2.51	23	23			24	24		25	25			26	26		27	27			28	28		29	29			30	30		31	31	31		32	32		33	33	33		34	34	2.51
2.66	22	22			23	23		24	24			25	25			26	26		27	27			28	28		29	29	29		30	30	30		31	31		32	32	32		33	2.66
2.82	21	21			22			23	23			24	24			25	25			26	26		27	27	27		28	28	28		29	29			30	30			31	31		2.82
2.99	20			21	21			22	22			23	23			24	24			25	25			26	26			27	27			28	28			29	29			30	30	2.99
3.16	19			20	20			21	21			22	22			23	23			24	24	24		25	25	25		26	26	26			27	27			28	28			29	3.16
3.35			19	19			20	20	20			21	21			22	22			23	23	23			24	24			25	25	25		26	26	26			27	27			3.35
3.55		18	18				19	19			20	20	20			21	21			22	22	22			23	23			24	24	24			25	25	25		26	26	26		3.55
3.76	17	17				18	18				19	19				20	20			21	21	21			22	22				23	23			24	24	24			25	25	25	3.76
3.98	16				17	17				18	18				19	19				20	20				21	21				22	22				23	23				24	24	3.98
4.22				16	16				17	17				18	18	18			19	19	19				20	20				21	21				22	22	22			23	23	4.22
4.47		15	15	15				16	16				17	17	17				18	18				19	19	19			20	20	20				21	21	21			22	22	4.47
4.73	14	14				15	15	15				16	16					17	17				18	18	18				19	19	19				20	20	20			21	21	4.73

注:齿轮传动比的相对误差不大于±1.5%。

滑移齿轮或因操纵方便性需要，可将滑移齿轮布置在从动轴上，如图 2-6 中的第一变速组。

变速组内滑移齿轮必须有“空挡”位置，即只有当一对齿轮完全脱开啮合之后，才允许另一对齿轮开始进入啮合，如图 2-12。否则，一对齿轮未脱开啮合，另一对齿轮往往因顶齿而无法进入；即使进入啮合，因变速组内两对不同齿数的齿轮同时参与啮合，一旦起动将造成重大设备事故，因此滑移齿轮具有空挡位置是一项重要的安全措施。其轴向间隙量通常为 $\Delta=1\sim2\text{mm}$。

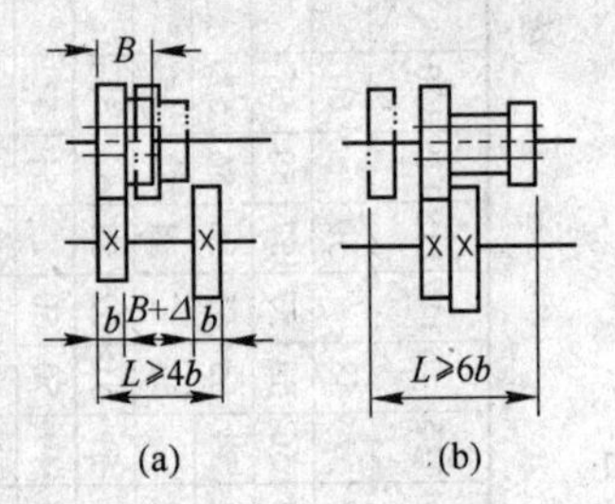

图 2-12　双联滑移齿轮轴向排列

B　一个变速组内齿轮轴向排列

齿轮的轴向排列，应尽量缩短轴向长度。

(1)窄排列与宽排列。滑移齿轮一般采用窄排列，如图 2-12(a)、图 2-13(a)。若滑移齿轮采用宽排列，如图 2-12(b)、图 2-13(b)，轴向尺寸较大。

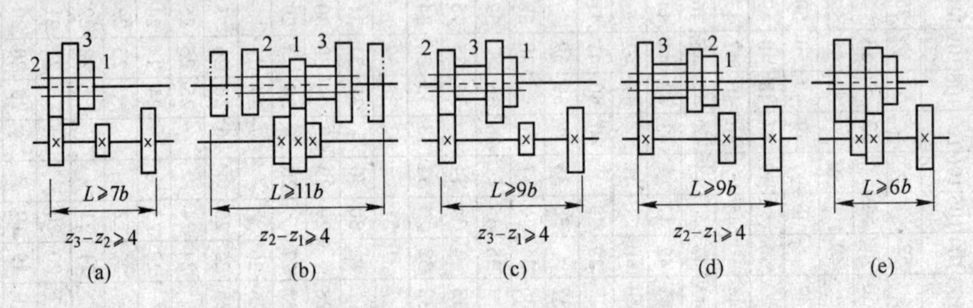

图 2-13　三联滑移齿轮轴向排列

(2)小齿数差排列。当三联滑移齿轮相邻齿数差小于 4 时，可采用图 2-13(c)的小齿数差排列方式。使最大与最小齿轮的齿数差不小于 4 即可，但轴向尺寸较大。

(3)顺序变换排列。如果要求转速按大小顺序进行变换时，可采用图 2-13(d)所示顺序变换排列，但轴向尺寸较大。

(4)分组排列。三联或四联滑移齿轮拆成两组排列，如图 2-13(e)，可减小齿轮滑移距离并缩短轴向长度，且无齿数差要求。为防止两组齿轮同时啮合，须有连锁装置，操纵机构较复杂。

C　两个变速组内齿轮轴向排列

两变速组串联时，中间传动轴既是从动轴又是主动轴，负荷较大，应尽可能缩短轴向尺寸。

(1)并行排列。图 2-14(a)并行排列的轴向长度大，但排列容易。

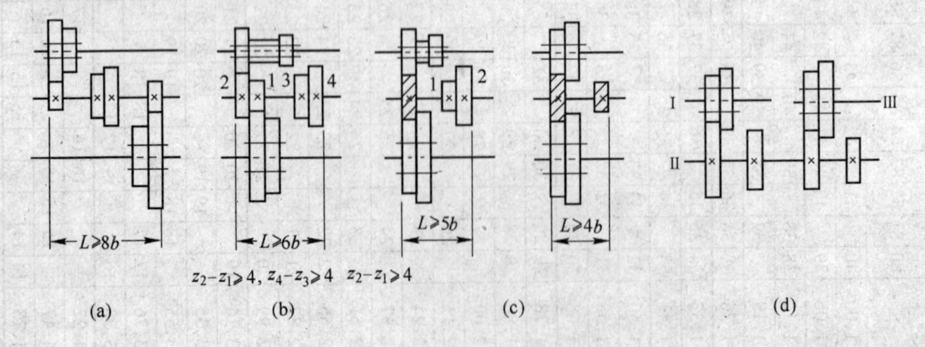

图 2-14　两个变速组串联的齿轮轴向排列

(2)交错排列。图 2-14(b)交错排列的轴向长度较小,但对齿数差有要求。

(3)公用齿轮排列。采用公用齿轮不仅减少齿轮,如图 2-14(c),还可缩短轴向尺寸,双公用齿轮比单公用齿轮排列的轴向尺寸更短。

(4)折回式排列。两个变速组的轴心距相等时,可将两根轴布置在同一轴线上,如图 2-14(d),虽然轴向尺寸稍大,但径向尺寸明显缩小,而且工艺性得到改善。

根据齿轮排列图,绘制机床主传动系统图,如图 2-6(a)所示,表达传动系统的组成、相互联系及所在位置等,并标注出电动机的功率及转速、传动轴的编号、齿轮齿数及带轮直径等。机床主传动系统图是主传动结构设计的主要依据。

2.3.4 具有某些特点的主传动有级变速系统

前述为主传动基型变速系统的变速规律及其运动设计方法,但因实际情况比较复杂,机床的使用、设计要求不同,相应地出现了具有某些特点的变速系统,通常也符合级比规律,但各有特点。

2.3.4.1 采用交换齿轮的变速系统

主传动的交换齿轮,通常安装在轴心距固定的两根传动轴的轴端,变速系统有下述特点。

(1)传动线对称分布。为了充分利用每对交换齿轮,将主动与从动齿轮倒换位置可得到两种不同的传动比,且互为倒数关系,在转速图上交换齿轮变速组的传动线是对称分布的。

(2)传动顺序与扩大顺序。可单独采用交换齿轮变速;也可与其他变速方式(如滑移齿轮、多速电动机等)组合使用,这时,交换齿轮变速组可为基本组,也可为扩大组,变速系统符合级比规律。若与滑移齿轮变速组组合使用时,交换齿轮变速组通常放在传动链的前面,即按传动顺序多为第一变速组,传递转矩小,结构紧凑、提高刚性。

图 2-15 是多刀车床的主传动系统,结构式为 $Z=4=2_2\cdot2_1$。Ⅱ—Ⅲ轴间的双联滑移齿轮变速组是基本组,用于加工过程中变速;Ⅰ—Ⅱ轴间一对交换齿轮变速组是扩大组,用于每批工件加工前的变速调整。

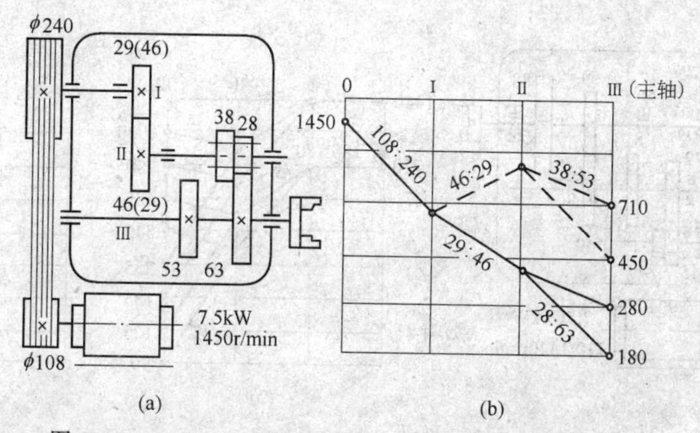

图 2-15 CA7620 型液压多刀半自动车床主传动系统

2.3.4.2 采用多速电动机的变速系统

机床主传动采用双速或三速交流异步电动机变速,同步转速为 750/1500,1500/3000r/min 或 750/1500/3000r/min,即同步转速之比为 2。也有采用同步转速为 1000/1500r/min

或 750/1000/1500r/min 的多速电动机，其同步转速之比为 1.5，但主轴转速不能得到标准公比的等比数列。由于电动机参与变速，相当于两或三副（$p_E=2$ 或 3）变速组，故又称“电变速组”。采用多速电动机变速时，与其他变速方式组合使用，变速系统符合级比规律，但有下述特点：

A 扩大顺序

多速电动机的同步转速之比为 2 时，电变速组的级比 $\varphi^{x_E}=2$，则级比指数 x_E 为一正整数，公比 φ 不能任意选择，由表 2-1 可见，变速系统的标准公比只能是 $\varphi=1.06$，1.12，1.26，1.41 和 2。

根据电变速组的级比指数 x_E 可断定它的扩大顺序。若 $\varphi=1.26$，则电变速组的级比 $\varphi^{x_E}=1.26^3$，可见是扩大组，由于级比指数 $x_E=3$，只能是第一扩大组（$x_1=x_E=3$），还必须有一个传动副数为 $p_o=x_1=3$ 的基本组，如图 2-16(a)；若 $\varphi=1.41$，则电变速组的级比 $\varphi^{x_E}=1.41^2$，也只能是第一扩大组，级比指数 $x_1=x_E=2$，有一个传动副数为 $p_o=x_1=2$ 的基本组，如图 2-16(b)，结构网中电变速组的传动线用虚线表示。可见，电变速组为第一扩大组时，基本组的传动副数是既定的。

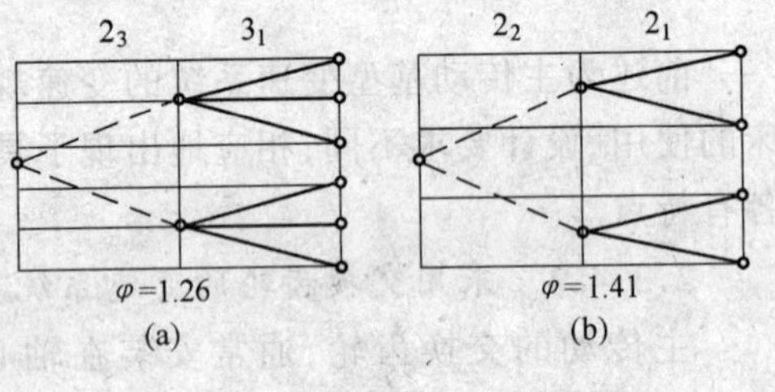

图 2-16 双副电变速组结构网

B 传动顺序

由于多速电动机总是在传动链的最前面，按传动顺序而言，这个变速组是第一变速组，而基本组在它的后面，因此，采用多速电动机的变速系统，通常扩大顺序与传动顺序不一致（公比 $\varphi=2$ 者除外），不符合传动线“前紧后松”的原则。

图 2-17 是某多刀车床的主传动系统，采用双速电动机和滑移齿轮变速，公比 $\varphi=1.41$，其结构式为 $Z=8=2_2\cdot2_1\cdot2_4$，则电变速组为第一扩大组（$p_1=p_E=2, x_1=x_E=2$），Ⅰ—Ⅱ轴间的滑移齿轮变速组为基本组（$p_o=2, x_o=1$），Ⅱ—Ⅲ轴间的滑移齿轮变速组为第二扩大组（$p_2=2, x_2=4$）。

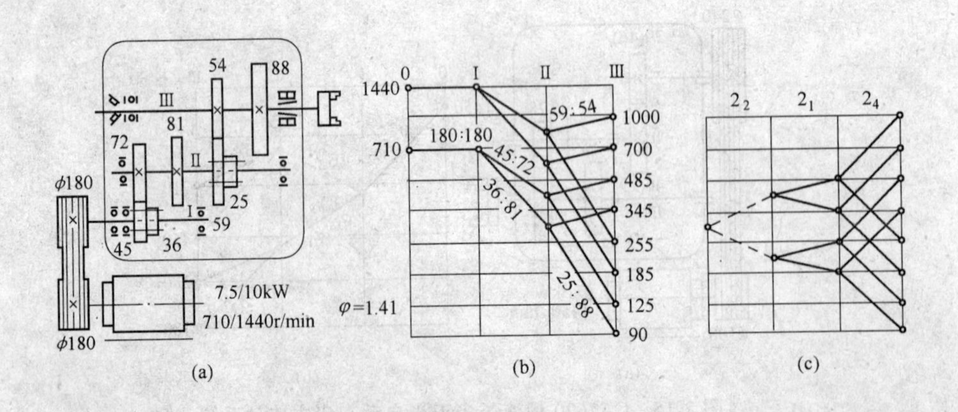

图 2-17 CA7620 型多刀半自动车床主传动系统

C 转速级数 Z 与电变速组级比指数 x_E 的关系

采用多速电动机与变速箱串联使用的传动系统，主轴的转速级数 Z 为

$$Z = p_E Z_1 \tag{2-28}$$

式中　p_E——多速电动机的转速级数，即电变速组的传动副数，$p_E = 2$ 或 3；

　　　Z_1——变速箱的转速级数。

由于电变速组通常为扩大组，级比指数必等于变速箱中一个变速组的传动副数或若干变速组的传动副数乘积，因此 $Z_1 = Kx_E$（其中 K 为正整数）。代入式(2-28)可得

$$Z/x_E = Kp_E \tag{2-29}$$

可见，采用多速电动机时，主轴的转速级数 Z 与电变速组的级比指数 x_E 之比值必为一整数，而且为该电变速组转速级数 p_E（等于 2 或 3）的整数倍。如图 2-17 所示，$Z = 8$，$\varphi = 141$，$x_E = 2$，则 $Z/x_E = 8/2 = 4$，而 $K = Z/x_E p_E = 2$。因此，当 Z、φ 设定，为使主轴转速得到标准公比的等比数列，则多速电动机的转速级数 p_E 并非任意选定。

设已知主轴转速级数 $Z = 12$，公比 $\varphi = 1.41$，采用多速电动机（同步转速之比为 2），其结构式的拟定简述如下。

(1)确定电变速组的级比指数 x_E。$\varphi^{x_E} = 2$，得 $x_E = 2$，电变速组为第一扩大组。

(2)确定多速电动机的转速级数 p_E。由式(2-29)得，$Z/x_E = 12/2 = 6$，$p_E = Z/(x_E K) = 6/K$，若 K 为 3，则 $p_E = 2$；若 K 为 2，则 $p_E = 3$，因此允许选用双速或三速电动机。

(3)拟定结构式。采用双速电动机的结构式为 $Z = 12 = 2_2 \cdot 2_1 \cdot 3_4$ 或者 $12 = 2_2 \cdot 3_4 \cdot 2_1$；采用三速电动机的结构式为 $Z = 12 = 3_2 \cdot 2_1 \cdot 2_6$ 或者 $12 = 3_2 \cdot 2_6 \cdot 2_1$。

(4)检验最后扩大组的变速范围 r_2。采用双速电动机，$r_2 = \varphi^{x_2(p_2-1)} = 1.41^{4(3-1)} = 1.41^8 = 16 > 8$，不允许。采用三速电动机，$r_2 = \varphi^{x_2(p_2-1)} = 1.41^{6(2-1)} = 1.41^6 = 8$，允许，故可选用三速电动机。根据“前紧后松”的原则，应选定 $12 = 3_2 \cdot 2_1 \cdot 2_6$ 结构式方案。

2.3.4.3　转速重复的变速系统

A　转速重复现象

由前述知，若使主轴得到既均匀又不重复、公比为 φ 的等比转速数列，各变速组必须遵守级比规律。如果减小扩大组的级比指数，必然会出现主轴转速重复（重叠）现象。例如，将结构式 $12 = 3_1 \cdot 2_3 \cdot 2_6$ 的最后扩大组级比指数减小到 $x'_2 = 6 - 1 = 5$，由图 2-18 可见主轴转速重复一级（重复转速点用双圈表示），该变速组的变速范围减小为

$$r_2 = \varphi^{x'_2(p_2-1)} = \varphi^{(6-1)(2-1)} = \varphi^5$$

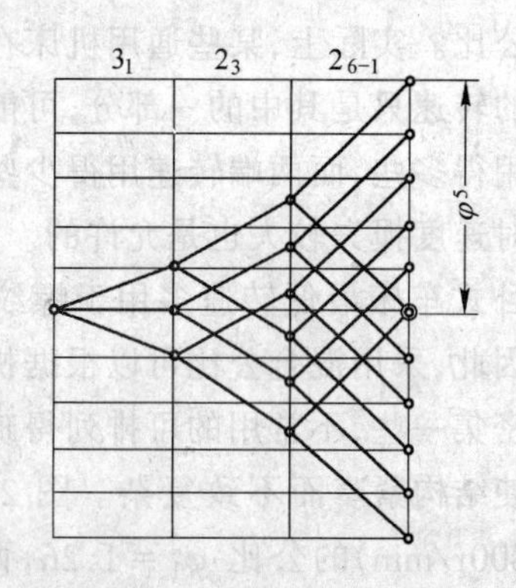

图 2-18　重复 1 级转速的结构网

转速重复虽使有关扩大组的变速范围缩小，但可使传动比适当减缓，性能得到改善。由于最后扩大组的性能最差，故通常要求减小它的变速范围。

B　扩大主轴变速范围

由于最后扩大组受到变速范围的限制，基型变速系统的主轴最大变速范围是有限的。比如，$\varphi = 1.41$，$Z = 12$ 的传动系统，结构式为 $12 = 3_1 \cdot 2_3 \cdot 2_6$。最后扩大组的变速范围为

$$r_2 = \varphi^{x_2(p_2-1)} = 1.41^{6(2-1)} = 1.41^6 = 8$$

主轴的变速范围为

$$R_n = r_0 r_1 r_2 = \varphi^{(3-1)} \cdot \varphi^{3(2-1)} \cdot \varphi^{6(2-1)} = \varphi^{11} = 1.41^{11} = 45$$

如果要求进一步扩大主轴的变速范围,增多主轴转速级数,可再增加一个变速组作为最后扩大组(即第三扩大组),结构式应为

$$24=3_1\cdot 2_3\cdot 2_6\cdot 2_{12}$$

由式(2-21)检验最后扩大组的变速范围,得出

$$r_3=\varphi^{x_3(p_3-1)}=\varphi^{12(2-1)}=\varphi^{12}=1.41^{12}=64$$

可见 r_3 已远远超出变速范围的极限值 r_{max},这是不允许的。为此,可将这个新增加的最后扩大组的变速范围至少缩小到许用的极限值,即将其级比指数减小到 $x'_3=12-6=6$,这时

$$r_3=\varphi^{x'_3(p_3-1)}=1.41^{(12-6)(2-1)}=1.41^6=8$$

将最后扩大组的级比指数减小,主轴转速必然出现重复现象(图 2-19),结构式可写成

$$18=3_1\cdot 2_3\cdot 2_6\cdot 2_{12-6}-6 \text{ 或 } 18=3_1\cdot 2_3\cdot 2_6\cdot 2_6-6$$

主轴的变速范围为

$$R_n=r_0r_1r_2r_3=\varphi^2\cdot\varphi^3\cdot\varphi^6\cdot\varphi^6=\varphi^{17}=1.41^{17}=362$$

因此,增加变速组要产生部分转速重复现象,但可扩大主轴的变速范围,增加主轴的转速级数。

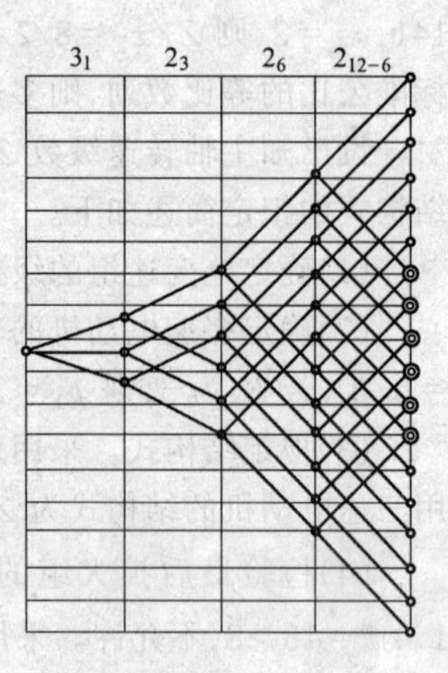

图 2-19 重复 6 级转速的结构网

2.3.4.4 采用混合公比的变速系统

前面讲述的机床主轴转速等比数列都是单一公比的,称为单公比或等公比。但是,有些通用机床的主轴转速数列并不按同一个公比均匀分布,而是一部分转速排列得密一些,公比较小;另一部分转速排列得疏一些,公比较大。主轴转速数列采用几个公比的,称为混合公比或多公比,一般多为双公比或三公比。实际上,某些通用机床在主轴全部转速范围内各级转速的利用率并不相同,经常使用的转速只是其中的一部分,可能集中在中间转速段,也可能集中在高转速段。通常中间转速用得多些,而两端转速用得少些,甚至有的转速仅是为了满足特殊用途而设的,这时即使相对速度损失较大也是允许的。例如,钻床的低转速用于攻丝、铰孔,高转速用于小直径钻孔;卧式车床最低转速多用于螺纹加工;立式车床最低转速则往往用于工件安装时调整等等。因此,采用混合公比可以根据机床的实际需要来安排主轴的转速数列,将常用的转速排列得密集一些,不常用的可排列得疏散一些,这样既扩大了主轴的转速范围,满足了使用要求,又使结构紧凑而不致复杂。图 2-20 是某摇臂钻床的主传动系统,主轴中间各级转速(63~800r/min)的公比 $\varphi_1=1.26$,两端转速(25~63,800~2000r/min)的公比则为 $\varphi_2=\varphi_1^2=1.26^2=1.58$。这是常见的对称型双公比传动系统,即主轴转速是由公比 φ_1(小公比)和 $\varphi_2=\varphi_1^2$(大公比)所组成"中间密、两端疏"的双公比数列,两端"空掉"的转速级数相等,呈现对称性。最常用的双公比是 1.19/1.41,1.26/1.58 和 1.33/1.78。

2.3.4.5 采用并联分支的变速系统

前面介绍的都是由若干变速组串联的变速系统,如果能够增加并联分支传动,还可进一步扩大主轴的变速范围,且使高速传动链缩短以提高传动效率。在图 2-21(a)CA6140 型卧式车床主传动系统中,采用了低速分支和高速分支并联传动。第一、二变速组是二者共用的,由Ⅲ轴开始,高速分支经齿轮 63/50 直接传动主轴Ⅵ,可得到 450~1400r/min 的 6 级高

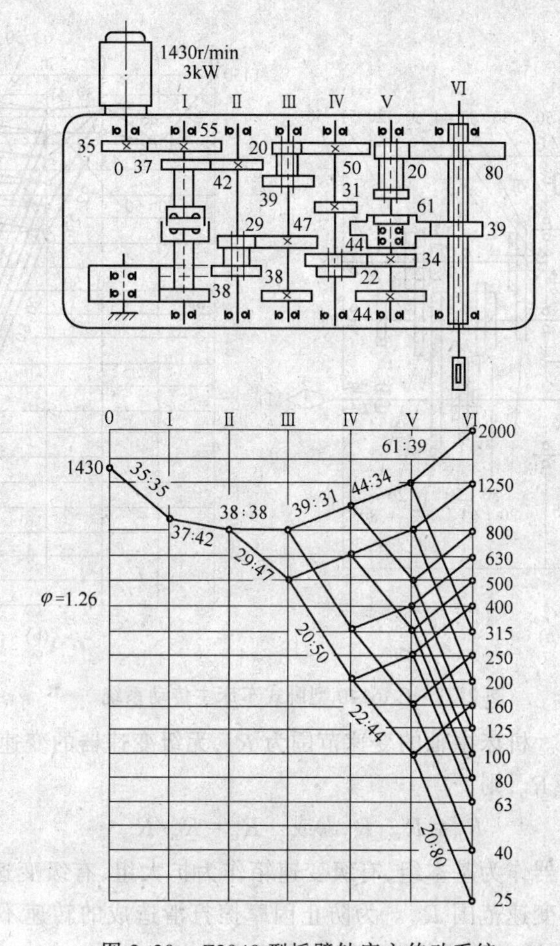

图 2-20 Z3040 型摇臂钻床主传动系统

转速，结构式为 $Z_0=6=2_1\cdot 3_2$；低速分支则经Ⅲ-Ⅳ-Ⅴ-Ⅵ轴齿轮传动，使主轴得到 10～500r/min 的 18 级低转速（重复 6 级转速）。结构式为 $Z_1=2_1\cdot 3_2\cdot 2_6\cdot 2_{12-6}-6$。主轴的转速级数等于两个并联分支传动的转速级数之和，即 $Z=Z_0+Z_1=6+18=24$，其结构式可写成 $24=2_1\cdot 3_2\cdot(1+2_6\cdot 2_{12-6})-6$ 或 $24=2_1\cdot 3_2\cdot(1+2_6\cdot 2_6)-6$。主轴变速范围为 $R_n=n_{max}/n_{min}=1400/10=140$（主轴转速实际为一非对称型双公比数列，400～560r/min 的公比 $\varphi_0=1.12$，其余转速 $\varphi_2=1.26$），转速图见图 2-21(b)。

采用并联分支传动时，要注意主轴的转动方向，即接通不同的分支传动，主轴的转向应该相同，否则要造成传动设计错误。

由前述可见，为了扩大主轴的变速范围 R_n，可增加变速组的个数和增大变速组的变速范围。一般采用如下措施：增加变速组（部分转速重复），采用混合公比，采用并联分支传动等。

2.3.5 主传动无级变速系统

2.3.5.1 采用机械无级变速器的主传动系统

主传动系统采用机械无级变速器进行变速时，由于机械无级变速器的变速范围较小，常

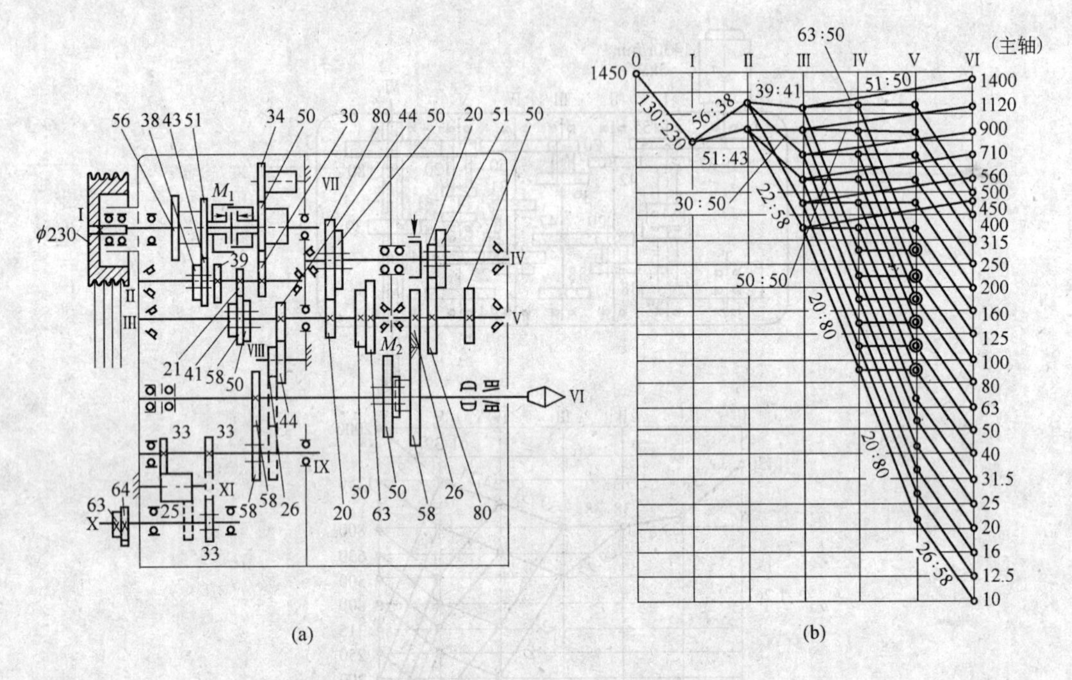

图 2-21　CA6140 型卧式车床主传动系统

需串联机械有级变速箱。机床主轴的变速范围为 R_n,无级变速器的变速范围为 R_w,串联的机械变速箱变速范围为 R_u,则

$$R_n = R_w \cdot R_u \quad 或 \quad R_u = R_n / R_w \tag{2-30}$$

通常可把无级变速器作为基本组,有级变速箱作为扩大组,有级变速箱的公比 φ_u 理论上应等于无级变速器的变速范围 R_w。为防止因摩擦打滑造成的转速不连续现象,可取 $\varphi_u = (0.94 \sim 0.96) R_w$。有级变速箱的转速级数由下式算出。

$$Z = \frac{\lg R_u}{\lg \varphi_u} + 1 = \frac{\lg R_u}{\lg(0.94 \sim 0.96) R_w} + 1 \tag{2-31}$$

图 2-22 所示为采用无级变速器的结构网。图(a)为 $\varphi_u = R_w$,图(b)为 $\varphi_u < R_w$ 的情况。

2.3.5.2　采用无级调速电动机的主传动系统

当采用无级调速电动机实现主传动系统无级变速时,对于直线运动的主传动系统,可直接利用调速电动机的恒转矩调速范围,通过电动机直接带动或通过定比传动副带动主运动执行件实现。对于旋转运动的主传动系统,虽然电动机的功率转矩特性与机床主运动要求相似,但电动机的恒功率调速范围一般小于主轴的恒功率调速范围,因此也常需串联一个机械有级变速箱,把无级调速电动机的恒功率调速范围加以扩大,以满足机床主轴的恒

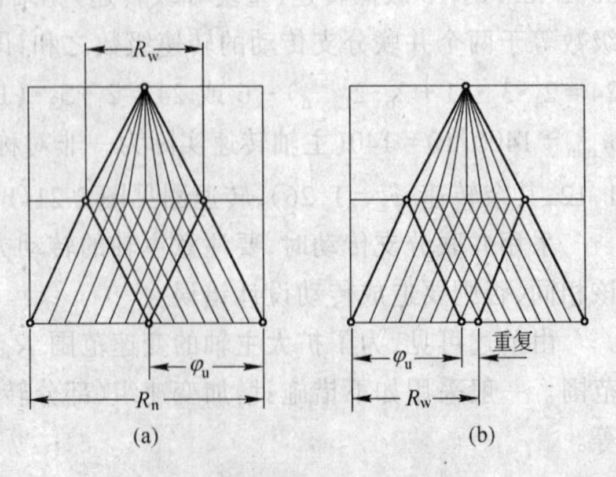

图 2-22　采用无级变速器的结构网

功率调速范围要求。

如果机床主轴所要求的恒功率调速范围为 R_{np}，调速电动机的恒功率调速范围为 R_{dp}，串联有级变速箱的变速范围为 R_u，则有

$$R_u = \frac{R_{np}}{R_{dp}} = \varphi_u^{Z_u - 1} \tag{2-32}$$

式中 φ_u——有级变速箱的公比；

Z_u——有级变速箱的变速级数。

由上式可得：

$$Z_u = \frac{\lg R_{np} - \lg R_{dp}}{\lg \varphi_u} + 1 \tag{2-33}$$

或

$$\varphi_u = \sqrt[Z_u - 1]{\frac{R_{np}}{R_{dp}}} \tag{2-34}$$

有级变速箱的变速级数 Z_u 一般取 2、3、4 级。

在实际设计时，可首先根据功率要求初选调速电动机，确定其额定功率 P_d，额定转速 n_d，最高转速 n_{dmax}，从而得到调速电动机的恒功率调速范围 R_{dp}。

$$R_{dp} = \frac{n_{dmax}}{n_d}$$

然后根据 R_{dp}及机床主轴所要求的恒功率调速范围 R_{np}，适当确定变速级数 Z_u 值，据式(2-34)即可求出机械有级变速箱的公比 φ_u。φ_u 值越大，级数 Z_u 越小，机械结构越简单，反之则要增大变速级数 Z_u。φ_u 值可根据机床的具体要求选取，分为三种不同情况。

(1)当 $\varphi_u = R_{dp}$时，可得到一段连续的恒功率区 AD 段，见图 2-23(a)。

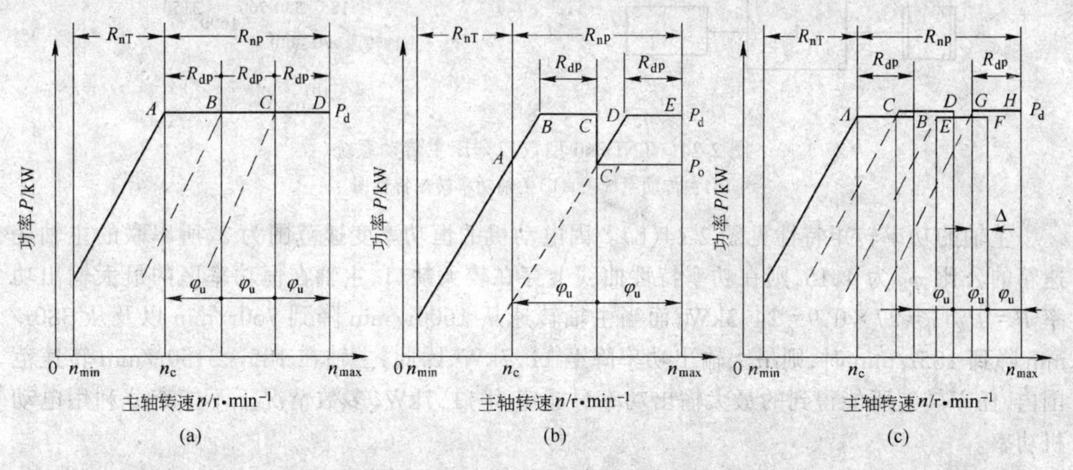

图 2-23　三种不同方案的功率特性

(2)当 $\varphi_u > R_{dp}$时，则在主轴的计算转速 n_c 到最高转速 n_{max}之间，功率特性曲线上将出现“缺口”，见图 2-23(b)，“缺口”处电动机的输出功率达不到额定功率值 P_d。若使缺口处电动机最小输出功率 P_0 值达到机床所要求的功率，必须增大调速电动机的额定功率 P_d，虽然简化了机械有级变速箱的结构，却增大了调速电动机的额定功率，使电机额定功率在很大范围内得不到充分发挥。

(3)当 $\varphi_u < R_{dp}$时，调速电动机经机械有级变速箱所得到的几段恒功率转速段之间会出

现部分重合的现象，见图2-23(c)。图中 AB、CD、EF、GH4段中每相邻两段间有一小段重合，得到主轴恒功率转速段 AH 段。适合于恒线速度切削时可在运转中变速的场合，如数控车床车削阶梯轴或端面。此时由于 φ_u 较小，有级变速箱的变速级数将增大，使结构变得复杂。

图2-24所示为TND360型数控车床主传动系统图和功率转矩特性图。采用直流调速电动机串联一个2级机械有级变速箱实现主轴无级变速。直流电动机的无级调速范围为35～4000r/min，额定转速为2000r/min。额定转速到最高转速之间，属恒功率区；最低转速至额定转速之间，属恒转矩区。恒功率调速范围 $R_{dp}=4000/2000=2$。主电动机经同步齿形带传动主轴变速箱，经齿轮副29/86使主轴获得7～760r/min低速段转速；经齿轮副84/60得到760～3150r/min高速段转速，其中恒功率段为380～760r/min和1600～3150r/min。

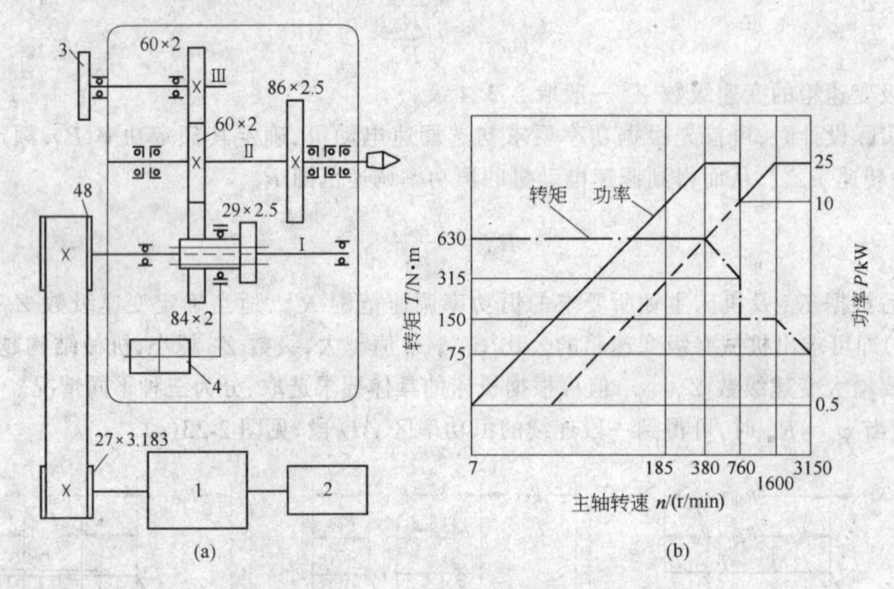

图2-24　TND360型数控车床主传动系统

(a)主传动系统图；(b)主轴功率转矩特性图

主轴的功率转矩特性见图2-24(b)。因电动机的恒功率变速范围为2，所串联的主轴变速箱的公比 φ_u 为4.15，则在功率特性曲线上存在较大缺口，主轴在恒功率区的最大输出功率 $P=P_E\cdot\eta=27\times0.9=24.3$kW，而当主轴转速从1600r/min降到760r/min以及从380r/min降到185r/min时，则最大输出功率降至11.7kW，因此，主轴在185～3150r/min转速范围内，任一转速所能得到的最大输出功率只能定为11.7kW，多数情况下不能充分利用电动机功率。

主电动机1的另一个端带动测速发电机2实现速度反馈。主轴经齿轮60/60带动圆光栅3，使主轴每转发出1024个脉冲。采用液压缸4操纵滑移齿轮变速。

2.3.6　主传动系统计算转速

设计机床主传动系统时，为了使传动件工作可靠、结构紧凑，必须对传动件进行动力设计。主轴及其他传动件(如传动轴、齿轮及离合器等)的结构尺寸主要根据它所传递的转矩大小来决定，即与传递的功率和转速这两个因素有关。

对于专用机床，在特定工艺条件下各传动件所传递的功率和转速是固定不变的，传递的转矩也是一定的。而对于工艺范围较广的通用机床和某些专门化机床，由于使用条件复杂，转速范围较大，传动件所传递的功率和转速也是变化的，将传动件的传递转矩定得偏小或偏大，是不可靠、不经济的。所以，传动件传递转矩大小的确定，必须根据机床实际使用情况进行调查分析。通用机床在最低的一段转速范围内，经常用于切削螺纹、铰孔、切断、宽刀精车等工序，消耗功率较小，不需要使用电动机全部功率；即便用于粗加工，由于受刀具、夹具和工件刚度的限制，不允许采用过大的切削用量，也不会使用电动机的全部功率。因此，只是从某一转速开始，才有可能使用电动机全部功率；但在使用电动机全部功率的所有转速之中，随着转速的降低，传递的转矩增加。因此，把传动件传递全部功率时的最低转速称为该传动件的计算转速。

2.3.6.1 主轴计算转速确定

主轴计算转速 n_c 是主轴传递全部功率(此时电动机为满载)时的最低转速。从这一转速起至主轴最高转速间的所有转速都能传递全部功率，此为恒功率工作范围，而转矩则随转速的增加而减小。低于主轴计算转速的各级转速所能传递的转矩与计算转速时的转矩相等，此为恒转矩工作范围，而功率则随转速的降低而减小，如图 2-25 所示。

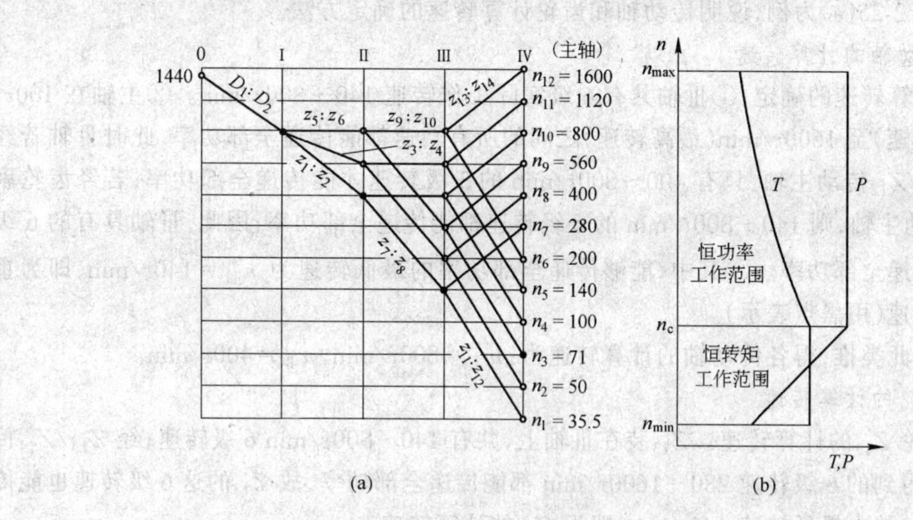

图 2-25 主轴计算转速

(a)转速图；(b)功率及转矩特性

根据对现有机床的调查、测定及有关统计资料分析，主轴计算转速的确定见表 2-6。

表 2-6 中型通用机床和半自动机床的主轴计算转速 n_c

机床类型	等公比	混合公比或无级变速
车床，升降台铣床，转塔车床，液压仿形半自动车床，多刀半自动车床，单轴和多轴自动车床，立式多轴半自动车床，卧式铣镗床(ϕ63～90)	$n_c=n_{min}\varphi^{\frac{Z}{3}-1}$ n_c 为主轴第一个(低的)三分之一转速范围内的最高一级转速	$n_c=n_{min}R_n^{0.3}$
立式钻床，摇臂钻床	$n_c=n_{min}\varphi^{\frac{Z}{4}-1}$ n_c 为主轴第一个(低的)四分之一转速范围内的最高一级转速	$n_c=n_{min}R_n^{0.25}$

如图 2-25(a)，该车床的主轴转速级数 $Z=12$，由表 2-5 可知，$12/3=4$，即主轴计算转速为 $n_c=n_4=100\text{r/min}$。或者按表中公式计算得

$$n_c=n_{\min}\varphi^{\frac{Z}{3}-1}=n_{\min}\varphi^{\frac{12}{3}-1}=n_{\min}\varphi^3=n_4=100\text{r/min}$$

主轴计算转速在转速图上可用“黑点”表示。计算转速必须是主轴实际具有的工作转速，如所得计算转速不在转速点上，则应选定与其最靠近的转速值。

2.3.6.2　其他传动件计算转速确定

机床主传动中的齿轮、传动轴及其他传动件的计算转速，应是它传递全部功率的最低转速。如前所述，主轴从计算转速起至最高转速间的所有转速都能传递全部功率，那么实现主轴这些转速的传动件实际工作转速也能传递全部功率。

当主轴的计算转速确定之后，其他传动件的计算转速可从转速图上加以确定。确定顺序通常是“由后往前”，即先定出位于传动链后面(靠近主轴)的传动件的计算转速，再顺次由后往前地定出传动链中其他传动件的计算转速。其步骤是：①该传动件共有几级实际工作转速；②其中哪几级转速能够传递全部功率；③能够传递全部功率的最低转速即为该传动件的计算转速。

现以图 2-25(a)为例，说明传动轴和齿轮计算转速的确定方法。

A　传动轴的计算转速

Ⅲ轴计算转速的确定：①Ⅲ轴共有 6 级实际工作转速 140～800r/min。②主轴在 100r/min(计算转速)至 1600r/min(最高转速)之间的所有转速都能传递全部功率，此时Ⅲ轴若经齿轮副 Z_{11}/Z_{12}传动主轴，只有 400～800r/min 的 3 级转速才能传递全部功率；若经齿轮副 Z_{13}/Z_{14}传动主轴，则 140～800r/min 的 6 级转速都能传递全部功率；因此，Ⅲ轴具有的 6 级转速都能传递全部功率。③其中，能够传递全部功率的最低转速为 $n_{\text{Ⅲ}}=140\text{r/min}$，即为Ⅲ轴的计算转速(用黑点表示)。

其余依此类推，得各传动轴的计算转速为：$n_{\text{Ⅰ}}=800\text{r/min}$，$n_{\text{Ⅱ}}=400\text{r/min}$。

B　齿轮的计算转速

(1)齿轮 Z_{13}的计算转速。Z_{13}装在Ⅲ轴上，共有 140～800r/min 6 级转速；经 Z_{13}/Z_{14}传动，主轴所得到的 6 级转速 280～1600r/min 都能传递全部功率，故 Z_{13}的这 6 级转速也能传递全部功率；其中最低转速 140r/min 即为 Z_{13}的计算转速。

(2)齿轮 Z_{14}的计算转速。Z_{14}装在Ⅳ轴(主轴)上，共有 280～1600r/min 6 级转速；它们都能传递全部功率；其中最低转速 280r/min 即为 Z_{14}的计算转速。

(3)齿轮 Z_{11}的计算转速。Z_{11}装在Ⅲ轴上，共有 140～800r/min 6 级转速；其中只有在 400～800r/min 的 3 级转速时，经 Z_{11}/Z_{12}传动主轴所得到的 100～200r/min 3 级转速才能传递全部功率，而 Z_{11}在 140～280r/min 3 级转速时，经 Z_{11}/Z_{12}传动主轴所得到 35.5～71r/min 3 级转速都低于主轴的计算转速(100r/min)，故不能传递全部功率，因此 Z_{11}只有 400～800r/min 这 3 级转速才能传递全部功率；其中最低转速 400r/min 即为 Z_{11}的计算转速。

(4)齿轮 Z_{12}的计算转速。Z_{12}装在Ⅳ轴(主轴)上，共有 35.5～200r/min 6 级转速，其中只有 100～200r/min 这 3 级转速才能传递全部功率；其中最低转速 100r/min 即为 Z_{12}的计算转速。

其余依此类推，各齿轮的计算转速见表 2-7。

表 2-7　各齿轮的计算转速 n_c　(r/min)

齿轮序号	Z_1	Z_2	Z_3	Z_4	Z_5	Z_6	Z_7	Z_8	Z_9	Z_{10}	Z_{11}	Z_{12}	Z_{13}	Z_{14}
n_c	800	400	800	560	800	800	400	140	400	400	400	100	140	280

应该指出，确定齿轮计算转速时，必须注意到它所在的传动轴。此外，齿轮计算转速与所在轴计算转速的数值可能不一样，要根据转速图的具体情况来确定。

2.3.7　主传动系统结构设计

机床主传动系统的结构设计，是将传动方案“结构化”，向生产部门提供主传动部件装配图、零件工作图及零件明细表等。

根据主传动部件的不同结构特点可分为两种类型。一种是主传动全部装于机床支承件如底座、床身中(见图 2-26 升降台铣床)，称为整体式结构，可将各轴心线布置在同一平面内，结构简单，但大件加工困难；为减少传动轴支撑跨距需加中间箱壁，并且不能采用分支传

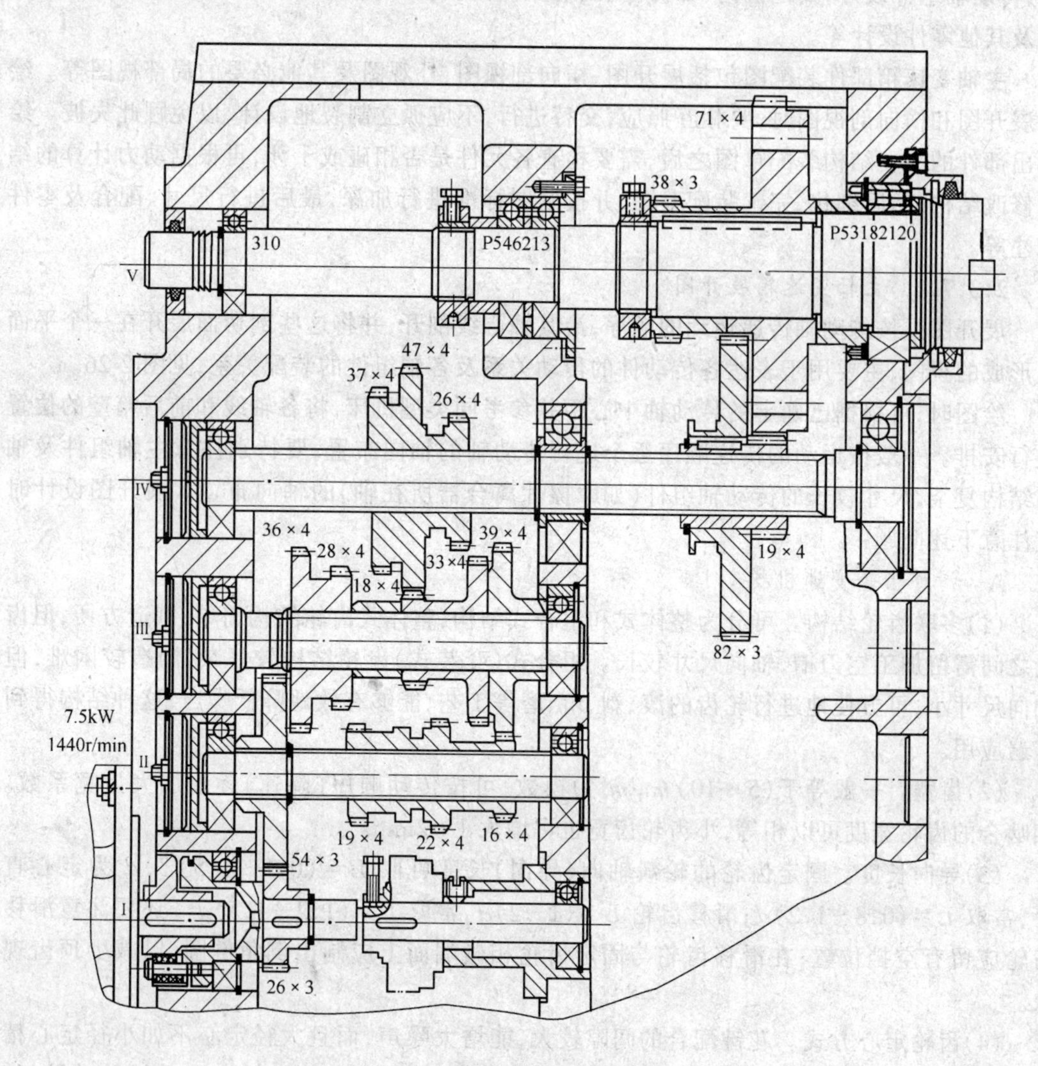

图 2-26　升降台铣床主轴变速箱装配图

动等。另一种是装于单独箱体中,称为独立箱体结构,如 CA6140 型车床,箱体数增加,但加工较方便,这是目前多数机床采用的类型。装有变速机构的箱形部件称变速箱,装有主轴的箱形部件称主轴箱。分离传动式可将主传动分装于变速箱和主轴箱两个箱体中;而集中传动式则装于主轴变速箱一个箱体中,甚至还包括进给传动的部分机构(如卧式车床)或全部机构(如摇臂钻床)。

在机床初步设计中,考虑主轴变速箱在机床上的位置,与其他部件的相互关系,只是概略给出形状与尺寸要求,但最终还需要根据箱内各元件的实际结构与布置才能确定下来。在可能的情况下,应尽量减小主轴变速箱的轴向和径向尺寸,以便节省材料,减轻质量,满足使用要求。对于不同情况要区别对待,有的机床要求较小的轴向尺寸而对径向尺寸并不严格,如某些立式机床和摇臂钻床的主轴箱。但有的机床如卧式铣镗床、龙门铣床的主轴箱要沿立柱或横梁导轨移动,为减少其颠覆力矩,要求缩小径向尺寸。

机床主传动部件即主轴变速箱的结构设计主要内容包括:主轴组件设计,操纵机构设计,传动轴组件设计,其他机构(如开停、制动及换向机构等)设计,润滑与密封装置设计,箱体及其他零件设计等。

主轴变速箱部件装配图包括展开图、横向剖视图、外观图及其他必要的局部视图等。绘制展开图和横向剖视图时,要相互照应,交替进行,不应孤立割裂地设计,以免顾此失彼。绘制出部件的主要结构装配草图之后,需要检查各元件是否相碰或干涉,再根据动力计算的结果修改结构,然后细化、完善装配草图,并按制图标准进行加深,最后进行尺寸、配合及零件标注等。

2.3.7.1 主轴变速箱展开图

展开图是按传动轴传递运动的顺序,沿其轴心线剖开,并将这些剖切面展开在一个平面上形成的视图,主要用于表达各传动件的传动关系及各轴组件的装配关系,见图 2-26。

绘图时,可根据已确定的传动轴中心距并参考同类型机床,将各轴线和前后箱壁的位置进行安排。一般按运动的传递顺序逐个进行传动轴的轴向布置,要特别注意主轴组件及轴向结构复杂、尺寸较长的传动轴组件(如摩擦片离合器所在轴)的轴向布置。展开图设计时应注意下述问题:

A 滑移齿轮变速机构

(1)多联齿轮结构。可分为整体式和组合式结构,整体式齿轮结构简单,制造方便,但齿轮之间需留加工空刀槽,轴向尺寸较长。组合式(套装式)齿轮结构较复杂,制造较困难,但轴向尺寸小,可方便地进行轮齿的滚、剃、珩、磨等工艺,能够有效地降低噪声,这种结构得到普遍应用。

(2)齿宽。一般等于$(5\sim10)m$,m 为模数,可按传动顺序(降速)逐渐加大齿宽系数。相啮合的齿轮宽度可以相等,小齿轮齿宽也可增大 1~2mm。

(3)导向长度。固定齿轮的轮毂轴向(导向)长度可取 $L=(0.5\sim1.5)d$,d 为定心直径,常取 $L=(0.8\sim1.2)d$;滑移齿轮 $L=(1\sim2)d$,常取 $L=(1.2\sim1.5)d$。还要注意滑移齿轮应留有空挡位置;在滑移齿轮与固定齿轮相碰端面上应制出倒角倒圆,以减少顶齿现象。

(4)齿轮定心方式。花键配合的间隙较大,能增大噪声,而且大径定心不如小径定心精度高(制造原因),因此定比传动齿轮或固定齿轮采用光轴定心或锥孔定心、单键传动较好,滑移齿轮可采用配合公差适宜的小径定心花键轴传动,也可采用光轴导向键传动。

B 传动轴组件

(1)零件的定位与固定。传动轴上零件的定位要合理,固定要可靠。轴向位置必须固定的零件,不允许沿轴向窜动,可用轴肩、圆锥面、轴套、挡圈、螺钉、螺母、销子等进行轴向定位或固定。对于轴向滑移零件(如滑移齿轮、拨叉、滑套等),应留有足够的滑移空间,其滑移到位也必须是一定的,可采用定位装置来控制各个停留位置。

(2)传动轴组件的轴向定位与固定。传动轴组件在箱体内的轴向位置必须是确定的,不允许轴向窜动,以保证其上零件的正常工作,一般是通过滚动轴承来轴向定位或固定。采用一端固定或两端固定的方式,靠箱体内的台阶、挡圈、压盖、螺钉等来实现。但不允许超定位,即同一个方向有两处定位,这会造成干涉现象。若零件的轴向位置要求严格,考虑加工、装配误差的影响,应有轴向位置调整的可能。

2.3.7.2 主轴变速箱横向剖视图

横向剖视图是指垂直于传动轴心线方向的剖视图(简称截面图),主要用于表达各轴的空间位置,操纵机构及其他有关结构的装配关系等。布置各轴的空间位置应以机床的工作性能为依据,使主轴及各传动轴有较好的受力状况,以及便于操作、装卸、调整、维修、润滑等,同时应使结构紧凑,尽可能缩小其径向尺寸。

A 主轴位置的确定

主轴的位置能够影响其他传动轴的布置,因此,需要首先加以确定。主轴位置一般是受机床主参数和主要性能所限定,在机床初步设计时给出。减小主轴轴心至箱体支撑面间的距离,对减轻质量,缩小体积及提高工作稳定性等都有一定的作用。如卧式车床的主轴到床身导轨面间的距离(中心高),立式钻床、摇臂钻床、龙门铣床及卧式铣镗床等主轴到导轨面间的距离,都应尽量减小。主轴另一坐标位置,可根据结构、操作及受力状态等情况而定。

B 输入轴位置的确定

如果电动机直接与主轴箱连接,则布置电动机轴(输入轴)的位置时,应考虑电动机在箱体外面有足够安装空间,电动机与其他部件是否相碰,接线是否方便以及操作是否安全等。对于可动式主轴箱还必须考虑电动机对主轴箱重心的影响等。如果输入轴不是电动机轴,则必须考虑运动来源的方向和部位,应使运动传入方便;若装有带轮,因旋转不平衡的影响则位置要低,但不能与主轴组件等相碰,此外,还需保证传动带装卸方便,故宜布置在远离主轴的部位;另外带轮最好不超出箱体轮廓,以免影响外观。若在传动轴上装有兼起开停、换向用的多片摩擦离合器,应布置在不受其他轴遮挡且便于调整的部位,故一般多布置在靠近箱盖的上方或调整窗口处。

C 末前轴位置的确定

主轴的前一根传动轴即末前轴,其位置对主轴工作性能有较大影响,如条件允许应安排在合理位置上。

D 其他传动轴位置的确定

在给定的空间内安排其他各轴位置时,避免集中在箱体上部或下部,位置过高则工作稳定性不好,过低又会搅油发热(润滑油箱内循环)使温升增高。传动轴一般不能低于油面。

E 检查零件干涉

传动轴的位置初定之后,要检查箱内各零件是否干涉,即结构实现的可能性,这是一项非常重要的检查内容。

(1)有传动关系的传动轴组件。若在展开图上能够直接反映出实际中心距时,只要量取尺寸无误,其上零件是否干涉或相碰,可由图面直观发现问题。若在展开图上不能直接反映实际中心距时,应注意检查无啮合关系的其他零件是否干涉或相碰。

(2)无传动关系的传动轴组件。这种没有直接传动关系而且空间位置又相近的传动轴组件,由于在展开图上不能反映出实际中心距,这种情况最容易发生零件相碰或干涉问题,因此要特别注意检查,要对那些尺寸较大的零件、滑移件及偏心件多加留意。

(3)零件之间的间隙。转动件之间或转动件与固定件之间,不允许有相互干涉或相碰的现象,彼此之间应有足够的间隙。对于中型机床主轴变速箱,加工表面之间(如齿轮顶圆、端面与转轴或法兰盘加工面之间),一般留 1~2mm 以上的间隙,轴承孔之间壁厚一般可大于10mm,不得小于 3mm。加工表面与非加工表面之间的间隙要大些,如齿轮端面与箱壁间隙大于等于 5~8mm,齿轮顶圆与箱壁间隙大于等于 10mm,与箱底间隙大于等于 15mm。

2.4 机床进给传动系统设计

2.4.1 进给传动系统类型及设计要点

2.4.1.1 进给传动的类型及组成

机床进给传动系统是用来实现机床的进给运动和有关辅助运动(如快进、快退等调节运动)。根据机床的类型、传动精度、运动平稳性和生产率等要求,可采用机械、液压和电气等不同传动方式。

A 机械传动

机械进给传动系统结构复杂、制造工作量大,但具有工作可靠、维修方便等特点,仍然广泛应用于中、小型普通机床中。图 2-27 是两种典型的机械进给传动系统,主要由动力源、变速机构、换向机构、运动分配机构、过载保险机构、运动转换机构、执行机构以及快速传动机构等组成。

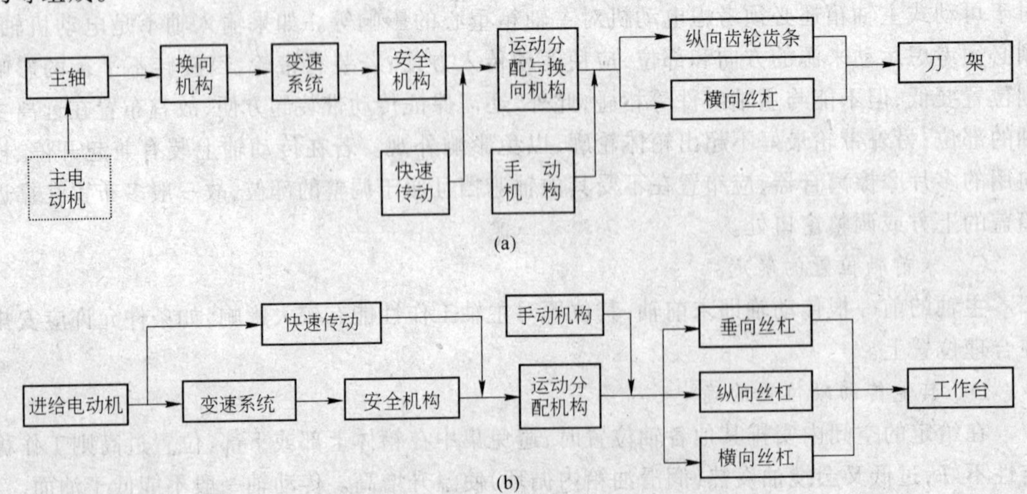

图 2-27 两种典型机床进给传动
(a)CA6140 型卧式车床进给系统;(b)X62W 型铣床进给系统

(1)动力源。进给传动可采用一个或多个电动机单独驱动,便于缩短传动链、实现进给运动的自动控制;也可以与主传动共用一个动力源,便于保证主传动和进给运动之间的严格传动比关系,适用于有内联系传动链的机床,如车床、齿轮加工机床等。

(2)变速机构。用来改变进给量大小,常用滑移齿轮、交换齿轮、齿轮离合器和机械无级变速器等。设计时,若几个进给运动共用一个变速机构,应将变速机构放置在运动分配机构前面。由于机床进给运动的功率较小、速度较低,有时也采用拉键机构、齿轮折回机构和棘轮机构等。

(3)换向机构。用来改变进给运动的方向,一般有两种方式,一种是进给电动机换向,换向方便,但普通进给电动机的换向次数不能太频繁;另一种是齿轮或离合器换向,换向可靠,应用广泛。

(4)运动分配机构。实现纵向、横向或垂直方向不同传动路线的转换,常采用各种离合器机构。

(5)过载保险机构。其作用是在过载时自动断开进给运动,过载排除后自动接通,常采用牙嵌离合器、摩擦片式离合器、脱落蜗杆等。

(6)运动转换机构。用来转换运动类型,一般是将回转运动转换为直线运动,常采用齿轮齿条、蜗杆齿条、丝杠螺母机构。

(7)快速传动机构。为了便于调整机床、节省辅助时间和改善工作条件。快速传动可与进给传动共用一个进给电动机,采用离合器等进给传动链转换;大多数采用单独电动机驱动,通过超越离合器、差动轮系机构或差动螺母机构等,将快速运动合成到进给传动中。

B 液压传动

液压进给传动通过动力液压缸等传递动力和运动,并通过液压控制技术实现无级调速、换向、运动分配、过载保护和快速运动。油缸本身作直线运动,一般不需要运动转换。液压传动工作平稳、动作灵敏,便于实现无级调速和自动控制,而且在同等功率情况下体积小、重量轻、机构紧凑,因此广泛用于磨床、组合机床和自动车床的进给传动中。

C 电气传动

电气进给传动是采用无级调速电动机,直接地或经过简单的齿轮变速或同步齿形带变速,驱动齿轮条或丝杠螺母机构等传递动力和运动;若采用近年出现的直线电动机可直接实现直线运动驱动。电气传动的机械结构简单,可在工作中无级调速,便于实现自动化控制,因此应用越来越广泛。

数控机床的进给系统称为伺服进给传动系统,由伺服驱动系统、伺服进给电动机和高性能传动元件(如滚珠丝杠、滚动导轨)组成,在计算机(即数控装置)的控制下,可实现多坐标联动下的高效、高速和高精度进给运动。

2.4.1.2 进给传动系统设计要点

A 速度低、功耗小、恒转矩传动

与机床主运动相比较,进给运动的速度一般较低、受力较小,传动功率也较小,可以看做恒转矩传动。传动系统中任一传动件所承受的转矩可用下式计算:

$$T_i = T_{\max} u_i / \eta_i \tag{2-35}$$

式中 T_i——任一传动轴承受的转矩;

$T_{\max}$——末端输出轴上允许的最大转矩;

u_i——从 i 轴到末端轴的传动比；

η_i——从 i 轴到末端轴的传动效率。

B 计算转速

确定进给传动系统计算转速(或计算速度)的目的是确定所需的功率，一般按下列三种情况确定：

(1)具有快速运动的进给系统，传动件的计算转速(或计算速度)取在最大快速运动时的转速(或速度)。

(2)对于中型机床，若进给运动方向的切削分力大于该方向的摩擦力，则传动件的计算转速(或速度)由该机床在最大切削力工作时所使用的最大进给速度来决定，一般为机床规定的最大进给速度的1/2～1/3。

(3)对于大型机床和精密或高精密级机床，若进给运动方向的摩擦力大于该方向的切削分力，则传动件的计算转速(或速度)由最大进给速度来决定。

C 变速系统的传动副要“前少后多”、降速要“前快后慢”、传动线要“前疏后密”。

对于进给量按等比级数排列变速系统，其设计原则刚好与主传动变速系统的设计原则相反，对于12级进给变速系统，其结构式可取：$Z=12=Z_1\cdot Z_2\cdot Z_3$，可减小中间传动件至末端传动件的传动比，减少所承受的转矩，以便减小尺寸，使结构更为紧凑。

2.4.2 进给传动系统传动精度

机床的传动精度是指机床内联系传动链两端件之间相对运动的准确性。例如车削螺纹时机床的传动链应在整个加工过程中始终保证主轴转一转，刀架移动一个螺纹导程值。机床的传动精度是评价机床质量的重要标准之一。

A 误差来源

在传动链中，各传动件的制造误差和装配误差以及传动件因受力和温度变化而产生的变形都会影响传动链的传动精度。在传动件的制造误差中，传动件的轴向跳动和径向跳动，齿轮和蜗轮的齿形误差、周节误差和周节累积误差，丝杠、螺母和蜗杆的半角误差、导程误差和导程累积误差等，是引起传动误差的主要来源。

B 误差传递规律

在传动链中，各个传动件的传动误差都按一定传动比依次传递，最后集中反映到末端件上，其传动规律可用下式表示：

$$\left.\begin{aligned}\Delta\varphi_n&=\Delta\varphi_i u_i\\ \Delta l_n&=r_n\Delta\varphi_n=r_n\Delta\varphi_i u_i\end{aligned}\right\}\tag{2-36}$$

式中 $\Delta\varphi_i$——传动件 i 的角度误差；

u_i——传动件 i 到末端件 n 之间的传动比；

$\Delta\varphi_n$、Δl_n——由 $\Delta\varphi_i$ 引起的末端件 n 的角度误差和线值误差；

r_n——在末端件 n 上与加工精度有关的半径。

由于传动链是由若干传动件组成的，所以每一传动件的误差都将传递到末端件上。转角误差都是向量，总转角误差应为各误差的向量和，在向量方向未知的情况下，可用均方根误差来表示末端件的总误差 $\Delta\varphi_\Sigma$、Δl_Σ：

$$\left.\begin{aligned}\Delta\varphi_{\Sigma} &= \sqrt{(\Delta\varphi_1 u_1)^2 + (\Delta\varphi_2 u_2)^2 + \cdots + (\Delta\varphi_n u_n)^2} = \sqrt{\sum_{i=1}^{n}(\Delta\varphi_i u_i)^2} \\ \Delta l_{\Sigma} &= r_n \Delta\varphi_{\Sigma}\end{aligned}\right\} \quad (2\text{-}37)$$

C　提高传动精度措施和内联系传动链设计原则

根据上述分析,可以给出提高传动精度的措施,这也是内联系传动链的设计原则。

(1)缩短传动链。设计传动链时尽量减少串联传动件的数目,以减少误差的来源。

(2)合理分配传动副的传动比。根据误差传递规律,传动链中传动比应采取递降原则。在内联系传动链中,运动通常是由某一中间传动件传入,此时向两末端件的传动应采用降速传动,则中间传动件的误差反映到末端件上可以被缩小,并且末端件传动副的传动比应最小,即降速幅度最大。所以在传递旋转运动时,末端传动副应采用蜗轮副;在传递直线运动时,末端传动副应采用丝杠副。

(3)合理选择传动件。内联系传动链中不允许采用传动比不准确的传动副,如摩擦传动副。斜齿圆柱齿轮的轴向窜动会使从动齿轮产生附加的角度误差;梯形螺纹的径向跳动会使螺母产生附加的线值误差;圆锥齿轮、多头蜗杆和多头丝杠的制造精度低。因此,传动精度要求高的传动链,应尽量不用或少用这些传动件。

为使传动平稳必须采用斜齿圆柱齿轮传动时,应将螺旋角取得小些;采用梯形螺纹丝杠时,应将螺纹半角取得小些,一般小于7°30′;为了减少蜗轮的齿圈径向跳动引起节圆上的线值误差,齿轮精加工机床常采用小压力角的分度蜗轮,此外尽量加大蜗轮直径,以便缩小反映到工件上的误差。

(4)合理确定各传动副精度。根据误差传递规律,末端件上传动副误差直接反映到执行件上,对加工精度影响最大,因此其精度应高于中间传动副。

(5)采用校正装置。为了进一步提高进给传动精度,可以采用校正装置。机械式校正装置是针对具体机床的实际传动误差制成校正尺或校正凸轮,用以推动执行件产生附加运动,对传动误差进行补偿。由于机械校正装置结构复杂,补偿精度有限,应用并不普遍,近几年出现了利用光电原理制成的校正装置。数控机床采用检测反馈、软件或硬件补偿等方法,使机床的定位精度与传动精度得到了大幅度提高。

2.4.3　数控机床伺服进给传动系统类型

数控机床的伺服进给传动系统是以机械位移作为控制对象的自动控制系统,其作用是接受来自数控装置发出的进给脉冲,经变换和放大后,驱动工作台或刀架等按规定的速度和距离移动。相对于每一个进给脉冲信号,机床部件的移动量称为数控机床的脉冲当量或最小设定单位,其大小视机床的精度而定,一般为0.01～0.0005mm。由于伺服系统直接决定刀具和工件的相对位置,是影响加工精度和生产率的主要因素之一。

数控机床的伺服进给系统按有无检测反馈装置可分为开环、闭环和半闭环系统。

A　开环系统

开环系统是对工作台等的实际位移不进行检测反馈处理的系统,如图2-28所示。开环系统的伺服电动机一般采用步进电动机,经降速齿轮(或同步齿形带)和滚珠丝杠螺母,带动工作台移动。这种系统的精度、速度和功率都受到限制,但系统结构简单、调试方便、成本低廉,主要应用于各种经济型数控机床中。

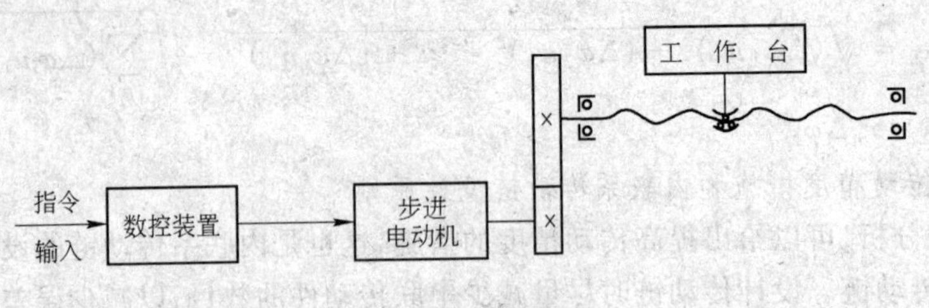

图 2-28 开环控制系统

B 闭环系统

在闭环系统中,使用位移检测装置直接测量机床执行部件(如刀架或工作台)的移动,并反馈给数控装置,与指令位移进行比较,用其差值控制伺服电动机工作。闭环系统的伺服电动机一般采用直流或交流伺服电动机,为了提高系统稳定性,还必须对电动机速度进行检测,实行速度反馈控制,如图 2-29 所示。图中 A 为速度检测元件,C 为工作台线性位移检测元件。

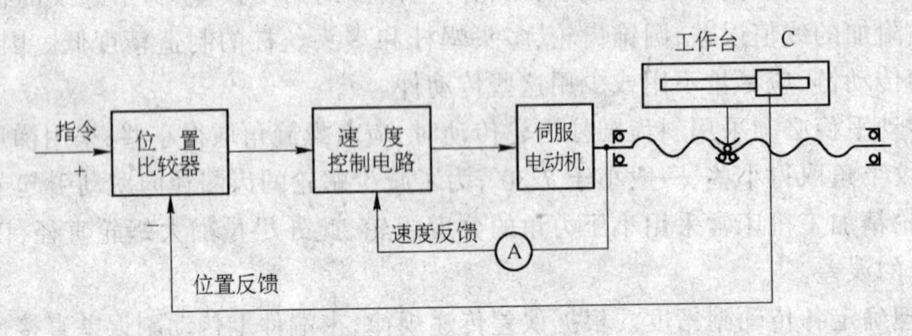

图 2-29 闭环控制系统

闭环系统可以消除整个系统的误差,包括机械系统的传动误差等,其控制精度和动态性能都比较理想,但系统结构复杂,安装和调试比较麻烦,成本高,用于精密型数控机床。

C 半闭环系统

如果将闭环系统的位移检测装置改为角位移检测装置,不是安装在工作台上而是安装在伺服电动机上,通过对电动机的角位移进行检测,间接对工作台实行反馈控制,便形成了所谓半闭环控制,如图 2-30 所示。图中 B 为电动机转角检测元件,A 为直流或交流伺服电动机的速度检测元件。

半闭环伺服控制系统将齿轮、丝杠螺母和轴承等机械传动部件排除在反馈控制之外,不能完全补偿它们的传动误差,因此精度比闭环差,但由于排除了机械传动系统的干扰,系统稳定性有所改善,调试方便,而且结构简单,成本较闭环系统低,所以应用比较广泛。

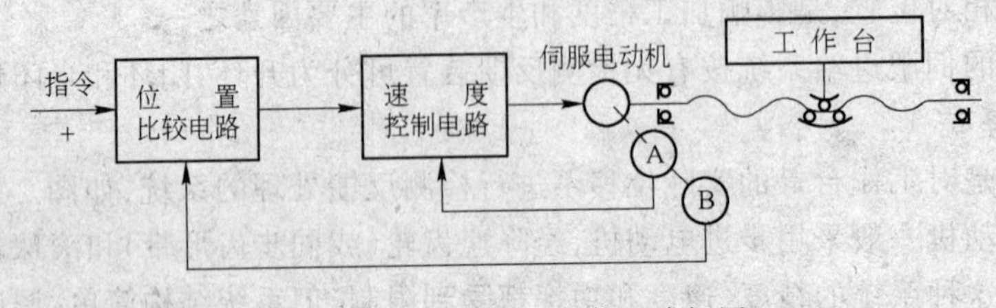

图 2-30 半闭环控制系统组成框图

2.4.4 进给伺服电动机选择

数控机床的进给伺服电动机与普通的电动机不同，必须满足调速范围宽、响应速度快、恒转矩输出且过载能力强、能承受频繁启动、停止和换向等要求。随着科学技术的发展，进给伺服电动机的类型越来越多，性能越来越优越，主要有步进电动机、直流伺服电动机、交流伺服电动机和直线伺服电动机等。

2.4.4.1 步进电动机

步进电动机又称脉冲电动机，是利用电磁铁吸合原理工作，每接受一个电脉冲信号，电动机就转过一定的角度，称为步距角。步进电动机的角位移与输出脉冲的个数成正比，在时间上与输入脉冲同步，因此只要控制输入脉冲的数量、频率和分配方式，便可控制所需的转角、转速和转向，没有累计误差。无脉冲输入时，在绕组电源激励下，气隙磁场能使电动机转子处于定位状态。

步进电动机类型很多，用于数控机床的主要是反应式和混合式两大类，其步距角为0.3°～3°，输出静转矩由小于1N·m至几十N·m。步进电动机结构简单、使用维修方便、成本低，在我国被广泛用于中、小型经济型数控机床中。

2.4.4.2 直流伺服电动机

直流伺服电动机是最早用于数控机床进给伺服驱动的，一般通过调整电枢电压进行大范围调速，调整电枢电流保证恒转矩输出。主要有小惯量和大惯量直流电动机两大类。

(1)小惯量直流电动机。为了减小转动惯量、降低电动机的机械时间常数，其转子直径小、轴向尺寸大，长径比约为5；为了减小电感、降低电气时间常数，其转子表面无槽，电枢绕组用环氧树脂固定在转子的外圆柱表面上。这种结构特点决定了该类电动机动态特性好，响应速度快，加、减速能力强。其缺点是因惯量小，必须带负载进行调试；输出转矩较小，一般必须通过齿轮或同步齿形带传动进行降速，因此多用于高速轻载的数控机床。

(2)大惯量直流电动机。又称宽调速直流电动机，是通过加大电动机转子直径，增加电枢绕组中的导线数目，显著提高电磁转矩。大惯量直流电动机有电励磁式和永磁式两种，其中永磁式应用较为普遍。其特点是能在低速下平稳运行，输出转矩大，可以直接与丝杠相连，不需要降速传动机构，由于惯量大，可以无负载调试，调试方便。此外根据用户要求可内装测速发电机、旋转变压器或制动器，获得较高的速度环增益，构成精度较高的半闭环系统，能获得优良低速刚度和动态性能。

2.4.4.3 交流伺服电动机

自20世纪80年代中期开始，交流伺服电动机得到了迅速发展。可分为交流异步电动机和交流同步电动机，按产生磁场的方式又可分为永磁式和电磁式。在数控机床的进给驱动中大多采用永磁同步交流伺服电动机，转子为永磁材料制成。通过改变交流电动机频率实现电动机调速。同直流伺服电动机相比，交流伺服电动机结构简单、体积小、制造成本低；交流伺服电动机没有电刷和换向器，不需要经常维护，没有直流伺服电动机因换向火花影响运行速度提高这种限制。因此，交流伺服电动机发展得很快，特别是新型永磁材料，如第三代稀土材料——铷铁硼材料、大功率晶体管和微机技术的发展，使得交流伺服电动机不断完善，应用日益广泛。

2.4.4.4 直线伺服电动机

直线伺服电动机是将电能直接转化为直线运动机械能的电力驱动装置。可取代传统的回转型伺服电动机加滚珠丝杠的伺服传动系统,可以简化结构,提高刚度和响应速度,使工作台的加(或减)速度提高 10～20 倍,移动速度提高 3～4 倍。直线电动机在近一二十年已在自动化仪表、计算机外围设备等方面得到实际应用,目前已开始用于数控机床。

直线伺服电动机的工作原理同旋转伺服电动机相似,可以看成是旋转型伺服电动机沿径向切开,然后向两边展开拉平后演化而成,原来的旋转磁场变成平磁场,为了平衡单边磁力,可做成双边对称型。直线伺服电动机有感应式、同步式和直线步进电动机等多种类型,其技术有待进一步完善,制造成本有待进一步降低。

2.4.5 滚珠丝杠副设计

2.4.5.1 工作原理与特点

滚珠丝杠副是一种靠滚珠传递和转换运动的新型元件,其丝杠和螺母上分别加工有半圆弧形沟槽,合在一起形成滚珠的圆形滚道,并在螺母上加工有使滚珠形成循环的回珠通道,当丝杠和螺母相对转动时,滚珠可在滚道内循环滚动,因而迫使丝杠和螺母产生轴向相对移动。由于丝杠和螺母之间是滚动摩擦,因而具有下列特点:

(1)摩擦损失小,传动效率高,可达 0.90～0.96,是普通滑动丝杠副的 3～4 倍;

(2)摩擦阻力小,几乎与运动速度无关,动、静摩擦力之差极小,因而运动灵敏、平稳,低速时不易产生爬行;且磨损小、精度保持性好,寿命长;

(3)丝杠螺母之间进行消隙或预紧,可以消除反向间隙,使反向无死区,定位精度高、轴向刚度大;

(4)不能自锁,传动具有可逆性,即能将旋转运动转换为直线运动或将直线运动转换为旋转运动,因此在某些场合,如传递垂直运动时,应增加制动或防止逆转装置,以防工作台因自重而自动下降等。

2.4.5.2 轴向间隙调整方法

在一般情况下,滚珠同丝杠和螺母的滚道之间存在一定间隙。当滚珠丝杠开始运转时,总要先运转一个微小角度,以使滚珠同丝杠和螺母的圆弧形滚道的两侧面发生接触,然后才真正开始推动螺母作轴向移动,进入真正的工作状态。当滚珠丝杠反向运转时,也会先空运转一个微小角度。滚珠丝杠副的这种轴向间隙会引起轴向定位误差,严重时还会导致系统控制的“失步”。在载荷作用下滚珠与丝杠和螺母两滚道侧面的接触点处还会发生微小的接触变形,因此当丝杠转向发生改变时,滚珠同丝杠和螺母两滚道面一侧的弹性接触变形的恢复和另一侧接触变形的形成还会进一步增加滚珠的轴向移动量,导致丝杠空运转量的进一步增加。根据接触变形理论,滚珠同滚道面的接触变形会随载荷的增加急剧下降,因此为了提高滚珠丝杠副的定位精度和刚度,应对其进行预紧,即施加一定的预加载荷,使滚珠同两滚道侧面始终保持接触(即消隙状态)并产生一定的接触变形(即预紧状态)。

滚珠丝杠副进行消隙和预紧的方法很多,采用较多的有双螺母垫片式、双螺母齿差式、双螺母螺纹式和单螺母变导程式。

(1)双螺母垫片式。如图 2-31 所示,修磨垫片厚度 δ,使两个螺母间产生轴向位移。分为拉伸预紧(见图 a、c)和压缩预紧(见图 b)两种方式。图(a)方式结构简单、刚度高、可靠性好，应用普遍。

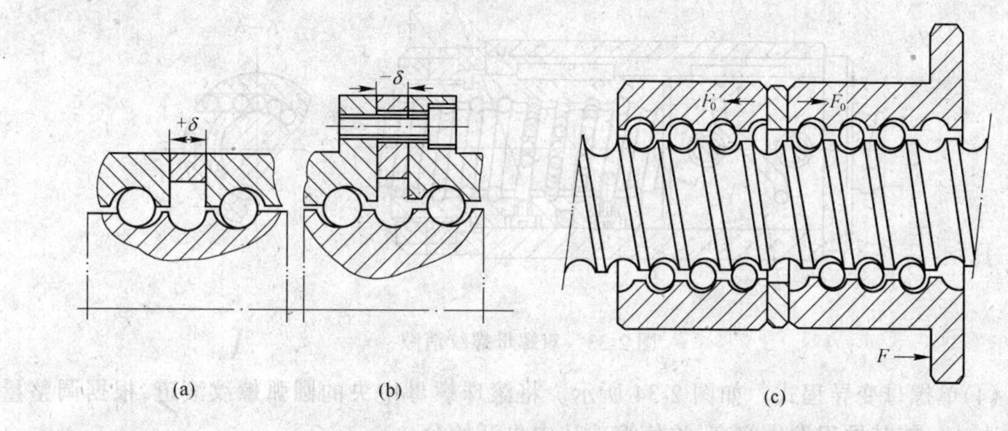

图 2-31　双螺母垫片消隙

(2)双螺母齿差式。如图 2-32 所示，左右螺母的凸缘都加工成外齿轮，齿数相差为 1，工作中这两个外齿轮分别与固定在螺母座上的两个内齿圈相啮合。调整时，将两个内齿圈卸下，同时转动齿轮相同齿数，则两螺母产生轴向相对位移，达到消隙和预紧的目的。两螺母的轴向相对位移量可用下式计算：

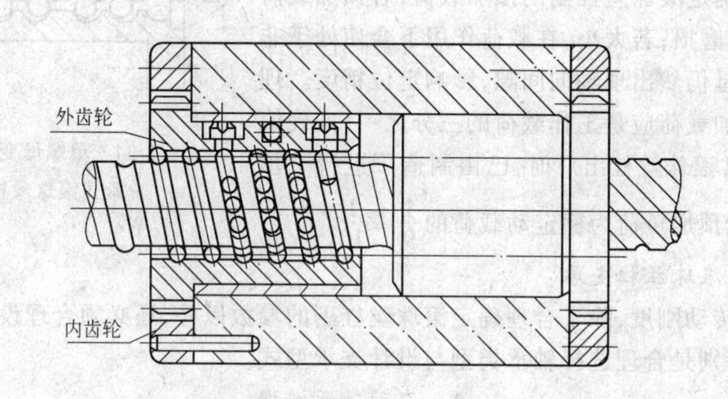

图 2-32　双螺母齿差消隙

$$\Delta = k\left(\frac{1}{Z_1} - \frac{1}{Z_2}\right)S = \frac{kS}{Z_1 Z_2} \tag{2-38}$$

式中　Δ——双螺母轴向相对位移量；

k——两螺母同向转动的齿数；

S——滚珠丝杠导程；

Z_1、Z_2——两外齿轮的齿数。

这种方法用于需要对消隙或预紧量进行精确调整的场合，若 $Z_1 = 99$，$Z_2 = 100$，$S = 10\text{mm}$，则每转过一个齿的调整量 $\Delta \approx 0.001\text{mm}$。

(3)双螺母螺纹式。如图 2-33 所示。双螺母用平键与螺母座相联，其中右边螺母外伸部分有螺纹，用两个锁紧螺母可使两个滚珠螺母相对丝杠做轴向移动。此种结构调整方便，可随时调整，但调整量不精确。

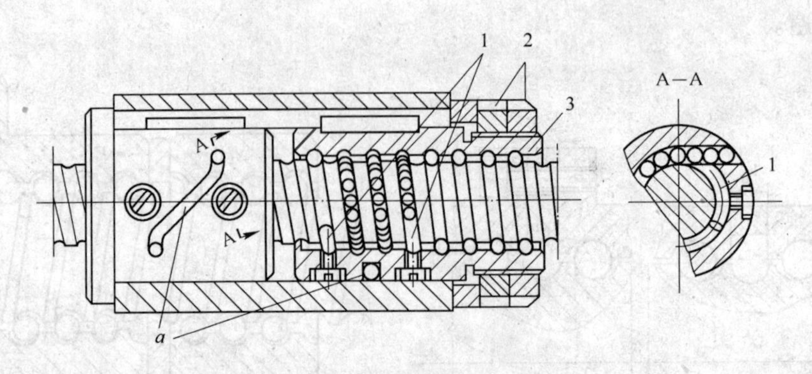

图 2-33　双螺母螺纹消隙

(4)单螺母变导程式。如图 2-34 所示。将滚珠螺母中央的圆弧螺纹滚道，根据调整量的大小 ΔL 使其导程发生突变，迫使滚珠从中央开始分成两半分别向两边错位，达到消隙和预紧的目的。这种方法可以减小轴向尺寸，用于轴向尺寸受到限制的场合，缺点是磨损后预紧量减小，再调整很困难。

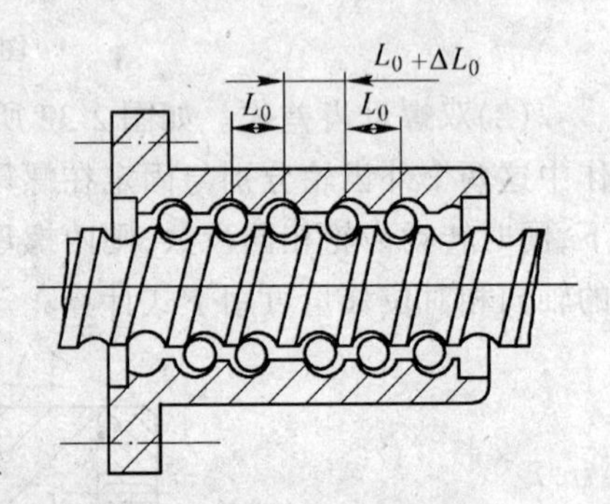

图 2-34　单螺母变导程自预紧式滚珠丝杠副

2.4.5.3　预加载荷确定

必须合理确定滚珠丝杠副的预加载荷，若预加载荷过大，会加剧其磨损；若太小，在载荷作用下会使处于非工作状态的螺母仍然出现轴向间隙，影响定位精度。理论计算证明预加载荷应是工作载荷的三分之一(准确值为 2.83)。通常滚珠丝杠出厂时，已由制造厂进行了预先调整，通常取预加负荷为额定动载荷的$\frac{1}{9}\sim\frac{1}{10}$。

2.4.5.4　滚珠丝杠支承

为了提高传动刚度，除了合理确定滚珠丝杠副的参数以外，还必须合理设计螺母座与轴承座的结构，特别是合理选择轴承类型与设计支承型式。

A　滚动轴承类型

主要有通用滚动轴承和专用滚动轴承两大类。

①普通向心球轴承和推力球轴承的组合，由于体积大、精度低，主要用于经济型数控机床。

②普通向心推力球轴承组合，这种轴承既是向心轴承又是推力轴承，可简化支撑结构，但由于这类轴承接触角较小，轴向承载能力有限，主要用于轴向负荷较小的场合。

③60°接触角的向心推力球轴承，这是一种滚珠丝杠专用轴承，不仅接触角增大到 60°，而且滚动体直径小、数目多，使得承受轴向负荷的能力显著提高。

④滚针-推力圆柱滚子轴承组合，如图 2-35 所示。静圈 3 与壳体固定不动，动圈 1 和 5、隔套 6 随轴转动，滚针 7 可径向支撑丝杠；两列圆柱滚子 2 和 4 装在保持架内，分别从

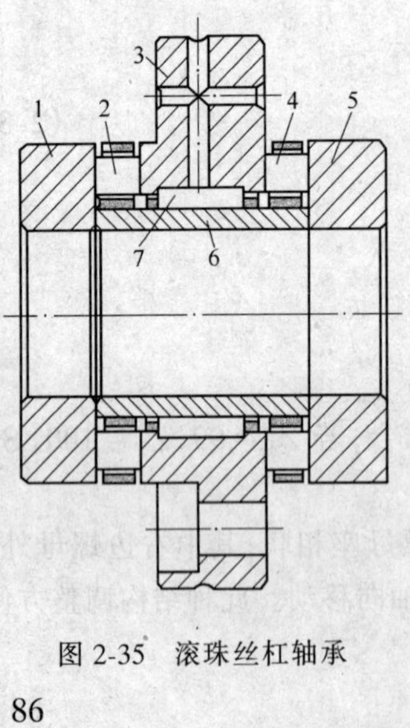

图 2-35　滚珠丝杠轴承

两个方向对丝杠进行轴向支承;隔套6的长度决定轴承的轴向预紧量。这种轴承体积小、轴向刚度大,用于重载、高刚度场合,但与60°接触角向心推力球轴承相比,摩擦力较大,允许转速较低。

B 丝杠的支承形式

主要可分为下列四种类型:

(1)一端固定、另一端自由,将包括两个推力轴承在内的全部轴承安装在丝杠一端,另一端不装轴承,用于短丝杠和垂直安装的丝杠。将图2-36(a)中的左端轴承除去,便是这种类型。

(2)一端固定、另一端简支,如图2-36(a)所示,是在第一种支承方式的基础上,在丝杠另一端加装向心轴承,用于轴向刚度较大的长丝杠支承。其优点是当丝杠发生热变形时,可以自由伸缩,不会影响推力轴承的调整间隙。

(3)两端固定,如图2-36(b)所示,是将两个推力轴承分别安装在丝杠两端。这种支承形式可对丝杠施加预拉伸,此时丝杠工作中的最大拉压变形发生在支承跨距的中间位置,因此与一端固定的丝杠相比,其拉压刚度可增加到4倍,是应用较多的支承形式。预拉伸载荷一般取最大工作载荷的三分之一,同时要注意热变形对轴承间隙的影响,将预紧力适当增加。

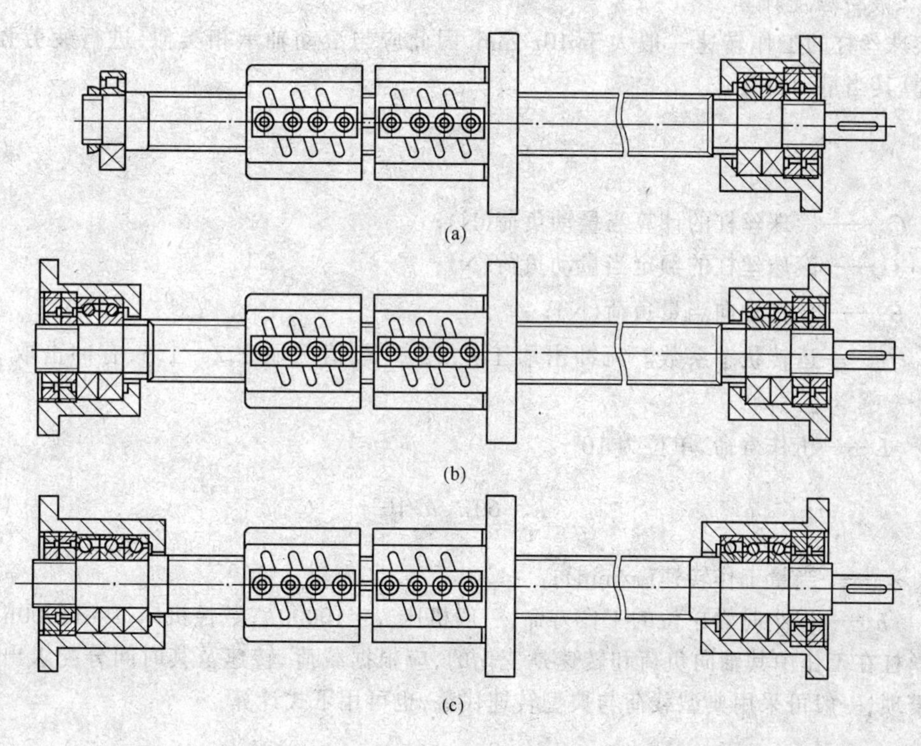

图2-36 滚珠丝杠支承的典型结构

(4)两端固定、多轴承支承,如图2-36(c)所示,即在一个支承处安放多个推力轴承或向心轴承,一方面可提高支承刚度,另一方面可把丝杠的热变形转化为推力轴承的轴向预紧力,提高支撑的可靠性,但结构复杂,要注意轴承座的结构刚度和加工及安装精度。

2.4.5.5 滚珠丝杠补偿热变形的预拉伸

滚珠丝杠在工作时难免要发热,使其温度高于床身温度,此时丝杠的热膨胀会使其导程加大,影响定位精度。对于高精度丝杠,为了补偿热膨胀的影响,可将丝杠预拉伸,并使其预拉伸量略大于丝杠的热膨胀量,丝杠热膨胀的大小可由下式计算:

$$\Delta l = \alpha l \Delta t \tag{2-39}$$

式中 Δl——丝杠热膨胀量(mm);

Δt——丝杠比床身高出的温升(℃);

l——丝杠螺纹部分的长度(mm);

α——丝杠的线膨胀系数(mm/℃)。

当丝杠温度升高发生热膨胀时,由于丝杠有预拉伸,则热膨胀的结果只会减少丝杠内部的拉应力,长度不会变化。为了保证定位精度,要进行预拉伸的丝杠在常温下的导程应该是其公称导程 S 减去预拉伸引起的导程变化量 ΔS,即

$$\Delta S = \Delta l \cdot S / l \tag{2-40}$$

2.4.5.6 滚珠丝杠的设计计算

A 疲劳强度计算

滚珠丝杠的工作转速一般大于 10r/min,因此应与滚动轴承相类似,进行疲劳强度计算,计算其当量动负荷。

$$C_m = F_m \sqrt[3]{L} f_w / f_a \leqslant C_a \tag{2-41}$$

式中 C_m——滚珠丝杠的计算当量动负荷(N);

C_a——滚珠丝杠的额定当量动负荷(N);

F_m——丝杠轴向当量负荷(N);

f_w——运转状态系数。无冲击取 1~1.2,一般情况取 1.2~1.5,有冲击取 1.5~2.5;

L——工作寿命,单位为 10^6r。

$$L = 60 n_m h / 10^6 \tag{2-42}$$

式中 n_m——当量工作转速(r/min);

h——以小时为单位的工作寿命,一般机床 $h = 10000h$,数控机床 $h = 15000$h。

丝杠在工作中其轴向负荷和转速是变化的,应根据载荷、转速及其时间分配求出,计算比较繁琐,一般可采用典型载荷与典型转速代替,也可用下式计算:

$$\left.\begin{aligned} F_m &= (2F_{max} + F_{min})/3 \\ n_m &= (2n_{max} + n_{min})/3 \end{aligned}\right\} \tag{2-43}$$

式中 F_{max}、F_{min}——丝杠的最大、最小轴向负荷(N),可根据表 2-3 计算;

n_{max}、n_{min}——丝杠的最大、最小工作转速(r/min)。

B　刚度计算

滚珠丝杠副的变形应包括滚动轴承的接触变形，丝杠、螺母与滚珠之间的接触变形，丝杠的扭转变形和拉压变形等几部分，考虑到滚动轴承和丝杠螺母有预紧，丝杠的扭转变形对纵向变形影响较小，因此一般情况仅对丝杠的轴向拉压变形进行校核计算。

丝杠的拉压刚度不是一个定值，对于一端固定的丝杠，其刚度随螺母至轴向固定端距离的变化而变化，其最小拉压刚度 k_E(N/mm)可用下式计算：

$$k_E = \pi d^2 E / 4 l_1 \tag{2-44}$$

式中　d——丝杠螺纹的底径(mm)；

E——材料弹性模量，$E = 2 \times 10^5$(MPa)；

l_1——螺母至固定端的最大距离(mm)。

对于两端固定的丝杠，丝杠的拉压刚度 k 为：

$$k = \frac{\pi d^2 E}{4}\left(\frac{1}{l} + \frac{1}{L - l}\right) \tag{2-45}$$

式中　l——螺母至丝杠一端的距离(mm)；

L——丝杠的支撑跨距(mm)。

显然最小刚度出现在螺母处于支撑跨距中点处，最小刚度由下式计算：

$$k_E = \pi d^2 E / L \tag{2-46}$$

C　压杆稳定

对一端固定的长丝杠，应进行压杆稳定校核，如果验算不合格，应将其自由端改为简支或固定端。

2.4.6　伺服进给系统降速传动设计

为了提高传动效率和传动刚度，伺服电动机与滚珠丝杠之间应尽量采用直联传动，为了减少伺服电动机的输出转矩或运动匹配，有时也采用降速传动，由齿轮传动或同步齿形带传动完成，并尽量消除齿轮传动的齿侧间隙。

2.4.6.1　降速传动比的计算

(1)开环系统。开环系统的降速传动比 i 主要取决于机床坐标轴的脉冲当量 δ(mm)、步进电动机的步距角 φ(度)和滚珠丝杠的导程 S(mm)，即

$$i = \frac{\varphi S}{360 \delta} \tag{2-47}$$

(2)闭环和半闭环系统。闭环和半闭环系统的降速比 i 主要取决于伺服电动机的最高额定转速 n_{max}(r/min)、机床的最高进给速度 v_{max}(mm/min)和滚珠丝杠的导程 S(mm)，即

$$i = \frac{n_{max} S}{v_{max}} \tag{2-48}$$

2.4.6.2　消除齿轮传动间隙的措施

无论是齿轮传动还是同步齿形带传动，都存在齿侧间隙，在开环和半闭环系统中会引起

反向死区，直接影响定位精度；在闭环系统中，由于有反馈作用，滞后量可得到补偿，但会使伺服系统产生振荡而不稳定，因此必须采取措施，将齿侧间隙减小到允许范围内。对于齿形带的齿侧间隙，一般采用软件补偿法，对于齿轮传动的齿侧间隙，可采用消隙机构，若仍不能满足要求，可再进一步采用软件补偿法。齿轮传动的消隙机构类型很多，可分为刚性调整法和柔性调整法两大类型。

A 刚性调整法

调整后齿侧间隙不能自动补偿。因此，齿轮的周节公差及齿厚公差等要严格控制，否则会影响传动的灵活性。这种调整方法结构比较简单，且有较好的传动刚度，主要有偏心套调整法和双片斜齿轮垫片调整法。

(1)偏心轴套调整法 如图 2-37 所示，电动机 1 通过偏心套 2 安装在箱体上，转动偏心套可在一定程度上消除因齿厚误差和中心距误差引起的齿侧间隙，但不能消除因偏心误差引起的齿侧间隙变动。

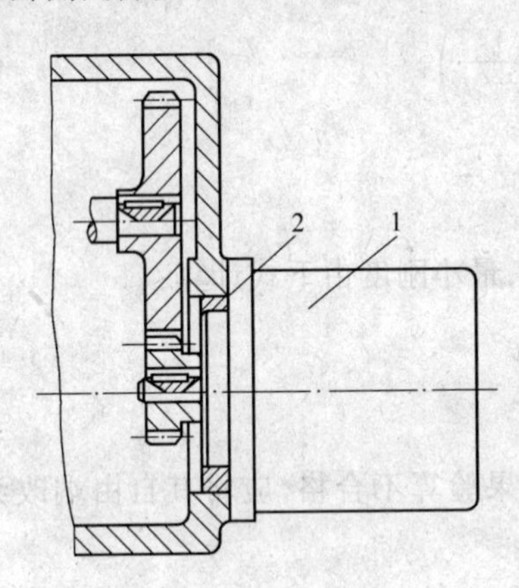

图 2-37 偏心轴套调整法

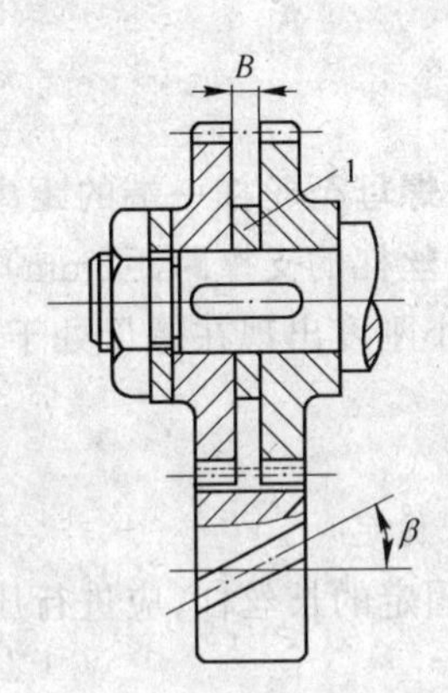

图 2-38 斜齿轮轴向垫片调整法

(2)双片斜齿轮轴间垫片调整法 如图 2-38 所示。将一个斜齿轮制成两片，中间加一个垫片，改变垫片厚度可引起斜齿轮的螺旋线产生错位，使双齿轮的齿侧分别贴紧宽齿轮齿槽的左、右侧面，达到消除间隙的目的。

B 柔性调整法

利用弹簧力消除齿侧间隙，并能自动补偿侧隙的变化，可补偿因周节或齿厚变化引起的侧隙变动，做到无间隙啮合。但结构复杂、传动刚度低、平稳性差，一般仅用于传递动力较小的场合。

(1)双片直齿轮弹簧力错齿调整法。如图 2-39，两薄片齿轮套装在一起，同宽齿轮 3 啮合，齿轮 1、2 端面分别装有凸耳 4、5，用拉簧 6 连接，在弹簧力作用下，两薄片齿轮产生相对转动，引起错齿，使双薄片齿轮的左、右齿面分别压紧宽齿轮轮齿的左、右齿面，达到消除侧隙的目的。除了采用拉簧外，还可将拉簧变成压簧或将拉簧安放在端面外，并对弹簧拉力进行调整。

(2)双片斜齿轮轴向压簧调整法。如图 2-40 所示。是将图 2-38 中的垫片拆去，改用轴向弹簧使齿轮螺旋线错位，形成柔性调整方式。

除了圆柱齿轮消隙机构外，还有锥齿轮消隙机构，蜗轮蜗杆消隙机构以及齿轮齿条传动

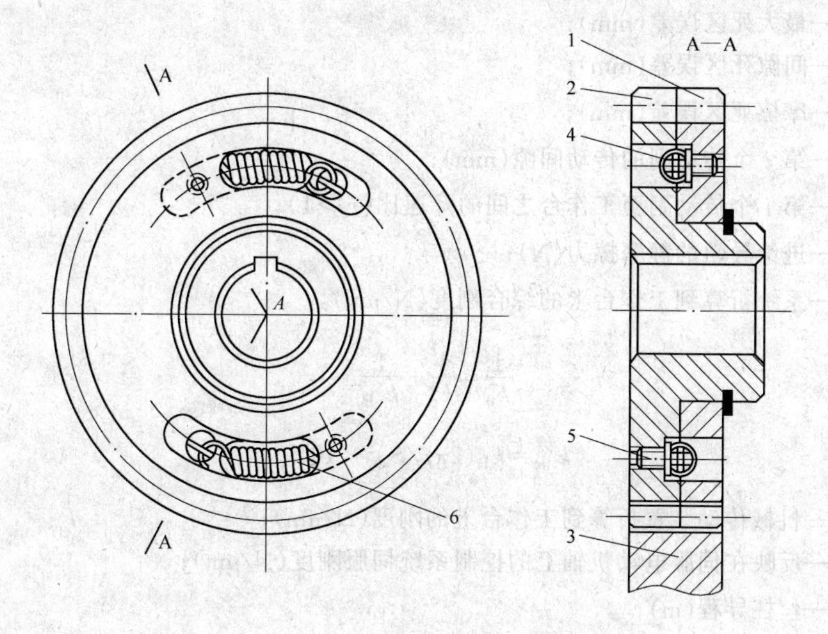

图 2-39　双片直齿轮错齿间隙消除机构

1、2、3—齿轮；4、5—凸耳；6—拉簧

消隙机构等。

2.4.7　伺服进给系统性能分析

伺服进给系统是数控机床的重要组成部分，其性能的优劣直接影响机床的加工精度和效率。对于开环系统和半闭环系统主要是系统的定位精度，对于闭环系统主要是系统的稳定性。此外，系统的速度误差还会对工件的轮廓误差等产生影响，坐标轴瞬时起、停或改变速度时，由于系统的动态特性会影响轮廓跟随精度，也会引起轮廓误差，特别在加工内、外拐角时，会引起欠程误差、超程误差或加工振荡等。

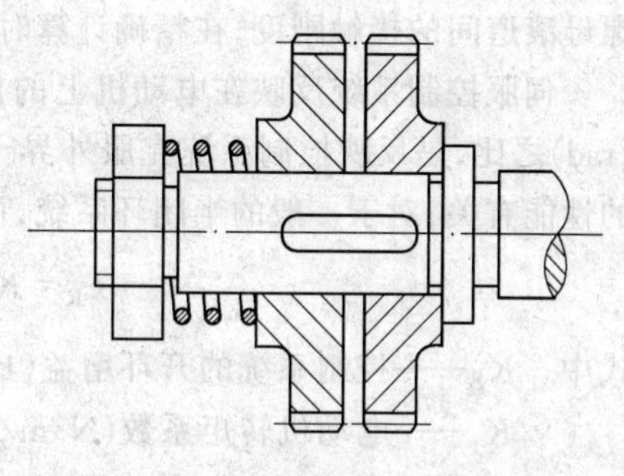

图 2-40　斜齿轮轴向压簧调整法

2.4.7.1　开环和半闭环系统的定位误差

一般来说，由于机械传动系统的刚度、摩擦等因素不包括在开环和半闭环伺服控制系统的位置控制环节中，所以一般情况下系统都能稳定工作，但必须考虑由此引起的定位误差。影响开环和半闭环系统定位精度的因素很多，除了传动误差(如丝杠螺旋误差等)外，主要是死区误差。

所谓死区误差是传动系统在启动或反向时产生的输入运动与输出运动的差值。死区误差主要有间隙死区误差和摩擦死区误差两大类型。由于机械传动装置存在间隙，伺服电动机在启动或反向时首先要消除这部分间隙，因而形成间隙死区误差；由于传动系统，特别是导轨摩擦的存在，伺服电动机在启动或反向时，要克服摩擦力引起传动装置变形，因而产生摩擦死区误差，即

$$\Delta = \delta_h + 2\delta_f = \sum_i \delta_{hi}/i_i + 2F_0/k_0 \tag{2-49}$$

式中 Δ——最大死区误差(mm);

δ_h——间隙死区误差(mm);

δ_f——摩擦死区误差(mm);

δ_{hi}——第 i 个传动副的传动间隙(mm);

i_i——第 i 个传动副至工作台之间的降速比($i_i>1$);

F_0——进给导轨的静摩擦力(N);

k_0——系统折算到工作台上的综合刚度(N/μm)。

$$\frac{1}{k_0}=\frac{1}{k_e}+\frac{1}{k'_R}$$

$$k'_R=k_R(2\pi i/S)^2\times10^6$$

式中 k_e——机械传动装置折算到工作台上的刚度(N/μm);

k_R——反映在伺服电动机轴上的控制系统伺服刚度(N/μm);

S——丝杠导程(m);

i——伺服电动机与工作台之间的降速比。

机械传动装置折算到工作台上的刚度包含所有传动件的刚度,但一般情况下主要是丝杠副的刚度。丝杠副的刚度主要是丝杠的拉压刚度,对滚动支承的接触刚度,滚珠与丝杠和螺母滚道间的接触刚度,在精确计算时也应予以考虑。

伺服控制系统反映在电动机上的伺服刚度是伺服电动机输出转矩(N·m)与位置偏差(rad)之比,是反映控制系统克服外界干扰(即负载)的能力,与伺服电动机及有关控制元件的性能有关,对于一般的半闭环系统,可采用下式计算:

$$k_R=K_SK_tK_e(1+K_{v0})/R_M$$

式中 K_S——控制系统的开环增益(1/s);

K_t——电动机转矩系数(N·m/A);

K_e——电动机反电动势系数(Vs/rad);

K_{v0}——速度控制环开环增益(V/V);

R_M——电动机电枢回路及伺服放大器的阻抗(Ω)。

2.4.7.2 闭环系统的稳定性

闭环伺服进给系统中,有位移检测装置直接对刀架或工作台的位移进行检测和反馈,在数控装置的比较环节中,指令位移和检测位移进行比较,用其差值对伺服电动机进行控制,可以消除传动装置的定位误差,因此系统的稳定性是设计的主要问题,为此必须对系统的动态特性进行分析。

对于大惯量直流电动机驱动的中、小型数控机床的伺服进给系统,其频率响应决定于电动机速度环的频率特性,可简化为二阶系统进行稳定性分析。系统开环传递函数 $G_K(s)$ 和阻尼比 ξ 可用下式表示:

$$G_K(s)=\frac{K}{s(Ts+1)}$$

$$\xi=\frac{1}{2\sqrt{KT}}$$

式中　K——系统开环增益(1/s)；

T——时间常数(s)。

机床伺服进给系统的开环增益一般为20～30左右，对轮廓加工的连续控制应选取较高的增益，同时注意使阻尼比不致太小，提高系统的稳定性。

对于小惯量直流伺服电动机驱动的中小型数控机床和大惯量直流伺服电动机驱动的大型数控机床，由于伺服传动机构的固有频率远低于电动机的固有频率，系统的频率特性主要取决于机械传动机构的频率特性。此时，机械传动装置可简化为滚珠丝杠作扭转振动的二阶振动系统，系统的开环传递函数可表示为：

$$G_K(s)=\frac{K\omega_n^2}{s(s^2+2\xi\omega_n s+\omega_n^2)}$$

其中　ω_n——系统的固有频率；

$$\omega_n=\sqrt{\frac{k}{J}}$$

$$\xi=\frac{f}{2\sqrt{Jk}}$$

式中　k——系统折算到丝杠上的总刚度(N·m/rad)；

J——系统折算到丝杠上的总惯量(kg·m³)；

f——折算到丝杠上的黏性阻尼系数(N·m·s/rad)。

根据自动控制理论，系统稳定性的条件为：

$$K<2\xi\omega_n$$

2.4.7.3　系统跟随误差对轮廓加工误差的影响

在连续进行轮廓加工时，要求精确地控制每个坐标轴运动的位置和速度。实际上系统存在着稳态误差，会影响坐标轴的协调运动，产生轮廓跟随误差。

A　跟随误差

数控机床的伺服进给系统可简化成一阶系统，由控制理论可知，对于一阶系统，当恒速输入时，稳态情况下系统的运动速度与速度指令值相同，但两者的瞬时位置有一恒定滞后。跟随误差可用下式计算：

$$E=V/K_s$$

式中　E——坐标轴的跟随误差；

V——坐标轴运动速度；

K_s——该坐标轴控制系统的开环增益。

B　直线加工的轮廓误差

根据几何关系，平面直线加工时的轮廓误差，即实际直线与理论直线的距离可表示为：

$$\varepsilon=V\sin2\alpha(K_{SX}-K_{SY})/2K_{SX}K_{SY}$$

式中　ε——直线的轮廓误差；

V——加工的进给速度；

α——直线与X轴的夹角；

K_{SX}——X 轴的系统增益；

K_{SY}——Y 轴的系统增益。

显然，若两坐标轴控制系统的增益相等时，轮廓误差 ε 为零；若不等，则存在轮廓误差，与两坐标轴增益的差值、进给速度成正比，且与直线与 X 轴的夹角有关，$\alpha=45°$时，ε 值最大。

C　圆弧加工时的轮廓误差

平面圆弧加工时，若两坐标轴的系统增益相等时，被加工圆弧会产生半径误差，且有：

$$\Delta R = V^2/[2R(K_{VX}^2 + K_{VY}^2)]$$

式中　ΔR——圆弧半径误差；

R——被加工圆弧的半径。

显然，圆弧半径误差与进给速度成平方正比，与被加工圆弧的半径及合成系统增益的平方成反比。若两坐标轴的系统增益不等，被加工形状会变成为椭圆。

D　拐角加工时的误差

拐角加工为直角的零件，而且加工路径恰好沿着两个正交坐标轴时，在某一轴的位置指令输入停止的瞬间，另一轴紧接着接受位置指令。但在指令突然发生改变的瞬间，第一轴对指令位置有一滞后量，即位置偏差 v/k_S。此时第二轴已根据指令开始运动，但第一轴在消除滞后量过程中继续运动，结果构成了一个弯曲过渡。如图 2-41 所示。若进给系统的系统增益较低，位置响应特性如图(b)所示，则形成的弯曲过渡如图(a)所示；若进给系统的系统增益较高，位置响应特性如图(c)所示，有位置超程，则形成的弯曲过渡如图(d)所示。图(e)

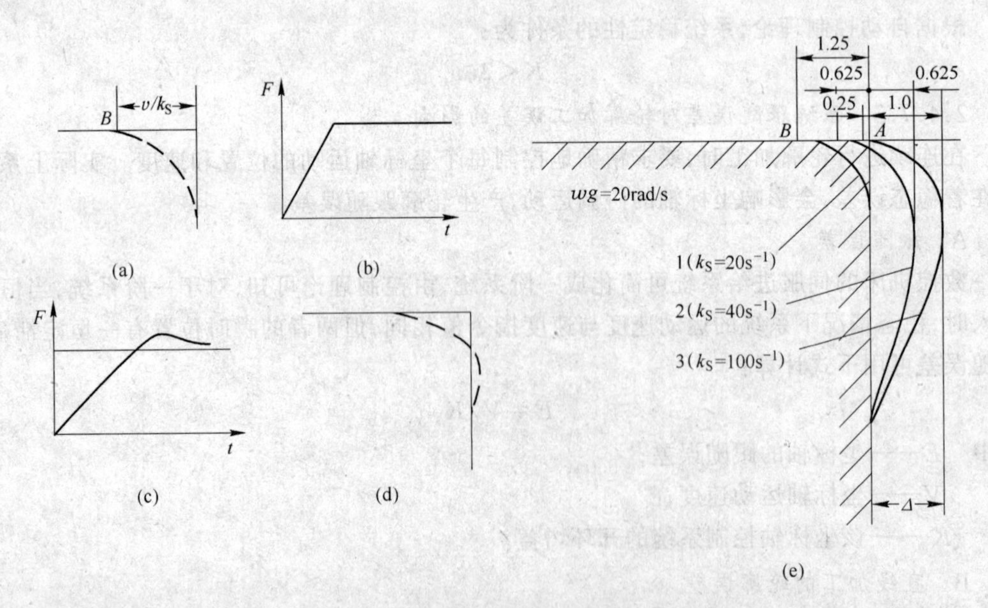

图 2-41　系统增益对拐角加工的影响

为两轴联动，以 1500mm/min 的进给速度加工 90°拐角时不同系统增益的情况。对于低增益系统，如 $K_S=20s^{-1}$，会使拐角处稍有圆弧，若为外拐角，则多切去一个小圆弧；若为内拐角，则留下多余金属，形成欠程误差，欠程误差可让刀具在拐角处停留 20～50ms 加以消除。对于高增益系统，如 $K_S=100s^{-1}$在切外拐角处会留下一个鼓包，在切内拐角时会形成过切，形成超程误差,有时还会产生振荡,形成切削波纹。为限制超程时过切,可在编程时安排第一轴分级降速,或在程序段转换时,采用自动降速和加速功能。

2.5 机床主轴组件设计

主轴组件是由主轴,主轴支承及安装在主轴上的传动件等组成。主轴的主要功用是夹持工件或刀具(包括砂轮)转动进行切削加工,传递运动、动力及承受切削力等,并保证刀具或工件具有准确的运动轨迹。主轴组件是机床的执行件,它带动工件或刀具直接参与表面成形运动,其工作性能对机床的加工质量及生产率有直接影响,它是机床的一个重要组件。

2.5.1 主轴组件基本要求

为适应不同的使用要求和工作性能,机床主轴组件的结构形式是多种多样的,即使同一类机床,由于工作性能要求不同,主轴组件的结构也会存在较大差异。但是它们都应满足共同的要求,即主轴组件在给定的载荷与转速范围内,应能长期稳定地保持所需要的工作精度。因此,主轴组件设计时必须满足下述基本要求。

A 旋转精度

主轴组件的旋转精度是指机床在空载低速时,主轴前端安装刀具或工件部位的径向圆跳动、端面圆跳动和轴向窜动量。旋转精度是机床精度的一项重要指标,直接影响工件的几何精度和表面粗糙度。通用机床(包括数控机床)主轴组件的旋转精度,国家已规定在各类机床的精度检验标准中。专用机床主轴组件的旋转精度应根据工件加工精度要求而定。

旋转精度主要取决于主轴、轴承、调整螺母及支承座孔等的制造及装配(包括调整)质量。

B 刚度

是指主轴组件在外载荷作用下抵抗变形的能力。通常以主轴前端产生单位位移时,需在位移方向上施加作用力的大小表示。位移量是在静态下加载测量的。如果主轴组件刚度不足,主轴产生较大的弹性变形,从而降低加工质量;恶化主轴上齿轮和轴承的工作条件,引起振动,降低机床的生产率和寿命。

刚度是主轴、轴承和支承座刚度及其接触刚度的综合反映,主要取决于主轴的结构形状及尺寸,轴承的类型及配置,轴承间隙的调整,传动件的布置,主轴组件的制造及装配质量等。目前,机床主轴组件刚度尚无统一标准。

C 抗振性

主轴组件的抗振性是指机床抵抗振动(包括受迫振动和自激振动)的能力。振动会造成工件表面质量和刀具耐用度降低,机床的生产率下降,加剧机床零件的损坏,恶化工作环境等不良后果。

抗振性主要取决于主轴组件的刚度、阻尼和固有频率,轴承类型及配置,主轴传动方式,主轴组件质量分布情况,齿轮和轴承等主要零件的制造精度和装配质量等。抗振性指标目前尚无统一标准,可参考有关试验数据。

D 热稳定性

主轴组件的热稳定性是指运转中抵抗热位移而保持准确、稳定运转的能力。主轴组件在运转中由于摩擦和搅油产生热量而引起温升。温升过高,主轴组件和箱体等会产生热变形，使主轴产生较大且变化的径向和轴向热位移，会影响加工精度；使轴承间隙变化，恶化工作条件等。

主轴组件的热稳定性主要取决于轴承类型及配置，轴承间隙量，润滑和密封方式，散热条件等。其中轴承温升的影响最大，需加以控制。通常在室温 20℃ 条件下，普通精度小型机床主轴轴承外圈或轴瓦允许温度为 45～50℃，普通精度大型机床为 50～55℃，精密机床为 35～40℃，高精度机床为 28～30℃。

E　耐磨性

主轴组件的耐磨性是指抵抗磨损能长期保持其原始制造精度的能力。耐磨性不高，会引起主轴组件的精度保持性不好。为此，要求主轴轴承、安装刀具或工件的定位面、主轴轴颈及各滑动表面均应有较高的耐磨性。

主轴组件的耐磨性主要取决于主轴、轴承的材料及热处理，轴承类型，润滑及密封条件等。

数控机床除满足上述基本要求外，还应根据具件情况有所侧重，如高效数控机床主轴组件还应注意高速和高刚度要求等。

2.5.2　主轴

A　主轴结构形状

主轴的结构形状比较复杂，应满足使用要求，结构要求及加工、装配工艺性要求等。

主轴端部是安装刀具、夹具的部位，其结构形状取决于机床类型。安装方式应保证刀具或夹具的定心准确、连接可靠、装卸方便、悬伸量短以及能够传递足够的转矩等。通用机床的主轴端部结构已标准化，设计时可查相应的机床标准。有些机床如卧式车床、转塔车床、自动车床、铣床等主轴必须是空心的，用来通过棒料、拉杆以及取出顶尖等。对于主轴上需要安装气动、电动或液压式工件自动夹紧装置的机床，如卧式车床，主轴尾部应有安装基面及相应连接部位。

主轴上要安装各种传动件、轴承、紧固件及密封件等，其结构形状应考虑这些零件的类型、数量、安装定位及紧固方式的要求。

为了便于装配，主轴一般为阶梯形，从前轴颈向后端或从中间向两端轴径逐渐减小。还应注意加工方便性，尽量减少复杂加工。

B　主轴材料及热处理

机床主轴有较高的刚度要求，而刚度与主轴材料的弹性模量 E 值密切相关。由于各种钢材的 E 值相差无几（$E=2.1\times10^5$MPa 左右），故影响不大。通常主轴材料根据主轴的耐磨性及热处理后变形大小选择。一般主轴多采用 45 号或 60 号优质中碳钢，调质到 HB220～250 左右。在安装工件或刀具的定心表面以及滑动轴承轴颈处局部高频淬硬至 HRC50～55。对于高精度机床主轴，可选用 40Cr 或低碳合金钢 20Cr，16MnCr5，12CrNi2A 等渗碳淬硬至 HRC60 以上。高速中载的主轴，且表面硬度要求较高时，可选用 20Cr，20MnVB 或 20Mn2B 等；要求再高时，可选用 20CrMnTi 或 12CrNi3 合金钢，经渗碳后淬火，表面硬度可达 HRC58～63。若主轴要求表面硬度及耐磨性很高，如坐标镗床、镗床及加工中心主轴可用 38CrMoAlA 钢，经调质后渗氮，表面硬度可达 HV900 以上。对转速较低、精度要求较低或大型机床的主轴，也可选用球墨铸铁。

C　主轴技术要求

主轴的技术要求主要应满足主轴精度及其他性能的设计要求，同时应考虑制造的可能性和经济性，便于检测等。为此应尽量做到检验、设计、工艺基准的一致性。

图2-42所示为一主轴的形位公差标注示意图。图中轴颈 A 和 B 是主轴旋转精度的基础，其公共轴心线 $A\text{-}B$ 即为设计基准。为保证主轴的旋转精度，轴颈的精度和表面粗糙度应严格控制，同时轴颈 A 和 B 的公共轴心线又是前锥孔的工艺基准及各重要表面的检验基准。可以控制 A、B 表面的圆度和同轴度，也可控制这两个表面的径向圆跳动公差。普通精度机床主轴轴颈尺寸常取IT5，形状公差数值一般为尺寸公差的1/4～1/3。

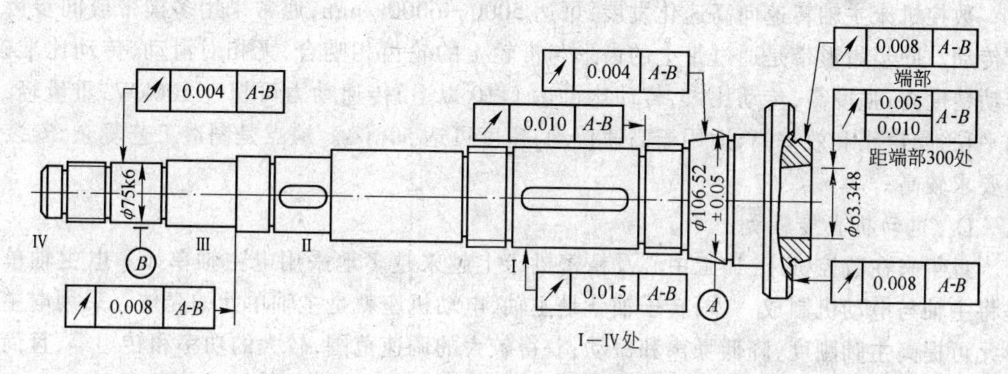

图2-42　主轴的形位公差标注

主轴锥孔应保证与轴颈中心线同心，以轴颈为基准面最后精磨锥孔。分别在主轴端部和距主轴端部300mm处测量锥孔中心线对主轴旋转中心线的径向圆跳动，其测量值应符合有关机床精度标准规定。

主轴端短锥面是卡盘定心面，其表面的径向圆跳动，以及法兰的端面圆跳动，安装齿轮表面的径向圆跳动等均以公共轴心线 $A\text{-}B$ 为基准进行测量，其数值可参见机床精度标准规定，其中安装齿轮表面的径向圆跳动，可取略小于直径公差的一半。

主轴安装滚动轴承处的轴颈表面粗糙度为 $R_a0.4\mu m$，安装滑动轴承的轴颈表面粗糙度为 $R_a0.2\mu m$。

2.5.3　主轴传动件

2.5.3.1　主轴传动件类型选择

常用主轴传动件有齿轮、蜗轮、带轮及电动机直接驱动等类型，其类型选择取决于主轴传递动力、转速、运动平稳性及结构等要求。

A　齿轮

是常用的主轴传动件，其特点是结构简单、紧凑、可传递较大转矩，并可适应变载荷、变转速工作条件。缺点是线速度不宜过高，一般 $v \leqslant 2 \sim 15 m/s$。为降低噪声，要适当提高齿轮的加工精度。采用斜齿轮可提高传动平稳性，其螺旋角通常取 $\beta = 20° \sim 35°$，根据工作中产生的轴向力来合理确定螺旋线方向：粗加工时应使轴向力与切削力的轴向分力方向相反，有利于改善轴承的工作条件；精密、高速加工时，可使二者方向相同，避免工作中产生轴向窜动，有利于提高主轴的轴向精度。普通机床主轴上若采用高、低速两个斜齿轮时，因其分别用于精加工和粗加工，应按上述原则取不同旋向；若机床有不同轴向切削力时，应考虑主要切削力方向。

B　蜗轮

传动平稳、噪声小、但效率低,易发热、磨损,故适用于低速、小功率且加工质量要求较高的场合(如高精度丝杠车床)。

C　带轮

带传动运转平稳,结构简单,适用于转速较高且表面加工质量要求较高的场合及中心距较大的两轴间的传动。缺点是有滑动,传动比不准确。常用的有平带、V带、多楔带及同步齿形带等。

数控机床主轴转速向高速化发展,可达5000～6000r/min,通常采用多楔带或同步齿形带传动。同步齿形带是通过带上的齿形与带轮上的轮齿相啮合,无相对滑动,传动比准确,传动精度高;强度高,传动比大,传动比可达1∶10以上,传递动力可超过100kW;重量轻,传动平稳,噪声小和效率高,适用于高速传动,速度可达50m/s。缺点是制造工艺复杂,安装条件要求较高。

D　电动机直接驱动

近年来在数控机床、加工中心及精密机床上越来越多地采用电主轴单元。电主轴单元是将主轴与电动机制成一体,转子轴就是主轴,电动机座就是主轴单元的壳体。采用电主轴单元可提高主轴刚度,降低噪声和振动;获得较大的调速范围,较大的功率和转矩等,且简化主轴结构,参见图2-55。

2.5.3.2　主轴传动件布置

通常主轴在前端承受切削力,主轴传动件的位置及受力方向能直接影响主轴变形和前支承受力的大小,因此需要合理布置传动件。根据主轴承受传动力的情况可归纳为以下几种方式:

A　主轴不承受传动力(卸荷主轴)

图2-43所示传动件3(齿轮或带轮)不直接安装在主轴1上,而是装在固定于箱体上的独立支承2上,通过键连接或离合器传动主轴。传动力通过独立支承传给箱体,而不能作用在主轴上,因此减少了主轴的弯曲变形。这种布置方式只传递转矩而卸掉了对主轴的径向力,使主轴只承受切削力而不受传动力,在高精度及精密机床、数控机床上应用较广泛。

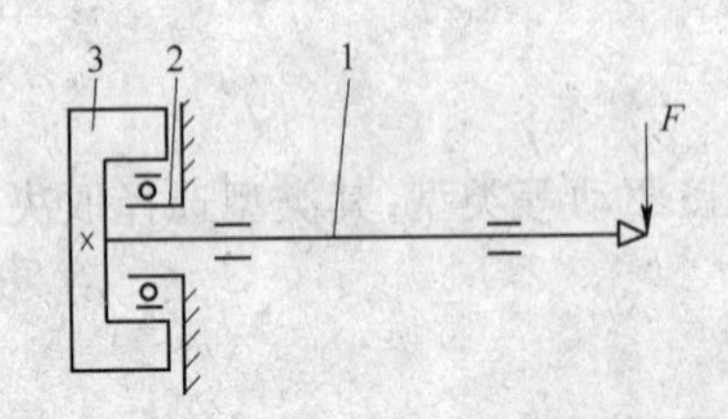

图2-43　主轴不承受传动力

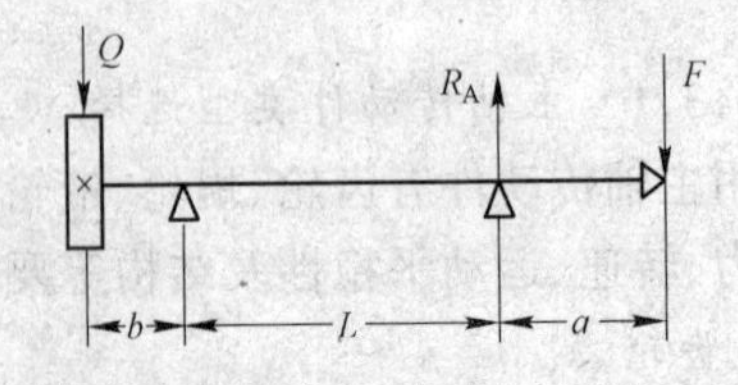

图2-44　主轴尾端承受传动力

B　主轴尾端承受传动力

此种布置多用于外圆磨床、内圆磨床砂轮主轴,带轮装在主轴的外伸尾端上,便于防护和更换,使之承受传动力Q,如图2-44。传动力Q在主轴前端引起的位移是由主轴本身变形和前支承变形所引起的位移叠加,二者方向相反,故位移量小,因此主轴前端位移量主要是由切削力F决定。如果Q与F同向时(如图示),则前支承的支反力较小,$R_A = F(1 + a/$

$L) - Qb/L$,有利于改善前轴承的工作条件及减小主轴组件的振动。

C 主轴前端承受传动力

传动件布置在主轴悬伸端,使 F 和 Q 方向相反,见图 2-45。可使主轴前端位移量相互抵消一部分,减少了主轴前端位移量,同时前支承支反力也减小。主轴的受扭段变短,提高了主轴刚度,改善了轴承工作条件。但这种布置会引起主轴前端悬伸量增加,影响主轴组件的刚度及抗振性,只适于大型、重型机床。

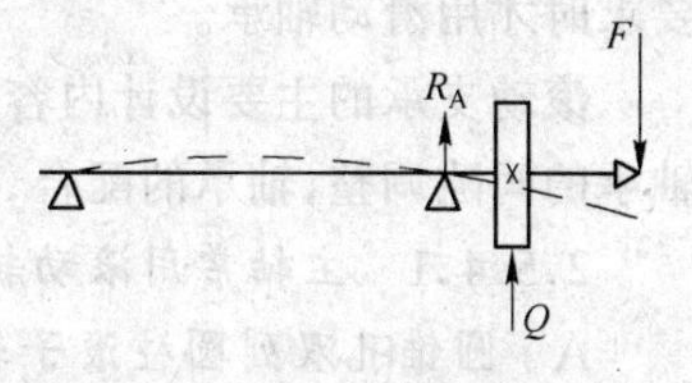

图 2-45 主轴前端承受传动力

D 主轴两支承间承受传动力

这是主轴传动件最常见的布置方式。为减小主轴的弯曲变形和扭转变形,传动齿轮应尽量布置在靠近前支承处;当主轴上有两个传动齿轮时,由于大齿轮用于低速传动,作用力较大,应将大齿轮布置在靠近前支承处。

如图 2-46(a)所示,在影响加工精度敏感方向上的传动力 Q_y 与切削力 F_y 方向相反时,主轴前端的位移量增大,但前支承反力减小,这适于普通精度机床。因这类机床的加工精度要求不高,而主轴受力较大,需减少前支承的支反力,使轴承降低发热和提高寿命,并可提高主轴组件的抗振性。

如图 2-46(b)所示,Q_y 与 F_y 同向时,主轴前端的位移量减少,但前支承反力增大,这适于精密机床。因这类机床主要用于精加工,主轴受力较小,因而支反力 R_{Ay} 并不大,考虑精度是主要的。

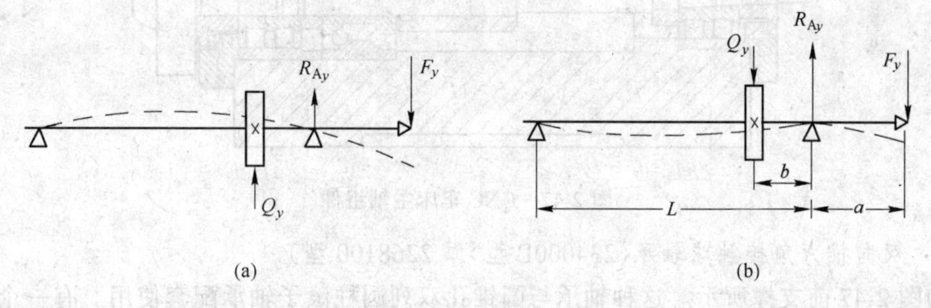

图 2-46 主轴两支承间承受传动力

机床上切削力 F_y 的方向是一定的,Q_y 方向取决于主轴的前一传动轴即末前轴的空间布置,可根据加工精度要求,以及传动方式空间结构等加以布置。

2.5.4 主轴滚动支承

主轴支承是主轴组件的重要组成部分,主轴支承是指主轴轴承,支承座及其相关零件的组合体,其中核心元件是轴承。因此,采用滚动轴承的支承称为主轴滚动支承;采用滑动轴承的支承称为主轴滑动支承。滚动轴承的主要优点是适应转速和载荷变动的范围大;能在零间隙或负间隙(一定的过盈量)条件下稳定运转,具有较高的旋转精度和刚度;轴承润滑容易,维修、供应方便,摩擦系数小等。其缺点是滚动轴承的滚动体数目有限,刚度是变化的,阻尼也较小,容易引起振动和噪声;径向尺寸也较大。滑动轴承具有抗振性好、运转平稳、旋转精度高及径向尺寸小等优点,但制造、维修比较困难,并受到使用场合限制,如立式主轴漏油问题解决较困难等。

设计主轴支承时,应尽量采用滚动轴承。当主轴速度、加工精度及工件加工表面有较高要求时才用滑动轴承。

滚动支承的主要设计内容包括:滚动轴承类型的选择,轴承的配置,轴承的精度及选配,轴承的间隙调整,轴承的配合,支承座结构型式,润滑及密封等。

2.5.4.1 主轴常用滚动轴承的结构特点

A 圆锥孔双列圆柱滚子轴承(NN3000K 型,原 3182100 型)

如图 2-47 所示,轴承内圈为锥度 1:12 的锥孔,滚动体是两列交错排列的短圆柱滚子,可随同带滚道槽的内圈沿外圈轴向移动。内圈锥孔与主轴的锥形轴颈相配合,当二者产生相对轴向位移时,可把较薄的内圈涨大,达到改变径向间隙或预紧的目的。有滚道槽开在内圈或外圈上两种不同型式。

这种轴承结构紧凑,能承受较大的径向载荷及较高转速,滚子数量多且交叉排列,抗振性好,但不能承受轴向载荷。适用于载荷较大、高速及精密机床主轴组件。

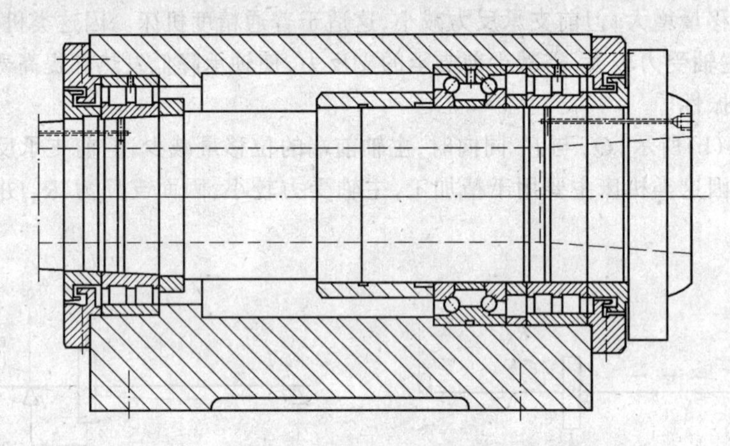

图 2-47 CNC 车床主轴组件

B 双向推力角接触球轴承(234000B 型,原 2268100 型)

如图 2-47 前支撑所示。这种轴承与圆锥孔双列圆柱滚子轴承配套使用。有一个外圈、两个内圈、中间隔套及两列钢球组成。修磨中间隔套的厚度可精确调整轴承间隙或预紧。此类轴承主要用于承受两个方向的轴向载荷。接触角为 60°,轴承外圈开有油槽和油孔,以利润滑油进入轴承。

这种轴承的主要优点是承载能力大和刚度高;允许转速高,温升较低;抗振性较好。适用于轴向载荷较大的高速、精密机床主轴组件。

C 圆锥滚子轴承

主轴常用圆锥滚子轴承分为单列(32000 型,原 2007100 型)和双列(350000 型,原 297000 型)两种类型。单列圆锥滚子轴承既能承受径向载荷,又能承受单向轴向载荷。双列圆锥滚子轴承能承受径向载荷和双向轴向载荷。由于圆锥滚子轴承滚子大端面与内圈挡边之间有摩擦,发热较高,所以轴承转速受到限制。适用于中速、一般精度的主轴组件。

美国 Timken 公司开发的单列圆锥滚子轴承改滚子为中空圆弧大端面,可减小摩擦发热,温升降低约 15%,图 2-48 所示为配置 Timken 轴承的卧式车床主轴组件。

图 2-49 所示为配置 Gamet 轴承的主轴组件。双列(H 系列)用于前支承,单列(P 系列)用于后支承。保持架整体加工,采用中空滚子,润滑油的大部分被迫通过滚子的中孔,起冷却作用;少量流经滚子和滚道之间,起润滑作用。轴承散热好,极限转速可提高 20%～40%。由于两列滚子数目相差一个使其刚度变化频率不同,从而抑制了振动。单列圆锥滚子轴承外圈上有弹簧(16～20 个),用于自动调整间隙。

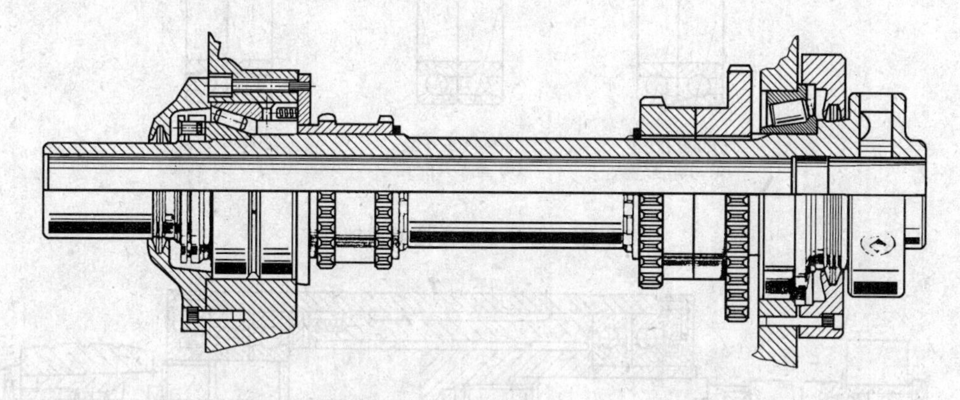

图 2-48　配置 Timken 轴承的卧式车床主轴组件

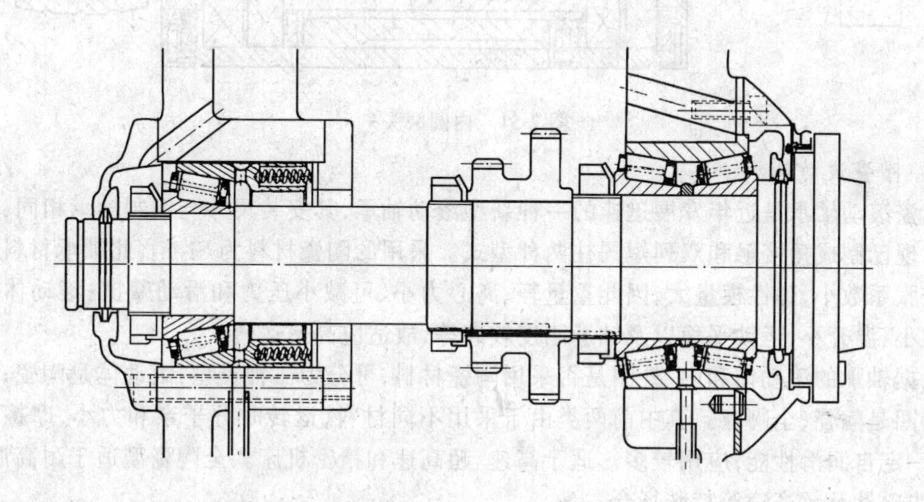

图 2-49　配置 Gamet 轴承的卧式车床主轴组件

D　角接触球轴承

又称向心推力球轴承(70000)型,可以承受径向载荷和单向轴向载荷,极限转速较高。接触角有 15°、25°、40°和 60°等,其中主轴轴承多用 15°和 25°。所承受轴向载荷随接触角 α 的增大而增大。常用的有 70000C 型($\alpha=15°$),70000AC 型($\alpha=25°$)等。

在同一个支承中,角接触球轴承可采用成对安装,也可三个、四个组配在一起。图 2-50 所示为成对安装角接触球轴承,已标准化。图 2-50(a)为串联配置,两个轴承大口方向相同,可承受较大的单向轴向载荷,实际结构见图 2-51。图 2-50(b)为背靠背配置,两个轴承的反作用力组成的反力矩大,可抵消一部分外载荷产生的弯矩,对提高主轴组件刚度有利,应用较广泛,但轴承装卸较困难。图 2-50(c)为面对面配置,因两轴承产生的反力矩较小,故对主轴组件刚度提高不大,但轴承装卸方便。

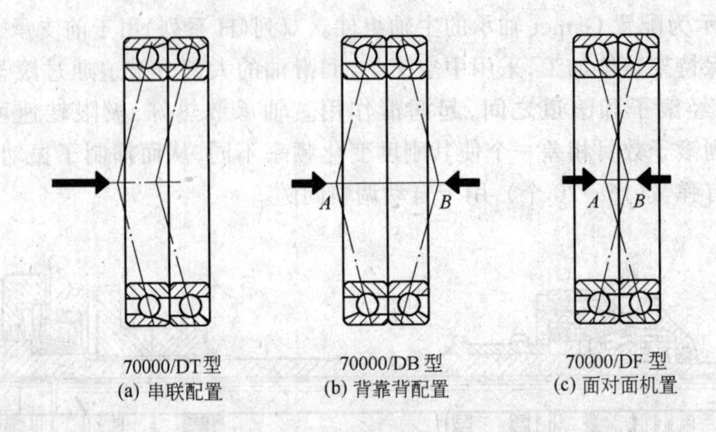

图 2-50　成对安装角接触球轴承

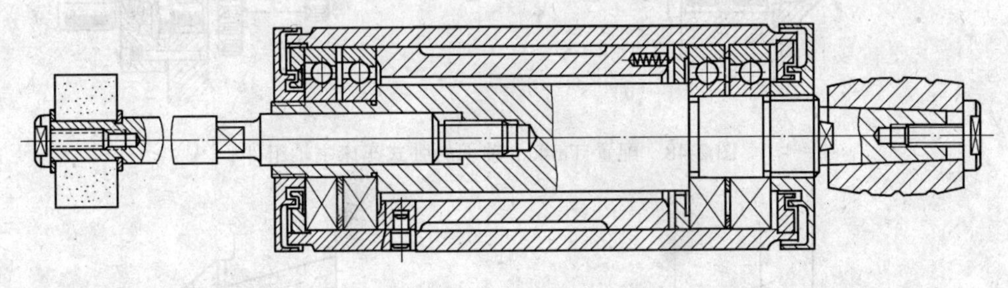

图 2-51　内圆磨头

E　陶瓷滚动轴承

陶瓷滚动轴承是近年发展迅速的一种新型滚动轴承，其安装尺寸与钢制轴承相同，可以互换。现已制成角接触和双列短圆柱两种型式。采用的陶瓷材料为 Si_3N_4，此轴承材料的密度和线胀系数小，弹性模量大，因此重量轻、离心力小、可减小压力和滑动摩擦；滚动体的热胀系数小、温升小、运动平稳以及轴承刚度较高等，故适应高速运转。

根据轴承的滚动体和内、外圈是否采用陶瓷材料，可分为三种类型：滚动体是陶瓷；滚动体和内圈是陶瓷；全陶瓷。其中前两类由于采用不同材料，运转时分子亲和力小，摩擦系数小，有一定自润滑性能，应用较多。适于高速、超高速和精密机床。全陶瓷型适于耐高温、耐腐蚀、非磁性及超高速等特殊场合。

此外，主轴常用的滚动轴承还有推力球轴承(51000 型，原 8000 型)，深沟球轴承(60000 型)等。

2.5.4.2　主轴滚动轴承选择

主轴组件的滚动轴承既要有承受径向载荷的径向轴承，又要有承受两个方向轴向载荷的推力轴承。轴承类型及型号选用主要应根据主轴组件的刚度、承载能力、转速、抗振性及结构等要求合理进行选定。

同样尺寸的轴承，线接触的滚子轴承比点接触的球轴承的刚度要高，但极限转速要低；多个轴承比单个轴承承载能力要大；不同轴承承受载荷类型及大小不同；还应考虑结构要求，如中心距特别小的组合机床主轴，可采用滚针轴承。

为提高主轴组件的刚度，通常采用轻系列或特轻系列轴承，因为当轴承外径一定时其孔径(即主轴轴颈)较大。

主轴常用的滚动轴承类型见表 2-8。

表 2-8　主轴常用滚动轴承类型选择

轴承工作条件			径向轴承及推力轴承类型
转速	径向载荷	轴向载荷	
高	较小	较小	70000
较高	较大	较小	NN3000K 及 70000
较高	较大	较大	NN3000K 及 234000B
中等	中等	中等	32000
中等	大	中等	350000
较低	小	大	60000 及 51000
较低	较大	大	NN3000K 及 51000

2.5.4.3　主轴滚动轴承配置

主轴组件需要使用若干个轴承,其配置方式对主轴组件的性能有重要影响,应根据主轴工作条件(载荷大小及方向、转速等)、机床用途及工作性能合理选择。

A　径向轴承配置

主轴组件无论是两支承或三支承,各支承处均需配置径向轴承。一般前支承对主轴组件性能影响较大,应优先选定合适的轴承,其他支承轴承的性能可略低于前支承。三支承主轴组件的松支承应配置间隙较大的轴承。

B　推力轴承配置

主轴一般受两个方向轴向载荷,需至少配置两个相应的推力轴承,要特别注意轴向力的传递。主轴组件必须在两个方向上都要轴向定位,否则在轴向力作用下就会窜动,破坏精度和正常工作性能。主轴组件的轴向定位方式是由推力轴承的布置方式决定的,分为三种:

(1)前端定位。图 2-52(a)所示主轴推力轴承均布置于主轴前支撑。其特点是主轴受热变形向后伸长,不影响主轴前端的轴向精度;主轴在轴向切削力作用时受压段短,纵向稳定性好;前支撑角刚度高,角阻尼大,有利于提高主轴组件的刚度及抗振性。缺点是前支撑结构复杂,温升较高。适用于高速、精密机床主轴及对抗振性要求较高的普通机床主轴。如图 2-47 和图 2-49 所示结构。

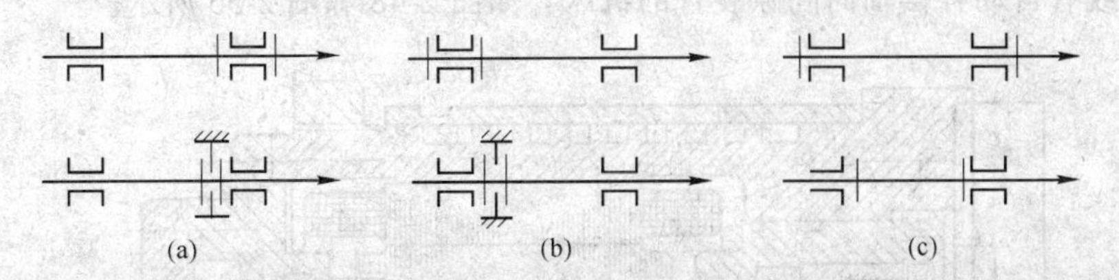

图 2-52　主轴组件的轴向定位方式

(a)前端定位;(b)后端定位;(c)两端定位

图 2-47 左向轴向力,通过主轴法兰、隔套、NN3000K 轴承内圈、内隔套、234000B 轴承,传给箱体。右向轴向力,通过主轴套、234000B 轴承、外隔套、NN3000K 轴承外圈、法兰盘和螺钉,传给箱体。

(2)后端定位。图 2-52(b)所示主轴两个推力轴承均布置在后支撑,其特点是前支撑结构简单,温升较小。但主轴受热向前伸长,影响主轴的轴向精度;刚度及抗振性较差。适用于要求不高的中速、普通精度机床主轴，如图 2-53 和图 2-54 所示结构，双向轴向力的传递如图中箭头所示。

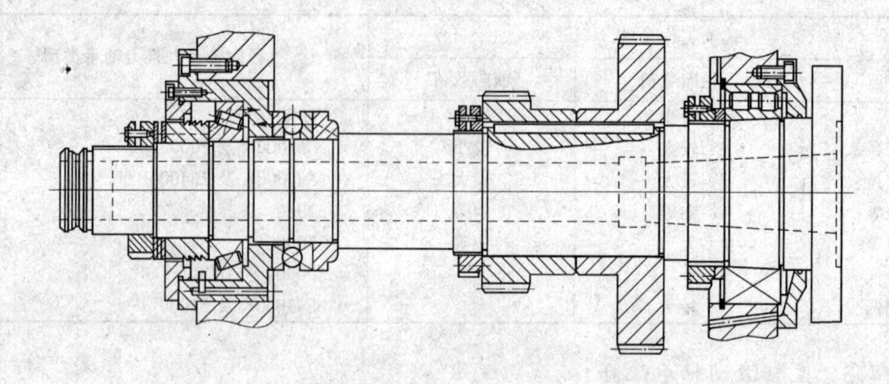

图 2-53　C7620 型多刀车床的主轴组件

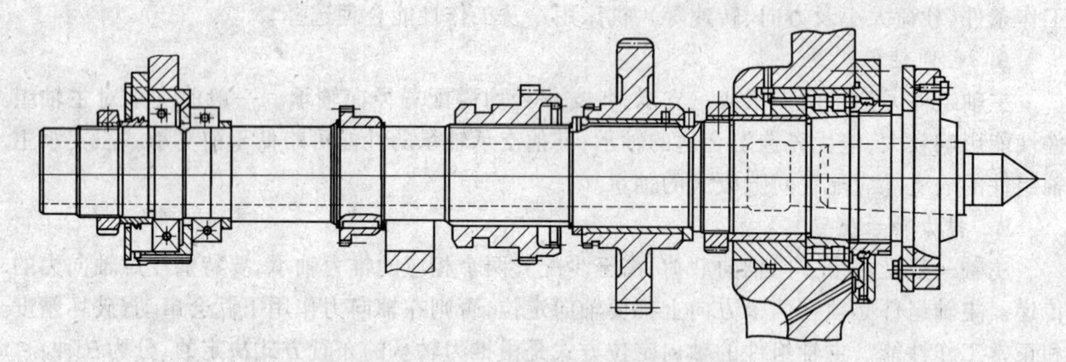

图 2-54　CA6140 型卧式车床主轴组件

(3)两端定位。图 2-52(c)所示主轴推力轴承分别布置在前、后两个支承处，分别承受两个方向的轴向力，特点是支承结构简单；间隙调整方便，只需在一端调整两个轴承间隙。缺点是主轴受热伸长会改变轴承间隙，影响其旋转精度及寿命，且刚度及抗振性较差。适用于轴向间隙变化不影响主轴组件正常工作的机床主轴，如钻床；或支距较短的主轴，如电主轴组合机床；或有自动补偿轴向间隙装置的机床。如图 2-48 和图 2-55 所示。

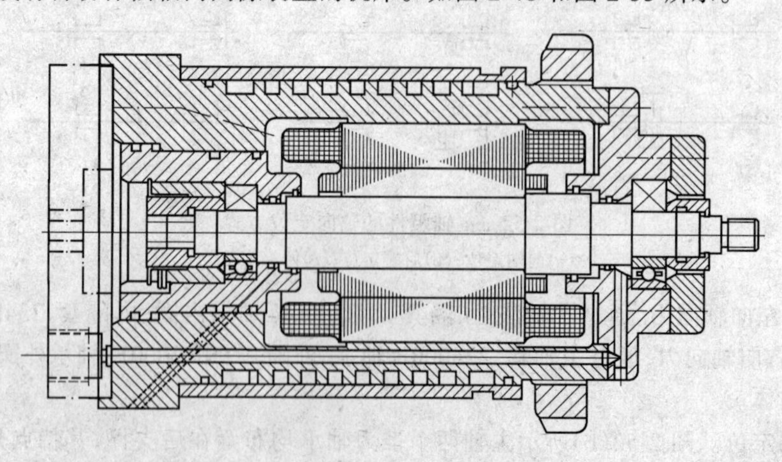

图 2-55　高速内圆磨床电主轴

几种类型主轴滚动轴承配置型式及其工作性能相对比较见表 2-9。

表 2-9 几种典型主轴滚动轴承配置型式及其工作性能的相对比较

序号	轴承配置型式	前支承		后支承		极限转速	前支承承载能力		刚度		温升		轴向热位移	应用举例
		径向	轴向	径向	轴向		径向	轴向	径向	轴向	总的	前支承		
1	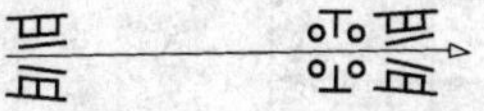	NN3000K	234000B	NN3000K	—	1.0	1.0	1.0	1.0	1.0	1.0	1.0	1.0	车、铣、镗、磨床
2	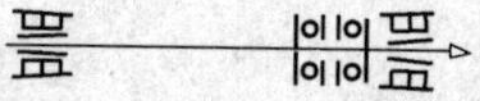	NN3000K	51000(2)	NN3000K	—	0.65	1.0	1.0	0.9	3.0	1.15	1.2	1.0	车、铣、镗床
3	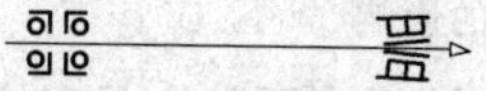	NN3000K	—	70000AC/DB(2)		1.0	1.0	0.6	0.8	0.7	0.6	0.5	3.0	车、铣、镗床
4	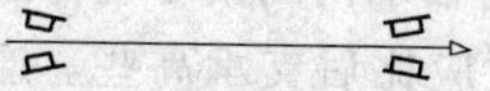	30000		30000		0.6	0.8	1.0	0.7	1.0	0.8	0.75	0.8	车、铣床
5	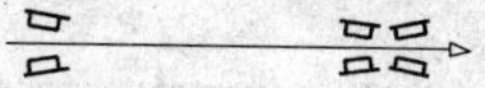	350000		30000		0.8	1.5	1.0	1.13	1.0	1.4	0.6	0.8	车、铣、坐标镗床
6	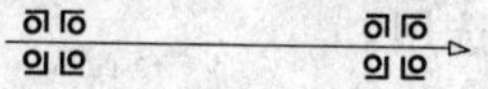	70000AC/DB(2)		70000AC/DB(2)		1.2	0.7	0.7	0.45	1.0	0.7	0.5	0.8	内磨、外磨、精镗、组合机床
7	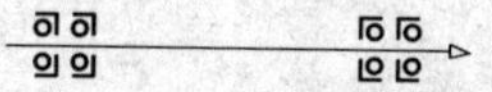	70000AC/DT(2)		70000AC/DT(2)		1.2	0.7	1.0	0.35	2.0	0.7	0.5	0.8	磨床
8	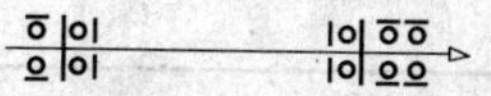	60000(2)	51000	60000	51000	0.75	0.7	1.0	0.35	1.5	0.85	0.7	0.85	立式、摇臂钻床

C 三支承配置

机床主轴通常采用两支承,结构简单,制造、装配方便,容易保证精度,可满足使用要求。但一些大型、重型机床多采用三支承结构,其刚度和抗振性较高。但对三个支承座孔同心度要求高。增加了制造、装配的困难和结构的复杂程度。

为保证其刚度和旋转精度,需将其中两个支承预紧,称为紧支承或主要支承;另一个支承必须具有较大的间隙,称为松支承或辅助支承。对于一般精度机床,应选前、中支承为主要支承;后支承为辅助支承,主要起平稳定心作用。对于精密机床,应采用前、后支承为主要支承;中间支承为辅助支承,主要起增加阻尼作用。

2.5.4.4 主轴滚动轴承精度及选配

A 主轴滚动轴承精度选择

机床主轴滚动轴承通常采用 P2、P4、P5 级(相当于旧标准的 B、C、D 级)。新标准增加了 SP 级(其尺寸精度相当于 P5 级,旋转精度相当于 P4 级)和 UP 级(其尺寸精度相当于 P4 级,旋转精度高于 P4 级)。P6 级(旧标准 E 级)目前已少用。轴承精度越高,主轴旋转精度及其他性能越好,但轴承价格越昂贵。

主轴前后支承的径向轴承对主轴旋转精度影响是不同的。图 2-56(a)所示表示前轴承内圈有偏心量 δ_A(即径向跳动量之半),后轴承偏心量为零的情况,则反映到主轴端部的偏心量为

$$\delta_1 = \left(1 + \frac{a}{L}\right)\delta_A \tag{2-50}$$

图 2-56(b)表示后轴承内圈有偏心量 δ_B，前轴承偏心量为零的情况，则反映到主轴端部的偏心量为

$$\delta_2 = \frac{a}{L}\delta_B \tag{2-51}$$

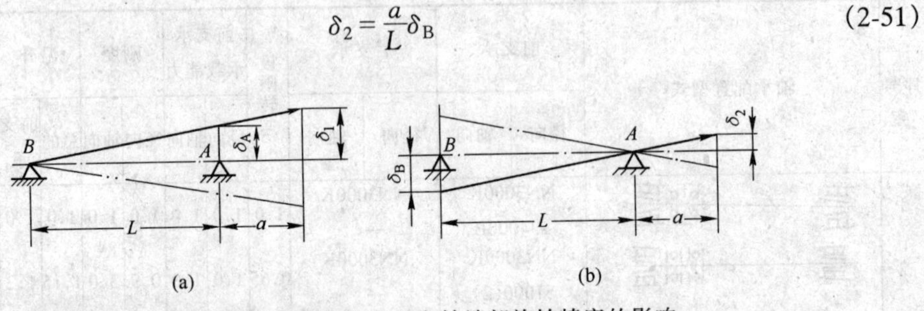

图 2-56　前、后轴承内圈偏心对主轴端部旋转精度的影响

当轴承内圈偏心量一定(即 $\delta_A = \delta_B$)时，则 $\delta_1 > \delta_2$，这说明前轴承内圈偏心量对主轴端部的旋转精度影响较大，具有误差放大作用，因此，前轴承的精度应比后支承高些。通常高一级。所以，主轴滚动轴承精度选择应注意：

(1)首先选择前支承的径向轴承(简称前轴承)的精度，应与机床精度相匹配。可参考表 2-10。镗床类机床应提高一级，数控机床可按精密级或高精度级选用。

(2)后轴承精度可比前轴承低一级。

(3)推力轴承精度可与后轴承相同。

表 2-10　机床主轴滚动轴承精度选择

机床精度等级	轴承精度等级	
	前轴承	后轴承和推力轴承
普通级	P5 或 P4(SP)	P6 或 P5(SP)
精密级	P4(SP)或 P2(UP)	P5 或 P4(SP)
高精度级	P2(UP)	P4 或 P2(UP)

B　主轴滚动轴承选配

为了提高主轴组件的旋转精度，除应选用较高精度的轴承，提高主轴轴颈和支承座孔的制造精度，合理选择轴承配合之外，还可采用轴承选配方法。

主轴和轴承都存在制造误差，会影响主轴组件的旋转精度。在主轴组件设计时，应考虑装配过程中使二者的误差影响相互抵消一部分，则可进一步提高其旋转精度。

滚动轴承内圈、外圈及滚动体的误差都会影响其旋转精度，由于内圈随主轴旋转，它的径向圆跳动影响最大，现仅研究轴承内圈和主轴轴颈的径向圆跳动对主轴组件旋转精度的影响及选配方法。

a　前轴承选配

如图 2-57 所示，主轴上安装刀具或工件的部位(图示为轴端锥孔)轴心为 O，主轴前轴颈的轴心为 O_1，因制造误差所造成的偏心量为 δ_{A1}(即径向圆跳动量之半)。轴承内圈滚道(轴心为 O_2)相对于内圈孔(轴心为 O_1)的偏心量为 δ_{A2}。则主轴在前支承的实际旋转轴心为 O_2。

若按图 2-57(a)方式装配，主轴轴颈和轴承内圈的最大跳动点(即高点)都在轴心的同一个方向上，即高点同向，则主轴轴心 O 与其旋转轴心 O_2 的偏心量为 δ_A，即 $\delta_A = \delta_{A1} + \delta_{A2}$。

若按图 2-57(b)方式装配，主轴轴颈和轴承内圈的高点异向，则偏心量 $\delta_A = \delta_{A2} - \delta_{A1}$；

若使 $\delta_{A2} \approx \delta_{A1}$，偏心量 δ_A 可接近于零，因此，主轴组件的旋转精度能得以显著提高。

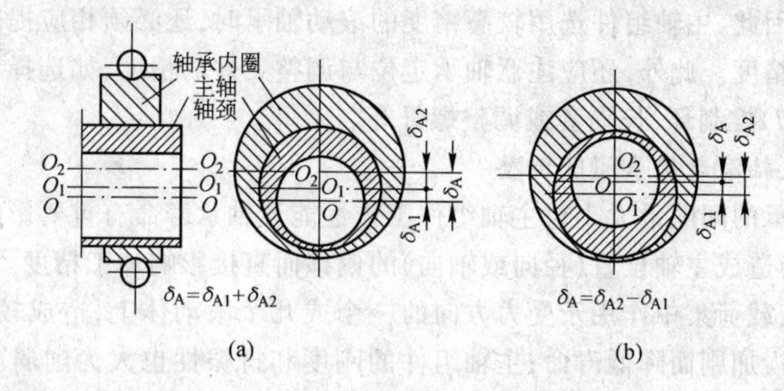

图 2-57　主轴轴颈和轴承内圈的高点位置

b　后轴承选配

对主轴组件前轴承选配之后再对后轴承选配，还可进一步提高主轴组件的旋转精度。

图 2-58(a)所示，δ_A、δ_B 分别为主轴前、后支承处的偏心量，若最大跳动点位于同一轴向平面内，且在轴线的异侧时，轴端的偏心量 δ 为

$$\delta=\left(1+\frac{a}{L}\right)\delta_A+\frac{a}{L}\delta_B \tag{2-52}$$

可见，$\delta>\delta_A$，轴端径向圆跳动增大。

图 2-58(b)为主轴前、后支撑处的最大跳动点位于同一轴向平面内，且在轴线的同侧时，轴端的偏心量 δ 为

$$\delta=\left(1+\frac{a}{L}\right)\delta_A-\frac{a}{L}\delta_B \tag{2-53}$$

可见，当 $\delta_B>\delta_A$ 时，轴端径跳 δ 减小，甚至可接近于零。因此，后轴承的精度比前轴承低一级，不只因为它的影响程度较小，而且通过选配法还有利于提高主轴组件的旋转精度。

主轴是采用同一个基准精磨各个轴颈，前、后轴颈对主轴轴心径跳点往往在同一方向，只要把后轴承如同前轴承那样选配(高点异向)，通常可得到图 2-58(b)所示的情况。

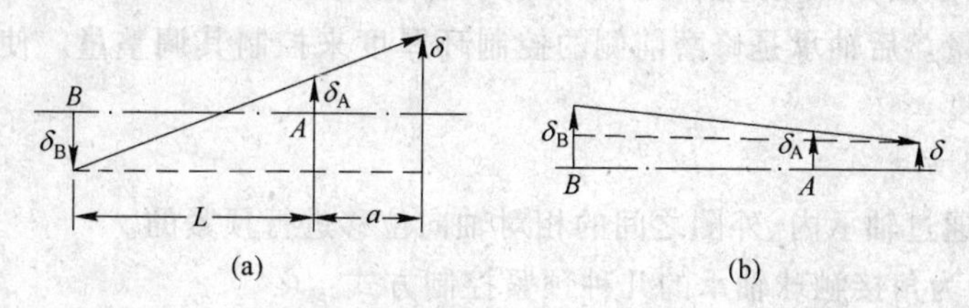

图 2-58　主轴前后支承处最大跳动点不同位置的影响

2.5.4.5　主轴滚动轴承的配合

轴承配合的松紧程度对主轴组件工作性能有一定影响。轴承内圈与轴颈，外圈与支座孔的配合应适宜。配合紧些，可提高轴承与轴颈、座孔的接触刚度，并有利于提高主轴组件的旋转精度和抗振性。但过紧会改变轴承的正常间隙，降低旋转精度，增加发热以及缩短寿命；配合过松也会影响主轴的旋转精度、刚度及寿命。对轻载、精密机床，为避免座孔形状误差的影响，常采用间隙配合，且与轴颈配合的过盈量也较小。通常，主轴滚动轴承外圈与座孔的配合要比内圈与轴颈的配合稍松些。

轴承的配合件精度能够直接影响主轴组件的旋转精度。通常采用过渡配合时，轴颈和

座孔的形状误差将影响滚道的形状精度。主轴轴肩及座孔挡肩的端面圆跳动也会影响轴承的旋转精度等。因此,主轴组件选用较高精度的滚动轴承时,还必须相应提高轴颈和座孔的尺寸精度和形位精度。此外,还应注意轴承定位与调整元件的精度,如选择形状精度较高的过盈套(见图 2-47)控制环、长隔套或调整螺母等。

2.5.4.6 主轴滚动轴承间隙调整

主轴滚动轴承的间隙量大小对主轴组件工作性能及轴承寿命有重要影响。轴承在较大间隙下工作时,会造成主轴位置(径向或轴向)的偏移而直接影响加工精度。同时,由于轴承的承载区域较小,载荷集中作用于受力方向的一个或几个滚动体上,造成较大的应力集中,使轴承发热和磨损加剧而降低寿命;主轴组件的刚度和抗振性也大为削弱。当轴承调整为零间隙时,滚动体受力均匀,主轴旋转精度得到提高。当轴承调整为适当的负间隙时,滚动体产生弹性变形,与滚道的接触面积加大,则主轴组件的旋转精度、刚度和抗振性都得到显著提高。轴承预紧就是采用预加载荷的方法消除轴承间隙,使其产生一定的过盈量。

主轴滚动轴承的最佳间隙量应根据机床的工作条件和轴承类型通过试验加以确定。高速轻载或精密机床,可为零间隙或较小负间隙;中低速、载荷较大或一般精度机床,可使负间隙稍大。此外,球轴承和精度较高轴承所允许的预加载荷可以大些。

轴承预紧可分为径向预紧和轴向预紧两种方式。

A 径向预紧方式

径向预紧是利用轴承内圈膨胀,以消除径向间隙的方法。图 2-53 所示前支承的 NN3000K 型轴承,拧动轴承内侧的调整螺母推动内圈,使之与轴颈间产生相对轴向位移,即可达到预紧目的。位移调整量的控制方式有以下三种:

(1)无控制装置　如图 2-53,位移调整量的控制凭操作者经验,结构简单,但不易准确控制。

(2)控制螺母　如图 2-54,在轴承前侧放置一个控制螺母用以控制调整量,但需在主轴上切削螺纹。

(3)控制环　如图 2-47 前支承所示,在轴承前侧放置两个对开的半环,可取下修磨其厚度用以控制调整量。后轴承是修磨前侧的控制环厚度来控制其调整量。使用方便,并可保证较高的定位精度。

B 轴向预紧方式

这类轴承是通过轴承内、外圈之间的相对轴向位移进行预紧的。

图 2-59 所示为角接触球轴承的几种预紧控制方式:

(1)修磨轴承圈　图(a)是通过将内圈(背靠背组配)或外圈(面对面组配)相靠的端面各磨去一定量 a,安装时把它们压紧以实现预紧。需要修磨轴承,工艺较复杂,使用中不能调整。

(2)内外隔套　图(b)是在两个轴承的内、外圈之间,分别安装两个厚度差为 $2a$ 的内、外隔套。隔套加工精度容易保证,使用效率较好,但使用中不能调整。

(3)无控制装置　图(c)中两个内圈的位移量靠操作者经验控制。可在使用中调整,但难于准确掌握。

(4)弹簧预紧　图(d)是靠数个均布弹簧可控制预加载荷基本不变,轴承磨损后能自动补偿间隙,效果较好。

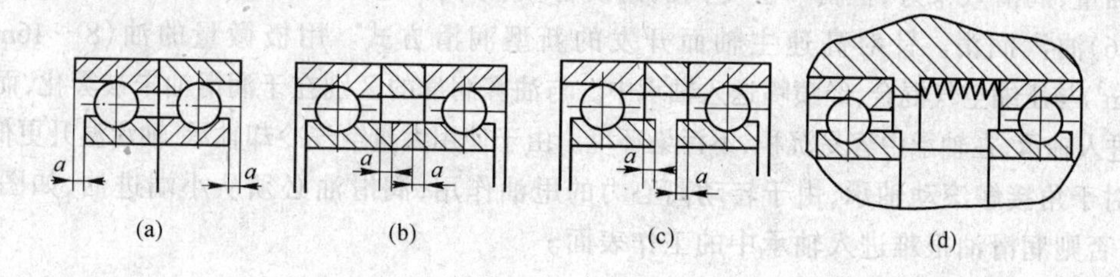

图 2-59 角接触球轴承预紧控制

2.5.4.7 主轴滚动轴承的润滑

滚动轴承的润滑可在摩擦面间形成起隔离作用的润滑油膜，减小摩擦，防止锈蚀，冷却降温，降低噪声，增加阻尼及提高抗振性等。所以良好的润滑是提高主轴组件工作性能，提高精度保持性的重要措施。

A 脂润滑

润滑脂是基油、稠化剂或添加剂在高温下混合成脂状润滑剂。其特点是黏附力强，密封简单；不需经常添加和更换，维护方便；普通润滑脂摩擦阻力比润滑油略大，但高级润滑脂（如锂基润滑脂）摩擦阻力比润滑油略小。一般润滑脂适用于轴承的速度、温度较低且不需要冷却的场合。对于立式主轴以及装于套筒内的主轴轴承（如钻床、坐标镗床、立铣、龙门铣床、内圈磨床等）宜用脂润滑。数控加工中心主轴轴承也常用高级润滑脂润滑。

为避免因搅拌发热而融化、变质失去润滑作用，通常油脂充填量约占轴承空间的1/3。

B 油润滑

油润滑适用于速度、温度较高的轴承，由于黏度低、摩擦系数小，润滑及冷却效果都较好。

适量的润滑油可使润滑充分，同时搅油发热小，使得轴承的温升及功率损耗都较低。据瑞典 SKF 公司测定，主轴前支撑采用 NN3015K 型和 234415B 型轴承匹配使用时，供油量每分钟 1～5 滴为宜。

主轴滚动轴承常用的润滑方式与轴承的转速、负荷、容许温升及轴承类型有关，一般可按轴承的 dn 值选择。

(1)滴油润滑。一般通过针阀式轴承注油杯向轴承间断滴油。润滑简单方便，搅油发热较小。用于需定量供油、高速运转的小型主轴。

(2)飞溅润滑。利用浸入油池内的齿轮或甩油环的旋转使油飞溅进行润滑。结构简单，缺点是机床启动后才能供油，油不能过滤；搅油发热及噪声较大。用于要求不高的主轴轴承。溅油元件的速度一般为 0.8m/s～6m/s，浸油高度可为 $(1\sim3)h$，h 为齿高。油面高度一般不能高于箱体外露最低位置的孔。

(3)循环润滑。由油泵供油对轴承润滑。回油经冷却、过滤后可循环使用，能够保证对轴承充分润滑，并带走部分热量，但搅油发热较大，需调节供油量。适用于高速、重载机床的主轴轴承。

(4)油雾润滑。压缩空气通过专门的雾化器，再经喷嘴将油雾喷射到轴承中，有较好的润滑和冷却效果，但需要一套专门的油雾润滑系统，造价高，故适用于高速主轴轴承。

(5)喷射润滑。在轴承周围均布几个喷油嘴，周期性地将油喷射到轴承圈与保持架的间隙中，能够冲破轴承高速旋转时所形成的“气流隔层”，把油送到工作表面上。它可准确地控制供油量，润滑效果好，但需一套专门润滑设备，成本高。适用于高速主轴轴承。

(6)油汽润滑。针对高速主轴而开发的新型润滑方式。用极微量的油(8～16min 约 $0.03cm^3$)与压缩空气混合，经喷嘴送入轴承中。与油雾润滑的区别在于润滑油未被雾化，而是成滴状进入轴承，在轴承中容易沉积，不污染环境。由于使用大量空气冷却轴承，轴承温升更低。

对于角接触滚动轴承，由于转动离心力的甩油作用，润滑油必须从小端进油，如图 2-60 所示，否则润滑油很难进入轴承中的工作表面。

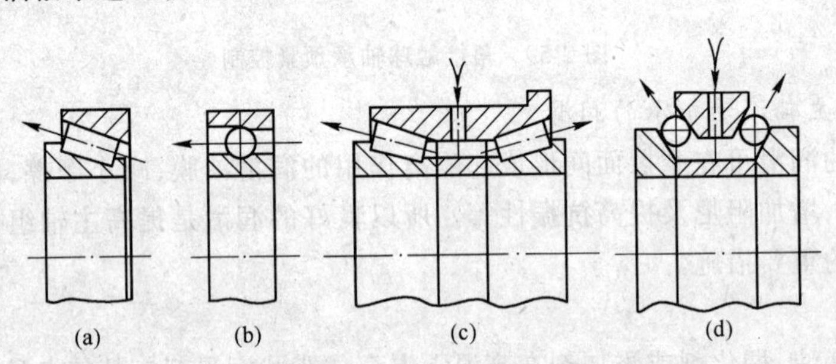

图 2-60　角接触滚动轴承进油位置

2.5.4.8　主轴滚动轴承密封

轴承密封的作用是防止润滑油外流，以免增加耗油量，影响外观和污染工作环境；防止外界灰尘、金属屑末，冷却液等杂质浸入而损坏轴承及恶化工作条件。脂润滑轴承的密封作用主要是防止外界杂质浸入而引起磨损破坏作用；同时也要防止润滑油混入润滑脂，使之稀释后甩离轴承，失去润滑效果。

主轴滚动轴承密封主要分接触式和非接触式密封两类。选择密封形式应根据轴的转速、轴承润滑方式、轴承的工作温度、外界环境及轴端结构特点等因素综合考虑。接触式密封在旋转件与密封件间有摩擦，发热较大，不宜用于高速主轴。非接触式密封的发热小，密封件寿命长，能适应各种转速，因此应用广泛。如图 2-54 的间隙密封，前后支撑处外流润滑油经旋转的甩油沟疏导回流，再经间隙密封，具有良好的密封效果。图 2-51 采用曲路密封，利用旋转与固定密封件间的复杂而曲折的小缝隙起到密封作用。也可采用接触式和非接触式密封联合使用的方式。为了提高密封效果，减小主轴箱内、外压力差，可在箱体高处设置通气孔。

2.5.5　主轴组件结构尺寸

滚动支承主轴组件设计的内容主要包括确定主轴组件的基本形式(包括主轴的结构形状，主轴传动件的类型及布置，轴承的类型及配置等)，确定主轴组件的结构尺寸，进行必要的验算，选择轴承的精度等级及配合间隙等。

主轴组件结构尺寸中起决定作用的是外径、孔径、悬伸量和支距。

2.5.5.1　主轴外径 D

主轴外径的大小对主轴组件的性能有重要影响。弹性主轴端部的刚度 K 与主轴截面的惯性矩 I 成正比，故 $K \propto D^4$。增大主轴的外径 D，可使主轴组件的刚度和抗振性得到提高。对空心主轴，增大外径还能相应地增加孔径，扩大机床的使用范围。所以，现代机床主轴的外径有增大的趋势。但要注意主轴结构及轴承速度的限制。

首先确定主轴前轴颈尺寸 D_1，可参考同类型机床。对于车床、铣床等一般机床，在主轴

孔径和支承跨距初定之后,可按下式粗算:

$$D_0 \geqslant \sqrt[4]{\frac{L^3}{A}+d^4} \tag{2-54}$$

式中 D_0——支承间的主轴平均外径(mm);

$$D_0=\frac{\sum D_i l_i}{L}$$

L——支承跨距(mm);

D_i, l_i——主轴各段的直径与长度(mm);

d——主轴孔径(mm);

A——系数,$A=1.1\sim3.5$,精密机床 $A=1.1$,要求较高的机床 $A=2.1$,一般机床 $A=3.5$。

主轴前轴颈 $D_1=(1.1\sim1.15)D_0$,并按轴承所需直径加以确定。

D_1 选定后,再根据结构及加工装配要求确定主轴其他部位的外径,轴径的递减应尽可能小些。

2.5.5.2 主轴孔径 d

主轴孔径过小,通过的棒料或自动夹具拉杆直径受到限制,而且深孔加工也较困难。为扩大机床的使用范围,主轴孔径应适当增大。但主轴外径一定时,孔径加大会受到限制:

(1)轴壁过薄会影响主轴正常工作;

(2)主轴刚度不能削弱过大。

图 2-61 所示为主轴孔径对刚度的影响,当 $d/D_0\leqslant0.5$ 时,$K_d/K\geqslant0.94$,空心主轴的刚度 K_d 降低较小(K 为实心主轴刚度),当 $d/D_0=0.7$ 时,$K_d/K=0.76$,主轴刚度降低了 24%,可取 $d/D_0\leqslant0.7$。通常根据使用要求先确定主轴孔径 d,然后再确定主轴外径,则 $D_0\geqslant1.43d$。

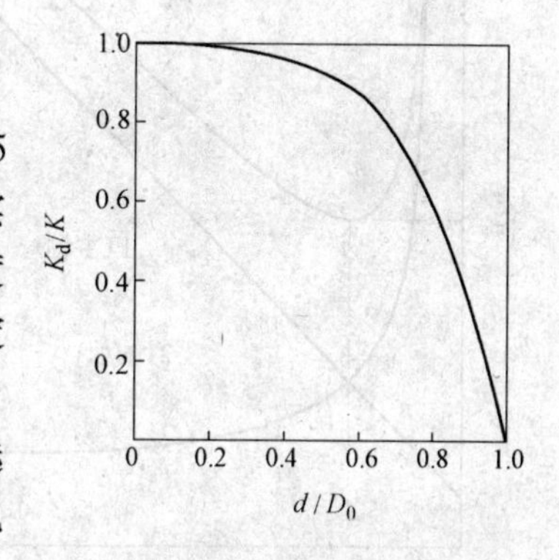

图 2-61 主轴孔径对刚度的影响

主轴孔径 d 确定后,可根据主轴的使用及加工要求选择锥孔的锥度。锥度仅用于定心时,锥度应大些;若锥孔除用于定心,还要求自锁,借以传递转矩时,锥度应小些。各类机床主轴锥孔的锥度都已标准化。

2.5.5.3 主轴悬伸量 a

主轴悬伸量是指主轴前端至前支承点的距离,对主轴组件的刚度和抗振性有显著影响,应尽量减小悬伸量 a 和悬伸段质量。

主轴悬伸量 a 的大小主要取决于主轴端部的结构型式及尺寸、刀具或夹具的安装方式、前支承轴承的类型及配置、润滑与密封装置的结构尺寸等。设计主轴时,在满足结构要求的前提下,应最大限度地缩短主轴悬伸量。

2.5.5.4 支承跨距 L

主轴前后支承跨距(简称支距)L 对主轴组件的刚度,抗振性和旋转精度等有较大的影响,且影响效果比较复杂。

A 支距 L 对主轴组件刚度的影响

主轴端位移 y 值的大小,与主轴本体变形、轴承变形、支承座变形,以及它们之间的接

触变形等有关，但主要取决于主轴和轴承的变形，如图 2-62 所示。根据位移迭加原理，可得轴端总位移 y 为

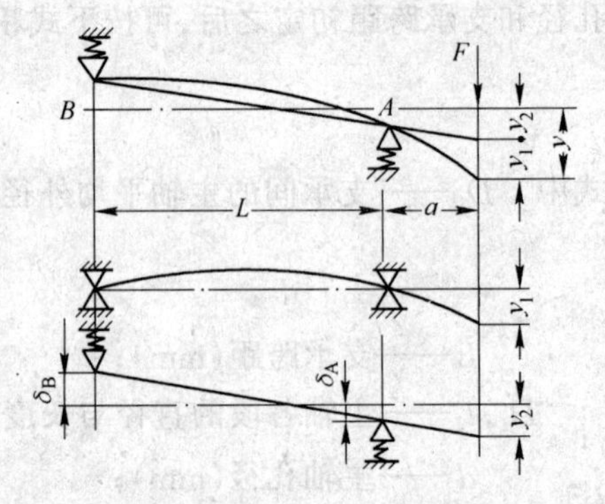

图 2-62 主轴端部位移

$$y = y_1 + y_2 \tag{2-55}$$

式中 y_1——刚性轴承（假定轴承不变形）上弹性主轴的端部位移；

y_2——弹性轴承上刚性主轴（假定主轴不变形）的端部位移。

(1)位移 y_1

据材料力学知：

$$y_1 = \frac{Fa^3}{3EI_a} + \frac{Fa^2L}{3EI} \tag{2-56}$$

式中 E——弹性模量；

I, I_a——两支承间和悬伸段的主轴截面惯性矩。

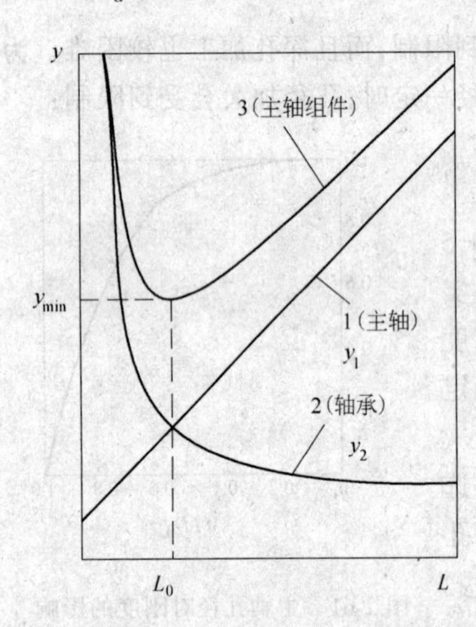

图 2-63 主轴支距 L 与轴端位移 y 的关系

y_1 与支距 L 的关系见图 2-63 直线 1。表明作用力 F 和主轴悬伸量 a 一定时弹性主轴本身的变形所引起的轴端位移 y_1，随支距 L 的加长而增加，且成线性关系，即支距 L 越大，主轴的刚度越低。

(2)位移 y_2

在力 F 作用下，主轴前、后支撑的支反力分别为 $R_A = F(1 + a/L)$ 和 $R_B = Fa/L$。支反力会引起支承处轴承的变形，可近似认为线性变形。设前、后轴承的刚度为 K_A 和 K_B，则前、后轴承的变形分别为 δ_A 和 δ_B，即

$$\delta_A = \frac{R_A}{K_A} = \frac{F}{K_A}\left(1 + \frac{a}{L}\right), \delta_B = \frac{R_B}{K_B} = \frac{F}{K_B} \cdot \frac{a}{L}$$

可由几何关系得出主轴端部位移 y_2 为

$$y_2 = \delta_A\left(1 + \frac{a}{L}\right) + \delta_B\frac{a}{L} \tag{2-57}$$

$$= \frac{F}{K_A}\left(1 + \frac{a}{L}\right)^2 + \frac{F}{K_B}\left(\frac{a}{L}\right)^2$$

y_2 与支距 L 的关系见图 2-63 曲线 2，是一条双曲线。当 F、a 一定时，轴承变形所引起的刚性主轴的端部位移 y_2，随支距 L 的加大而减小。

(3)主轴端总位移 y

$$y = y_1 + y_2 = F\left[\frac{a^3}{3EI_a} + \frac{a^2L}{3EI} + \frac{1}{K_A}\left(1 + \frac{a}{L}\right)^2 + \frac{1}{K_B}\left(\frac{a}{L}\right)^2\right] \tag{2-58}$$

y 和支距 L 的关系见图 2-63 曲线 3。可见存在一个最佳支距 L_0，可根据式(2-58)求出。当支距为 L_0 时，轴端位移 y 最小，主轴组件的刚度最大。当主轴支距 $L < L_0$ 时，应设法提高轴承刚度；当 $L > L_0$ 时，应设法提高轴承刚度。

B　支距 L 对主轴组件抗振性、旋转精度的影响

对于普通精度机床两支撑主轴，支距可按刚度的最佳支距 L_0 选取，其主轴组件的刚度和共振频率最高，共振幅值小。对于精密机床，支距可选较大数值，使其主轴组件具有较高的旋转精度，较小的共振幅值，并可提高工作平稳性。一般应使 $L>2.5D_1$（D_1 为主轴前轴颈），精密卧式车床可取 $L=(5\sim6.5)D_1$。

2.5.6　主轴滑动轴承

机床主轴组件采用的滑动轴承，按流体介质不同可分为液体滑动轴承和气体滑动轴承。液体滑动轴承按其油膜的形成方式，又可分为液体动压滑动轴承和液体静压滑动轴承。

滑动轴承具有良好的抗振性，运动平稳、旋转精度高；承载能力和刚度高；精度保持性好。因此在高速、精密及高精度机床和大型数控机床中得到了广泛应用。

2.5.6.1　液体动压滑动轴承

其工作原理是主轴旋转时，带动润滑油从间隙大口向小口流动，形成压力油楔将轴浮起，产生压力油膜以承受载荷。承载能力与滑动表面的线速度成正比。低速时动压轴承的承载能力低，难于保证液体润滑。主轴动压轴承由于轴承间隙对旋转精度和油膜刚度影响很大，所以必须能够调整。主轴滑动轴承除采用单油楔轴承，还广泛采用多油楔动压滑动轴承，使之产生的几个油楔可将轴颈同时推向中央，工作中运转稳定。

A　固定多油楔轴承

这种轴承工作时的尺寸精度、接触状况和油楔参数等均稳定，拆装后变化也很小，维修较方便。但加工较困难。

图 2-64(a)为某高精度外圆磨床砂轮架主轴组件。主轴前端支承是固定多油楔动压滑动轴承 1，后端是圆锥孔双列圆柱滚子轴承 6。

固定多油楔轴承的形状如图 2-64(b)，外表面是圆柱形，内表面为 1∶20 的锥孔，与主轴轴颈相配合。轴瓦基体为 15 号钢，内壁浇铸镍铬青铜，在圆周上铲削出五个等分的阿基米德螺旋线油囊（油楔槽），深 0.1～0.15mm。低压油从五个进油孔 a 分别进入油囊后，主轴如图 2-64(c)所示单向旋转，可把油从间隙大口带向间隙小口，并从回油槽 b 流出，形成五个压力油楔。使用低压油可避免主轴在启动或停止时出现干摩擦现象。

主轴前轴承的径向间隙用止推环 2 右侧面的调整螺母 3 来调整，螺母 4 用以调整推力轴承的轴向间隙。主轴的轴向定位是由前后两个止推环 2 和 5 控制，其端面上也有油楔以形成推力轴承。

B　活动多油楔轴承

活动多油楔轴承由三块或五块轴瓦组成。图 2-65(a)为三瓦式活动多油楔滑动轴承。三瓦各有一球头螺钉支撑，可稍微摆动以适应转速或载荷的变化。当轴颈转动时，将油从每个轴瓦与轴颈之间的间隙大口带向小口，如图 2-65(b)所示形成三个压力油楔，所以又称活动三油楔动压滑动轴承。选择轴瓦支撑点的最佳位置，可使轴承油膜的压力增高，压力分布合理及承载能力加大。可取轴瓦到间隙出口的距离 b_0 等于瓦块宽度 B 的 0.4 倍，即 $b_0\approx0.41B$。该支撑点就是间隙比为最佳值 $\alpha=2.2$ 时的油楔压力中心。

一旦间隙比不是最佳值时，则压力中心就会变化，轴瓦便会绕该点摆动，直到间隙比恢复到最佳值，又处于新的平衡状态。因此能自动地保持最佳间隙比。这种轴承只能朝一个

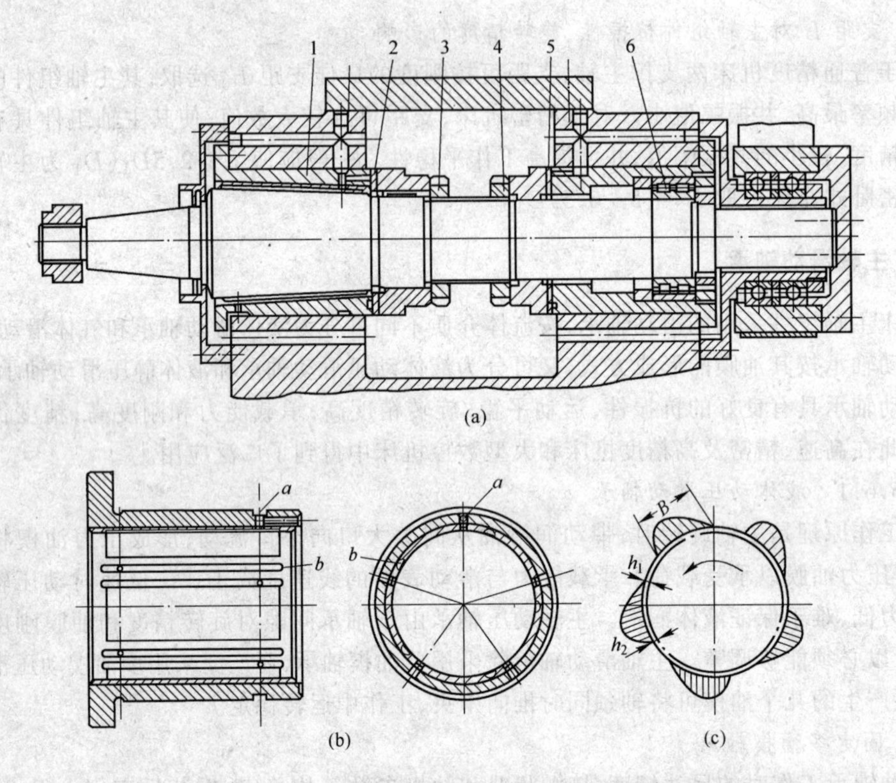

图 2-64 采用固定多油楔轴承的主轴组件

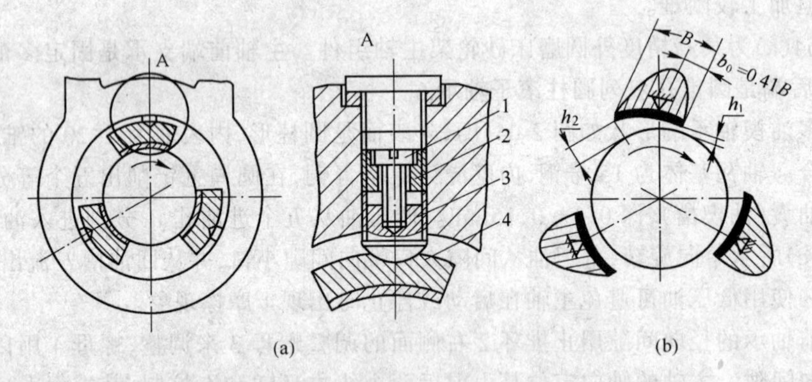

图 2-65 三瓦式活动多油楔轴承

1—螺钉；2—螺母；3—球头；4—轴瓦

方向旋转，否则不能形成压力油楔。

这种轴承的优点是旋转精度高，抗振性好和运转平稳，结构简单，制造维修方便。缺点是轴瓦靠螺钉的球形头支承，其刚度比固定多油楔轴承低，多用于各种外圆磨床和平面磨床。

2.5.6.2 液体静压滑动轴承

液体静压轴承系统是由一套专用供油系统、节流器和轴承三部分组成。供油系统把压力油输进轴和轴承间隙中，利用轴承各个油腔中的静压力和节流器的调压作用，形成油膜，从而把轴颈推向中央。轴承油膜压强与主轴转速无关，承载能力不随转速变化而变化。其主要特点是承载能力高，旋转精度高，抗振性好，运转平稳，轴承寿命长并适合不同转速条件下工作。缺点是需要一套专门供油设备，制造工艺复杂，成本较高。

图 2-66 所示是静压轴承工作原理图。在轴承的内圆柱面上，开有四个对称的油腔，油腔之间由轴向回油槽隔开，油腔与回油槽之间是封油面。来自油泵的压力油，经过具有液阻的各个节流器 $T_1 \sim T_4$，分别流进轴承的四个油腔内，将轴颈推向中央，然后再流经轴颈与轴承封油面之间的微小间隙，由油槽集中起来流回油箱。各油腔封油面与轴颈的间隙和间隙液阻都相等，即 $h_1 = h_2 = h_3 = h_4$，$R_{h1} = R_{h2} = R_{h3} = R_{h4}$，各油腔的油压也相等，$p_1 = p_2 = p_3 = p_4$。

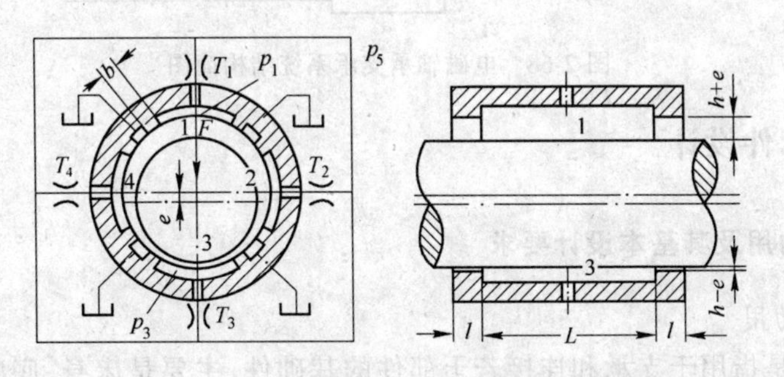

图 2-66　静压轴承原理图

当主轴受径向载荷 F 作用后，轴颈在载荷方向上偏移一微小距离 e，则油腔 3 的间隙减小为 $h_3 = h - e$，液阻 R_{h3}增大；而油腔 1 的间隙增大为 $h + e$，液阻 R_{h1}减小。此时油腔 3 中的油压 p_3 升高，油腔 1 中的油压 p_1 下降，产生一个与载荷方向相反的压力差 $\Delta p = p_3 - p_1$，将主轴推向中心以平衡外载荷 F。

静压轴承的节流器对轴承的承载能力和刚度有着重要影响。一般可分为固定节流器和可变节流器两大类。固定节流器有小孔节流器和毛细管节流器。可变节流器主要有双向薄膜节流器和滑阀反馈节流器，可根据机床工作条件选用。

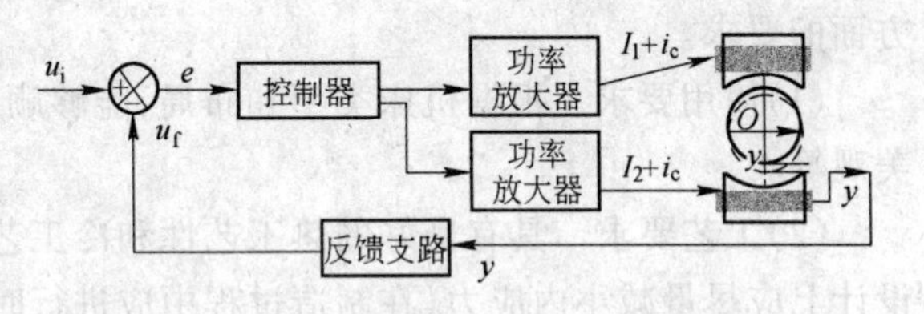

图 2-67　电磁轴承系统示意图

2.5.7　主轴电磁轴承

电磁轴承也称主动磁轴承，它是由机械、电气和软件三部分组成。图 2-67 所示为电磁轴承系统示意图。传感器将检测的转子偏离位移，通过反馈支路、控制器变换成控制电流，在电磁铁中产生磁力使转子维持其悬浮位置不变。

主轴磁轴承的主要特点是无接触、无润滑，维护费用低且工作寿命长；轴颈可取的较大，使刚度提高且对振动不敏感；允许转子高速旋转；功耗低，仅是传统轴承功耗的 1/5～1/20，且能在超低温或高温下正常工作。装有电磁轴承的主轴可以适应控制。其缺点是价格高，结构复杂。

图 2-68 所示为采用电磁轴承（径向轴承 a 和 b 及右端一个推力轴承）的支撑系统结构简图。主轴可在高转速条件下保持高精度；也可适用于真空及超净技术要求，不会污染环境；可获得预期的动态特性。

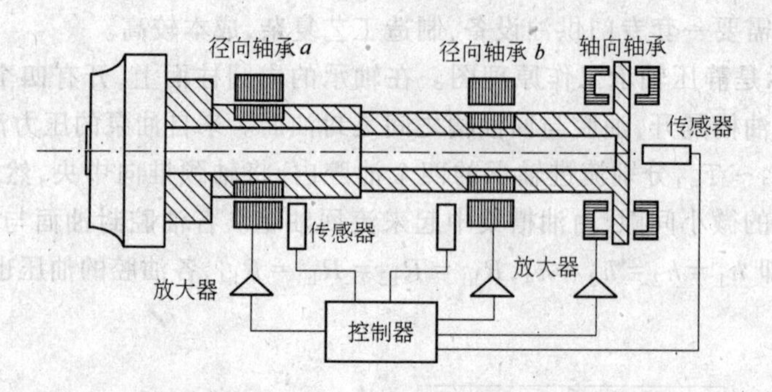

图 2-68　电磁轴承支承系统结构简图

2.6　机床支承件设计

2.6.1　支承件功用及其基本设计要求

A　支承件功用

机床支承件是指用于支承和连接若干部件的基础件，主要是床身、底座、立柱、横梁、工作台、箱体等大件。支承件的功用是支撑和连接其他部件，承受各种载荷（包括部件及工件重力、切削力、摩擦力、夹紧力等静、动载荷）以及热变形，并保持各部件之间具有正确的相互位置和相对运动关系，从而保证机床的加工精度和表面质量。

B　支承件基本要求

支承件设计目标：在节约材料的前提下，采用合理的结构，以满足使用、工艺以及性能等方面的要求。

(1)使用要求　根据机床类型和布局，能够顺利地容屑和排屑，吊运安全方便以及造型美观等。

(2)工艺要求　具有良好的热工艺性和冷工艺性，便于制造、装配、调整和维修。在结构设计上应尽量减小内应力，在制造过程中应进行时效处理。

(3)性能要求　具有足够的刚度，良好的抗振性，较小的热变形或热变形对加工精度的影响较小。

C　支承件设计方法

支承件的结构比较复杂，以往是参照当前同类产品采用经验设计法，盲目性较大。当前，现代设计理论与方法的飞速发展，为支承件的设计提供了先进的手段。设计人员可根据设计要求和受力情况，在分析同类产品的基础上初步拟定方案，然后在计算机上利用有限元分析软件（如 ANSYS、SAP 等）对支承件结构的静、动态特性和热特性作定量计算。这样，就可在设计阶段对设计方案进行修改或对几个方案进行分析比较，从中选出最优方案。

2.6.2　支承件刚度

支承件应具有足够的刚度，在允许的最大载荷作用下，其变形量不得超过许用值，以保证机床的加工精度。在设计支承件时，为了保证足够的刚度，必须分析受力和变形以及所引起的加工误差，以便采取相应措施，合理进行支承件的结构设计。

2.6.2.1 支承件受力分析

机床工作时，支承件主要承受切削力、重力、夹紧力和运动部件的惯性力等。为了简化计算，根据各类机床的工作特点，受力分析时可有不同侧重，一般可分为三种情况：① 中小型普通机床，外载荷以切削力为主，工件和移动部件的重力相对较小，可忽略不计；② 精密和高精密机床，切削力相对较小，载荷应以移动部件重力为主；③ 大型机床，切削力、工件和移动部件的重力都较大，必须同时考虑。下面以卧式车床为例分析支承件的受力和变形情况。

图 2-69 所示工件支承在主轴和尾座的顶尖上，刀架位于床身中间位置。这类机床的外载荷以切削力为主，工件和移动部件的重力忽略不计。作用在刀尖上的切削力可分解为三个方向的分力 F_x、F_y、F_z，工件承受反方向的切削分力 $-F_x$、$-F_y$、$-F_z$，分别通过刀架、主轴箱和尾座传到床身上，并在床身内封闭。在这个封闭力系中，床身两端固定于床腿上，其弯曲变形可按简支梁分析，扭转变形可按两端固定梁分析，计算长度近似取为工件长度，如图 2-70 所示。

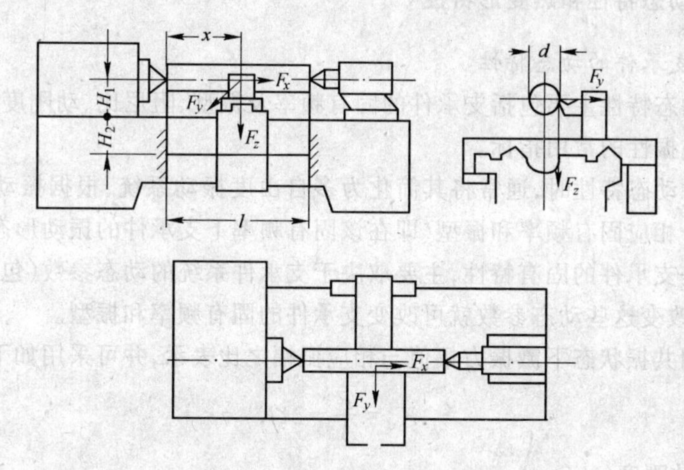

图 2-69 卧式车床受力简图

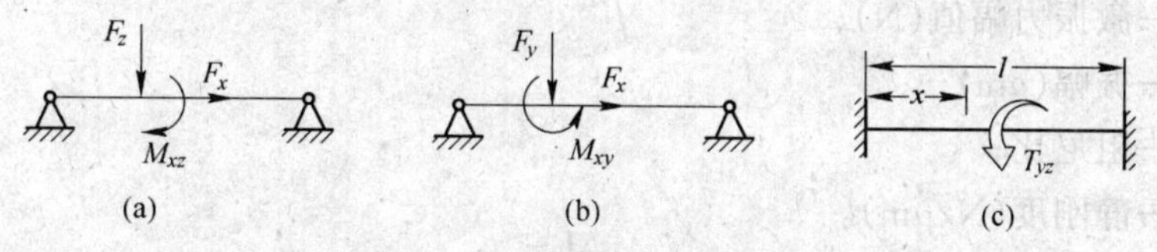

图 2-70 床身载荷简图

在图 2-70(a)所示的床身铅垂面（xz 面）内，力 F_x 和弯矩 $M_{xz}=F_x(H_1+H_2)$ 使床身产生弯曲变形，其中，H_1+H_2 为主轴中心至床身截面扭转中性线的距离。在图 2-70(b)所示的床身水平面（xy 面）内，力 F_y 和弯矩 $M_{xy}=F_x\dfrac{d}{2}$ 使床身产生弯曲变形，d 为工件直径。在图 2-70(c)所示的床身横截面（yz 面）内，转矩

$$T_{yz}=F_x\frac{d}{2}+F_y(H_1+H_2) \tag{2-59}$$

使床身产生扭转变形。

就床身变形对加工精度的影响而言，扭转变形的影响最大，其次是水平面内的弯曲变形，铅垂面内的弯曲变形影响相对较小，可忽略不计。

2.6.2.2 支承件本体刚度、局部刚度和接触刚度

在外载荷作用下支承件本体抵抗变形的能力称为本体刚度，应以弯曲和扭转刚度为主。

它的大小主要与支承件的材料、结构形状和尺寸等因素有关。

支承件的薄壁结构(如导轨、箱体连接部位)在外载荷作用下抵抗变形的能力称为局部刚度。局部变形主要发生在支承件局部载荷较为集中的部位,与受载处的结构和尺寸有关。

支承件的结合面在外载荷作用下抵抗变形的能力称为接触刚度。接触刚度与结合面性质有关,通常固定接触面(如车床主轴箱与床身之间的结合面)的接触刚度要比活动接触面(如车床床鞍与床身导轨面)高。

支承件的本体刚度和局部刚度对接触刚度也有影响。如果本体刚度和局部刚度较高,在集中载荷作用下,接触压强基本是均匀的,接触刚度较高;否则,接触压强分布不均匀,使得接触变形也不均匀,降低了接触刚度。因此,接触刚度不仅取决于接触表面的加工质量,也取决于支承件的结构。

2.6.3 支承件动态特性和热变形特性

2.6.3.1 支承件的动态特性

支承件的动态特性主要包括支承件的固有频率及振型、阻尼比、动刚度等。动刚度是衡量支承件结构抗振性的常用指标。

分析支承件动态特性时,通常将其简化为多自由度振动系统,根据振动理论,有与自由度数相同的多个相应固有频率和振型(即在该固有频率下支承件的振动形态)。支承件的固有频率和振型是支承件的固有特性,主要取决于支承件系统的动态参数(包括质量、刚度、阻尼比等)。适当改变这些动态参数就可改变支承件的固有频率和振型。

动刚度可用共振状态下激振力幅值与相应振幅之比表示,并可采用如下公式计算:

$$K_{\mathrm{d}}=\frac{F}{A}=2\zeta K \tag{2-60}$$

式中 K_{d}——动刚度(N/μm);

F——激振力幅值(N);

A——振幅(μm);

ζ——阻尼比;

K——静刚度(N/μm)。

2.6.3.2 改善支承件动态特性的措施

由公式(2-60)可知,提高静刚度和阻尼比可以提高动刚度。

(1)提高静刚度。合理设计支承件的形状和断面尺寸,合理布置隔板和加强筋,注意本体刚度、局部刚度和接触刚度的匹配。

(2)改善阻尼特性。结构的阻尼主要包括材料的内阻尼和结合面间的摩擦阻尼,主要决定于结合面间的摩擦性能。改善结构阻尼特性的主要方法有:适当调整结合面间的压力,可提高结合面间的摩擦阻尼;保留支承件内部的砂芯或填充混凝土,利用振动时的相对摩擦消耗振动能量;薄壁结构的表面涂上粘弹性阻尼材料等。

(3)使支承件结构的固有频率远离激振频率,避免共振。

2.6.3.3 支承件的热变形特性

机床工作时,切削热及一些零部件的相互摩擦以及液压系统和电动机都会产生热量,引起机床温度变化,产生热变形,破坏了各部件之间的相对位置精度和运动精度,从而影响机床加工精度，其中支承件热变形是主要影响因素。通常，支承件的结构形状比较复杂，受热后温度场的分布不均匀，使得各个部位热胀不均匀，从而产生热变形。热变形对普通机床加工精度的影响较小，对精密机床、自动化机床及重型机床影响明显。改善支承件热变形特性的主要措施有：

(1)采用热对称结构。使热变形后对称中心线的位置基本不变，从而减小对加工精度的影响。

(2)散热和隔热。对温升较高的部位加大散热面积，设置散热片，使之与空气流动方向一致；对于发热量较大的部件，可采用风扇、散热器以及制冷系统等加快散热。隔离热源也是一种减小热变形的有效手段，如将主要热源如液压油箱、电动机、变速箱等与机床分离，在液压缸、液压马达等热源外面加隔热罩等。

(3)温度均衡分布。在设计时，尽量减少支承件本身各个部位的温差，使温度的分布比较均匀，也可减小热变形。

(4)温度误差软件补偿。建立支承件的温升模型和热变形模型，用软件补偿热变形误差可达50%。

2.6.4 支承件结构设计

支承件结构设计，应根据机床类型、布局及支承件设计目标，参照同类产品结构，初步确定支承件的结构形状和尺寸，再通过各种验算校核确定方案。

支承件所受载荷主要为弯曲载荷和扭转载荷，支承件的抗弯刚度和抗扭刚度与其截面惯性矩成正比。对于截面积相同而截面形状不同的支承件，其截面惯性矩也不相同，因此，合理选择截面形状可以提高支承件的本体刚度。表2-11列出了8种截面积均为100cm^2，但截面形状各不相同的惯性矩相对值。通过比较可以看出：

表 2-11 惯性矩与截面形状的关系

序号		1	2	3	4
截面形状		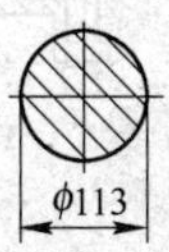 ϕ113	 ϕ113, 23.5, ϕ160	 ϕ160, 18, ϕ196	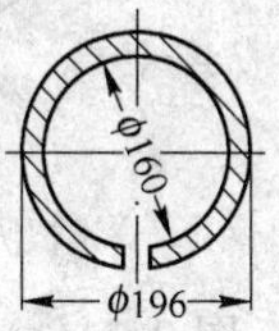 ϕ160, ϕ196
惯性矩相对值	抗弯	1.0	3.02	5.03	
	抗扭	1.0	3.02	5.03	0.07
序号		5	6	7	8
截面形状		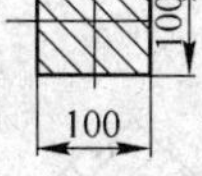 100, 100	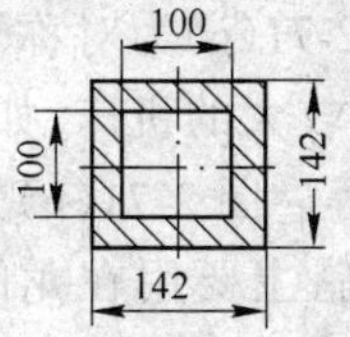 100, 100, 142, 142	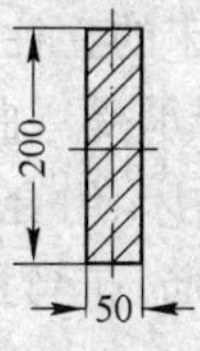 200, 50	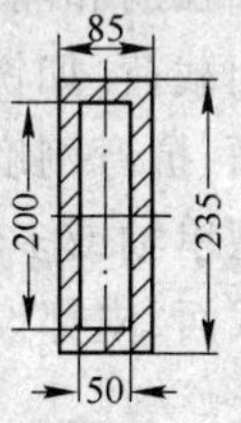 85, 200, 235, 50
惯性矩相对值	抗弯	1.04	3.19	4.17	7.33
	抗扭	0.88	2.69	0.44	1.65

(1)空心截面的惯性矩比实心截面的大,刚度高。在截面积相同条件下,加大外形尺寸,减小壁厚,可显著提高惯性矩。因此,应采用空心截面,并适当加大外形尺寸,减小壁厚。

(2)圆形截面的抗扭刚度比方形或矩形截面的大,但抗弯刚度比方形或矩形截面的小。因此,以承受转矩为主的应采用圆形截面;以承受弯矩为主的应采用矩形截面,并以抗弯刚度较高的高度方向为承载方向;对于同时承受弯矩和转矩的,应采用近似方形的截面。

(3)封闭截面比不封闭截面的刚度大得多,因此,应尽量将支承件设计成封闭截面。如需要在其内部安装某些装置以及排屑而不能做成全封闭形时,可适当布置隔板和加强筋。

2.6.4.1 截面形状和尺寸的确定

图 2-71(a)~(d)为卧式床身截面的常见形状。图 2-71(a)为三面封闭式截面,主要用于无升降台铣床、龙门铣床及龙门刨床等,因不需要从床身排屑,所以顶面封闭。图 2-71(b)也是一种三面封闭的截面,内部可用于存储润滑油或冷却液,安装传动机构,主要用于载荷较小的机床,如磨床等。图 2-71(c)为两面封闭式截面,便于排除切屑和冷却液,但刚度较低,常用于中小型车床。图 2-71(d)是重型机床的床身截面,有三个床壁,适于承受重载。

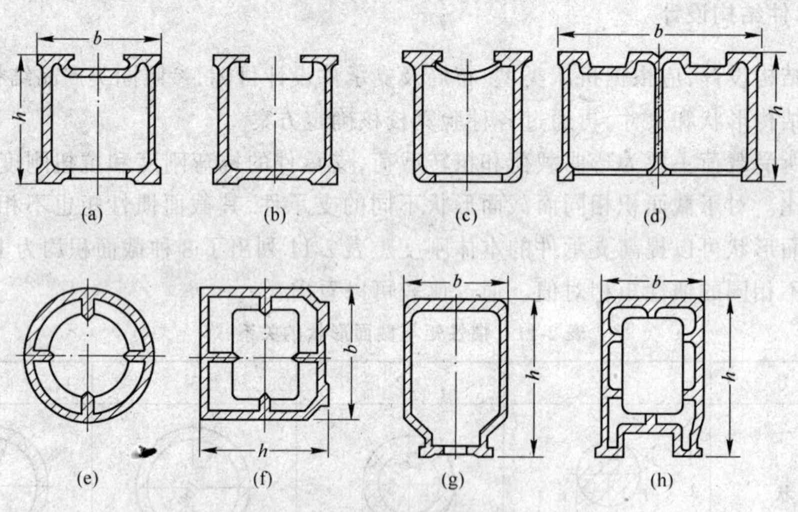

图 2-71 支承件截面形状

图 2-71(e)~(h)是机床的立柱(立式床身)截面的常见形式,有圆形和方形两种,一般都可做成封闭结构。图 2-71(e)圆形截面抗扭刚度高,抗弯刚度差,适于载荷不大的机床,如摇臂钻床、台式钻床等。图 2-71(f)为对称方形截面,内部有加强筋和隔板,抗弯抗扭刚度都很高,用于承受复杂的空间载荷,如铣床和镗床的立柱。图 2-71(g)为对称矩形截面,抗弯刚度高,用于承受弯曲载荷较大的机床,如中、大型单轴或多轴立式钻床、组合机床等。图 2-71(h)为矩形截面,内部设有加强筋,抗弯刚度高,主要用在龙门机床上。

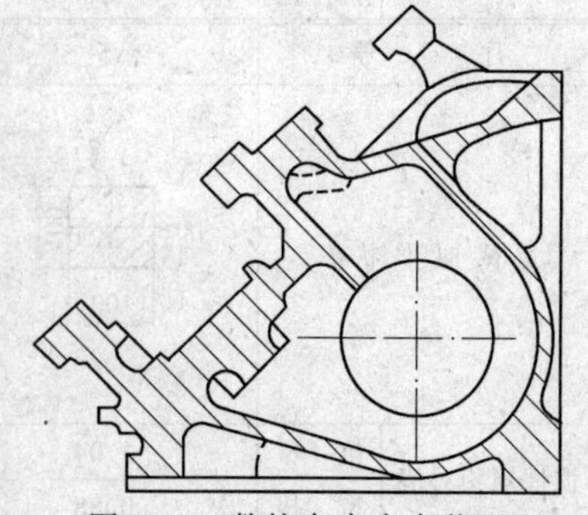

图 2-72 数控车床床身截面

图 2-72 为数控车床床身截面形状,床身采用倾斜式空心封闭结构,抗扭刚度很高,且便于排屑,倾斜的导轨

不易堆积脏物。

确定支承件壁厚时，在满足刚度和铸造工艺性的条件下应尽量取薄一些。铸件的壁厚可根据支承件的当量尺寸，由表 2-12 选取。支承件的当量尺寸可按下式计算：

$$C=\frac{2l+b+h}{3} \tag{2-61}$$

式中　l,b,h——分别代表铸件的长、宽、高(m)。

表 2-12　铸铁支承件壁厚推荐值

当量尺寸 C(m)	0.75	1.0	1.5	1.8	2.0	2.5	3.0	3.5	4.5
外壁厚(mm)	8	10	12	14	16	18	20	22	25
内壁厚(mm)	8	8	10	12	12	14	16	18	20

表中推荐值为最薄部分的尺寸，对于支承件的导轨连接处、连接面以及安装轴承等凸台部位，应根据需要适当加厚，以减小局部变形。

2.6.4.2　隔板和加强筋的布置

A　隔板

隔板是指在支承件外壁之间起连接作用的内板，对于提高截面不能封闭的支承件的刚度比较有效，它能够使支承件均衡地承受载荷，从而提高支承件的本体刚度。隔板有纵向隔板、横向隔板和斜向隔板三种布置形式。

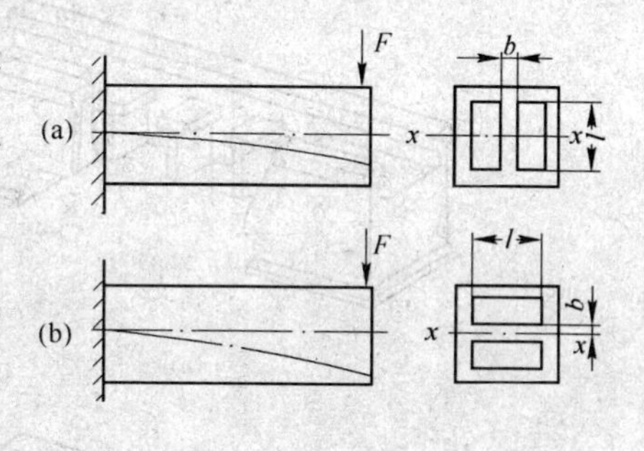

图 2-73　纵向隔板的布置

纵向隔板布置在弯曲平面内(如图 2-73(a)所示)，其作用是提高抗弯刚度。若布置成图 2-73(b)所示的情况，则抗弯刚度会大为降低。

横向隔板将支承件的外壁横向连接起来，其作用是提高抗扭刚度。空心构件承受转矩作用时，会使壁板翘曲导致截面形状畸变，适当地布置横向隔板能够有效地减小这种畸变。图 2-74 所示为空心构件模型采用不同隔板布置的效果，增加横向隔板(No.2)与不加横向隔板(No.1)相比，端部位移和畸变都大为减小；但继续增加隔板(No.3，No.4)，取得的效果不明显。

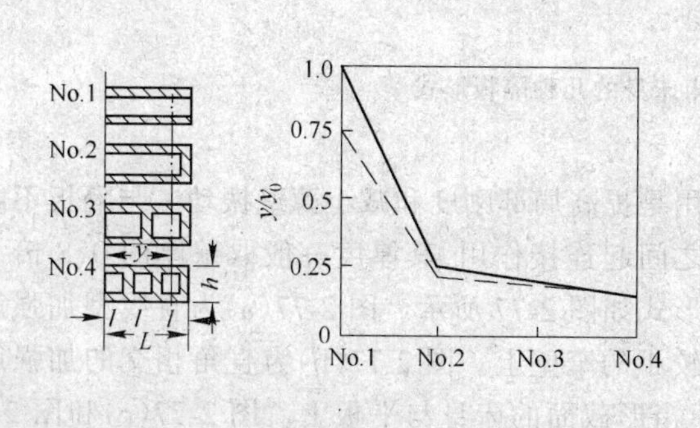

图 2-74　横向隔板的布置

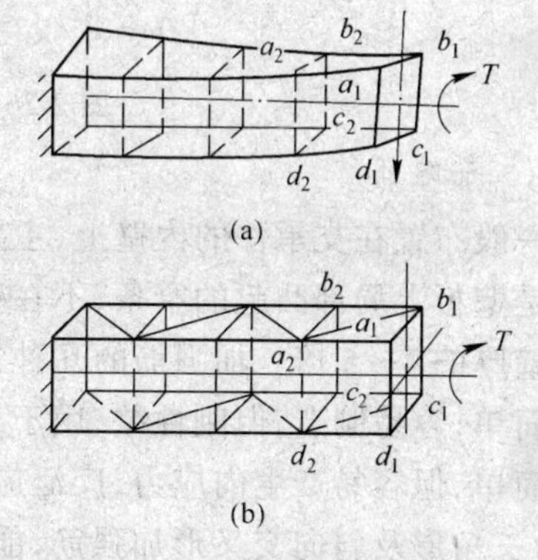

图 2-75　斜向隔板的布置

斜向隔板可同时提高抗弯刚度和抗扭刚度。图 2-75(a)所示为未加斜向隔板支承件端

部受到转矩 T 的作用，截面 $a_1b_1c_1d_1$ 相对 $abcd$ 扭转，并发生畸变。当增加斜向隔板后，见图 2-75(b)，扭转变形和畸变都大为减小，抗弯刚度也得到提高。

常见的几种卧式车床床身隔板布置形式如图 2-76 所示。图 2-76(a)采用 T 形隔板将床身前后壁连接起来，可提高水平抗弯刚度，但对提高垂直抗弯刚度和抗扭刚度效果不明显。这种床身结构简单，铸造工艺性好，主要用于对刚度要求不高的小型车床。图 2-76(b)用∩形隔板连接，隔板为局部三面封闭截面，与图 2-76(a)相比，水平面和垂直面的抗弯刚度都得到提高，若适当增加隔板的宽度 b 和高度 h，效果会更好。这种结构铸造工艺性好，广泛应用于床身长度 $L \leqslant 750 \sim 1000$ 的中型车床。图 2-76(c)采用 W 形斜向隔板，使床身前后壁板与隔板形成封闭三角形，床身水平面抗弯刚度和抗扭刚度得到显著提高。用于床身长宽比小于 5 的短床身时，效果与∩形相似；用于长床身时，对提高抗扭刚度和水平面内抗弯刚度有显著效果。但这种隔板布置铸造工艺性差，常用于 $L \geqslant 1500$mm 的长床身。图 2-76(d)为半封闭斜向隔板形式，由床身前壁向后壁下方倾斜，斜隔板为排屑底板，两侧横隔板与床身后壁连接，在床身主体部分形成封闭截面，刚性好。但这种结构复杂，铸造工艺性差，大都用于最大加工直径大于 630mm 的卧式车床床身。

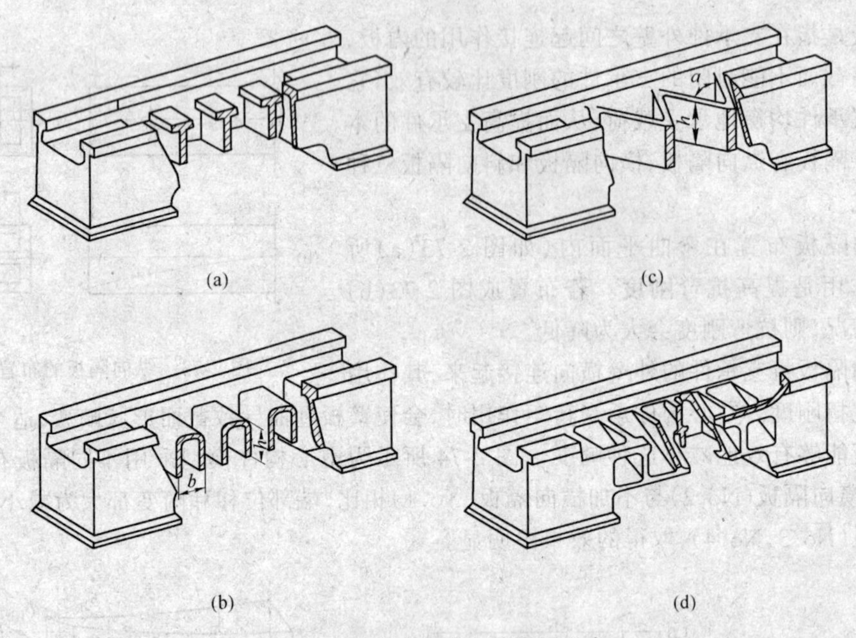

图 2-76　车床床身的几种隔板形式

B　加强筋

一般布置在支承件的内壁上，主要作用是提高局部刚度和减小薄壁振动。与隔板不同，它只是壁板上局部凸起的窄条，不在壁板之间起连接作用，其厚度一般取壁厚的 0.8 倍，高度为壁厚的 4～5 倍。加强筋的几种常见形式如图 2-77 所示。图 2-77(a)为直线型加强筋，结构简单，容易制造，但刚性差，用于载荷较小的窄壁上。图 2-77(b)为直角相交的加强筋，制造简单，但容易产生内应力，广泛应用于箱形截面的床身与平板上。图 2-77(c)和图 2-77(d)为三角形及斜向交叉形加强筋，能保证足够的刚度，常用于支承件的宽壁与平板上。图 2-77(e)为蜂窝形加强筋，在各个方向都能均匀收缩，内应力小，但制造成本高，常用于平板上。图 2-77(f)为米字形加强筋，抗弯刚度和抗扭刚度都较高，但形状复杂，制造工艺性差，所以一般用于焊接床身。

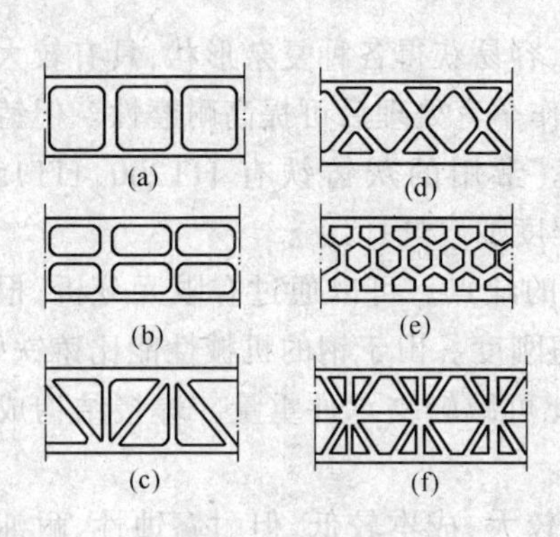

图 2-77 加强筋的形式

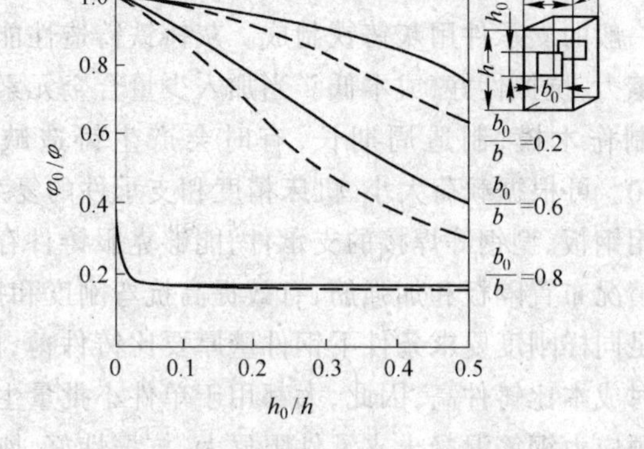

图 2-78 开孔对扭转刚度的影响

C 合理开孔和加盖

在支承件上开孔会降低刚度,其影响程度取决于开孔的位置、形状及大小。图 2-78 所示为方形立柱开孔对扭转刚度的影响,立柱高度与宽度之比 $h/b=3$,开孔前后扭转角之比为 φ_0/φ,实线表示前壁开一个孔,虚线表示前后壁各开一孔。从图 2-78 中可以看出,当开孔尺寸小于外形尺寸的 1/5,即 $b_0/b\leqslant0.2$,$h_0/h\leqslant0.2$ 时,开孔对立柱的抗扭刚度影响很小,但超过这个范围时,扭转刚度明显降低。从图中还可看出,在单壁上开孔与在相对的两个壁面上开孔相比,扭转刚度虽都有所降低,但二者相差不超过 20%。开孔的位置一般建议取在支承件壁的中心线上,或在中心线附近交错排列,孔宽或孔径以不大于壁宽的 0.25 倍为宜。

D 提高支承件的局部刚度

支承件连接部位的壁厚较薄,往往是支承件刚度的薄弱环节,应合理设计连接结构,减小悬伸长度,增加壁厚,增设隔板和加强筋等,有效提高局部刚度。

图 2-79 为连接部位的三种形式。图 2-79(a)结构简单,容易铸造,但局部刚度差,增加凸缘厚度虽可提高刚度,但连接螺钉随之加长,降低连接刚度。图 2-79(b)在凸缘上设置加强筋,铸造较容易,局部刚度得到提高。图 2-79(c)的局部刚度最好,应用广泛,其占地面积小,外形美观,但铸造困难。

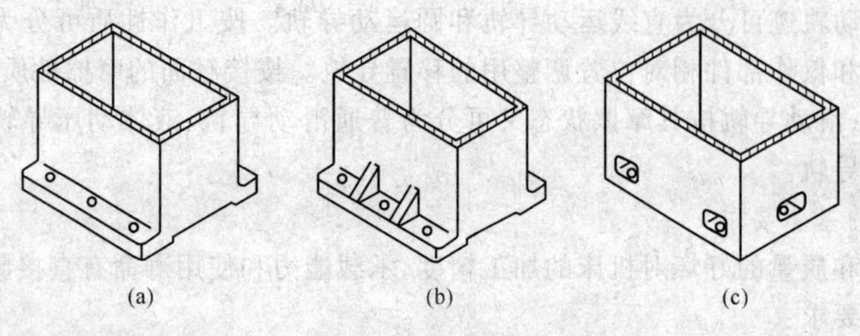

图 2-79 提高支承件连接部位的刚度

此外,结合面质量要好,螺钉尺寸和布置要合理,可以提高支承件的接触刚度。

E 支承件的材料与热处理

支承件的材料主要是铸铁和钢,此外还有预应力钢筋混凝土、人造花岗岩、天然花岗岩等。当导轨和支承件做成一体时，支承件材料主要根据对导轨的要求进行选择。当导轨镶装在支承件上时，材料应按各自的要求进行选择。

一般的支承件用灰铸铁制成。灰铸铁铸造性能好，容易获得各种复杂形状，具有较大的内摩擦力，抗振性好，成本低。当加入少量合金元素或作孕育处理后可提高耐磨性。但铸件需要制作木模，制造周期长，有时会产生铸造缺陷。常用的灰铸铁有 HT200，HT150，HT100。可根据载荷大小、机床精度和支承件的复杂程度加以选择。

用钢板、型钢等焊接的支承件，能够克服铸件存在的缺点。可以通过有限元分析，根据受力情况布置隔板和加强筋，有效提高抗弯刚度和抗扭刚度。由于钢的机械性能比铸铁好，在满足同样刚度要求条件下钢件壁厚要比铸件薄，因此可减轻支承件重量。焊接结构成批生产时成本比铸件高，因此，大都用于单件小批量生产。

预应力钢筋混凝土支承件阻尼大，抗振性好，刚度较大，成本较低，但耐腐蚀性、耐油性差，需作表面处理。人造花岗岩、天然花岗岩刚度高，抗振性和热稳定性好，用于三坐标测量机以及其他一些机床。

F 支承件结构工艺性

为便于铸造和加工，应在满足使用要求和性能要求的前提下使支承件具有良好的结构工艺性。设计铸件时，应力求结构形状简单，造型和拔模容易，减少型芯数量，安装简单可靠，清砂方便。铸件的壁厚要尽量均匀，避免产生缩孔或气孔，减小铸造应力。对于支承件内部及不易加工的部位，应避免设置加工面。同一方向上的加工面应尽可能安排在同一平面内，以便于一次安装加工。所有加工面都应有可靠的基准面，以便于加工时定位、夹紧和测量。大型铸件应设置起吊孔或加工出吊环螺钉孔，以便吊运安装。

2.7 机床导轨设计

2.7.1 导轨功用及其基本要求

A 导轨的功用与分类

导轨是指引导部件沿一定方向运动的一组平面或曲面。导轨的功用是导向和承载，即引导运动部件沿一定轨迹（通常为直线和圆）运动，并承受运动件及其安装件的重力以及切削力。在导轨副中，运动的导轨称为动导轨，固定不动的导轨称为支撑导轨。

导轨按运动轨迹可分为直线运动导轨和圆运动导轨。按工作性质可分为主运动导轨，进给运动导轨和仅作部件相对位置调整用的移置导轨。按接触面的摩擦性质可分为滑动导轨和滚动导轨，滑动导轨按其摩擦状态又可分为普通滑动导轨、液体动压导轨、液体静压导轨和气体静压导轨。

B 导轨的基本要求

导轨性能和质量的好坏对机床的加工精度、承载能力和使用寿命有直接影响。因此，应满足以下基本要求：

(1)导向精度。是指动导轨运动轨迹的准确度。主要影响因素有：导轨的几何精度和接触精度，结构形式，导轨和支承件的刚度和热变形，装配质量；对于动压导轨和静压导轨，还有油膜刚度等。

(2)耐磨性。是指导轨抵抗磨损而长期保持其导向精度的能力。耐磨性是导轨设计制造的关键,也是衡量机床质量的重要指标之一,应尽可能提高导轨的耐磨性。常见的导轨磨损形式有磨料磨损、咬合磨损、接触疲劳磨损等。主要影响因素有:导轨的摩擦性质,材质,热处理及加工方法,受力情况,润滑和防护条件等。

(3)刚度。是指导轨在外载荷作用下抵抗变形的能力。导轨应当具有足够的刚度,保证相关各部件的相对位置精度和导向精度。主要影响因素有:导轨的结构形式,尺寸,与支承件的连接方式以及受力情况等。

(4)低速运动平稳性。是指导轨抵抗摩擦自激振动的能力,即导轨在低速运动或微量进给时,消除爬行现象("时走时停"或"时快时慢"现象)的程度。爬行现象会严重影响加工精度、工件表面粗糙度和机床定位精度,因此,要求导轨低速运动时始终保持平稳,不产生爬行现象。主要影响因素有:静、动摩擦系数的差值,传动系统的刚度,运动部件的质量大小、导轨的结构形式以及润滑等。

此外,还要求导轨具有良好的工艺性,结构简单,便于间隙调整,润滑和防护性能好。

2.7.2 普通滑动导轨

接触面为滑动摩擦副的导轨称为滑动导轨。普通滑动导轨是一种目前广泛使用的导轨。它结构简单,工艺性好,使用维修方便。但它的摩擦系数大,磨损快,寿命短,容易产生爬行。

2.7.2.1 导轨的截面形状

直线运动滑动导轨的截面形状主要有矩形、V形、燕尾形和圆柱形四种,并且每种导轨副有凹凸之分,如图2-80所示。对于水平放置的导轨,凸形导轨(指支撑导轨)不易积存切屑,但也不易存留润滑油,多用在低速运动的情况。凹形导轨易存留润滑油,用于高速运动的情况,但铁屑等杂物易落在导轨面上,因此必须有可靠的防护措施。

(1)矩形导轨。图2-80(a)所示矩形导轨靠两个彼此垂直的导轨面导向。若只用顶部的导轨面时,也称平导轨。矩形导轨刚度高,承载能力大,容易加工制造,便于维修。但侧导轨面磨损后不能自动补偿,需要有间隙调整装置。

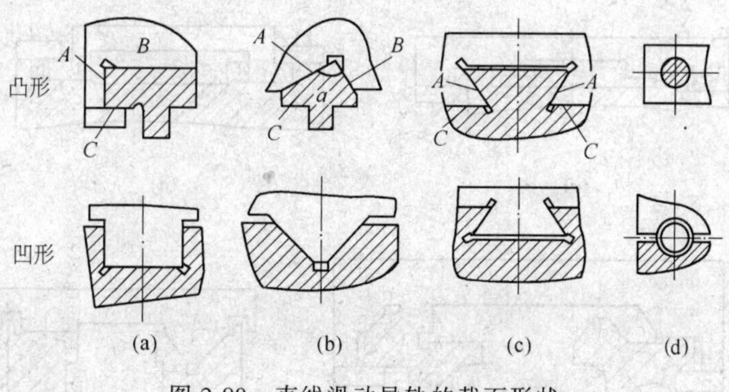

图2-80 直线滑动导轨的截面形状

(a)矩形;(b)V形;(c)燕尾形;(d)圆柱形

(2)V形导轨。如图2-80(b)所示,靠两个相交的导轨面导向。其中,凸形导轨习惯上又称山形导轨。V形导轨磨损后,动导轨自动下沉补偿磨损量,消除间隙,因此导向精度高。导轨顶角 α 的大小取决于承载能力和导向精度等工作要求,α 增大,导轨承载能力提高,但摩擦力也随之增大。α 通常取为90°(如车床,磨床),对于大型或重型机床(如龙门刨床),α

取为 110°～120°,对于精密机床,取 α＜90°。当导轨面承受的水平力和垂直力相差较大时,可采用不对称 V 形导轨,以使得导轨面的压强分布均匀。

(3)燕尾形导轨。如图 2-80(c)所示,高度较小,结构紧凑,可承受颠覆力矩,间隙调整方便。但摩擦阻力较大,刚度差,制造、检验和维修不便。一般用于受力较小、导向精度要求不高、速度较低、移动部件层次多、高度尺寸要求小的部件(如车床刀架、铣床工作台等)。

(4)圆柱形导轨。如图 2-80(d)所示,制造方便,工艺性好,但磨损后较难调整间隙。一般用于承受轴向载荷的场合(如摇臂钻床的立柱)。

2.7.2.2 导轨的组合形式

机床通常采用两条导轨导向和承受载荷。根据导向精度、载荷情况、工艺性以及润滑和防护等方面的要求,可采用不同的组合形式。常见的有如下几种(图 2-81)。

(1)双 V 形导轨。如图 2-81(a)、(b),导向精度高,磨损后能自动补偿间隙,精度保持性好;但加工、检验和维修困难,各个导轨面都要接触良好。常用于精度要求较高的机床,如坐标镗床,丝杠车床等。

(2)双矩形导轨。如图 2-81(c)、(d),刚性好,承载能力大,易于加工和维修。但导向性差,磨损后不能自动补偿间隙。适用于普通精度机床和重型机床,如重型车床、升降台铣床、龙门铣床等。

(3)V 形-矩形导轨组合。如图 2-81(e)、(f),导向性好,刚度大,制造方便,在实际当中得到广泛应用,适用于卧式车床、龙门刨床等。

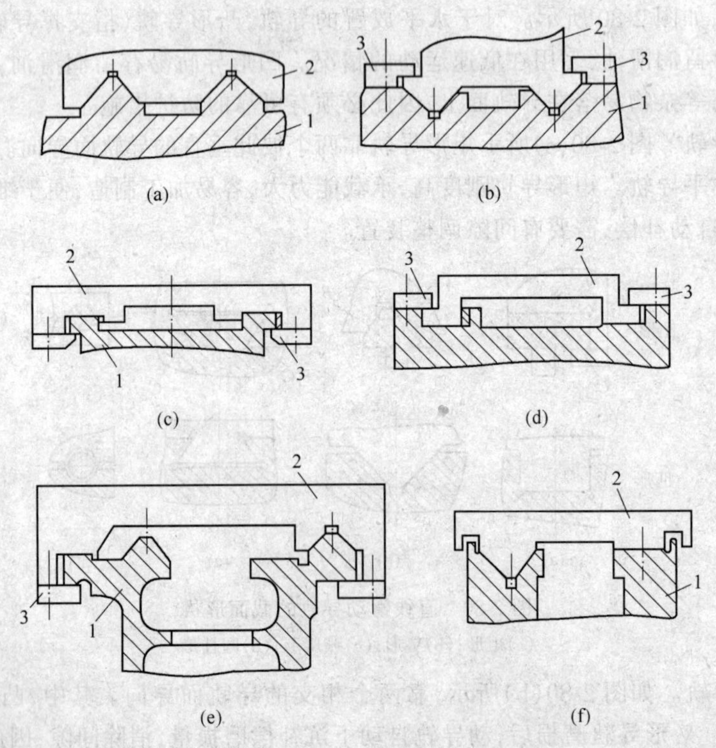

图 2-81　直线滑动导轨常见组合形式

1—支承导轨;2—动导轨;3—压板

2.7.2.3 导轨间隙调整

导轨面之间的间隙应保持适当。若间隙过大,会使导向精度降低,甚至引起振动;若间隙过小,则会增大运动阻力,加速导轨磨损。因此,不仅要在装配时对导轨的间隙作适当调整,而且在机床工作一段时间后,因磨损还需要重新调整间隙。采用镶条和压板调整导轨间隙是广泛采用的两种方法。

A 镶条调整

镶条用来调整矩形导轨和燕尾形导轨的侧向间隙。常用的镶条有平镶条和斜镶条两种。

(1)平镶条。在其长度方向是等厚度的,截面形状为矩形、平行四边形或梯形,通过横向位移调整间隙,见图 2-82。图 2-82(a)、(b)是靠沿长度方向均布的几个螺钉调整间隙,镶条制造容易,但各处间隙不易调整均匀,刚性差;图 2-82(c)螺钉 1 用来调整间隙,螺钉 3 用来将镶条 2 固定在动导轨上,这种镶条刚性好,装配方便,但调整麻烦。

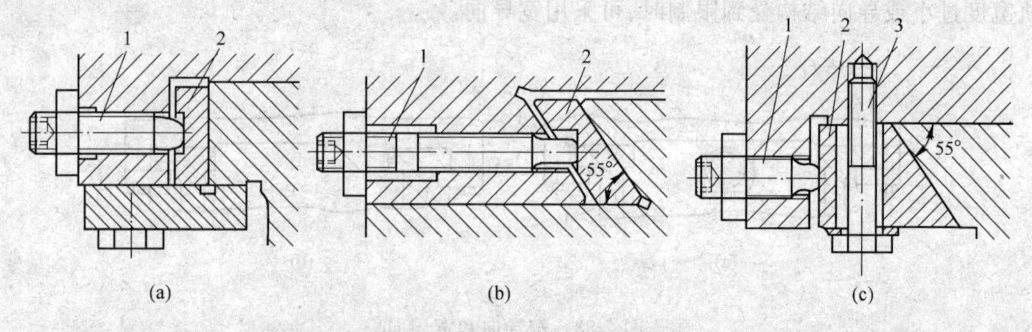

图 2-82 平镶条调整间隙装置

(2)斜镶条。沿其长度方向有一定斜度,靠纵向位移使其两个侧面分别与动导轨和支撑导轨接触,调整导轨间隙,常用斜度在 1∶100～1∶40 之间。图 2-83 为几种斜镶条间隙调整装置,其中,图 2-83(a)是用螺钉 2 带动镶条 1 移动调整间隙,这种方式结构简单,但螺钉凸肩和镶条凹槽之间的间隙会引起镶条在往复运动中的窜动,影响导向精度和刚度。图 2-83

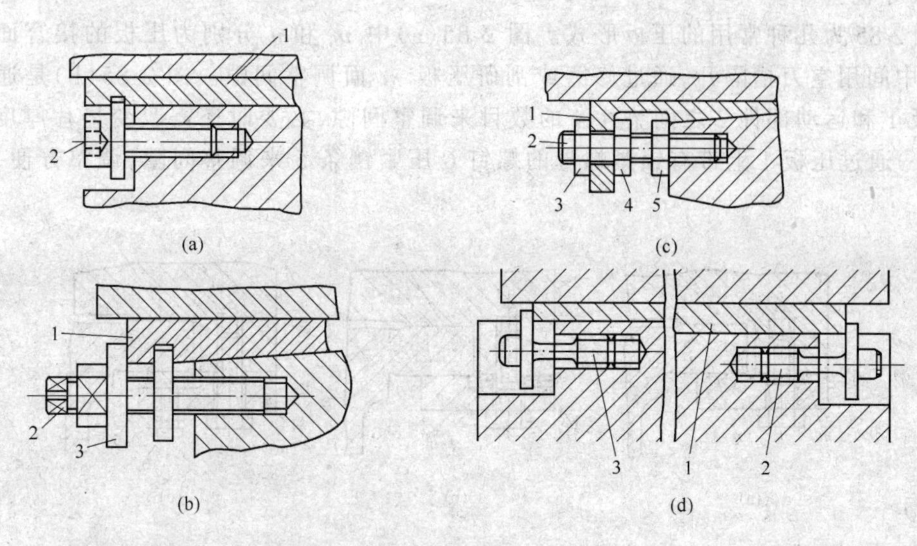

图 2-83 斜镶条调整间隙装置

(b)是对图 2-83(a)的改进,为避免窜动增加了锁紧螺母 3,其结构简单,应用广泛。图 2-83(c)通过螺母 3、4 调整间隙,用螺母 5 锁紧,工作可靠,但结构相对复杂。图 2-83(d)是通过分别位于镶条两端的螺钉 2、3 调整间隙,避免了镶条 1 的窜动,适于镶条较短的场合。

(3)镶条的安放位置。应根据导轨的工作条件来确定。对于普通机床,由于导轨所受载荷较大,为了提高接触刚度和减小磨损,镶条应设置在不受力或受力较小的一侧,如图 2-84(a)镶条 3。对于精密机床,应将镶条设置在受力的一侧,理由是由于所受载荷较小,受力导轨面的磨损小;且调整镶条时,运动件是以导轨另一侧作为定位基准,运动件的中心线侧移量很小,有利于恢复机床精度和丝杠副的正常位置。镶条位置确定了导向面及其导向面间的距离。在两条导轨上各用一个侧面作为导向面的称为宽导向,如图 2-84(a);采用一条导轨两个侧面作为导向面的称为窄导向,如图 2-84(b)。窄导向制造容易,维修方便,且受变形的影响小。一般应尽可能采用窄导向,窄导向位置的选择应有利于减小导轨磨损。当导轨宽度过小或导向结构受到限制时,可采用宽导向。

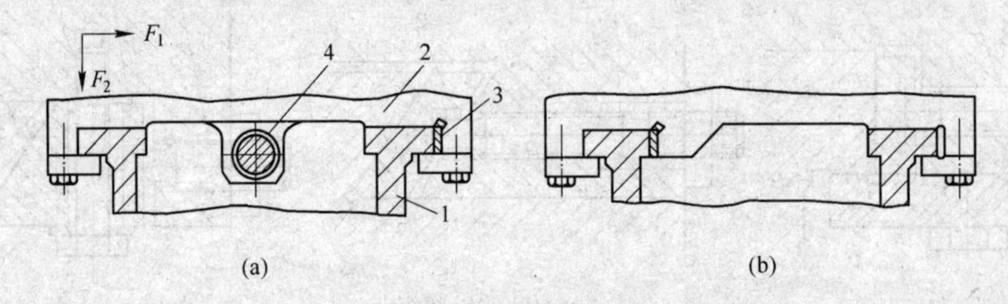

图 2-84 窄导向和宽导向

B 压板调整

机床工作时若外载荷和部件自重能使两导轨面在全长上保持贴合,可采用无压板的开式导轨结构(见图 2-81(a),(f));否则需要用图 2-81(b),(c),(d),(e)中的压板 3 调整间隙并承受颠覆力矩,增加辅助导轨面来保证主导轨面彼此贴合,这种形式的导轨称为闭式导轨。

图 2-85 为几种常用的压板形式。图 2-85(a)中 m 和 n 分别为压板的接合面和导向面,中间用空刀槽隔开,通过修磨或刮研压板 m 面调整间隙。图 2-85(b)是通过调整压板 1 和运动部件 2 之间垫片 4 的数目来调整间隙,必要时还需改变垫片厚度。图 2-85(c)通过压板 1 上带有锁紧螺母的螺钉 6 压紧镶条 5 来调整间隙,调整方便,但刚性差。

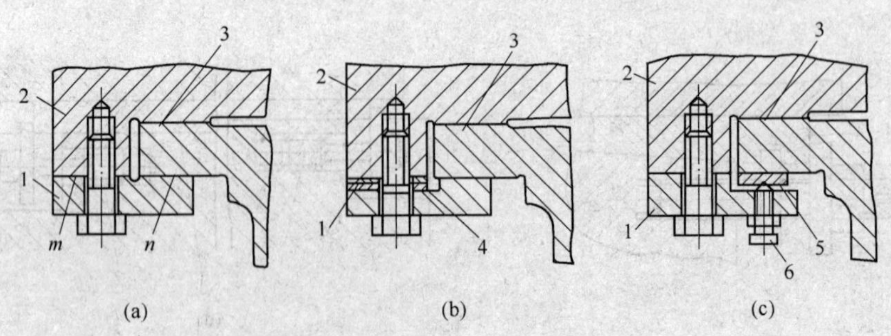

图 2-85 压板调整间隙装置

2.7.2.4 提高机床导轨耐磨性的措施

导轨的磨损形式主要有磨料磨损和咬合磨损。提高耐磨性的主要措施为：

A 合理选用材料和热处理方法

常用的导轨材料有铸铁、钢、塑料和有色金属。

铸铁是一种应用最广泛的导轨材料，有良好的耐磨性和减振性，易于铸造，切削加工性好。床身导轨一般用 HT200 或 HT300，运动导轨一般用 HT150 或 HT200。灰铸铁常进行表面淬火以提高硬度。为了提高耐磨性，往往还采用磷铜钛铸铁、高磷铸铁以及钒钛铸铁等。

镶钢导轨的耐磨性比灰铸铁高 5～10 倍。一般可通过焊接、螺钉连接等方式固定在支承件上。

塑料导轨具有摩擦系数小，抗咬合磨损性能好，不易爬行，工艺性好，化学性能稳定，成本低等优点。常用的塑料材料有酚醛夹布塑料、尼龙和环氧树脂耐磨涂料等。

有色金属能够防止咬合磨损，提高耐磨性，使导轨运动平稳。

为了提高耐磨性，导轨副材料的匹配应"一软一硬"，即动导轨和支撑导轨采用不同材料，如果选用同一种材料，也应通过不同的热处理使二者具有不同硬度。通常，应使动导轨相对软一些。

B 提高导轨的接触精度和改善表面粗糙度

这样可提高导轨的导向精度和刚度，从而有效提高耐磨性。对于铸铁和钢导轨，常采用刮研、精刨、磨削和滚压等方法。

C 减小导轨面压强，使导轨面均匀磨损

应合理设计各导轨面的尺寸，提高运动部件和支承件的刚度，合理安排切削力、运动部件驱动力和导轨间的相互位置，使导轨面上的压强分布合理，磨损均匀。

D 合理选择导轨润滑防护

常见的导轨的润滑方式有：人工加油润滑，适用于中小型机床的低速运动导轨；油泵供油润滑，适用于低中速、低载荷、小行程或不经常运动的导轨；自动润滑，指采用专用的润滑系统，适用于重要的润滑场合。

导轨防护装置应能够挡住切屑和脏物进入导轨引起表面擦伤、磨损和腐蚀，并且便于拆卸。常见的有刮板式、毛毡式及防护罩等装置。

E 滑动导轨设计内容

滑动导轨设计主要包括以下几方面的内容：

(1)根据机床的工作条件、性能特点，选择导轨的结构类型。

(2)选择导轨的截面形状和结构尺寸。

(3)计算导轨面上的平均压强和最大压强，选择导轨材料、表面精加工方法和热处理方法以及摩擦表面的硬度匹配。

(4)设计导轨磨损后的补偿和间隙调整装置。

(5)设计导轨的润滑系统和防护装置。

(6)确定导轨的精度和技术要求。

2.7.3 爬行现象及其防止措施

机床的某些运动部件往往需要做低速运动或间歇微量位移，如采用普通滑动导轨就容易产生爬行现象。爬行会影响机床的定位精度、加工精度以及工件的表面粗糙度。因此,应对爬行问题予以足够的重视并采取有效措施防止爬行现象的产生。

2.7.3.1 爬行过程分析

机床爬行一般是在低速滑动摩擦情况下发生的。它是由摩擦力特性所引起的一种自激振动,主要与摩擦力特性和传动系统刚度等因素有关。图2-86为摩擦系数与相对运动速度之间的关系,由图中可以看出,静摩擦系数 f_0 大于动摩擦系数 f_d,在低速范围内,动摩擦系数随着速度增加而减小。

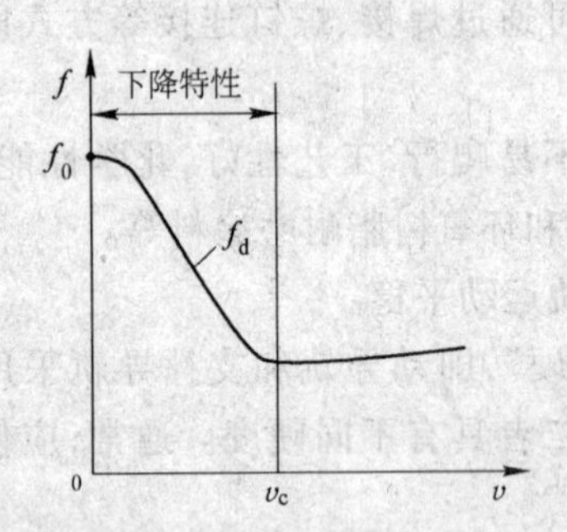

图2-86 滑动摩擦特性

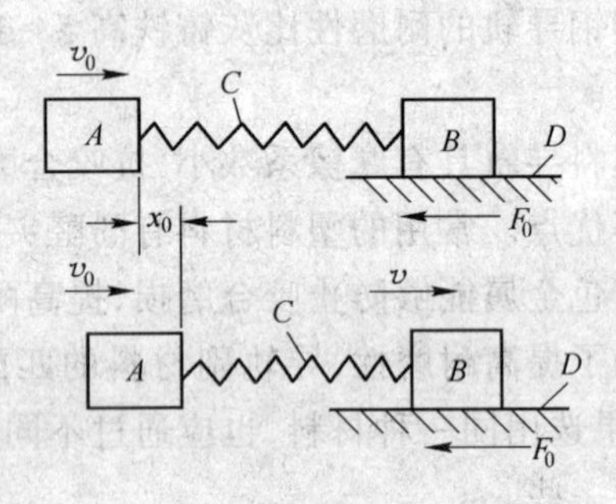

图2-87 进给传动机构力学模型

图2-87是简化后的进给传动机构力学模型,A 为驱动件,B 为执行件(如刀架、工作台、砂轮架等),从驱动件到执行件之间的进给传动系统(包括齿轮、丝杠、螺母等)作为弹性体,可简化为弹簧 C,其刚度系数为 K,D 为执行件的支撑导轨。当 A 以较低的速度 v_0 匀速运动时,在开始阶段,由于 B 在导轨面上所受静摩擦阻力 F_0 较大,所以 B 仍保持不动,而弹簧 C 受到压缩储存能量,直到 A 移动 x_0 以后,弹簧的弹性力 Kx_0 超过静摩擦力,B 开始移动,这时静摩擦力 F_0 变为动摩擦力 F_d,且 F_d 要比 F_0 小得多,致使 B 加速运动,随着速度的增加,摩擦系数进一步减小,速度增加得更快。随着弹簧的伸长,其弹性能释放,弹簧力减小。当弹簧力小于动摩擦力时,B 作减速运动,当 B 的移动距离超过 A 时,弹簧由压缩状态变为拉伸状态,对 B 的反向弹簧力使其进一步作减速运动,直至运动停止。然而,由于驱动件 A 仍继续以 v_0 作匀速运动,上述过程会周而复始地进行,使 B 作停顿—加速运动—减速运动—停顿的爬行运动。

2.7.3.2 爬行临界速度

由图2-88所示运动部件移动速度变化规律可以看出,当驱动速度 $v_0 < v_c$(曲线1)时,执行件的速度(曲线1′)在 $t = t_1$ 时将变为零,即出现爬行现象。当 $v_0 > v_c$(曲线3)时则不会出现爬行现象,原因是此时摩擦力变化呈上升特性(见图2-86),当执行件启动后,因静、动摩擦力的变化在加速运动过程中又受到随之加大的摩擦阻力的抑制作用,因此执行件在经过一段过渡过程后,将按 v_0 作

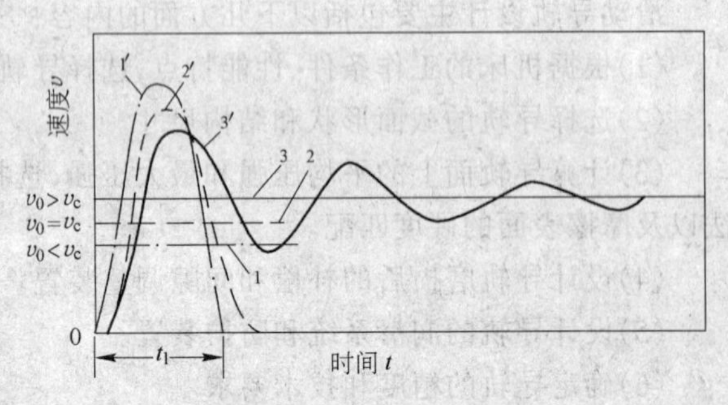

图2-88 运动部件移动速度变化

1,2,3—驱动件运动速度;

1′,2′,3′—执行件运动速度

匀速运动而不会爬行,如图中曲线3′所示。当 $v_0=v_c$(曲线2)时则处于临界状态。因此,要防止爬行现象,运动速度 v_0 必须大于临界速度 v_c。

根据对爬行现象的理论分析,可以得出计算爬行的临界速度的公式。对于直线运动,临界速度 v_c 可按下式计算:

$$v_c=\frac{F\Delta f}{\sqrt{4\pi\xi Km}} \quad (\mathrm{m/s}) \tag{2-62}$$

式中 F——导轨上的正压力(N);

Δf——静、动摩擦系数之差;

ξ——阻尼比;

K——传动系统刚度(N/m);

m——移动部件质量(kg)。

2.7.3.3 防止爬行的措施

根据以上分析,防止爬行应采取措施降低爬行的临界速度,即减小 Δf 和 m,增大 K 和 ξ。具体来说,可采取以下几方面的措施:

(1)改善导轨的摩擦性能,以减少静、动摩擦系数之差 Δf,如采用导轨油;选用摩擦系数小的滑动导轨表面材料(镶装铝青铜、锌合金、聚四氟乙烯的动导轨与铸铁的支撑导轨配合);用滚动摩擦或静压液体摩擦代替滑动摩擦等。

(2)提高传动系统刚度 K,如缩短传动链,减少传动件数量;提高各传动件及组件的刚度;合理确定传动系统传动比等。

(3)增加传动系统阻尼比 ξ,如在摩擦表面上使用黏度较大的润滑油,保证丝杠传动副润滑充分,在传动链中增加阻尼器等。

(4)减轻移动部件质量 m。

(5)减小传动间隙;减小运动部件的偏重,避免操纵手柄偏重或安装脱开装置;提高零件的加工和装配质量等。

2.7.4 滚动导轨

滚动导轨是指在动导轨面和支撑导轨面之间安放多个滚动体(如滚珠、滚柱或滚针),使两导轨面之间的摩擦成为滚动摩擦的导轨。滚动导轨广泛应用于各类机床,特别是数控机床。其优点是:运动灵敏度高,牵引力小;低速运动平稳性好,定位精度高;磨损小,精度保持性好,使用寿命长;润滑简单,可采用最简单的油脂润滑,维修方便,但滚动导轨的刚度和抗振性较差,对脏物比较敏感,必须有良好的防护装置。

2.7.4.1 滚动导轨的结构形式

按滚动体类型,可分为滚珠、滚柱、滚针三种结构形式。滚珠导轨结构紧凑,容易制造,但因为是点接触,承载能力低,刚度差,适用于载荷较小的场合。滚柱导轨结构简单,制造精度高,承载能力和刚度都比滚珠导轨高,适用于载荷较大的机床。滚针比滚柱的长径比大,因此,滚针导轨的尺寸小,结构紧凑,承载能力大,但摩擦系数也大,可用在结构尺寸受到限制的场合。

按滚动体循环与否,可分为循环式和非循环式。非循环式结构简单,一般用于短行程导轨,逐渐被循环式滚动导轨所代替。循环式滚动导轨类型很多,主要有滚珠导套、滚珠导轨块和滚柱导轨块等。循环式导轨安装、使用、维护方便,已基本形成系列产品,由专业厂家生产。图2-89为循环式滚珠导轨。图2-90为滚柱导轨块,滚柱在支撑块中形成循环。

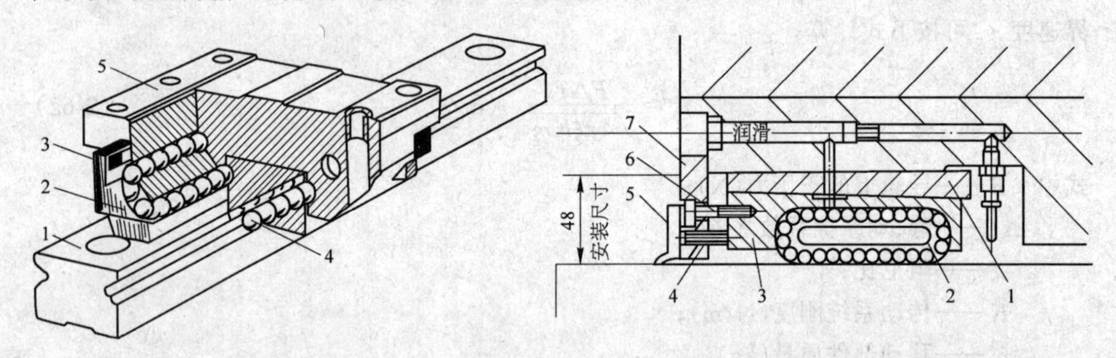

图2-89　循环式直线滚珠导轨

1—导轨条;2—端面挡板;3—密封垫;4—滚珠;5—滑块

图2-90　滚柱导轨块及其预紧

1—楔块;2—标准导轨块;3—支撑导轨楔块;4、6—调整螺钉;5—刮屑板;7—楔块调节板

2.7.4.2　滚动导轨的预紧

在滚动体与导轨面之间预加一定载荷,可增加滚动体与导轨的接触面积,以减小导轨面平面度、滚子直线度以及滚动体直径不一致性等误差的影响,使大多数滚动体都能参加工作。由于有预加接触变形,接触刚度有所增加,从而提高了导轨的精度、刚度和抗振性。不过预加载荷应适当,太小不起作用,太大不仅对刚度的增加不起明显作用,而且会增加牵引力,降低导轨寿命。

整体型直线滚动导轨副由制造厂用选配不同直径钢球的方法来进行调隙或预紧,用户可根据要求订货,一般不需用户自己调整。对于分离式直线滚动导轨副和各种滚动导轨块,一般采用各种调整元件进行调隙或预紧,如图2-90中用推拉螺钉4、6调整楔铁3的位置可达到预紧的效果。

2.7.4.3　滚动导轨的选择

目前,国内外已有很多专业化厂家生产各种规格型号的滚动导轨。设计人员进行导轨设计时可根据导轨所承受的载荷情况、工作条件(如运动速度、温度、硬度等)、使用寿命等多方面的因素,在厂家提供的产品样本目录中选择合适的滚动导轨副或滚动导轨块,再经过寿命验算,确定设计方案。

2.7.5　液体动压导轨和静压导轨

2.7.5.1　液体动压导轨

液体动压导轨的工作原理与动压轴承相同,即利用导轨副的相对运动,使两导轨面间的润滑油形成能够承载的压力油膜(也称油楔)。相对运动速度越高,油膜承载能力越大,而油膜厚度也会随着速度的不同而改变,影响加工精度。因此,动压导轨适用于速度高、精度一般的机床。

在一个导轨面上需要加工出楔形油腔,直线运动导轨的油腔必须设置在动导轨上,以保证工作时油楔始终不外露。圆运动导轨上的油腔一般设在支撑导轨上,因上下两导轨面工作时始终接触,所以不会发生油楔外露。

2.7.5.2 液体静压导轨

液体静压导轨的工作原理与静压轴承相同,即将具有一定压力的油液输入到导轨副间形成承载油膜。工作过程中,导轨面油腔中的油压能随着外载荷的变化自动调节,并与之相平衡。静压导轨的特点是摩擦系数小,传动效率高,驱动功率小,导轨面几乎不磨损,油膜厚度几乎不受速度影响,运动平稳性好,承载能力大,刚度高,吸振性好。但需要一套供油系统,结构复杂,调整维修比较麻烦。因此,适用于各种大型、重型机床,数控机床和精密机床。

静压导轨按所承受的载荷不同可分为开式和闭式两种结构形式;按静压导轨的供油方式又可分为定压供油和定量供油两类。

图 2-91(a)为定压供油闭式静压导轨。它不仅能承受各个方向的载荷,而且也能承受较大的颠覆力矩。当工作台受一颠覆力矩作用而倾斜时(见图 2-91(b)),油腔 2、3 间隙变大,油腔 1、4 间隙变小。由于节流器的作用,油腔 2、3 的压力 p_2、p_3 降低,而油腔 1、4 的压力 p_1、p_4 升高,从而形成一个反颠覆力矩,使工作台恢复平衡。当工作台受到载荷 F 作用时,油腔 1、3 间隙变小,2、4 间隙变大,使得 p_1、p_3 升高,p_2、p_4 降低,所形成的作用力与外载 F 相平衡。

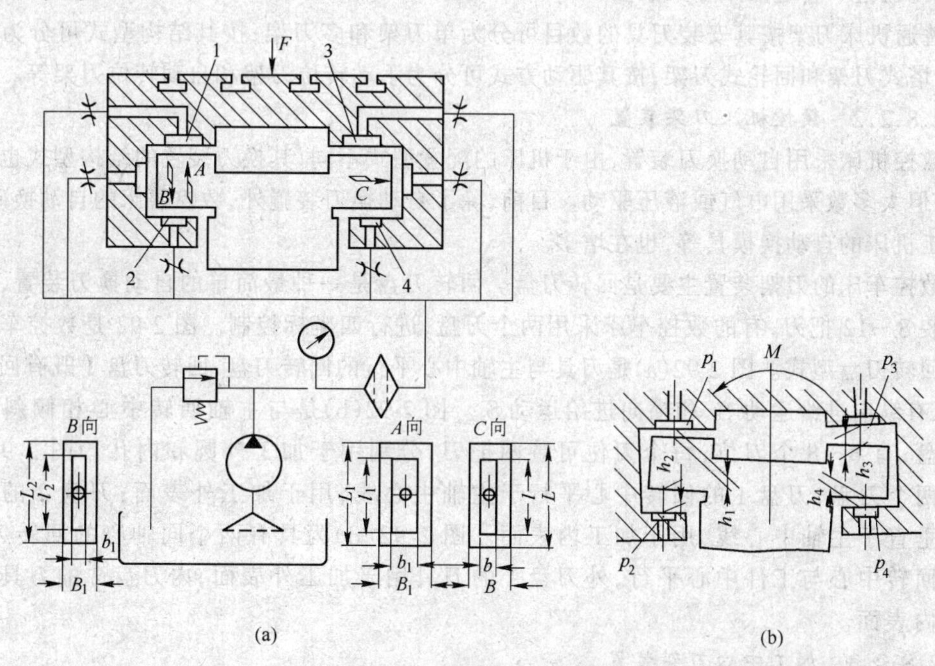

图 2-91 定压供油闭式静压导轨

2.8 机床刀架装置设计

2.8.1 刀架装置的功能及其基本要求

A 刀架装置的功能

刀架装置是用于安装刀具进行切削加工,并可作移动或回转的部件。目前,机床正朝着在一次装夹中完成多工序加工的方向发展,因而机床刀架装置随之发生了许多变化,如数控机床多采用转位刀架,加工中心机床则采用刀库和自动换刀装置。刀库存储加工工序所需要的各种刀具,从十几把到上百把,并且自动换刀时间仅几秒甚至零点几秒。

B 机床刀架装置的基本要求

(1)满足加工工艺的要求,有足够的刀具存储量,能够方便正确地完成多种加工。

(2)刚度高、可靠性高。刀架应有较高的刚度,满足加工精度要求;刀库和自动换刀装置应有足够的刚度,保证换刀平稳可靠。

(3)重复定位精度高、精度保持性好。在加工过程中,刀架需要经常转位或定位,刀架的重复定位精度要高,精度保持性要好。

(4)换刀时间短。应尽量缩短刀架转位时间和加工中心自动换刀时间,提高生产率。

(5)操作方便,换刀动作灵活。

2.8.2 刀架装置类型

刀架装置按其功能特征可分为普通机床刀架、数控机床刀架及加工中心刀架装置等三种类型。

2.8.2.1 普通机床刀架装置

普通机床刀架按其安装刀具的数目可分为单刀架和多刀架;按其结构型式可分为方刀架、转塔式刀架和回轮式刀架;按其驱动方式可分为手动转位刀架和自动转位刀架等。

2.8.2.2 数控机床刀架装置

数控机床采用自动换刀装置,由于机床的配置型式不同,其换刀装置的结构型式也多种多样,但大多数采用电气或液压驱动。目前,除了自动换刀装置外,数控磨床的自动换砂轮,电加工机床的自动换模具等,也在增多。

数控车床的刀架装置主要是回转刀盘。回转刀盘是一种最简单的自动换刀装置,刀盘上安装 8～12 把刀,有的数控车床采用两个刀盘,进行四坐标控制。图 2-92 是数控车床的几种回转刀盘型式。图 2-92(a)是刀具与主轴中心平行的回转刀盘,回转刀盘 1 既有回转运动,又有纵向进给运动 S_l 和横向进给运动 S_t。图 2-92(b)是与主轴回转中心相倾斜的回转刀盘,有 6～8 个刀位,每个刀位可装两把刀,分别用于加工外圆和内孔。图 2-92(c)采用两个刀盘,刀盘 1 的回转中心平行于主轴中心线,用于加工外表面;刀盘 2 的回转中心垂直于主轴中心线,用于加工内表面。图 2-92(d)为具有两个同轴心的回转刀盘,刀盘回转中心与工件中心平行,外刀盘 1 的刀具用于加工外表面,内刀盘 2 的刀具用于加工内表面。

2.8.2.3 加工中心刀架装置

A 自动换刀装置类型

加工中心又称自动换刀数控机床,它是具有刀库,能自动更换刀具,对一次装夹的工件进行多工序加工的数控机床。加工中心的刀架装置主要是指带刀库的自动换刀装置,类型很多,常见的有如下几种类型。

(1)刀库式。按换刀方式可分为无机械手换刀、机械手换刀、机械手与刀具运送器换刀三种方式。无机械手换刀是刀库与主轴直接换刀,省去机械手,其结构简单,但刀库运动较多,主要用于小型加工中心;机械手换刀方式是刀库只作选刀运动,由机械手更换刀具,特点是布局灵活,换刀速度快,适用于各种加工中心;机械手和刀具运送器方式是当刀库距主轴

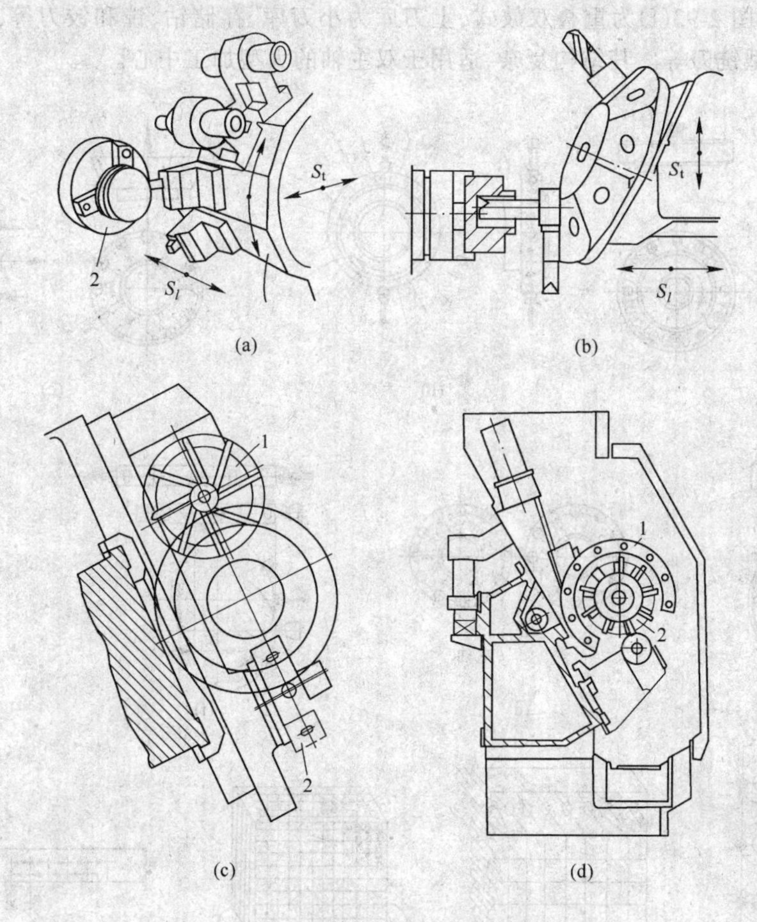

图 2-92 数控车床的自动换刀装置

较远时，用刀具运送器将刀具送至机械手，结构复杂，一般用于大型加工中心。

(2)成套更换方式。是更换转塔头、更换主轴箱或更换刀库。前两种分别用于扩大工艺范围的钻削中心和扩大柔性的组合机床。更换刀库可用于扩大加工工艺范围，充分提高机床利用率和自动化程度，主要用于加工复杂工件，需要很多刀具的加工中心或组成高自动化的生产系统。

B 刀库类型

刀库的类型很多，其中典型的有鼓轮式刀库、链式刀库、格子箱式刀库和直线式刀库等，如图 2-93 所示。

(1)鼓轮式刀库。应用较广，它包括单鼓轮式和多鼓轮式刀库。单鼓轮式刀库有刀具轴线与鼓轮轴线平行、垂直和成锐角，刀具与鼓轮端面成环形排列等形式。图 2-93(a)为刀具与鼓轮轴线平行安装，图 2-93(b)为刀具与鼓轮轴线垂直安装，图 2-93(c)为刀具与鼓轮轴线成锐角安装。它们的优点是结构简单，但刀具单环形排列，空间利用率低，大容量刀库的外径较大，转动惯量大，选刀时间长；适用于刀库容量较小的场合。图 2-93(d)为刀具在鼓轮端面呈环形排列安装，可分为单环形排列和多环形排列，其刀具空间利用率高。前者适用于机床空间小而刀库容量较大的场合，后者适用于大容量刀库(一般为 60 把刀以上的刀库)。多鼓式分双鼓式和重叠双鼓式，图 2-93(e)为双鼓式，两个刀库分别配置在机床两侧，适合中小型加工中心。图 2-93(f)为重叠双鼓式,上刀库为小刀库,存储钻、镗和铰刀等,下刀库为大刀库,存储大型铣刀等。其结构复杂,适用于双主轴的大型加工中心。

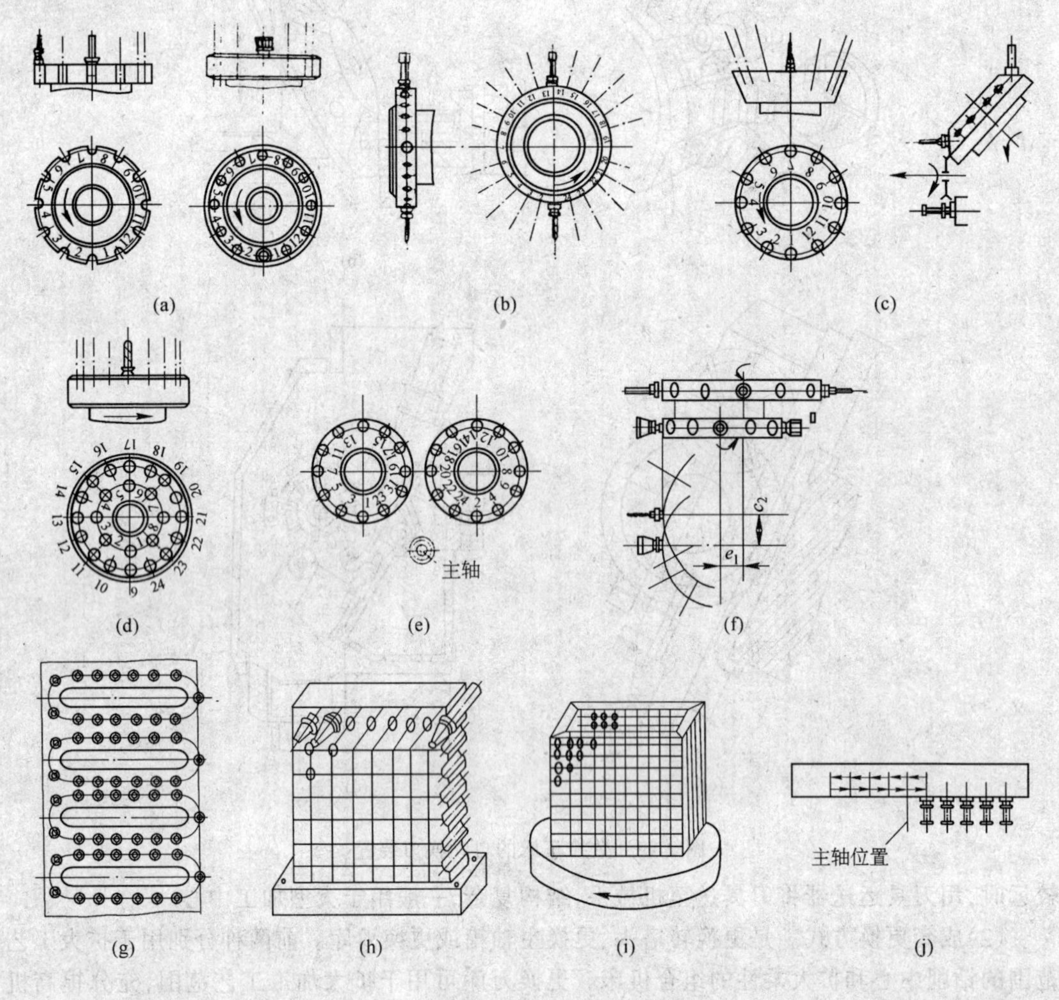

图 2-93　加工中心刀库的类型

(2)链式刀库。应用最为广泛,分单环链式和多环链式刀库,图 2-93(g)所示为多环链式刀库,特点是容量大,占用空间小,选刀时间短,增加存储刀具数目时,可增加链条长度,而不增加链轮的直径,因此链轮圆周速度不会增加,刀库的运动惯量不像鼓轮式刀库那样大,适用于容量较大的刀库。

(3)格子箱刀库。图 2-93(h)、(i)所示为格子箱刀库,结构紧凑、空间利用率高、刀库容量大,但布局不灵活,通常用于刀库容量大的场合。

(4)直线刀库。图 2-93(j)为直线刀库,其结构较简单,刀库容量小,一般在十几把刀左右,主要用于刀库容量小的场合。

2.8.3　刀架结构

2.8.3.1　数控机床刀架结构

数控机床刀架分为转塔刀架和直排刀架两大类。

A 转塔式刀架

转塔式刀架有立式数控转塔刀架和卧式数控转塔刀架，每种刀架按性能不同又可分为简易和全功能两种型式。简易刀架和全功能数控刀架的区别是：前者只能沿一个方向（一般为逆时针方向）转位，而后者可按最短距离就近选刀位，其中卧式全功能数控转塔刀架可自动选择正反转。

转塔式刀架一般采用电气或液压驱动完成自动换刀，卧式液压全功能数控转塔刀架由大转矩液压马达驱动，液压刹紧，端齿盘作精定位，采用计数盘和接近开关或双片平行共轭凸轮进行分度。其特点是结构简单、动作平稳可靠、分度精度高、可双向回转、就近选刀和进行重负荷切削等优点。

B 直排刀架

直排刀架典型布置形式如图 2-94 所示，直排式刀架一般用于加工棒料为主的小规格数控机床。夹持各种不同用途刀具的刀夹，沿着机床的 X 方向排列在快换台板上。该刀架的特点是刀具布置和机床换刀都比较方便，根据工件的车削工艺要求，可任意组合各种不同用途的刀具，当一把刀完成车削工作后，快换台板按程序沿 X 轴向移动到预先设定的距离，第二把刀就到达加工位置，完成机床换刀动作。这种刀架换刀迅速，大大提高了机床的生产效率。使用快换台板，可实现成组刀具的机外预调对刀。即当机床在加工某一工件的同时，利用快换台板可在机外组成加工同一工件或不同工件的直排刀组，利用对刀仪进行对刀。当刀具磨损或需要更换工件时，可用更换台板的方式来成组地更换刀具，使换刀的辅助时间大大缩短。在直排刀架上还可以安装不同用途的动力刀具，如附加主轴头和动力刀具刀夹来夹持刀具，完成钻、铣、攻螺纹等加工工序，使机床在工件的一次装夹中完成全部或大部分加工工序。这种刀架结构简单、加工方便、制造成本低。适宜加工回转直径小于 100mm 的数控车床。

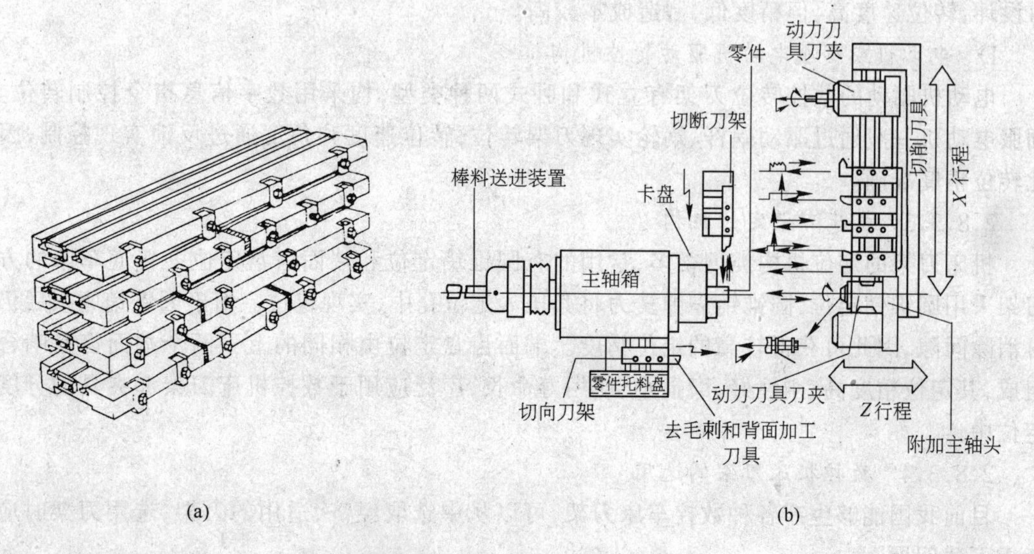

图 2-94 直排刀架与快换台板

(a)快换台板；(b)直排式刀架

2.8.3.2 刀架转位机构

刀架转位机构的作用是驱动刀架转到预定位置，以便刀架准确定位。刀架的转位方式有手动转位、液压(或气动)转位、圆柱凸轮步进式转位、电动机或伺服电动机驱动转位等。

A 手动转位机构

普通车床采用手动转位机构,由手柄、销子、端面凸轮等带动刀架转位,结构简单,操作方便。

B 液压(或气动)转位机构

液压驱动转位机构具有结构简单、转位速度可调、运动平稳可靠、维修方便等优点,因此应用较广泛。转位可以由液压缸活塞齿条带动齿轮使刀架转位,转位角度由挡块控制;也可以由液压马达及降速齿轮控制刀架转位,分度由接近开关和计数盘控制。转位机构也有采用气动驱动的,其特点是结构简单,但运动不平稳,有冲击,驱动力小,一般用于自动线转位装置。

C 圆柱凸轮步进式转位机构

如图2-95所示,刀架即回转盘3靠凸轮1轮廓强制作转位运动,运动规律取决于凸轮1的轮廓形状。从动回转盘3下端装有若干个分度柱销2,柱销2的数量与刀架工位数相同,柱销2靠凸轮1强制驱动。当凸轮按图2-95所示的回转方向转动时,*B*销先进入凸轮曲线槽内,开始驱动回转盘3转位,与此同时,*A*销脱离凸轮槽,当凸轮转过180°时,转位动作终了,*B*销从凸轮轮廓曲线段过渡到直线段;同时,与*B*销相邻的*C*销与凸轮的直线轮廓另一侧开始接触。此时,即使凸轮1继续回转,回转盘3也不会转动,因为*B*销和*C*销同时与凸轮直线轮廓的两侧面接触,限制了回转盘3转动。此时刀架处于预定位状态,转位动作结束。由于转位凸轮1是两端开口的非闭合曲线,凸轮正反转均可带动回转盘3作正反两个方向转动。圆柱凸轮步进式转位机构运动特性可根据需要自由设计,转位速度高,但精度低,制造成本较高。

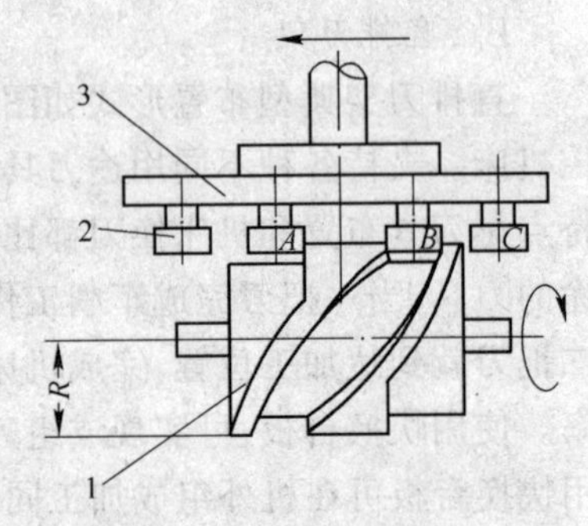

图2-95 圆柱凸轮步进式转位机构

1—凸轮;2—分度柱销;3—回转盘

D 电动机或伺服电动机驱动转位机构

电动机驱动的数控转位刀架有立式和卧式两种类型,均采用数字信息指令控制转位。伺服电动机一般通过驱动蜗杆、蜗轮实现刀架转位,转位速度和角度通过反馈实现控制,因此转位精度准确。

2.8.3.3 机床刀架定位机构

机床刀架的定位机构类型很多,常用的有圆锥销定位和端面齿盘定位。普通车床的方刀架采用圆锥销定位,圆锥销靠弹簧力将其压入定位孔中,实现定位。由于圆锥销磨损后仍可消除间隙,因此可获得较高的定位精度。端面齿盘定位由相同的上下两个端面齿盘啮合组成,其定位精度高、刚性好、磨损小、使用寿命长,广泛应用于数控机床刀架和夹具的分度定位中。

2.8.3.4 数控机床刀架的选用

目前我国能够生产各种数控车床刀架,可以从中选取经济、适用的刀架,选用刀架时应考虑下述问题。

(1)经济型数控车床 一般选用4工位或6工位的立式数控转塔刀架。

(2)全功能数控车床 通常选用8、10、12工位卧式电动或液压数控转塔刀架,卧式液动转塔刀架应用较多。其刀架通过大转矩液压马达驱动,采用端齿盘副作精分度元件或双片平行共轭凸轮进行分度，借助液压油缸松开、夹紧，并在译码、检测等环节上设计严密的逻辑控制。

(3)最大回转直径小于 100mm 的数控机床宜选直排式刀架。

(4)其他因素主要有：驱动刀架的动力源（电动和液动），刀架的刹紧方式（机械和液压的），刀架发信号的方式（机械压微动开关和无触点接近开关）等。

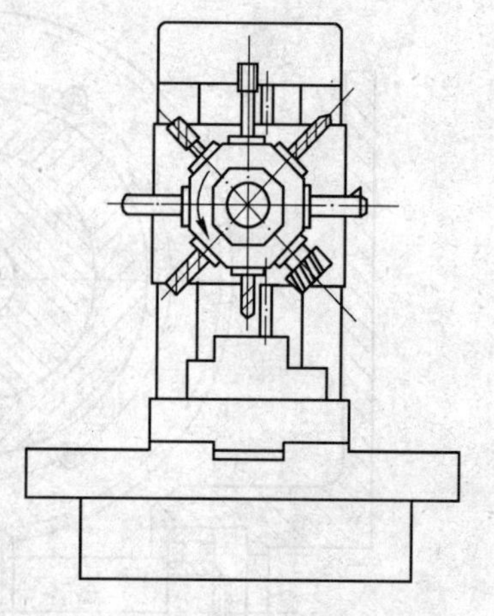

图 2-96　水平转轴转塔自动换刀装置

2.8.4　自动换刀装置

2.8.4.1　自动换刀装置的构成及工作原理

自动换刀装置由刀库、机械手及相应的控制系统组成，通常有两种方式。

A　转塔头自动换刀装置

转塔头自动换刀装置可分为水平转轴式和垂直转轴式两种，图 2-96 所示为具有 8 根主轴的水平转轴式自动换刀装置。转塔头绕水平轴转位，只有处于最下端的主轴才能与机床主传动系统接通进行切削加工。该工步加工完毕后，由指令控制转塔头转过一个或几个位置，实现自动换刀，转入下一工步。这种换刀装置结构简单，换刀迅速；但每把刀具都需一根主轴，所以储存刀具数量较少（一般为 6～8 把），因此仅适用于简单工件加工。

B　带刀库的自动换刀装置

带刀库的自动换刀装置应用最广泛，它由刀库和刀具交换机构组成。实现刀具在刀库与机床主轴间传送和装卸的机构称为刀具交换机构，它分为无机械手和有机械手的自动换刀两类。

a　无机械手的自动换刀

这种自动换刀装置，在结构上只有一个刀库，是利用机床本身与刀库的运动实现换刀。换刀时必须先将用完的刀具送回刀库，然后从刀库取出待加工用的刀具，换刀时送刀和取刀的两个动作不能同时进行。图 2-97 所示为立式数控机床无机械手的自动换刀装置。刀库的旋转由伺服电动机经齿轮、蜗杆、蜗轮带动，由定位销精确定位，其刀库结构如图 2-98 所示。

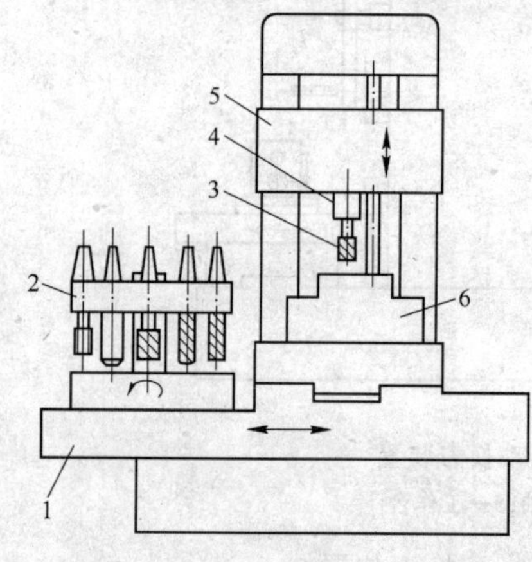

图 2-97　无机械手自动换刀装置

1—工作台；2—刀库；3—刀具；4—主轴；5—主轴箱；6—工件

无机械手自动换刀，刀库的结构简单，换刀运动易于实现，可靠性高，但将用过刀具送回刀库和从刀库取出新刀具这两个动作不能同时进行，换刀时间较长（10～20s），且刀库容量有限，一般适用于中、小型加工中心。

b　机械手自动换刀

加工中心换刀机械手的种类繁多，图 2-99 所示为采用单臂双爪式机械手的自动换刀装置简图。盘形刀库 1 倾斜安装在机床的立柱上，其最下端刀具的位置为换刀位置。自动换刀过程如下：

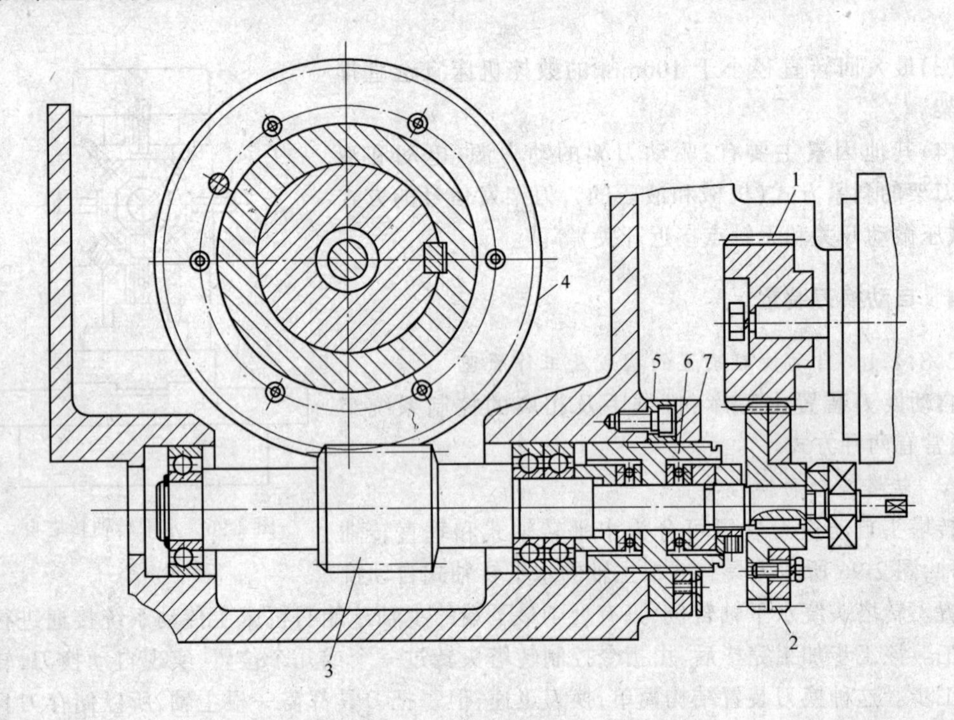

图 2-98 刀库转位机构

1,2—齿轮;3—单头双导程蜗杆;4—蜗轮;5—压盖;6—轴承套;7—锁紧螺母

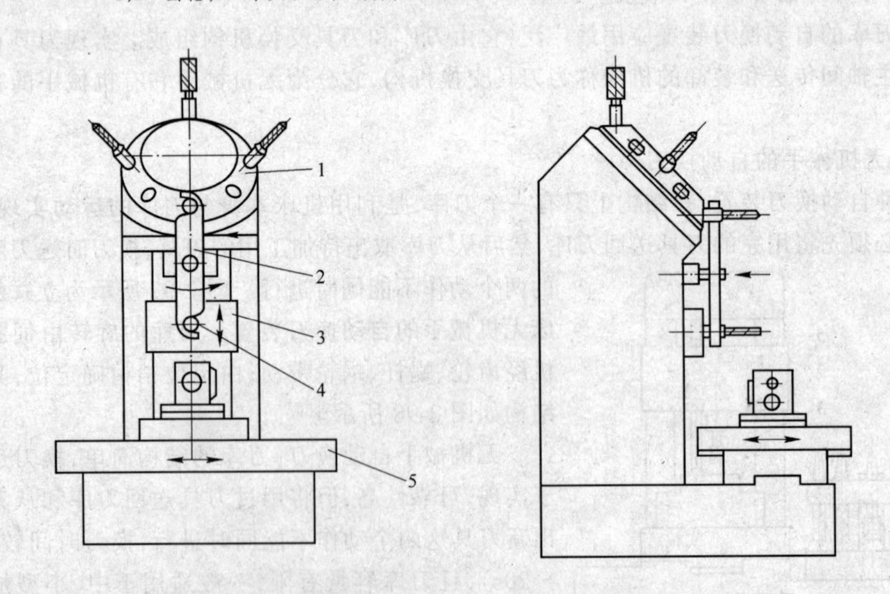

图 2-99 刀库、机械手联合动作的自动换刀装置

1—刀库;2—机械手;3—主轴箱;4—主轴;5—工作台

(1)机床加工时,刀库 1 按指令将准备更换的刀具转换到换刀位置;

(2)上一工步结束时,主轴 4 准停,主轴箱 3 退回原点准备换刀;

(3)机械手 2 由水平位置逆时针回转 90°,机械手两爪同时抓住刀库中待更换的刀具与

主轴上的刀具后，沿轴向外移，将两把刀具分别从刀库和主轴中拔出；

(4)机械手顺时针回转 180°，然后沿轴向里移动，将被交换的刀具分别插入主轴和刀库中；

(5)机械手逆时针回转 90°，返回到初始位置。

机械手自动换刀装置，换刀时间短，换刀动作灵活，是目前加工中心采用最多的一种形式。

2.8.4.2 链式刀库

A 链式刀库的结构与换刀位置

链式刀库由主动链轮、导向轮、带有刀套的链条和回零碰块等组成，图 2-100 为方形链式刀库的典型结构示意图。主动链轮由直流伺服电动机通过蜗轮减速机构驱动（根据结构需要亦可增加齿轮副传动），导向轮一般做成光轮，圆周表面硬化处理。左侧两个导向轮兼作张紧轮。调整回零开关的位置，可使刀套准确地停在机械手抓刀位置上，回零撞块可装在链条上，便于调整到任意位置上。刀库可以逆时针回零，也可以顺时针回零，但一种刀库只能从一个方向回零。从刀套的定位刚性考虑，链式刀库的换刀位置应设在主动链轮上，或者尽可能靠近主动链轮的刀套处。

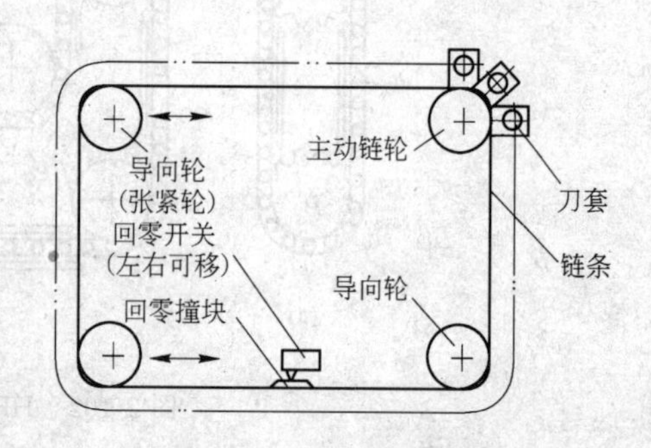

图 2-100 链式刀库的结构

B 链式刀库形式

链式刀库的形式很多，图 2-101 所示为由 SK 型悬挂式链条组成的几种链式刀库，由于受链条结构的限制，这种刀库只能是刀套“外转型”。当组成方形刀库时，不能利用中间空间。

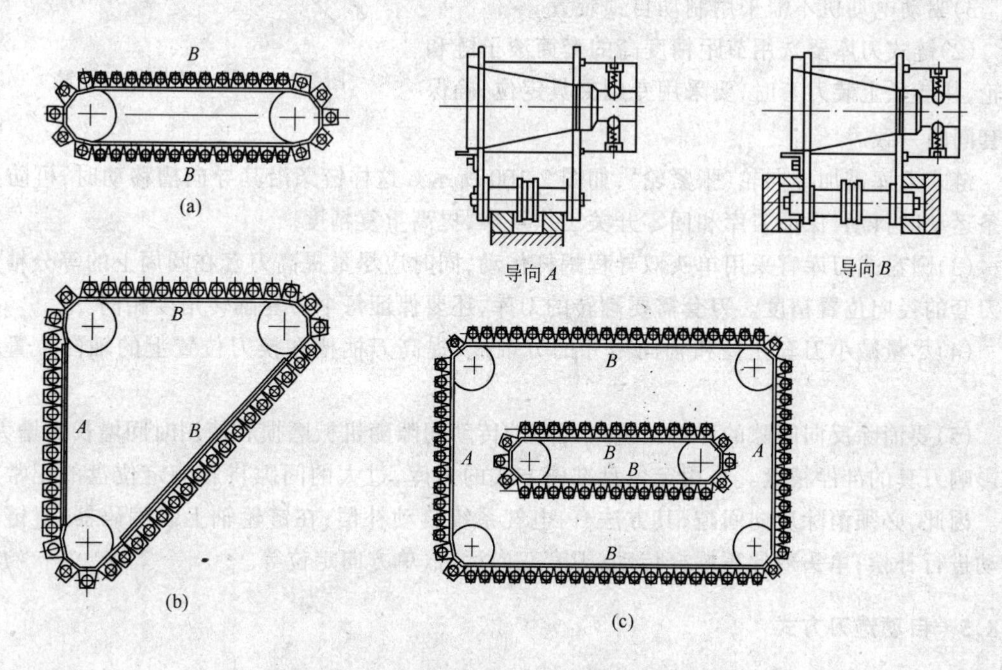

图 2-101 SK 型悬挂式链条链式刀库

图 2-102 所示为由 HP 型套筒式链条组成的 3 种形式刀库。这种刀库在刀套“内转”

时,不会发生刀套之间的干涉,刀库空间利用率比悬挂式高。

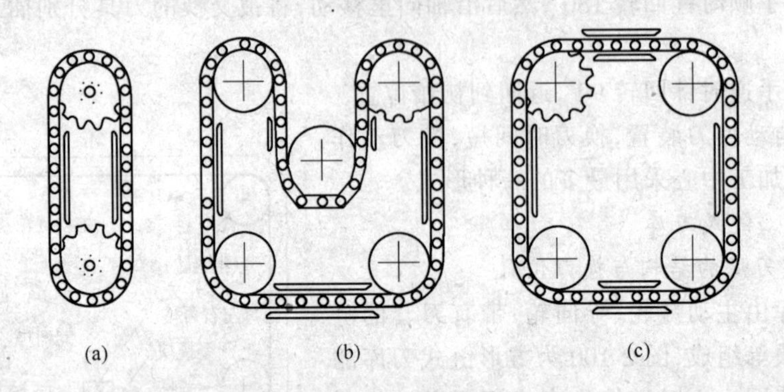

图 2-102　HP 型套筒式链条链式刀库

2.8.4.3　*刀套准停*

为实现换刀动作可靠,必须确保刀套准确地停止在换刀位置上,通常采取下列措施:

(1)定位盘准停方式。这种准停方式如图 2-103 所示,定位销(由液压缸推动)插入定位盘的定位槽内,实现刀套的准停。定位盘上的定位槽(或定位孔)的节距要相同,每个定位槽都对应一个相应的刀套。

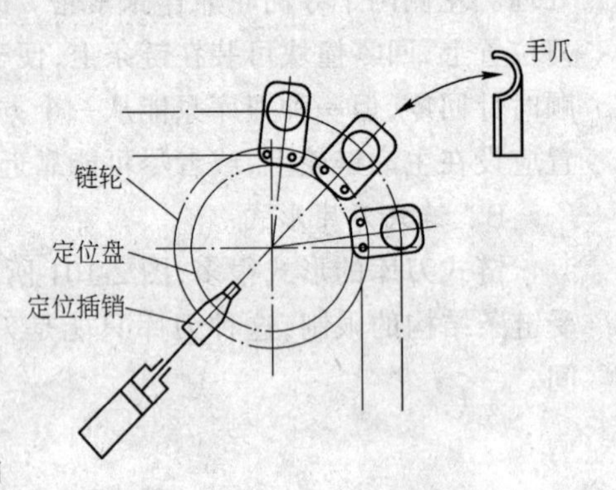

图 2-103　链式刀库换刀位置

这种准停方式的优点是:

1)有效地消除传动链反向间隙的影响;

2)传动链不受换刀撞击力;

3)驱动电动机不需采用制动自锁装置。

(2)链式刀库要选用节距精度高的套筒滚子链和链轮,往链条上装刀套时,要采用专用夹具定位,确保刀套间距一致。

链式刀库需加导向轮(张紧轮),如图 2-100 所示。这样链条沿其导向槽移动时,可防止链条运动时抖动,保证刀库和回零开关工作可靠,提高重复精度。

(3)圆盘式刀库宜采用单头双导程蜗杆传动,同时应尽量提高刀套在圆周上的等分精度和刀套的径向位置精度。刀套需要翻转的刀库,还要保证每个刀套翻转角度相同。

(4)尽量减小刀套孔径和轴向尺寸的分散度,提高刀柄槽在换刀位置上的轴向位置精度。

(5)要消除反向间隙的影响。链式刀库的传动间隙随机械磨损和使用时间增长而增大,会影响刀套的准停精度。采用定位盘准停方式的刀库,过大的间隙将影响定位盘的正常工作。因此,必须消除反向间隙,其方法有:电气系统自动补偿;在链轮轴上装编码器,对链轮传动进行补偿;单头双导程蜗杆传动;刀套双向运行,单方向定位等。

2.8.5　自动选刀方式

按程序指令从刀库中准确地调出所需刀具的操作,称自动选刀。自动选刀主要有以下两种方式。

2.8.5.1 顺序选刀方式

顺序选刀方式是按照加工工艺顺序,依次将刀具插入刀库的每一个刀套内,刀具插放顺序不能错,换刀时,将使用过的刀具放回原刀套。这种刀库不需刀具识别装置,但同一工序不同工步的相同刀具不能重复使用,增加了刀具数量,而且更换工件时,必须重新排列刀库中刀具的顺序。

2.8.5.2 任意选刀方式

目前大多数加工中心都采用任意选刀方式换刀,主要有刀具编码、刀套编码和软件随机选刀等方法。

A 刀具编码方法

刀具编码方法是对每把刀具进行编码,换刀时通过编码识别装置,在刀库中找出需要的刀具。由于每把刀具都有自己的代码,刀具可以存放在刀库中任何一个刀套中,这样刀库中的刀具在不同的工序中可重复使用,换下的刀具不一定放回原来的刀套中。这样既减小刀库容量,又避免由于刀具在刀库中顺序的差错所造成的事故。

刀具识别装置通常采用以下两种。

a 接触式刀具识别装置

编码识别装置固定在刀库上,刀具夹头上装有两种不同直径编码环,大直径的环表示二进制的“1”,小直径表示“0”。当刀库带动有编码环的刀具依此通过编码识别装置时,大直径编码环与触针接触,对应代码为“1”,小直径编码环与触针不接触,对应代码为“0”。如果读出的代码与所需刀具代码一致时,控制装置发出信号,刀库停止转动,所需刀具即停止在换刀位置上。

接触式刀具识别装置结构简单,但寿命短,可靠性差,不能快速选刀。

b 非接触式刀具识别装置

该装置不发生机械接触,具有寿命长、结构简单、换刀快等优点,有磁性识别和光电识别两种方式。

磁性识别方式是利用磁性材料和非磁性材料磁感应的强弱不同,通过感应线圈读取代码实现的。直径相同的编码环装在刀具夹头上,磁性材料(如软钢)编码环代表“1”;非导磁材料(如黄铜或塑料)代表“0”,当编码环通过线圈时,对应软钢编码环的那些绕组感应出高电位,其余绕组则为低电位,利用感应电压的大小,可识别刀具的编码。

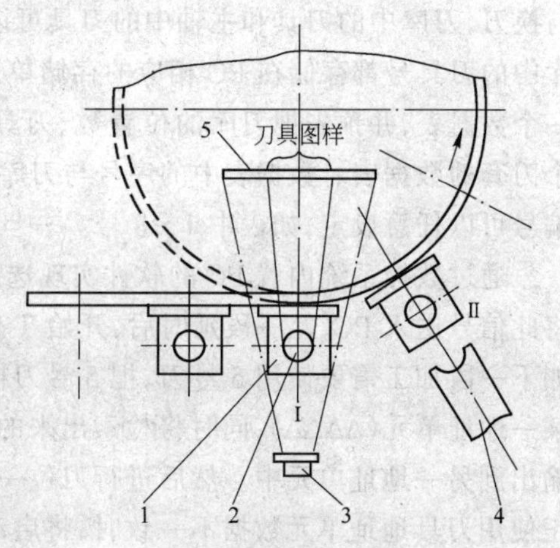

图 2-104 光电识别原理

光电识别方式的原理如图 2-104 所示。链式刀库带着刀座 1 和刀具 2 依次通过刀具识别位置Ⅰ时,投光器 3 通过光学系统将刀具外形及编码环投影到屏板 5(由无数光敏元件组成)上,并在其上形成刀具图样。装刀时,屏板 5 将每一把刀具的图样转变为对应的脉冲信号,经信息处理后存入存储器中。选刀时,当某一把刀具在屏板 5 上出现的“信息图样”与存储器中某刀具的“信息图样”一致时,控制装置发出信号,该刀具便停在换刀位置Ⅱ上,机械手 4 将该刀取出。这种识别系统，既能识别编码，又能识别图样，有很多优点，但系统价格昂贵。

B　刀套编码方法

刀套编码方法是对刀套、刀具分别编码，并将刀具放入与其编码相同的刀套中，然后根据刀套的编码选取刀具。这种编码方法取消了刀柄上的编码环，刀柄结构大大简化，使识刀装置可安装在较合理的位置。但换刀时，必须将用过的刀具放回原来的刀套内，否则会造成事故。与顺序选刀方式比较，刀套编码的优点是在加工过程中刀具可以重复使用。

圆盘形刀库的刀套编码装置如图 2-105 所示。刀套均布在刀库圆盘的圆周上，圆盘的外侧装有与刀套编码相对应的编码块 1，刀套识别装置 2 固定在刀库的下方。刀套识别原理同刀具编码识刀相同。

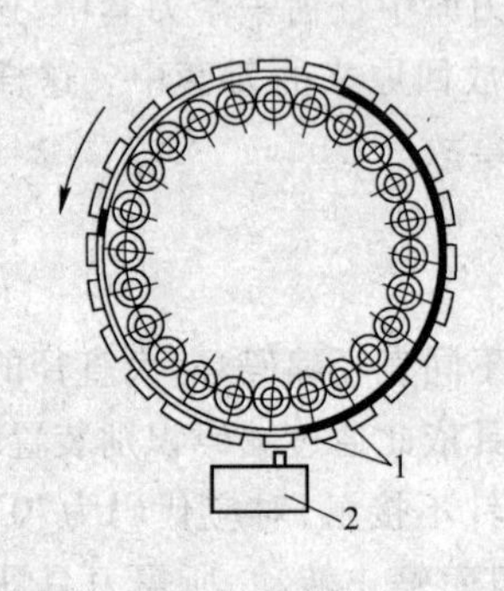

图 2-105　盘形刀库识别装置

1—数码块；2—识别装置

数据表地址	序号	刀号
×××	1	1
×××	2	2
×××	3	3
×××	4	4
×××	5	5
×××	6	6
×××	7	7
×××	8	8

×××× 5

ΔΔ ΔΔ 5

图 2-106　8 位刀库数据表

C　软件自动选刀

目前自动换刀装置主要采用软件(如可编程控制器，即 PC 的梯形图等)实现自动选刀与换刀，刀库中的刀具和主轴中的刀具可以任意地进行交换。主轴上换下来的新刀号及刀库中的刀具号都存储在 PC 相应的存储单元中。为实现自动选刀与换刀，需在 PC 内部设置一个数据表，并预先把刀库的位置数、刀具号等寄存在数据表中，图 2-106 所示为刀库有 8 个刀套的数据表。数据表中的序号与刀库刀套编号相对应，由于刀具本身不带编码环，刀具编号可以任意设定，如表中 1～8 号。一旦给某把刀编号后，这个编号不可随意更改。

通过数控系统内置 PC 的软件实现选刀与换刀，当 CNC 系统得到 T6 指令代码信号后，将此信号送入 PC，经一段延时后，开始 T 代码检索，将需要的新刀号从数据表中检索出来，如下一段加工需要使用 5 号刀，把 5 号刀检索出来后并将刀号 5 以 2 位 BCD 码的形式存入某一地址单元(ΔΔΔΔ)，同时将检索出来的 5 号刀所在数据表中的序号 5 也以 2 位 BCD 码输出到另一地址单元中。然后进行刀位一致性判别，当存放新刀具地址单元内数据与存放正使用刀具地址单元数据不一致时，将启动刀库回转，根据旋转控制指令，计算出刀库现在位置与目标位置相差步数，选择出最短旋转捷径。假定机床正使用的刀号是 8，驱动刀库反转 3 步找到 5 号刀位，CNC 系统发出指令，机械手将主轴上用过的刀具和刀库上选好的新刀进行交换。同时修改原使用刀具号地址内容，为下一次选刀做准备。当 T 功能完成，信号 TFIN＝1 时，报告 T 功能已完成。其选刀流程图如图 2-107 所示。

2.8.6 换刀机械手

多数加工中心采用机械手进行刀具自动交换，这是因为机械手换刀有很大的灵活性，而且可以减少换刀时间。机械手有多种结构型式，换刀运动也各不相同。

A 单臂单爪摆动式机械手

图 2-108 是做摆动运动的单臂单爪式机械手，手臂可以回转不同的角度进行换刀，手臂上只有一个夹爪，不论刀具在刀库上或在主轴上，均靠一个夹爪进行装刀和卸刀，换刀时间较长，适合于刀座轴线与主轴轴线平行的场合。

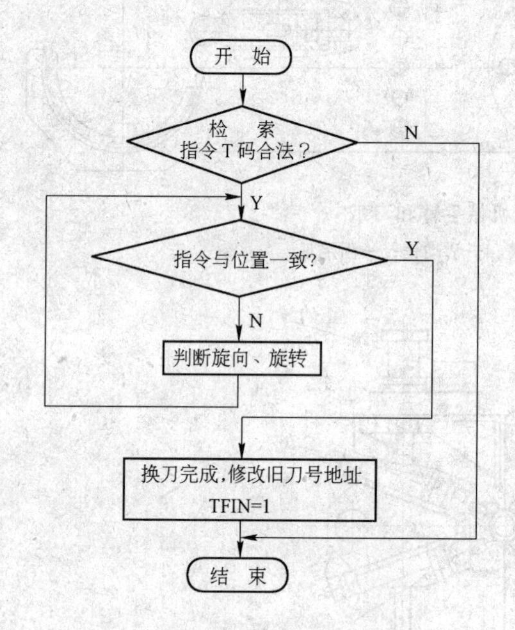

图 2-107 PC 软件选刀流程图

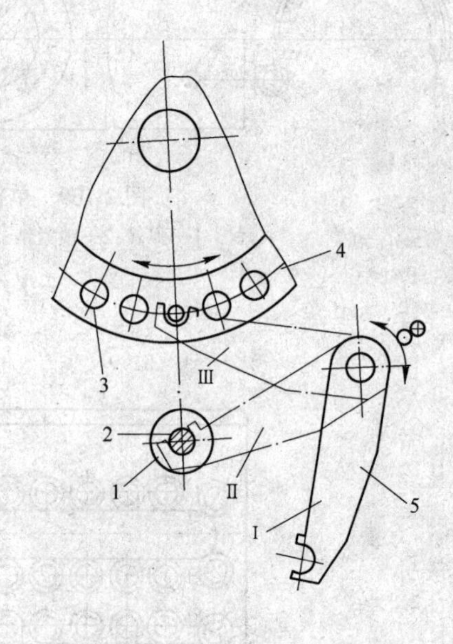

图 2-108 单臂单爪摆动式机械手

1—机床主轴；2—旧刀；3—新刀；4—刀库；5—机械手

B 单臂双爪回转式机械手

如图 2-109 所示，手臂上有两个夹爪，一个夹爪执行从主轴上取下用过的旧刀并送回刀库的工作，另一个夹爪则执行将从刀库取出的新刀送到主轴上的工作，它是目前加工中心采用较多的一种方式。刀库刀座轴线可以与主轴轴线平行安装，也可以与主轴轴线垂直安装。

手臂和刀爪结构如图 2-109 所示。机械手的拔刀、插刀动作，靠液压缸驱动来完成，手臂的回转运动，通过活塞推动齿条齿轮来实现。手臂的回转角度，是通过控制活塞的行程来保证。这种由液压缸活塞驱动的机械手应注意以下几个问题：

(1)液压缸活塞的密封不要过紧，否则会影响机械手的正常动作，要保证液压缸既不漏油，又动作灵活。

(2)机械手的每个动作结束之前均需要设置缓冲机构，以保证机械手的工作平稳、可靠。缓冲机构可以是小孔节流、针阀、楔形斜槽或外接节流阀等。

(3)尽量减小机械手的惯量，以使机械手工作平稳。

C 双臂单爪交叉式机械手

双臂单爪交叉式机械手如图 2-110 所示，1 为具有四排链的链式刀库，机械手装在支

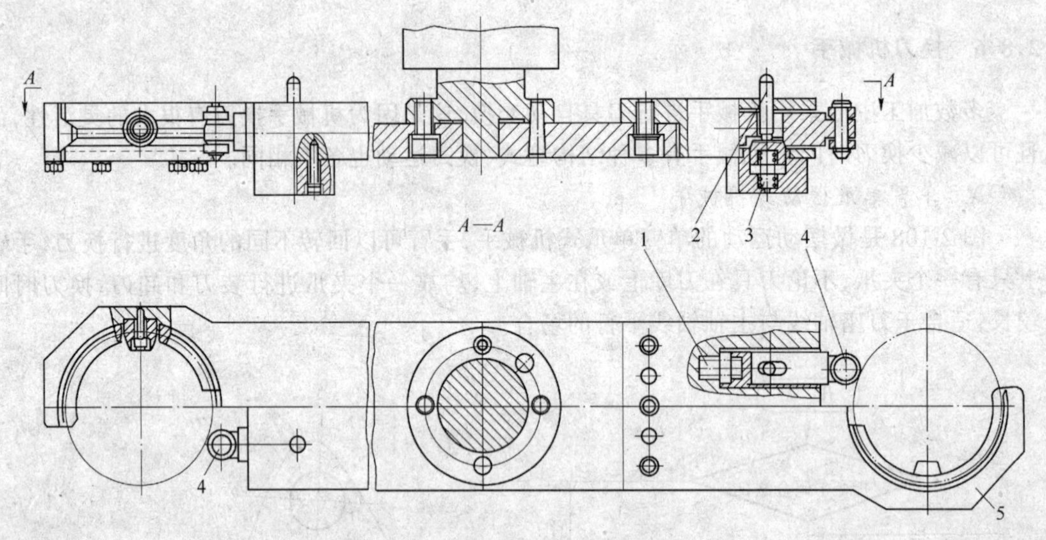

图 2-109　单臂双爪机械手臂和刀爪

1—弹簧;2—锁紧销;3—弹簧;4—活动销;5—固定爪

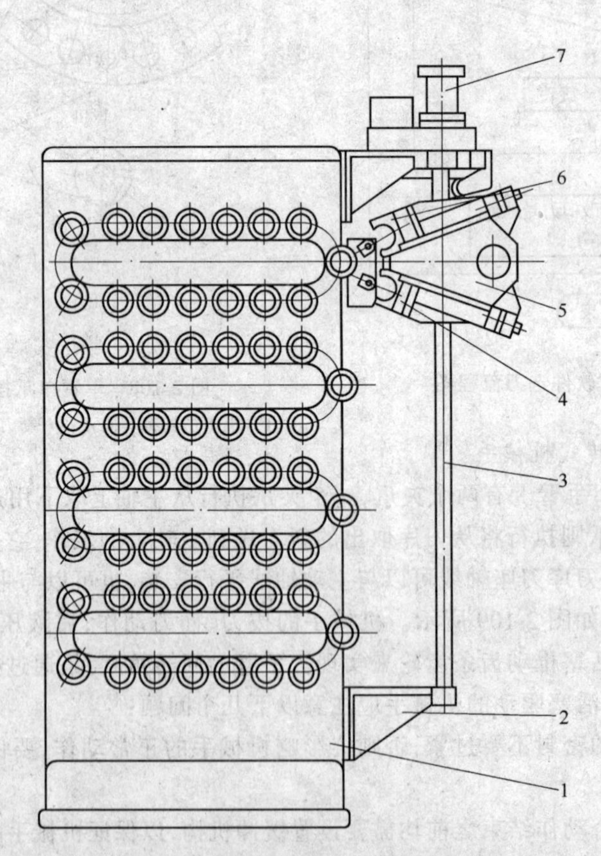

图 2-110　双臂单爪交叉式机械手

1—刀库;2—支架;3—导轨;4—卸刀机械手;5—刀架;

6—装刀机械手;7—马达

架 2 上。换刀时,机械手刀架 5 由马达 7 驱动沿两根圆柱导轨 3 垂直移动,并可停留在四排刀链的任一个换刀位置上。为了在刀库和主轴上装卸刀具,刀架 5 可转 180°,并由平滑板带动沿刀具轴线方向作直线移动，同时装刀机械手 6 和卸刀机械手 4 可在刀架 5 上沿自身导轨作直线往复移动，以装卸刀具。

2.9 机床控制系统设计

机床为了完成复杂的切削加工，需要保证各种运动协调有序地进行，必须设计一套完善可靠的控制系统。一般机床，要对有关部件、机构、装置或系统（如机械、液压、气压、润滑与冷却等）进行控制；自动或半自动机床，还要对自动或半自动循环进行控制。

控制系统功用是实现机床各种运动及其转换顺序的控制，例如运动的启动、停止、制动、变速、换向，运动部件的松夹、换位、定位、运动轨迹及行程，换刀、测量及送夹料等。

对控制系统的要求是方便直观，安全可靠，准确迅速。

机床控制系统分为手动、机动和自动控制三种：①手动控制系统是由人操纵手柄、手轮等，靠机械传动来实现控制要求。其结构简单、成本低，但操作费时费力，可用于一般机床控制。②机动控制系统是由人发出指令（如按钮、液压预选阀），靠电气、液压或气压传动来实现控制要求。其操作方便，省时省力，但成本较高，多用于对生产率有明显影响或操纵力较大的场合。③自动控制系统是由发令器官自动发出指令进行控制，可用于自动化或半自动化机床。

2.9.1 手动与机动控制系统

手动与机动控制系统在一般机床上得到广泛应用，通常称为操纵机构，由四部分组成：

(1)操作件。发出操纵指令的元件，如手柄、手轮、把手及按钮等。

(2)执行件。拨动被操纵件（如滑移齿轮、离合器等）使之运动的元件，如滑块、拨叉及拨销等。

(3)传动件。将操纵运动传递给执行件的元件，包括机械、液压、气压及电气的传动元件等。

(4)控制件。控制操纵运动按一定方向或行程传递给执行件的元件，如公用凸轮、孔盘、机械预选器及液压预选阀等。

上述前三种元件是一般操纵机构必备的组成部分，对于某些较复杂的集中操纵机构还具有控制件。

操纵机构按控制的执行件数量不同可分为：

(1)单独操纵机构。是一个操作件只控制一个执行件的操纵机构。当执行件数量较多时，操作件也相应增多，又称多手柄或分散操纵机构。结构简单、动作可靠，但操作件较多时，使用不方便，操作时间长，难于记忆等。这种机构多用于执行件较少、操纵不频繁的机床。

(2)集中操纵机构。是一个操作件可控制两个或更多执行件的操纵机构，又称单手柄操纵机构。这种机构使用方便，操作时间短，但结构较复杂，多用于执行件较多、操纵较频繁的机床。

根据使用要求和结构特点，机床也可同时采用集中操纵和单独操纵机构，结构不致过于复杂而使用又较方便。

2.9.1.1　单独操纵机构

单独操纵机构是机床操纵机构的基本结构类型,其中用于轴向滑移操纵较为普遍。单独操纵机构的结构形式较多,根据执行件拨动被操纵件的方式不同,又可分为摆动式和移动式两种。

A　摆动式操纵机构

常用的摆动式操纵机构见图2-111。手柄1经手柄轴2、摆杆3,通过销轴4使滑块5拨动被操纵件滑移齿轮6,沿轴7做轴向滑移,即通过摆杆-滑块来拨动被操纵件,靠手柄座上的钢球定位。这种操纵方式结构简单,应用普遍。由于摆杆回转时,滑块轴心的运动轨迹为一圆弧,因此滑块在拨动齿轮轴向移动的同时,还要沿其环形槽壁滑移,则相对齿轮的轴心线产生偏离,如图2-112(a)所示,O-O为滑移齿轮轴心线。设齿轮的轴向推力F及摆杆半径R为一定,则齿轮滑移距离s越大,滑块偏离量e也越大,滑块所需拨动力F_0相应增加,操纵越费力。当s过大时,滑块还有可能脱离齿轮环形槽而失去正常操纵能力。所以这种操纵方式适用于被操纵件移动距离较小的场合。

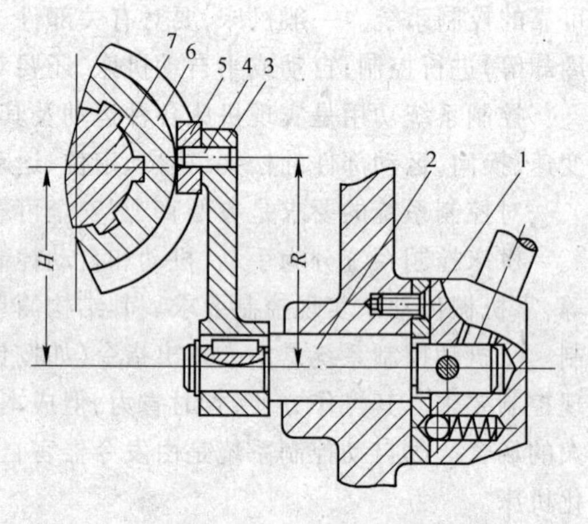

图2-111　摆动式操纵机构

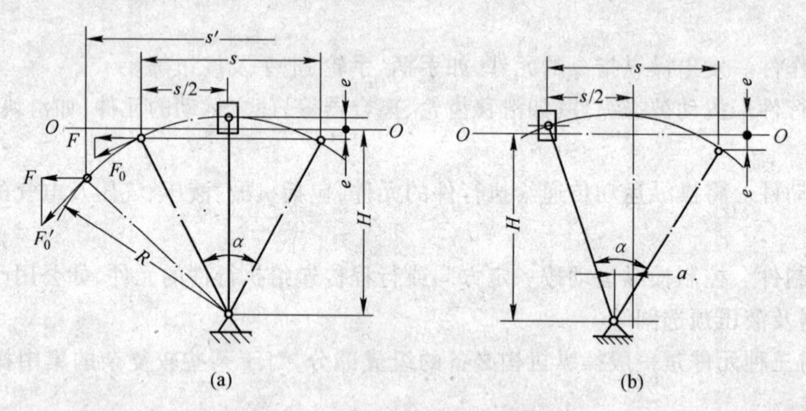

图2-112　摆动式操纵原理图

为了减小偏离量e,通常采用对称摆动式结构,即摆杆轴心布置在滑块左右两个极限位置的中间对称位置上,如图2-112(a)。根据摆杆轴心线与滑移齿轮轴心线间的距离H、摆杆的半径R及摆角α、滑块的偏离量e及滑移距离s之间的关系,由图2-112(a)可得

$$e=\frac{s^2}{16H} \tag{2-63}$$

为保证滑块正常工作,要求$e \leqslant 0.3L$(L为滑块长度),可得

$$\sin\frac{\alpha}{2}=\frac{s}{2R}=\frac{s}{2(H+e)} \tag{2-64}$$

为避免摆角α过大,使操纵费力,要求$\alpha \leqslant 60° \sim 90°$,通常$\alpha \leqslant 60°$,可得

$$H \geqslant s \tag{2-65}$$

但是,H 值亦不可过大,否则因摆角 α 过小,使操纵机构准确定位有困难,而且结构也不紧凑。

摆动式操纵机构设计注意事项:

(1)合理选择滑块结构型式。通常采用矩形或圆形标准件,其中矩形滑块应用普遍。若被操纵件要求推力小且高速转动时,可采用圆形滑块,其摩擦表面小,但要求槽宽尺寸较大。当销轴垂直放置时,滑块容易靠在被操纵件的转动表面上,增加磨损与发热,这时可采用钳式滑块(图 2-113),夹持在轮缘或凸缘上进行拨动,但结构较复杂。

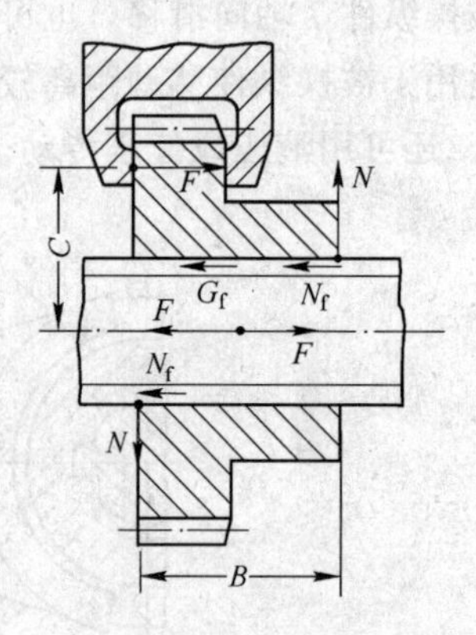

图 2-113 单边拨动齿轮受力简图

(2)减小滑移摩擦阻力。如图 2-113 采用单边拨动滑移齿轮时,结构简单、便于装配,应用广泛,但会产生偏转力矩。在操纵过程中,为了顺利推动齿轮滑移,其推力 F 必须克服齿轮孔与轴之间的摩擦阻力,该阻力是由齿轮重力所产生的摩擦力 Gf 和齿轮倾斜所产生的附加摩擦力 $2Nf$ 所组成。为了减小滑移阻力,可采取下述措施:减少 C/B 值,当推力臂 C 较大、齿轮孔的滑移长度 B 较小时,齿轮会卡住而无法滑移,最好选取 $C/B<1.0$,一般 $B=(1\sim2)d$,通常 $B=(1.2\sim1.5)d$(d 为导向轴径)。若齿轮结构使 C/B 值较大时,可采用两边对称拨动齿轮,使推力通过或接近齿轮轴心线,操纵省力,但结构较复杂,装配不方便。配合间隙要适当,通常选用 H/g 或 H/f。齿轮孔边倒角,可避免齿轮孔的边棱卡轴,最好倒圆角,取 $r=0.8\sim1$mm。提高齿轮孔与轴的配合表面质量,改善润滑条件等。

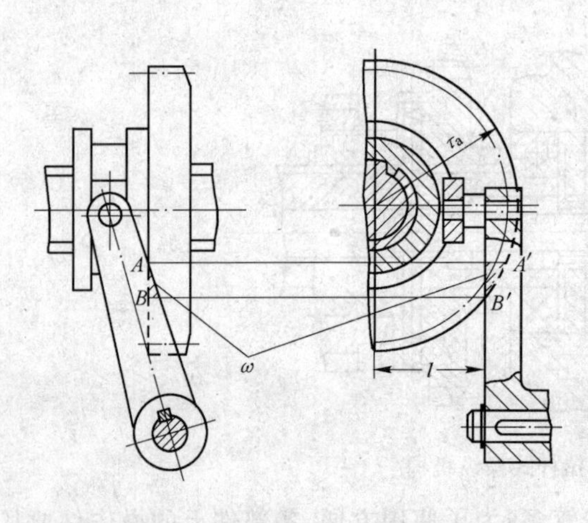

图 2-114 摆杆与轮缘相碰检查

(3)避免摆杆与轮缘相碰。为了改善操纵性能,提高滑块销轴刚性,摆杆应尽可能靠近滑移齿轮。但是,当摆杆至齿轮轴心线的距离 l 小于齿轮顶圆半径 r_a 时,应注意绘图检查摆杆是否与轮缘相碰。如图 2-114,摆杆向左拨动齿轮至极限位置时造成二者相碰(阴影线为相碰区 w),实际上齿轮无法到达左位,这是不允许的。为使摆杆避免与轮缘相碰,可采取下述措施:适当增大摆杆半径、减小摆角,使摆杆右侧面躲离 AB 线段;采用畸形摆杆,使其右侧面躲离 AB 线段;采用非对称摆动式操纵,如图 2-112(b)摆杆轴心偏离中间对称位置,向相碰区方向偏移,使摆杆右侧面躲离 AB 线段,但偏移量 a 不可过大,否则引起滑块偏离量 e 增加而恶化操纵性能,因此,只有当出现相碰情况或结构不允许采用对称式时,才选用非对称摆动式操纵;增大摆杆至齿轮轴心线间距离 l,使摆杆前面超越 A'点才不致相碰;若摆杆的前面超越轮缘则不会造成相碰现象，但销轴刚性有所减弱；可采用钳形滑块拨动轮缘；改变齿轮结构或者采用移动式操纵机构。

B 移动式操纵机构

a 导杆移动式操纵机构

图 2-115 手柄 1 经手柄轴 2，通过齿轮 3、齿条 4 传动，使拨叉 6 沿导杆(轴)5 移动，拨动被操纵件 7 轴向滑移。也可采用钳形拨叉拨动轮缘或凸缘。这种操纵方式结构较复杂，但适用于被操纵件移动距离较大的场合。拨叉滑移的传动可采用多种形式，除上述机械传动外，还可用液压或气压传动。

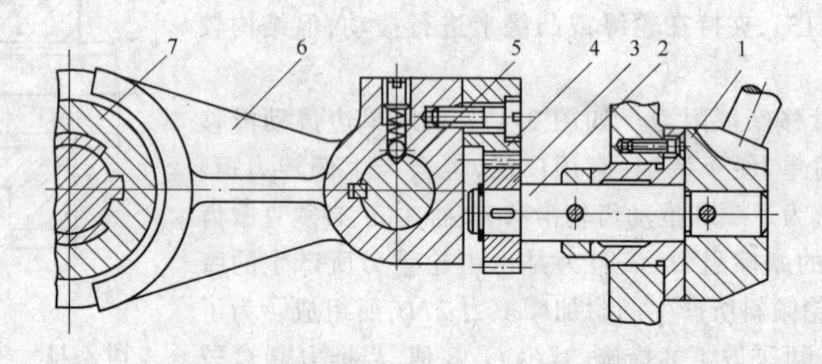

图 2-115 导杆移动式操纵机构

b 轴心拉杆式操纵机构

轴心拉杆式(轴心提拉式)操纵机构如图 2-116 所示，压力油通过液压缸 1，推动轴心拉杆 2、拨销 3 使齿轮 4 沿传动轴 5 滑移。由于拨销直接推动滑移齿轮，无偏转力矩作用，故操纵平稳轻便，径向结构紧凑，特别适用于立轴传动，可解决拨叉滑动磨损问题；但传动轴空心且带通槽，使其强度及刚度有所削弱，轴向尺寸较大。

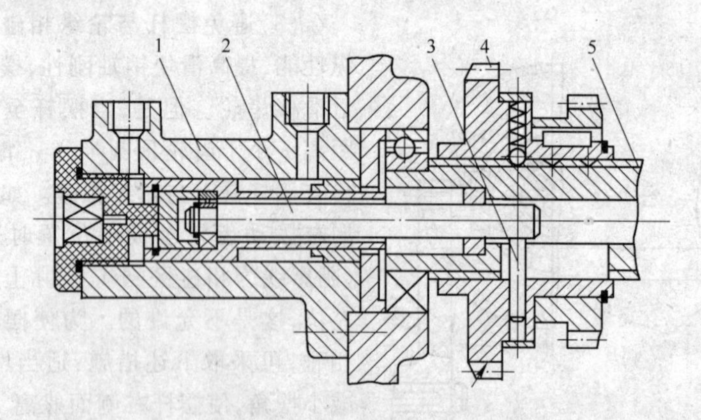

图 2-116 轴心拉杆式操纵机构

采用单独操纵机构时，机床上的手柄往往较多，为了使用方便，各部件上的操作件要尽可能布置在一个区域内，或者将两个操作件装于同一个轴线上(套装式结构)。

2.9.1.2 顺序变速操纵机构

机床集中变速操纵机构可分为顺序变速、选择变速及预选变速等三种。

顺序变速是指速度的变换须按控制件既定顺序进行的一种变速方法。其操作件与执行件间的传动联系不能断开，从某转速变换到另一个转速时，要经过二者之间由控制件决定的所有转速位置而不能超越。这种操纵机构的特点是：结构简单，工作可靠；但在变速操纵过程中，被操纵件常出现重复或多余的移动，顶齿机会较多，齿端易磨损，变速较费时、费力，故适用于转速级数不多的场合。

控制件是顺序变速操纵机构的核心元件，一般采用盘形或柱形凸轮，因盘形凸轮结构尺寸较小，故多应用。图 2-117 所示四级变速系统采用两个双联滑移齿轮实现，即 $z=2\times2=4$。由转速图 2-117(b) 可列出图 2-117(c) 滑移齿轮 A 和 B 的位置表，现采用盘形公用凸轮控制件操纵，凸轮曲线由半径分别为 r_0 和 r_1 的两段圆弧与两段直线组成，如图 2-118。

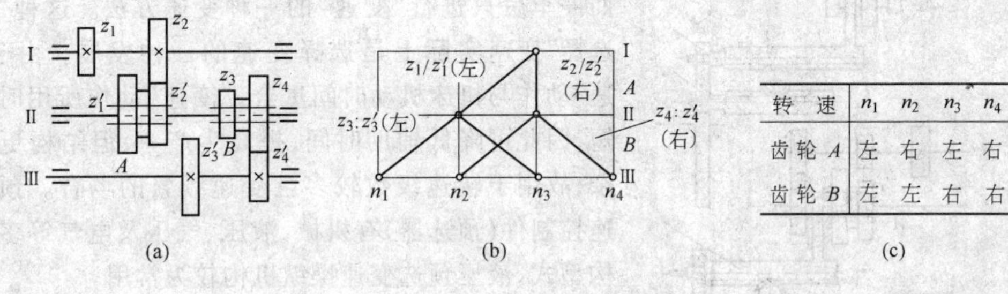

转　速	n_1	n_2	n_3	n_4
齿轮 A	左	右	左	右
齿轮 B	左	左	右	右

图 2-117　$z=2\times2=4$ 级变速系统

滚子 a 和 b 在同一条封闭形凸轮曲线上的 4 个定位点是公用的。转动凸轮依次到各变速位置时，滚子 a 经过的 4 个定位点状态排列为 0011，与滚子 b 经过的 4 个定位点状态排列 0110 是同一个循环排列，后者仅是左移一位，如图中下表斜线所示。滚子 a、b 所构成的 4 种定位点状态排列为 00,01,11,10，所得转速顺序是混杂的。这种公用凸轮，因定位点数量最少，凸轮曲线性能好，结构简单紧凑，便于制造，故得到广泛应用。但对各滚子之间的相对位置有一定要求，而且所得转速顺序是混杂的。

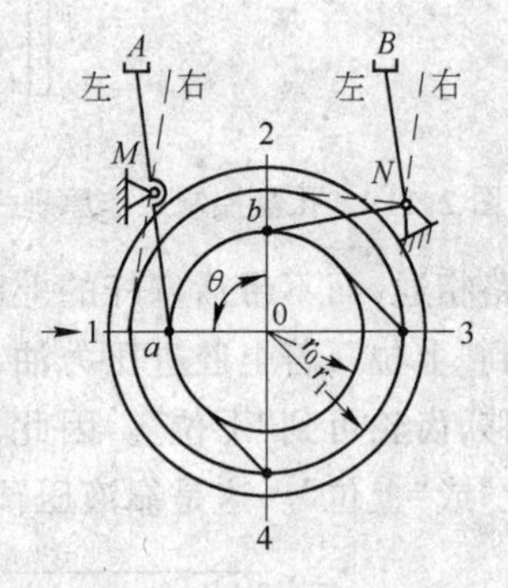

变速位置	1	2	3	4
滚　子 a	0	0	1	1
滚　子 b	0	1	1	0
转　　速	n_1	n_3	n_4	n_2

图 2-118　公用凸轮操纵工作原理

2.9.1.3　选择变速操纵机构

选择变速是指对于所选择的转速能直接进行变换的一种变速方法，即变速时先断开操作件与执行件间的传动联系，再选择需要的转速，最后重新拨动被操纵件，可超越其间的有关转速而直接变换，故又称越级变速。这种操纵机构的特点是：变速过程中被操纵件的移动次数少，顶齿机会较少，齿端磨损小，变速较省时、省力，但结构复杂，故适用于转速级数较多的场合。选择变速控制件的结构型式较多，可采用孔盘、缺口杯轮（或称碗状凸轮）及缺口锥轮（或称锥面凸轮）等。现介绍孔盘变速工作原理。

各滑移齿轮分别由齿条轴的拨叉拨动。齿条轴的移动和到位都是靠同一个孔盘（又称多孔盘）控制，并由每对齿条轴与中间齿轮传动实现。见图 2-119，以滑移齿轮 A 的操纵过程为例，说明其工作原理。图 2-119(a) 齿轮 A 在左位，带拨叉的齿条轴称为主齿条轴，其控制轴端 a 相对于孔盘上的定位点状态为“无孔”，而另一不带拨叉的辅齿条轴，其控制轴端 a' 相对于孔盘上的定位点状态为“大孔”，故可进入孔中。当齿轮 A 需要移动至中位时，可先将孔盘退出并转动“选速”，再将孔盘推入“变速”，见图 2-119(b)，这时 a、a' 相对孔盘上的定位点状态均变为“小孔”，则孔盘推动 a' 左移，并经齿轮传动 a 右移，使之进入小孔，直至齿轮到达中位。齿轮 A 再需要移动至右位时，如图 2-119(c)，a' 被孔盘上的“无孔”推动左移，并传动 a 右移，使之进入大孔，直至齿轮到达右位。

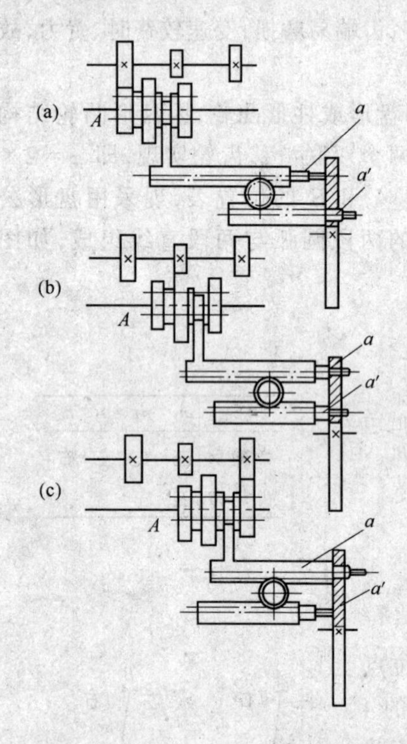

图 2-119 孔盘控制工作原理

2.9.1.4 预选变速操纵机构

预选变速是指在机床运转过程中可预先“选速”，而停车后只进行“变速”的一种变速方法。这种“预先选择”变速实际上是选择变速的一种发展。由于“选速”动作与机床机动时间重合，“变速”动作所用时间较短，因此可降低辅助时间，提高生产率，但结构更为复杂，故用于转速级数较多且变速频繁的场合。预选变速控制件(预选器)有机械、液压、气压及电气等多种结构型式，液压预选变速操纵机构较为常用。

图 2-120 为某摇臂钻床主传动液压预选变速工作原理图。滑移齿轮 A、B、C、D 各有上、下两个位置，可实现 16 级转速，即 $z=2\times2\times2\times2=16$。四个滑移齿轮分别由相应液压缸活塞杆拨动，属于轴心拉杆式操纵(图 2-116)。差动液压缸带活塞杆的下腔始终与压力油路相通，而不带活塞杆的上腔则接控制油路。若上腔不进压力油时，活塞杆向上移，使齿轮到“上位”；若上腔进压力油，因上腔活塞面积大于下腔活塞面积，产生压力差，使活塞杆向下移，齿轮可到“下位”。因此，只要控制液压缸上腔“进油”或“回油”，就能操纵齿轮到达“下位”或“上位”。这是靠液压预选变速控制件即预选转阀实现的。

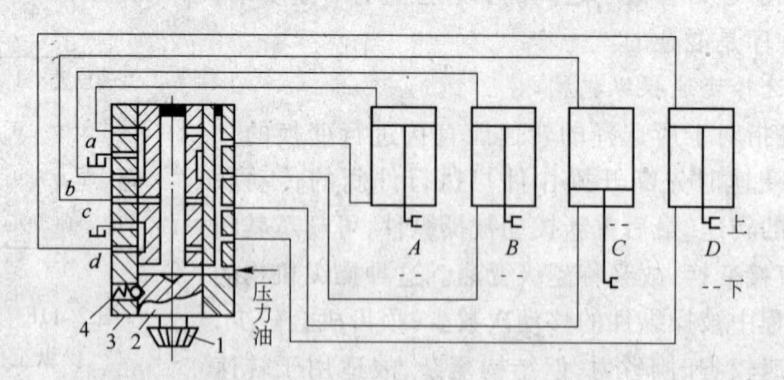

图 2-120 液压预选变速工作原理

预选转阀采用径向配油要比端面配油用得多，如图 2-120 所示，转阀主要是由手柄 1、阀芯 2、阀体 3 及定位装置 4 等组成。四个液压缸上腔控制油路的控制端(即管接头)a、b、c、d，在阀芯相应横截面圆周上各有 16 个定位点(油孔)，或是钻孔与阀芯轴心油路中的压力油相通，或是开轴向槽与油池相连。

液压预选变速操纵过程:在传动系统运转情况下,即可转动手柄1"选速",使阀芯2旋转到需要的挡位上(通过定位装置4使阀芯定位),这时预选转阀尚未接通压力油,故各滑移齿轮在定位装置的作用下仍停留在既定位置;停车后再进行"变速",即搬动主操纵阀(图中未画)使预选转阀接通压力油,则根据各控制油路通油与否,而推动四个活塞杆(滑移齿轮)到达应去的位置。如图2-120所示,齿轮A、B、C、D的到位状态为"上上下上"。最后,由主操纵阀切断压力油,完成变速操纵。

液压预选变速机构具有使用方便,操纵省力,生产率高等特点,因此得到广泛应用。

2.9.1.5 消除齿轮变速顶齿的措施

若在较高速度运转时变速,滑移齿轮很难进入啮合位置,而且会引起较大冲击,造成齿端严重磨损甚至损坏,即所谓"磨齿"和"打齿"。因此,一般采用停车变速,但又常因齿轮"顶齿"而不能进入啮合位置,即使改善齿轮"顶齿"部位的结构形状(如齿端倒角、内齿改用短齿等),只是减少顶齿机会,却无法消除顶齿现象。只有当齿轮在较低速度运转下进行变速,才能容易进入啮合位置,而不致产生顶齿现象或引起较大冲击,其相对运转速度一般不大于8m/min。

若正当齿轮"顶齿"时,最简单的解决办法是用手搬动主轴或其他传动轴,使其略微转动,同时推动齿轮进入啮合位置,但操作费时费力。在转速级数较多、变速较频繁的场合,为了消除顶齿现象,可使齿轮在变速过程中产生低速连续转动或断续转动(寸动),即所谓"缓速"。其缓速方式主要有以下几种。

(1)电动机点动。可采用人工点动、手柄点动(变速手柄与点动开关联动)和自动点动(用时间继电器控制电动机连续点动)。

(2)离合器缓速。可使电磁离合器通、断数次或使液压离合器延迟接合,以便齿轮在低速状态下滑入啮合位置。

(3)缓速传动链。在变速过程中,接通专用缓速传动链或采用单独变速用动力源及其传动链,使传动系统在低速下转动,当齿轮滑入正常啮合位置后再接通工作传动链。

2.9.1.6 定位装置

在操纵过程中为了使被操纵件准确到达所要求的各个位置,而在工作中又不能自行脱离既定位置,必须具有定位装置,实现被操纵件"到位"的定位。定位装置的合理与否对操纵机构的定位是否准确可靠,操作是否灵活方便以及结构工艺性等都有直接影响。

A 定位装置基本形式

钢球定位,柱销定位,锥销定位及槽口定位。

图2-111、图2-115为钢球定位,钢球在弹簧作用下压入定位坑中实现定位,通常定位坑的锥角为90°,为使钢球压入坑深是其直径的1/3,坑边直径可与钢球直径相等。钢球定位结构简单,使用方便,制造容易,零件已标准化,应用普遍。但钢球的定位力不大(有时可通过弹簧调整),定位不够准确可靠,故在机床振动较大、被操纵件工作中受较大轴向力或定位准确性要求较高的情况下不宜采用。此时可用其他三种定位装置,定位力较大,定位较准确,但结构复杂,使用不够方便。

B 定位装置的安放位置

定位装置可安放在操纵机构的各组成部分及被操纵件上,应根据使用、结构和制造要求来确定。定位装置放在操纵件上(图2-111)时,结构简单,装配、调整较容易,但因传动环节多,被操纵件的定位准确性较差。反之,定位装置放在被操纵件上(图 2-116)时,定位准确性好,但需要在传动轴上配钻定位坑,铁屑容易落于箱内,调整、装配也不够方便。定位装置放在其他元件上(图 2-115),性能介于上述二者之间。

操纵机构虽具有定位装置,但在操纵过程中也会发生被操纵件超越两端定位的现象,可能与箱壁或其他零件相碰,造成磨损甚至破坏。因此,为了防止被操纵件越位,特别是集中变速操纵机构,除本身具备限位作用(如凸轮、孔盘)者外,都需要安装限位件如挡套、弹性挡圈等。

2.9.2 自动控制系统

2.9.2.1 自动控制系统组成

自动控制系统由三部分组成:

(1)发令器官。用于发出自动控制指令,如分配轴上的凸轮和挡块、挡铁-行程开关、插销板、仿形机床靠模、压力继电器、速度继电器,自动量仪以及计算机控制程序等。

(2)执行器官。用于最终实现控制作用的环节,如滑块、拨叉、拨销、电磁铁、电动机或液压马达、机械手等。

(3)转换器官。用于将发令器官的指令传送到执行器官,它可以是简单的传动件,如杠杆;但多为在传递过程中改变指令的量和质,量的转换器官可把指令的量放大或缩小,如液压随动系统或电伺服系统等,质的转换器官可把电指令转换为液压或气压指令。

2.9.2.2 自动控制系统类型

机床自动控制系统类型很多,可从不同角度进行分类。

A 按控制系统有否反馈分类

(1)开环控制系统。指令程序及特征是预先规定的,没有监测反馈装置,不会因工作部件实际执行指令的情况而改变,如图 2-121(a)。其优点是系统简单,缺点是工作部件的实际运动和原指令的要求可能出现误差,该误差不能自动消除,因此精度和可靠性较差。

(2)闭环控制系统。这种系统有监测反馈装置,工作部件的运动通过测量装置转换成与原指令形式相同的反馈信号,送到比较装置中与原指令进行比较,见图 2-121(b)。当两者不符时,产生的误差信号使工作部件向误差减小的方向运动,直到实际运动与指令要求运动的误差在允许范围内为止。可见误差信号不仅与预先规定的原指令有关,而且与工作部件实际运动的情况有关,因此精度和可靠性都较高,但系统复杂。

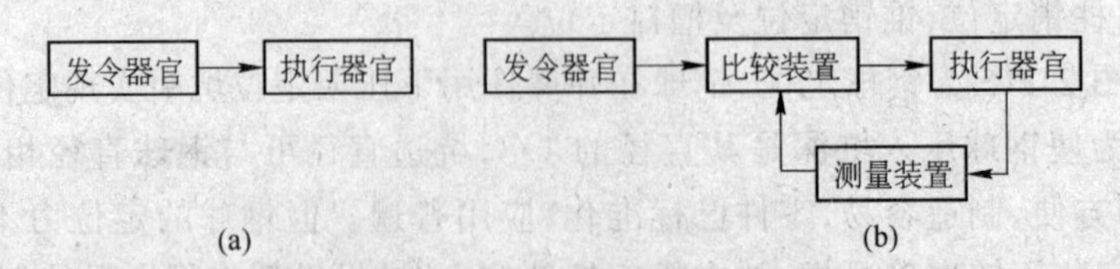

图 2-121 开环和闭环控制系统

B 按指令控制方式分类

(1)时间控制系统。常用凸轮元件,将各部件的动作时间和运动行程信号都记录在凸轮上,凸轮作为发令器官安装在分配轴或辅轴上。分配轴按一定周期旋转,使之控制各部件完成要求的自动工作循环,如纵切自动车床。时间控制系统都是开环的,当工件改变时,需要更换凸轮，调整时间较长，可用于大量生产的自动机床。

(2)插销板控制系统。用插销板作为记录信息的程序单，可控制工作部件变换不同的工作顺序，使用方便，简单可靠，多用于多刀半自动车床。

(3)继动控制系统。包括压力控制、速度控制和行程控制，即压力反馈、速度反馈和行程反馈，继动控制是闭环的。压力控制多用于连锁保护装置，如机床的气压或液压夹具为确保安全可靠，只有当夹具保证夹紧后，即气缸或液压缸中压力达到一定值后，才允许进行加工。又如精密机床为保证充分润滑，要求润滑系统压力达到一定值后才能进行加工。速度控制用于当外载变化时保持运动速度的恒定，如数控机床进给伺服系统中测速发电机作为转速传感器，当载荷变化时，伺服电动机转速发生变化，测速发电机感知后，可自动调整伺服电动机的转速进行补偿。行程控制是最常见的一种，当某工作部件运动到规定位置时，其上挡块压下一个行程开关，使之停止或快退，同时接通另一部件运动；同理，当该部件运动到规定位置时也压下一个行程开关，使之停止，同时也发出接通又一个部件运动的指令，依此类推。行程控制的各部件动作顺序不变，行程由各自可调挡铁的位置来决定，因此工作安全可靠，但发令器官分散，调整费时，系统较复杂，多用于控制较简单的工作循环。

(4)适应控制系统。在数控机床切削加工过程中，随时检测加工状态，根据给定的目标函数和约束条件，自动地修改加工系统参数，使之达到或接近最佳值，适应控制系统有三个功能：对切削的某些过程参数，如切削力、切削热、转矩等瞬态值，进行在线监测，与给定值或最佳值进行不断地比较与分析，即对于切削状态的识别功能；按照目标函数和约束条件，对切削状态的识别结果进行优化的决策功能；调整调节器参数，根据决策结果进行校正功能。目标函数是指在某方面希望达到的最佳值数学模型，如最大生产率、最低成本或一定的加工精度等。校正参数即调整参数，是经过识别和决策后，用于修改调整机床工作的某些参数，如切削速度、进给量或切削深度等。机床适应控制是以切削过程作为调节对象，以机床系统作为调节器的闭环控制系统。这种优化控制系统的成本较高，某些监测装置还处于研制阶段。

C　可编程序控制器

可编程序控制器(PC或PLC)是一种数字运算操作的电子系统，专为在工业环境下应用而设计的，它采用可编程序存贮器，用于其内部存贮程序，执行逻辑运算、顺序控制、定时、计数和算术操作等面向用户的指令，并通过数字式或模拟式输入输出控制各种类型的机械或生产过程。PC已发展成为新一代的工业控制装置，是当今工业自动化领域中的重要支柱。

PC是一个接口装置完善的工业控制计算机，根据控制要求可以方便地对模块化硬件结构进行组合，程序编制采用了面向控制过程和实际问题的多种“工程化语言”。PC按控制点数可分为大型(1000点以上)、中型(100点以上)和小型三个档次，都可进行计算机联网通讯。小型PC基本用于逻辑控制，大、中型PC由于运行速度快，不仅可进行逻辑控制，还可进行模拟量计算及复杂运算。使用时可根据控制规模来选择适当的PC，一般机床采用小型PC较多，用于逻辑控制。

在PC多种编程的工程语言中，图形语言最为方便，其中最常用的是梯形图语言(又称继电器语言)，可在图形编程器上直观地进行编辑、修改。有时一台PC有多种语言，可供各种类型、层次的工程技术人员使用。

复习题与习题

1. 机床产品的评价指标主要有哪些，如何改善这些指标？

2. 机床初步设计包括哪些主要内容？

3. 机床的主参数和尺寸参数如何确定？

4. 机床的运动参数如何确定？其驱动方式和动力参数如何确定？

5. 机床主轴转速采用等比数列的主要原因是什么？

6. 机床主轴转速数列的标准公比值有哪些？其制订原则是什么？

7. 选定公比值 φ 的依据是什么？

8. 设计某规格机床，若初步确定主轴转速为 $n_{\min}=32\text{r/min}$，$n_{\max}=980\text{r/min}$，公比 $\varphi=1.26$，试确定主轴转速级数 Z，主轴各级转速值和主轴转速范围 R_n。

9. 已知某机床的主轴最低转速 $n_{\min}=33.5\text{r/min}$，公比 $\varphi=1.41$，主轴转速级数 $Z=9$，要求查表列出主轴的各级转速值。

10. 什么是并联机床？其特点是什么？

11. 机床主传动的布局方式有哪几种？各有何特点？

12. 机床主传动的变速方式有哪几种？各有何特点？

13. 有级变速装置有哪几种？各有何特点？

14. 主传动的开停、制动和换向方式有哪几种？有何特点？

15. 何谓基型变速系统的级比规律？

16. 什么是变速组的变速范围？应如何计算？

17. 某机床的主轴转速级数 $Z=18$，采用双副和三副变速组，试写出符合级比规律的全部结构式，并指出其中扩大顺序与传动顺序一致的和不一致的方案各有多少个。

18. 已知某机床主轴转速 $n=180\sim1000\text{r/min}$，电动机转速 $n_0=1430\text{r/min}$，主传动系统图如图 2-122 所示，试画出转速图。

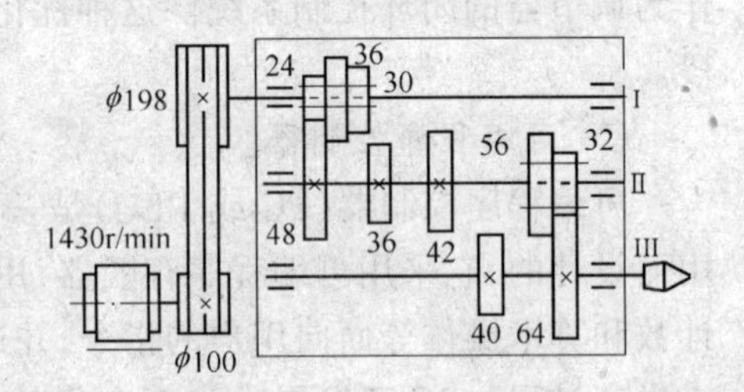

图 2-122 主传动系统图

19. 判断下列结构式是否符合级比规律，符合者需说明其扩大顺序与传动顺序是否一致；不符者则需简要说明会出现什么情况。

(1)$Z=2_1\cdot2_2\cdot2_4$；(2)$Z=2_4\cdot2_1\cdot2_2$；(3)$Z=2_2\cdot2_1\cdot2_3$；(4)$Z=2_2\cdot2_3\cdot2_4$。

20. 画出结构式 $12=2_3\cdot3_1\cdot2_6$ 相应的结构网，并分别求出第一变速组和第二扩大组的传动副数、级比、级比指数和变速范围。

21. 指出下列结构式中的基本组、扩大组：

(1)$8=2_2\cdot2_1\cdot2_4$；(2)$12=3_1\cdot2_6\cdot2_3$；(3)$16=2_4\cdot2_1\cdot2_2\cdot2_8$；(4)$18=3_1\cdot3_6\cdot2_3$。

22. 主传动齿轮变速组的传动比和变速范围的极限值是多少？为了限制其变速范围不超出极限值，应注意什么问题？为什么？

23. 为了减小变速系统中传动件的结构尺寸，应遵守哪些一般原则？为什么？

24. 为了改善变速系统的传动性能，有哪些一般注意事项？为什么？

25. 结构式与结构网的拟定步骤及内容如何？

26. 如何分配变速组的传动比？

27. 确定机床主传动变速系统的齿轮齿数有何要求？

28. 对三联滑移齿轮之间的齿数差有何要求？

29. 某机床主传动中三联滑移齿轮变速组均采用标准直齿轮，模数相同，传动比为 $u_1=1/1.78$，$u_2=1/1.41$，$u_3=1/1.12$，$Z_{\min}>27$，试确定各副齿数。

30. 变速滑移齿轮为什么必须有空挡位置？

31. 两个串联变速组的齿轮轴向排列方式有哪几种？

32. 设定升降台铣床的主轴转速为 $n=45\sim2000\text{r/min}$，公比 $\varphi=1.41$，电动机转速 $n_0=1440\text{r/min}$(图 2-26)。要求：(1)拟定结构式和绘出结构网；(2)绘出转速图。

33. 某多刀车床的主轴转速 $n=125\sim1400\text{r/min}$，级数 $Z=8$，电动机转速 $n_0=1450\text{r/min}$，若采用一个交换齿轮变速组和两个滑移齿轮变速组，要求拟定结构式、绘出结构网和转速图。

34. 如何确定多速电动机(“电变速组”)的级比指数？

35. 某车床的主轴转速 $n=125\sim1400\text{r/min}$，公比 $\varphi=1.41$，采用的双速电动机转速 $n_0=720/1440\text{r/min}$。要求拟定结构式、绘出结构网和转速图。

36. 某机床的主轴转速级数 $Z=7$，公比 $\varphi=1.41$，采用双副变速组，要求拟定结构式和结构网，并检验变速组的变速范围是否允许。

37. 某机床主传动的结构式 $Z=18=3_1\cdot3_3\cdot2_9$，公比 $\varphi=1.26$，为了扩大主轴的转速范围，需要增加一个双副变速组，试问主轴的最大转速范围和最多转速级数可达多少？

38. 什么是混合公比？采用混合公比有何好处？

39. 扩大机床主轴转速范围的主要措施有哪些？

40. 设定机床主轴变速范围 $R_n=33$，无级变速器的变速范围 $R_w=6$，试求串联有级变速箱的变速范围和转速级数。

41. 何谓传动件的计算转速？

42. 某车床主传动的转速图如图 2-123 所示，要求确定主轴、各中间传动轴以及各齿轮的计算转速(可列表)。

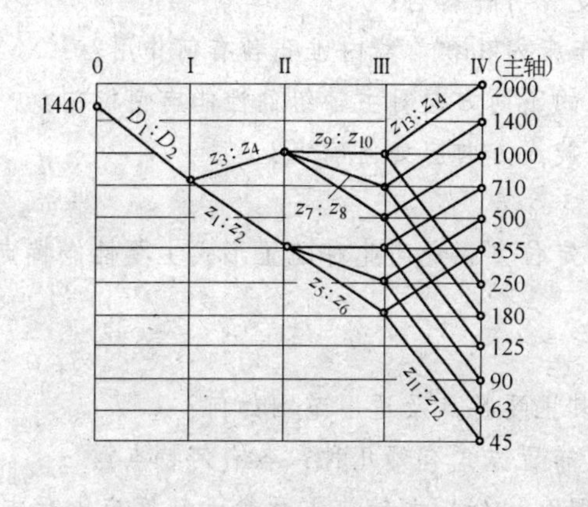

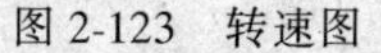
图 2-123　转速图

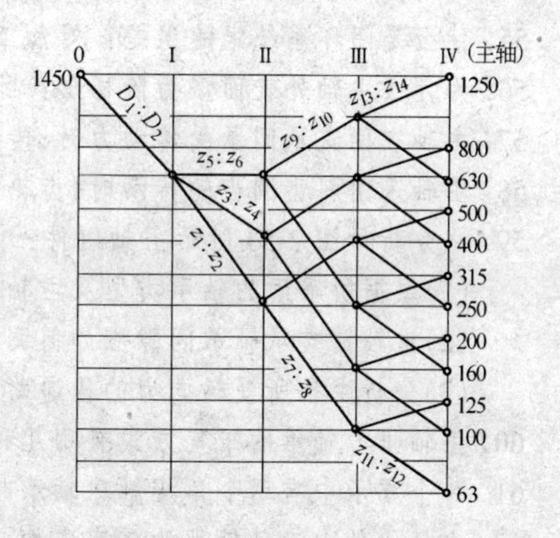

图 2-124　转速图

43. 某机床主传动的转速图如图 2-124 所示，若主轴计算转速为 160r/min，要求确定各中间传动轴及各齿轮的计算转速(可列表)。

44. 某机床主传动转速图如图 2-125 所示,若主轴计算转速为 63r/min,要求:

(1)第二变速组和第二扩大组的级比指数、级比、变速组的变速范围(以 φ^x 表示);

(2)各中间传动轴的计算转速;

(3)各齿轮的计算转速。

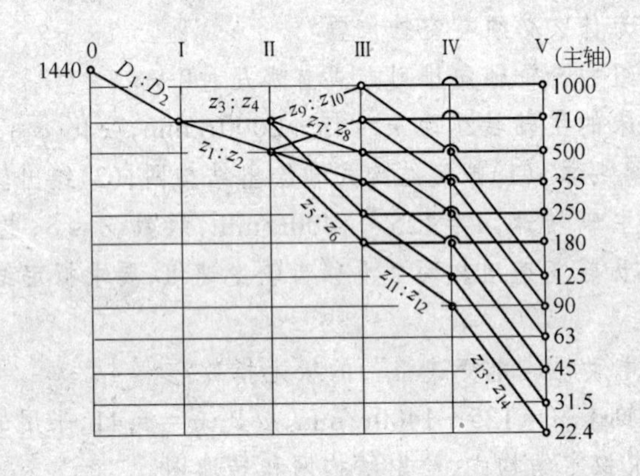

图 2-125 转速图

45. 机床进给传动类型有哪几种?与主传动相比有哪些特点?

46. 什么是机床的传动精度?提高传动精度有哪些措施?

47. 什么是传动误差的传递规律?

48. 什么是开环、闭环和半闭环的伺服进给系统?其特点如何?

49. 数控机床的伺服进给电机有哪几种类型?特点如何?

50. 数控机床为什么应用滚珠丝杠副?为什么要进行轴向消隙和预紧?

51. 滚珠丝杠的支撑型式有几种?为什么要进行预拉伸?

52. 如何进行数控机床伺服进给传动的传动设计?

53. 为什么要消除齿轮传动间隙?有哪些主要方法?

54. 如何提高开环和半闭环系统的定位精度?

55. 什么是闭环系统跟随误差?对加工精度有何种影响?

56. 为什么主轴外表面多为阶梯形?卧式车床内孔和前端内锥孔各有何作用?

57. 主轴在两支承间承受传动力时,传动力的不同方向对主轴组件性能有何影响?

58. 主轴采用斜齿圆齿轮传动时,齿轮的螺旋线方向应如何确定?

59. 试分析如图 2-53 所示主轴组件:

(1)根据所采用的轴承类型及主轴轴向定位方式说明此种配置形式主要性能特点;

(2)主轴前支承轴承间隙应如何调整;

(3)分析主轴所受轴向力的传递路线。

60. 主轴推力轴承的布置方式有哪几种?其主要特点及适用范围如何?

61. 一个支承中有两个角接触球轴承时,其布置方式有哪几种?各有何特点?

62. 主轴组件中滚动轴承的精度应如何选取?试分析主轴前支承轴承精度应比后支撑轴承精度高一级的原因。

63. 如何利用轴承选配法提高主轴的旋转精度?

64. 设计一车床主轴组件，前支撑采用一对圆锥滚子轴承，后轴承类型自选。要求画出主轴组件的结构草图，表示出前、后轴承的结构；并说明轴承间隙如何调整？轴向力通过哪些零件传递到箱体上？

65. 主轴滚动轴承的润滑方式有哪几种？各有何特点？

66. 试分析主轴结构的几个主要参数（外径 D、孔径 d、悬伸量 a、跨距 L）对主轴组件弯曲刚度的影响。

67. 常用主轴液体动压滑动轴承有哪两种？有何主要区别？

68. 试述液体静压滑动轴承的工作原理及其优缺点。

69. 试述电磁轴承的工作原理及特点。

70. 试根据支承件载荷特点说明如何合理选择其截面形状？

71. 支承件上的隔板和加强筋各有什么作用？应如何布置？

72. 影响导轨耐磨性的主要因素有哪些？导轨磨损对加工精度有何影响？提高滑动导轨耐磨性的措施有哪些？

73. 直线运动滑动导轨的间隙调整方法有哪些？各适用于什么场合？

74. 数控机床刀架和普通机床刀架有何区别？

75. 机床刀架装置应满足哪些要求？

76. 选择数控车床刀架应考虑哪些问题？

77. 自动换刀装置有哪几种形式？各有什么特点？

78. 刀库选刀和识刀方法有哪几种？各有什么特点？

79. 机床控制系统功用是什么？

80. 操纵机构有哪些组成部分？

81. 何谓单独操纵机构与集中操纵机构？各有什么特点？

82. 摆动式与移动式单独操纵机构的特点及适用场合如何？

83. 若已知摆动式单独操纵机构的 s 值和 H 值，如何检查滑块偏离量 e 及摆杆摆角 α 是否允许？

84. 采用对称摆动式单独操纵机构时，为了避免摆杆与轮缘相碰，可采用哪些主要措施？并以图 2-114 为例绘图说明之。

85. 何谓顺序变速、选择变速及预选变速？各有什么特点？

86. 试述孔盘及液压预选转阀变速的工作原理。

87. 变速齿轮消除顶齿现象主要采取哪些措施？

88. 操纵机构为什么必须具有定位装置？

89. 定位装置有哪几种基本形式？其安放位置如何考虑？

90. 自动控制系统有哪些组成部分？

91. 自动控制系统主要类型有哪些？各有什么特点？

3 机床夹具设计

3.1 夹具概述

3.1.1 夹具分类

在机床上加工工件时,为了保证加工精度,首先,需要使工件在机床上占有正确位置(定位),然后将工件固定,使其在加工过程中保持定位位置不变。这一过程称为工件的装夹。用以装夹工件和引导刀具的装置称为机床夹具。按通用化程度的不同,可将机床夹具分为以下几类。

(1)通用夹具。通用性强,可适应不同工件的装夹。常用于通用机床,如车床的卡盘,铣床的平口钳、分度头等。通用夹具已标准化,主要用于单件小批量生产。

(2)专用夹具。用于特定工件的特定工序的夹具。适用于特定产品的成批生产和大量生产。

(3)成组夹具和可调夹具。这类夹具是有一定的可调性或柔性。夹具的部分元件可调整或更换,以适应不同工件的加工。这类夹具用于结构相似、工艺相似的工件装夹,适于多品种、中小批量生产。

(4)组合夹具。由一套预先制造好的标准化元件组装成的专用夹具。夹具用毕后可拆开元件, 清洗入库, 留待组装新的夹具。组合夹具适于新产品试制和单件小产品生产。

(5)随行夹具。用于自动线和柔性制造系统,它既要完成工件的装夹,还要在机床之间输送工件,随同工件到达下一道工序的机床后,随行夹具要在机床上定位与夹紧。每个随行夹具都随同工件经历工艺全过程,卸下已加工完毕的工件后,可安装待加工工件,循环使用。

夹具还可按动力源的不同分为手动夹具、气动夹具、液压夹具、电动夹具、磁力夹具、真空夹具以及自夹紧夹具等。按使用夹具的机床还可分为车床夹具、铣床夹具、磨床夹具、钻床夹具等。

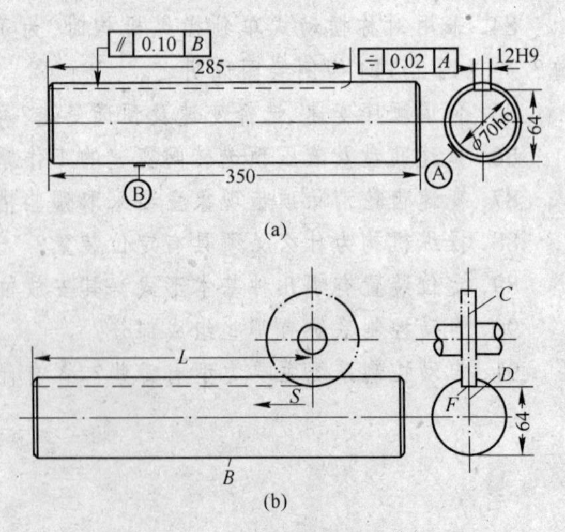

图 3-1 工件加工的正确位置

3.1.2 夹具组成

图 3-1(a)所示轴上铣键槽的工序图。键槽宽度 12H9 由铣刀宽度尺寸保证,其余各项需靠工件在加工时相对于刀具及机床所处

的位置来保证，其要求参见图 3-1(a)。

工件 $\phi70h6$ 外圆柱面的轴向中心面 D 与铣刀对称面 C 重合，其下母线 B 距离铣刀圆周刃口 F 为 64mm，B 与工件的纵向进给方向 S 平行，纵向进给终了时工件左端面距铣刀中心线的距离为 L。

图 3-2 所示的专用夹具，可快速、简单地装夹工件，以获得上述要求的正确位置。加工一批工件前，先将夹具位置调整好。夹具每次装夹两个工件，分别放在两副 V 形块 3 上，工件端部靠在定位螺钉 8 的端部，使工件占据正确位置实现定位。转动手柄 11 使偏心轮 6 转动，杠杆 5、拉杆 7 向下拉动，使两压板 4 同时将两个工件夹紧。使用夹具装夹工件保证其正确位置，有下列条件：

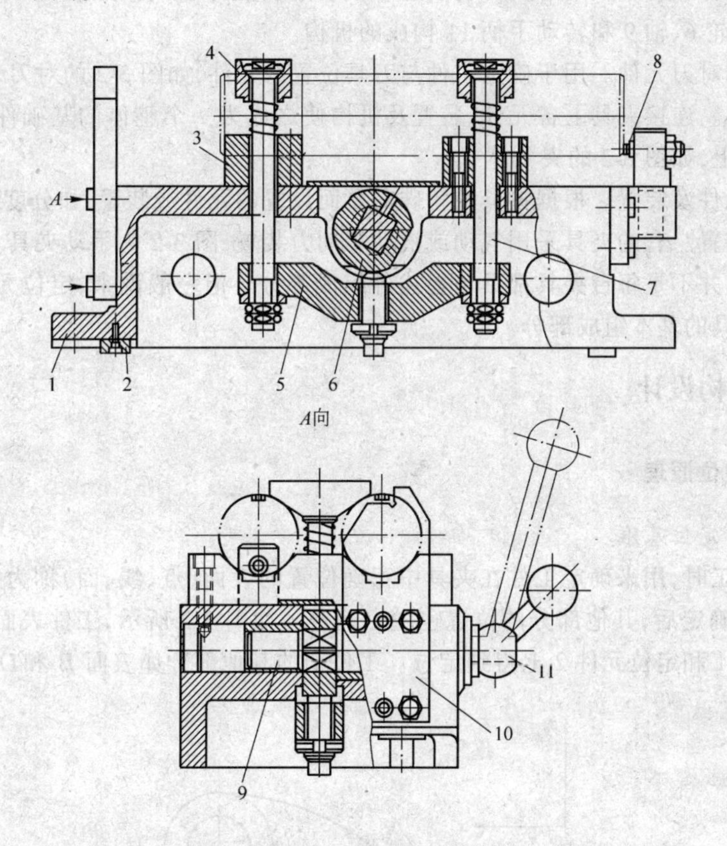

图 3-2 铣键槽夹具

1—夹具体；2—定向键；3—V 形块；4—压板；5—杠杆；
6—偏心轮；7—拉杆；8—定位螺钉；9—轴；10—对刀装置；11—转动手柄

(1)对刀装置 10 的侧面与 V 形块 3 的中心对称面的距离为键槽宽度(12H9)值的一半加上塞尺厚度尺寸。对刀时使铣刀侧刃口与对刀装置 10 之间的距离恰好能放上塞尺，这样就能保证 V 形块中心对称面(轴向中心面 D)与铣刀对称面 C 重合。

(2)对刀装置 10 的水平对刀面与放置在 V 形块 3 上的 $\phi70$ 样件下母线 B 的距离为加工要求尺寸 64mm 减去塞尺厚度尺寸。因此，同样直径的工件放到 V 形块上，其下母线距离铣刀圆周刃口 F 为 64mm。

(3)V 形块中心在垂直面内与夹具底面平行，在水平面内与定向键 2 的侧面平行，以保证外圆母线与工件的纵向进给方向 S 平行。

(4)铣床工作台纵向进给的终了位置应能保证键槽的长度尺寸 L,可通过试切工件调整夹具相对铣刀的位置来实现,然后将控制工作台纵向位置的行程挡铁固定。

由此可见,要保证工件加工尺寸精度和相对位置精度,需要工件在夹具中有正确的定位,夹具相对机床有正确的位置,夹具相对刀具要经过精确地调整。

专用夹具一般由以下几部分组成:

(1)定位元件。用于确定工件正确位置的元件,如图 3-2 中的 V 形块 3 和定位螺钉 8。

(2)夹紧装置。用于固定工件既定位置、使其在加工过程中保持定位位置不变的装置。夹紧装置通常由夹紧元件、增力及传动装置以及动力装置等组成。如图 3-2 的压板 4、拉杆 7、杠杆 5、偏心轮 6、轴 9 和转动手柄 11 构成的机构。

(3)导向和对刀元件。用于确定工件与刀具位置的元件,如图 3-2 的对刀装置 10。

(4)夹具体。连接夹具上各元件、装置及机构使之成为一个整体的基础件,并通过它将夹具装在机床上,如图 3-2 的夹具体 1。

(5)其他元件及装置。根据夹具的特殊需要而设置的元件或装置,如分度装置等。

(6)动力装置。有的夹具采用气动或液动等动力装置,图 3-2 为手动夹具。

需要指出,并不是每台夹具都具备上述各组成部分。但一般说来,定位元件、夹紧装置和夹具体是夹具的基本组成部分。

3.2 定位机构设计

3.2.1 六点定位原理

3.2.1.1 定位基准

工件在加工时,用来确定工件在夹具中正确位置的表面(点、线、面)称为定位基准。工件的定位基准确定后,其他部分的位置也随之确定。如图 3-3 所示,工件表面 A 和 C 靠在夹具支承元件 1 和定位元件 2 上得到定位。工件上的其他部分如表面 B 和 D、中心线 O 等

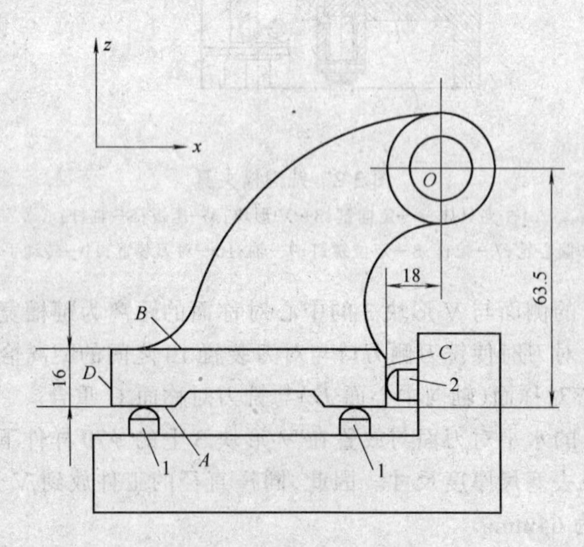

图 3-3 工件的定位基准

均与表面 A 和 C 保持一定位置关系，从而相应得到定位。表面 A 和 C 就是工件上的定位基准。定位基准除了工件上的实际表面外，也可以是表面的几何中心、对称线或对称面。

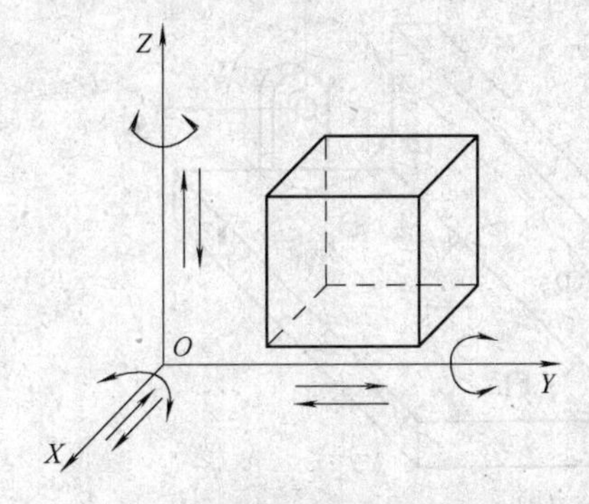

图 3-4　刚体在空间的六个自由度

设计夹具时，为减小加工误差，应尽可能选用工件的设计基准为定位基准，即遵循基准重合原则。

3.2.1.2　六点定位原理

由运动学知，刚体在空间可以有六个独立运动，即具有六个自由度。将刚体置于 $OXYZ$ 直角坐标系中，如图 3-4 所示，这六个自由度是：沿 X、Y、Z 轴的平移运动，分别用 X、Y、Z 表示；绕 X、Y、Z 轴的转动，分别用 A、B、C 表示。刚体的六个自由度都被限制了，其空间位置即被确定。

限制工件自由度的典型方法是在夹具中设置如图 3-5 所示的六个支承元件，工件每次都装到与六个支承元件相接触的位置，从而使每个工件得到确定的位置；一批工件也就获得了同一位置。其中工件底面 A 放置在三个支承上，消除了 Z 及 A、B；侧面 B 靠在两个支承上，消除了 X 及 C；最后端面 C 与一个支承接触，消除了 Y。

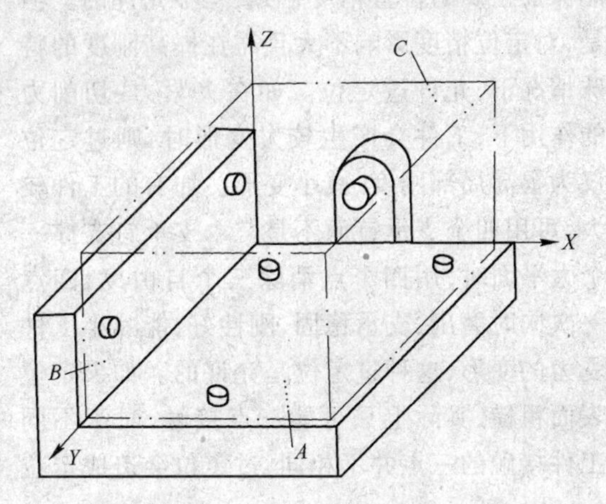

图 3-5　工件的六点定位

不同形状的工件，其定位点分布的方式可能有所不同。如图 3-6(a)盘类工件以大平面放在三个支撑点上，消除 Z、A、B 三个自由度，外圆柱面与两个支承相靠，消除 X、Y 两个自由度；再用一个点支承在槽的侧面，消除一个自由度 C。图 3-6(b)所示轴类工件靠圆柱面放在四个支撑点上，消除 Z、X 和 C、A 四个自由度，轴端靠在一个支承点上，消除一个自由度 Y，槽面靠在一个支承点上消除一个自由度 B。

由上所述，可得六点定位原理：按一定规则布置的六个定位点限制工件的六个自由度，使工件获得完全定位。但应注意，有些定位装置的定位点并非上述那样明显直观，这时需要从它所能消除自由度的数目来推断它是几点定位。

3.2.1.3　完全定位和部分定位

图 3-5 和图 3-6 均为完全定位，即限制了工件的全部六个自由度。但有时并不要求工件完全定位，而只要求部分定位(或不完全定位)。其原因是，由于工件的几何形状特点，消除某些自由度没有意义。如图 3-6 所示，若工件没有槽，就没必要消除轴的转动自由度，工件对称中心不影响一批工件在夹具中位置的一致性。另一种情况是工件某些自由度限制与否并不影响加工要求，如图 3-7 加工通槽时，工件沿 Y 轴的位置不影响槽的加工要求。为了简化定位装置，可不限制 Y，即采用五点定位。部分定位并不违背六点定位原理，因为六点定位是指工件的完全定位。

3.2.1.4　过定位与欠定位

当某个自由度被两个或多定位点重复限制时，称为过定位(或超定位、重复定位)。因不

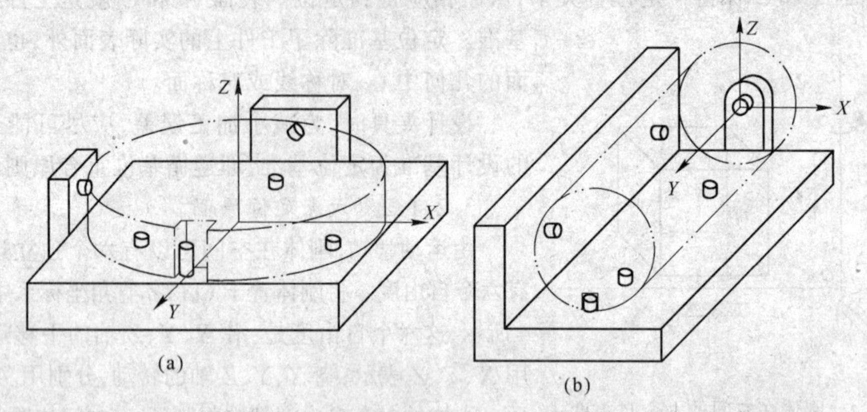

图 3-6 盘类、轴类工件的六点定位

能保证正确的位置精度，一般是不允许的。但是，对定位精度影响不大且需在提高刚度的特殊情况下，允许过定位。如在夹紧力、切削力的作用下，工件会产生较大变形时，则过定位仅为提高局部刚度、减小变形。如有的工件较大，可用四个支承钉而不是三个支承钉支撑一个大平面时，用四个点消除三个自由度，四点一次同时磨出，支承稳固，刚性好，能减小工件受力的变形，这种过定位是允许的。如果定位表面粗糙，实际上只可能三点接触，对于不同工件接触的三点并不相同，过定位会造成定位不稳定而增加定位误差，这种情况下不允许过定位。

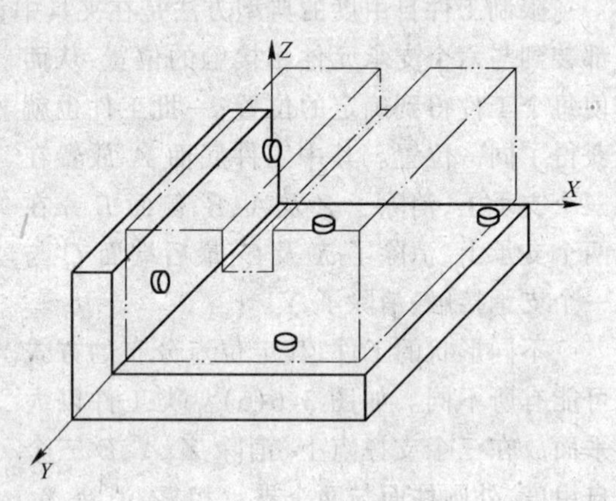

图 3-7 工件的部分定位

根据加工要求，需要限制的自由度没有被限制，工件定位不足，称为欠定位。欠定位不能保证位置精度，是绝对不允许的。

3.2.2 平面定位元件设计

由于定位基准有粗精之分，夹具中所用定位元件结构也不尽相同。平面定位元件及定位装置已标准化，常见的结构型式有下列几种。

3.2.2.1 钉支承和板支承

图 3-8 所示为用于平面定位的各种固定支承。图 3-8(a)为平头支承钉，与工件定位基准的接触面较大，可减小接触面的单位接触压力，避免压坏基准面，常用于精基准定位。图 3-8(b)为圆头支承钉，与工件定位基准为点接触，易磨损，多用于粗基准定位。图 3-8(c)为花头顶支承钉，增加与工件基准间的摩擦力、防止工件移动，但水平放置时容易积屑，常用于需较大摩擦力的侧面定位。

较大的精基准平面定位，多用支承板，接触面积较大，定位稳定。图 3-8(d)的 A 型支承板，结构简单，制造方便，但切屑易堆聚在沉头孔中，适于侧面定位。与 A 型支承板相比，B 型支承板在结构上做了改进。

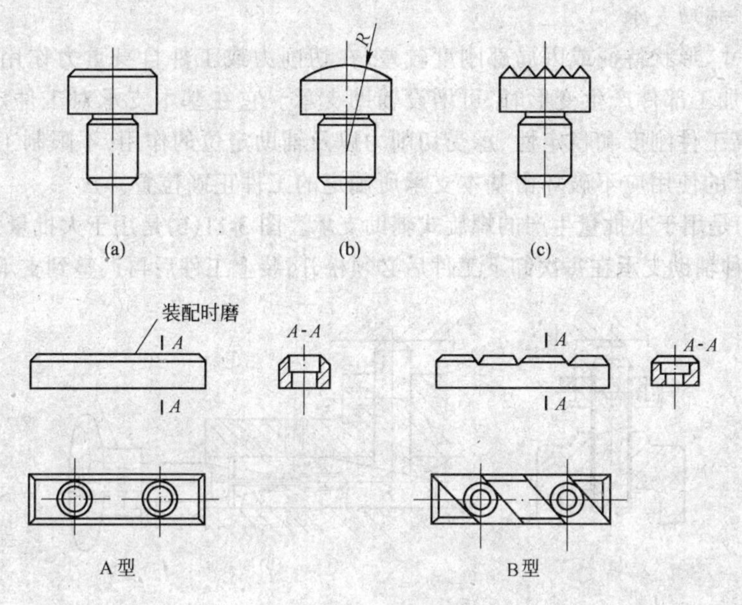

图 3-8 固定支承

3.2.2.2 可调支承

图 3-9 为可调支承，按要求高度调整支承钉 1 后，用螺母 2 锁紧。主要用于各批毛坯的尺寸、形状变化较大，以粗基准定位的工件，一般一批工件调整一次。

3.2.2.3 自位支承

自位支承是在定位过程中支承本身位置随工件定位基准的位置变化而自动与之相应变化的支承。图 3-10(a)用于毛坯平面或断续表面；图 3-10(b)用于阶梯表面；图 3-10(c)用于有基准角度误差的平面定位，以避免过定位。由于自位支承是活动的，所以尽管每一个自位支承与工件定位基准面可能有两点或三点接触，但只能限制工件一个自由度，只起一个定位支承点的作用。

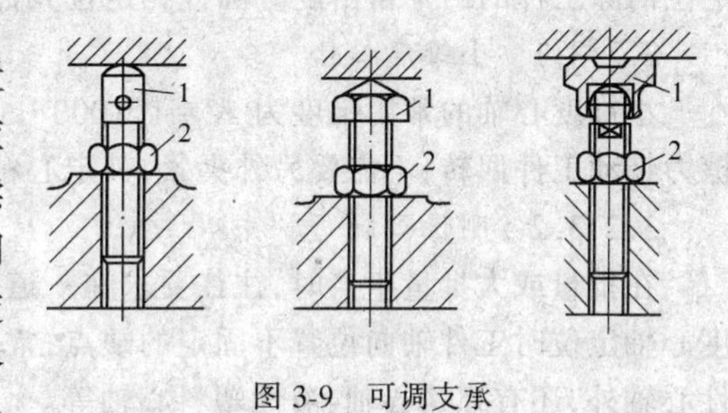

图 3-9 可调支承

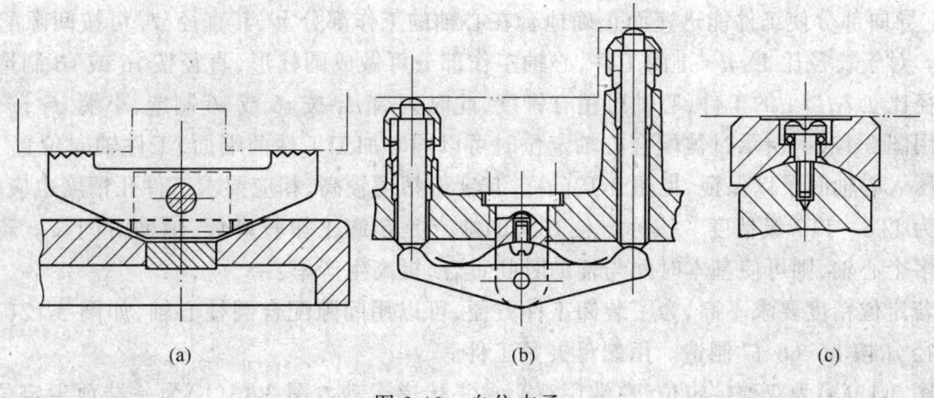

图 3-10 自位支承

3.2.2.4 辅助支承

工件因尺寸、形状特征或因局部刚度较差，在切削力或工件自身重力作用下，基本支承定位不稳定或加工部件产生变形时，可增设辅助支承。它在基本支承对工件定位后才参与支承，只起提高工件刚度和稳定性、承受切削力以及辅助定位的作用，不限制工件的自由度。因此，辅助支承的使用应不破坏由基本支承所确定的工件正确位置。

图 3-11(a)是用于小批量生产的螺旋式辅助支承。图 3-11(b)是用于大批量生产的推引式辅助支承。各种辅助支承在每次卸下工件后必须松开，装上工件后再调整到支承表面并锁紧。

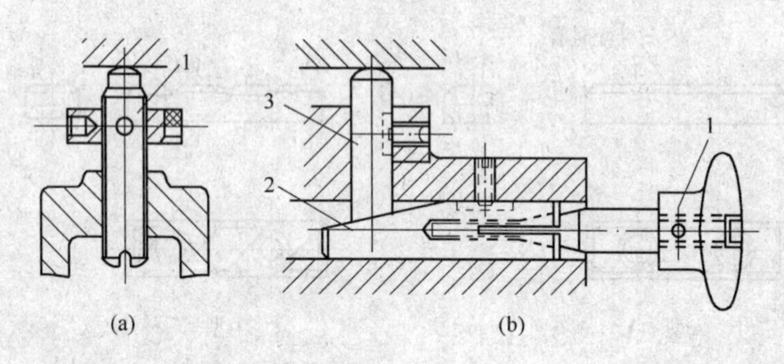

图 3-11 辅助支承

3.2.3 圆柱孔表面定位元件设计

常用的圆柱孔表面定位与销孔定位作用相同。短孔定位消除工件的两个自由度，长孔定位消除工件的四个自由度。圆柱孔定位元件一般包括以下几种。

3.2.3.1 小锥度心轴

小锥度心轴的常用锥度为 $K=1:1000\sim1:5000$。定位时，工件楔紧在心轴上并产生摩擦力带动工件回转，不需要另外夹紧，其定心精度很高，可达 0.005～0.01mm。

3.2.3.2 刚性心轴

在批量或大批量生产时，往往要求在一道工序中，同时加工外圆和端面。为了克服小锥度心轴定位时工件轴向位置不固定的缺点，常采用圆柱面心轴定位。其结构型式很多，除刚性心轴外，还有弹簧心轴、液性塑料心轴等。

刚性心轴按与工件孔的配合性质分为过盈配合圆柱心轴与间隙配合圆柱心轴。图 3-12(a)、(b)所示心轴与工件孔是采用过盈配合。心轴处有导向部分 1、工作部分 2 及传动部分 3。导向部分使工件能迅速而正确地套在心轴的工作部分上，其直径 d_3 可按间隙配合 e8 制造。对于长径比 $L/d<1$ 的工件，心轴工作部分可做成圆柱形，直径按 r6 或 s6 制造。对于长径比 $L/d>1$ 的工件，心轴可稍有锥度，此时大端 d_1 按 r6 或 s6 制造，小端 d_2 按 h6 制造。用图 3-12(b)所示过盈配合心轴定位时可以同时加工工件两端面，工件轴向位置 L_1 在工件压入心轴时予以保证，见图 3-12(c)。其定位精度较高，相应要求工件孔精度也应较高，一般为 IT6～IT7 级精度。该种定位方式的缺点是装卸工作较麻烦，辅助时间长。若有两个或多个心轴，则可使基本时间与辅助时间重合，提高生产率。

若定位精度要求不高，为了装卸工件方便，可以用间隙配合圆柱心轴，如图 3-12(d)，心轴直径 d 按 h6、g6、f7 制造。用螺母夹紧工件。

图 3-13(a)为双顶尖定位，左端用鸡心夹头传递运动。图 3-13(b)为一端顶尖定位。图 3-13(c)、(d)为用锥柄与机床锥孔配合定位并产生摩擦力传递运动。

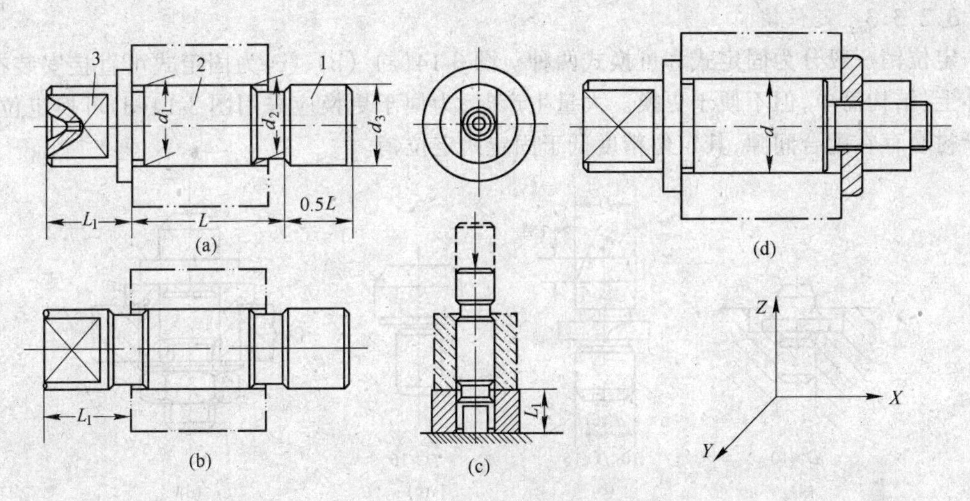

图 3-12 刚性心轴的结构

1—导向部分;2—工作部分;3—传动部分

定位心轴夹具应标注的位置公差如图 3-13 所示。同轴度公差可取工件同轴公差的 1/3～1/2(图 3-13 中的数值仅为标注示例)。

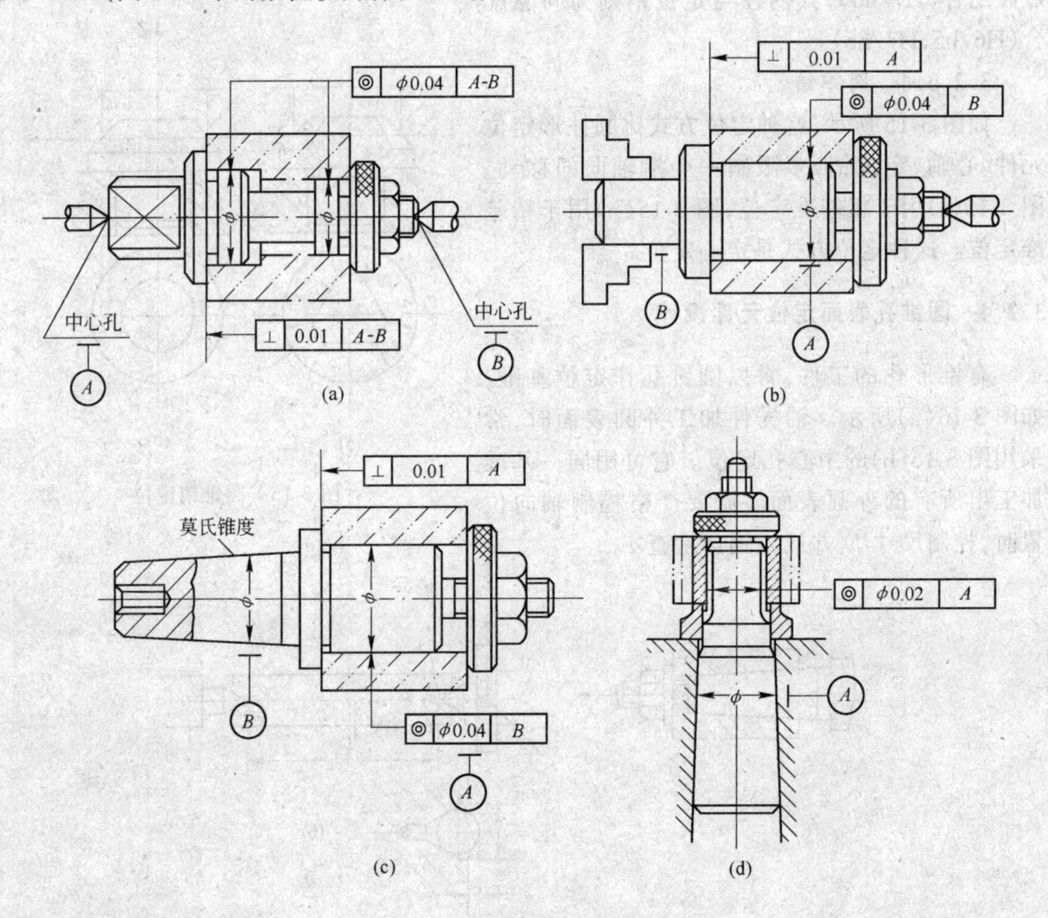

图 3-13 心轴在机床上的安装方式

3.2.3.3　定位销

定位销一般分为固定式和可换式两种。图 3-14(a)、(b)、(c)为固定式可直接安装在夹具体上,结构简单,但不便于更换。大量生产时,为便于更换应采用图 3-14(d)可换定位销。由于衬套存在配合间隙,其定位精度低于固定式定位销。

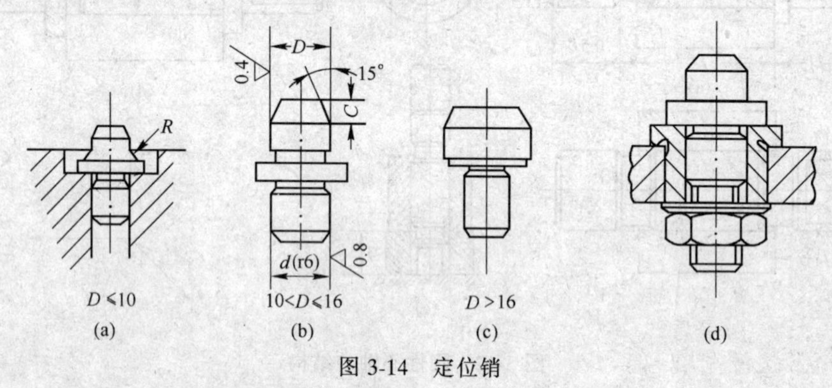

图 3-14　定位销

定位销已标准化,其工作部分直径可根据工件加工要求和安装方便,按 g5、g6、f6、f7 制造。固定式定位销与夹具体之间为过渡配合(H7/h6);可换式定位销衬套外径与夹具体为过渡配合(H7/h6),其内径与定位销则为间隙配合(H6/h5,H7/h6)。

3.2.3.4　圆锥销

如图 3-15 所示,这种定位方式比圆柱形定位元件(心轴、定位销)多限制一个沿轴向的移动。图 3-15(a)用于粗基准定位,图 3-15(b)用于精基准定位。这种定位方式是定心定位。

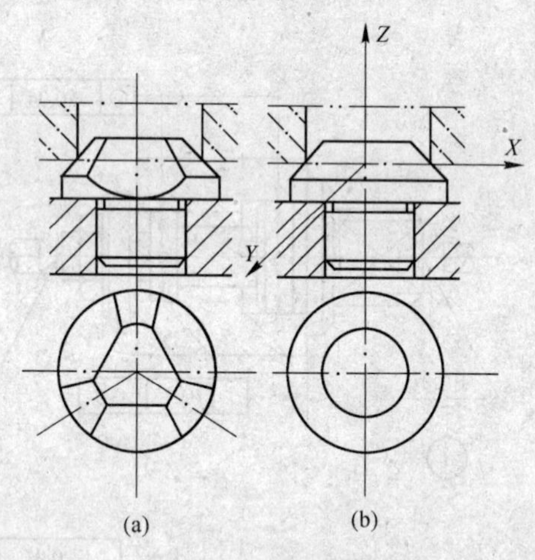

图 3-15　圆锥销定位

3.2.4　圆锥孔表面定位元件设计

有锥形孔的工件,常以圆锥孔作定位基准,如图 3-16(a)所示。轴类件加工外圆表面时,常采用图 3-16(b)的中心孔定位。它可用同一基准加工出所有的外圆表面。需要严格控制轴向位置时,控制尺寸 D 并放入钢球检查 a。

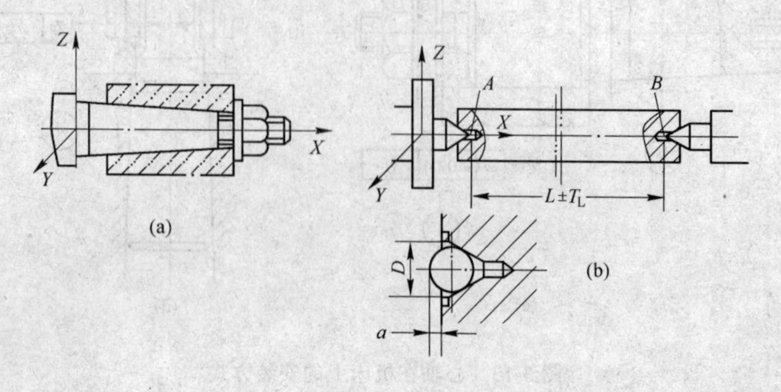

图 3-16　圆锥孔定位

3.2.5 外圆表面定位元件设计

外圆表面有定心定位和支承定位两种基本形式。定心定位以外圆柱面轴线为定位基准，而实际接触的是其上的点、线或面。常见的定心定位装置有自动定心三爪卡盘、弹簧夹头等。工件以外圆柱面在套筒上定心定位如图 3-17 所示。

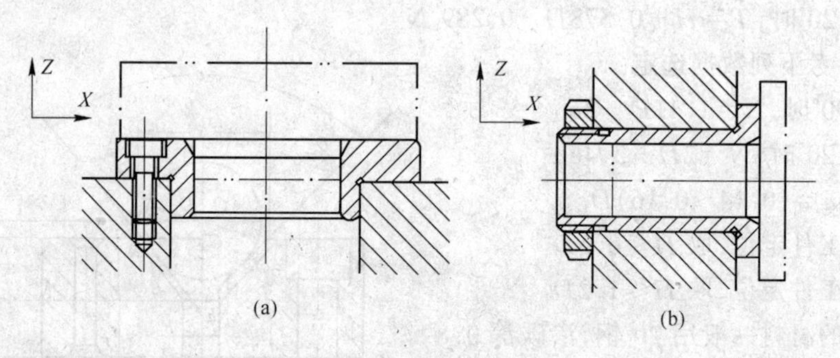

图 3-17 外圆柱面的套筒定位

外圆表面定位元件除用套筒定心定位外，还包括支承定位和 V 形块定位。

3.2.5.1 支承定位

图 3-18 为外圆柱面支承定位。图 3-18(a)为与工件一条母线 A 接触的长支承板作为定位元件；图 3-18(b)为用两个支承板组合定位。如果将两个支撑平面逆时针旋转 45°，则支撑定位就转化为 V 形块定位；图 3-18(c)为半圆孔定位装置。工件放入下半圆孔，上半圆孔合上后将其夹紧。这种定位方式使外圆柱下母线与半圆孔下母线接触，主要用于大型轴类工件和不便于轴向安装的工件。

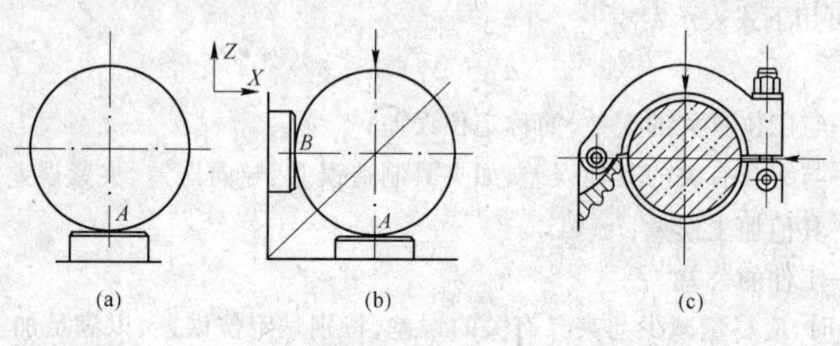

图 3-18 外圆柱面的支承定位

3.2.5.2 V 形块定位

V 形块既适用于完整外圆，也适用于非完整外圆及局部曲线柱面定位，还能与其他定位元件组合使用，因此应用广泛。V 形块两斜面间夹角 α 常取 60°、90°、120°。90°V 形块的典型结构和尺寸均已标准化，设计非标准 V 形块时，可按图 3-19 进行有关尺寸计算。其基本尺寸为：

D——V 形块的标准心轴直径(mm)；

H——V 形块的高度(mm)；

N——V 形块的开口尺寸(mm)；

T——V 形块放入标准心轴后的标准定位高度(mm)；

α——V 形块两工作平面间的夹角。

设计 V 形块时，D 已知，N 与 H 需先设定，然后求出 T。T 为 V 形块工作图上必须标注的尺寸，以便加工和检验。

由图 3-19 可得出：

当 $\alpha=90^\circ$ 时，$T=H+0.707D-0.5N$ (3-1)

当 $\alpha=120^\circ$ 时，$T=H+0.578D-0.289N$ (3-2)

式中 N 可参考下列数据选定：

当 $\alpha=90^\circ$ 时，$N=1.41D-2a$

当 $\alpha=120^\circ$ 时，$N=2D-3.46a$

一般取 $a=(0.14\sim0.16)D$

大直径工件定位，取 $H\leqslant0.5D$

小直径工件定位，取 $H\leqslant1.2D$

V 形块的材料一般用 20 钢，渗碳深 0.8～1.2mm，淬火 60～64HRC。

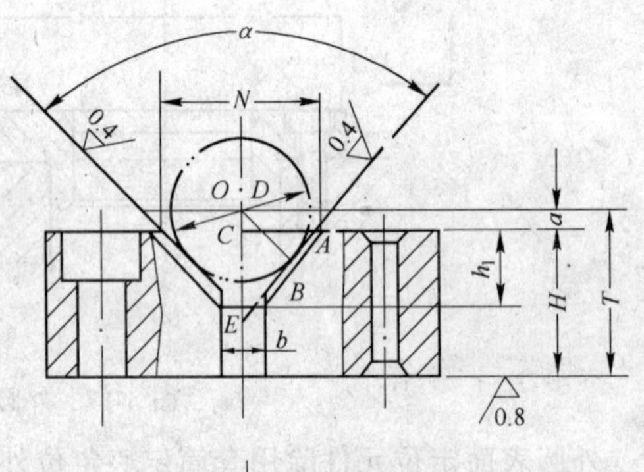

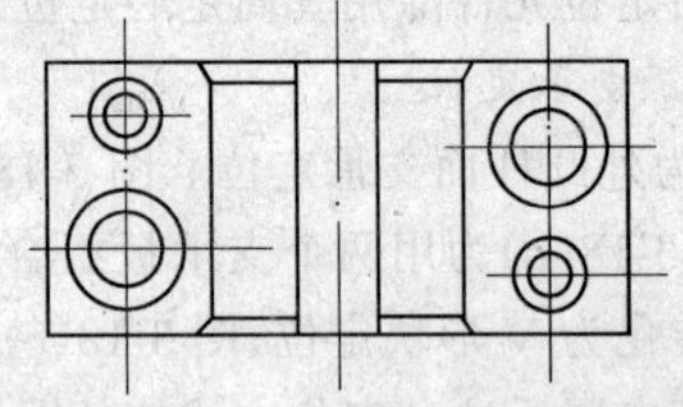

图 3-19 V 形块的结构尺寸

3.2.6 定位误差分析

3.2.6.1 定位误差的概念

使用夹具加工工件时，除了要求工件安装可靠、操作方便、调整迅速之外，首要的是要保证加工精度。但是，加工中产生误差的因素很多，这些误差之和不应越出工件允许的公差，一般可用下式表示：

$$\Delta_D+\Delta_f+\omega\leqslant\delta \tag{3-3}$$

式中 Δ_D——与定位有关的误差，简称定位误差；

Δ_f——与夹具有关的其他误差，如夹具制造误差、导向误差、夹紧误差等；

ω——其他加工误差；

δ——工件的公差。

设计夹具时，应尽量减少与夹具有关的误差，特别是定位误差，以满足加工精度的要求。定位误差是指设计的基准位置相对于定位元件在加工尺寸方向上的最大变动量。设计基准的这种位置变动所引起的误差有两类。一类是由于定位基准与设计基准不重合而引起的定位误差，称为基准不重合误差。另一类是由于定位基准本身的位置在定位时偏离其理想正确位置所引起的定位误差，称为基准位置误差，可用下式表示：

$$\Delta_D=\Delta_{jb}+\Delta_{jw} \tag{3-4}$$

式中，Δ_{jb} 和 Δ_{jw} 分别表示基准不重合误差和基准位置误差。当这两项误差同时存在时，定位误差的大小是它们的向量和。

3.2.6.2 工件以平面定位时的定位误差

工件以平面定位时，可能产生定位误差，如工件基准为已加工表面时，其基准位置误差 $\Delta_{jw}=0$；如工件基准为未加工表面时，其基准位置误差等于表面粗糙度 $\Delta_{jw}=R_a$。

工件以平面定位时，基准不重合误差是引起定位误差的主要因素。如图3-20，工件的顶面 B 和底面 A 都已经加工完毕，现加工阶梯面 C，保证设计尺寸 $b^{0}_{\delta_b}$。

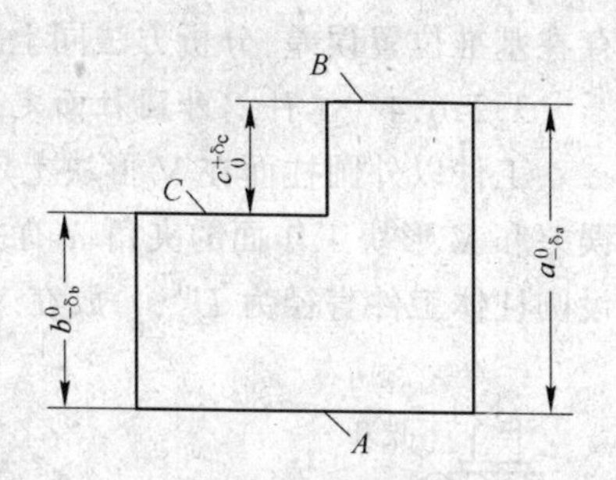

图3-20 平面定位时的定位误差

如果以底面 A 为定位基准，加工 C 面，则定位基准与设计基准重合，此时因基准不重合而引起的定位误差 $\Delta_{jb}=0$。如果以顶面 B 为定位基准，则定位基准与设计基准不重合。这时由于尺寸 a 总是不可避免地有误差，使得尺寸 b 的设计基准(底面 A)的位置相对于定位元件在0和 δ_a 的范围内变动，给尺寸 b 带来相应的误差。这种误差就是因为基准不重合所造成的定位误差，其大小等于设计基准位置的最大变动量，也就是定位尺寸(指定位基准到设计基准之间的联系尺寸，本例为尺寸 a)的公差，即

$$\Delta_{jb}=(a+0)-(a-\delta_a)=\delta_a$$

式中　δ_a——尺寸 a 的公差。

3.2.6.3　平面定位基准组合定位时的误差

图3-21所示的组合定位中，基准 A 的定位误差分析与单个平面定位基准的情况相似，

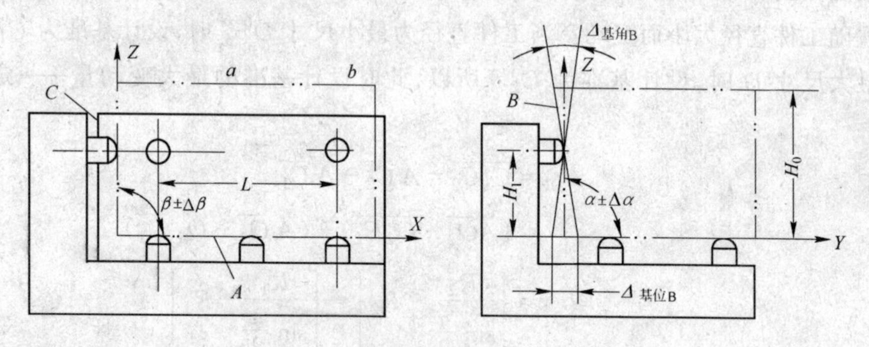

图3-21 平面定位基准组合定位

对于基准 B 来说，虽然 X 的自由度已由基准 A 的定位所限制，但是由于定位基准 B 相对定位基准 A 存在角度误差($\Delta\alpha_j$)，所以对一批工件来说，定位基准 B 的位置就如图3-21所示那样不能确定。绕 X 轴转动的最大角度变动量即为基准 B 的基准角度误差，用 Δ_{jjB} 表示为：

$$\Delta_{jjB}=\pm\Delta\alpha_j \tag{3-5}$$

定位基准 B 的位置同时也沿 Y 轴方向产生变动，其最大变动范围即为基准位置误差，用 Δ_{jwB} 表示为：

$$\Delta_{jwB}=\pm H_1\tan\Delta\alpha_j \tag{3-6}$$

式中　H_1——定位支承点到底面的高度。

当 $H_1=H_0/2$ 时，Δ_{jwB} 的值为最小，所以，从减定位误差的角度出发，支承点最好布置在 $H_1=H_0/2$ 处。当 $H_1<H_0/2$ 时，应按下式计算 B 面的基准位置误差：

$$\Delta_{jwB}=(H_0-H_1)\tan\Delta\alpha_j \tag{3-7}$$

定位基准 C 相对定位基准 A 和 B 也存在基准角度误差 $\Delta\beta_j$ 和 $\pm\gamma_j$，所以定位基准 C 也

存在基准位置误差,分析方法同上。

3.2.6.4 工件以外圆柱面定位时的定位误差

工件以外圆柱面在V形块上定位时,其定位误差的大小不仅与工件定位圆柱面的制造误差和V形块工作面的夹角 α 有关,而且还与工序尺寸的标注方法有关。如图3-22所示,设圆柱体工件直径为 $D^{0}_{-\delta_D}$,放在V形块上定位铣平台。

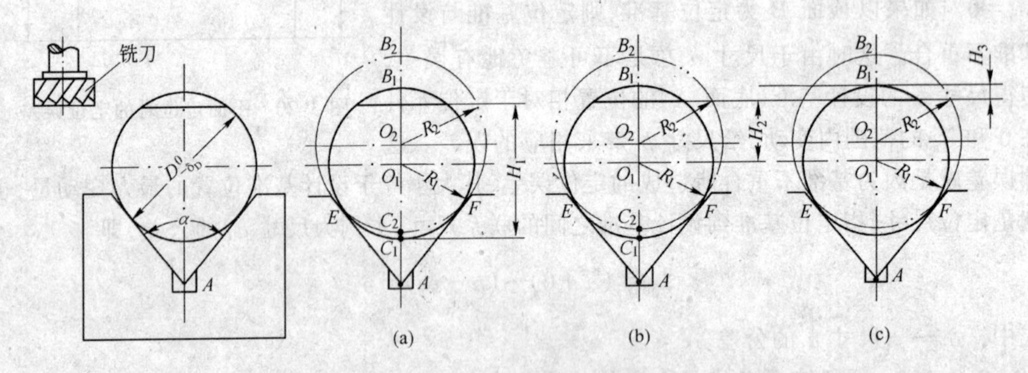

图3-22 V形块的定位误差分析

若按图3-22(a)所示标注工序尺寸 H_1 时,则设计基准为工件外圆下母线,设计基准的实际位置随工件直径大小而变动。当工件直径为最小尺寸 $D^{0}_{-\delta_D}$ 时,设计基准为 C_1;当工件直径为最大尺寸 D 时,设计基准为 C_2。所以,此时设计基准的最大变动量——定位误差 Δ_{D1} 为

$$\begin{aligned}\Delta_{D1} &= \overline{C_1C_2} = A\,\overline{C_2} - A\,\overline{C_1}\\ &= (\overline{AO_2} - \overline{O_2C_2}) - (A\,\overline{O_1} - O_1\,\overline{C_1})\\ &= \left[\frac{R_2}{\sin\frac{\alpha}{2}} - R_2\right] - \left[\frac{R_1}{\sin\frac{\alpha}{2}} - R_1\right]\\ &= \frac{\delta_D}{2}\left[\frac{1}{\sin\frac{\alpha}{2}} - 1\right] = k_1\delta_D\end{aligned}$$

式中

$$k_1 = \frac{1}{2}\left(\frac{1}{\sin\frac{1}{\alpha}} - 1\right)$$

可分别求出图3-22(b)、(c)所示的两种标注尺寸(H_2、H_3)所引起的误差:

$$\Delta_{D2} = \frac{\delta_D}{2}\left(\frac{1}{\sin\frac{\alpha}{2}}\right) = k_2\delta_D \quad \Delta_{D3} = \frac{\delta_D}{2}\left(\frac{1}{\sin\frac{\alpha}{2}} + 1\right) = k_3\delta_D$$

可见工件直径上的误差并不是全部转换为定位误差,而是乘以折算系数。折算系数的大小与尺寸的标注方式及 α 角有关,α 角越大,k 值和定位误差就越小。但随着 α 的增大,工件定位稳定性或对心性下降。因此一般取 $\alpha = 90°$。

上述三种情况的定位误差列于表3-1中。因为 $\Delta_{D1} < \Delta_{D2} < \Delta_{D3}$,即工件的外圆柱面在V形块上定位铣平台并以圆柱面下母线为基准标注尺寸时,其定位误差为最小。

表 3-1 定位误差 Δ_D 的比较

α	Δ_{D1}	Δ_{D2}	Δ_{D3}
工序尺寸(见图 3-22)	H_1	H_2	H_3
60°	$0.5\delta_D$	$1.0\delta_D$	$1.57\delta_D$
90°	$0.21\delta_D$	$0.71\delta_D$	$1.21\delta_D$
120°	$0.08\delta_D$	$0.58\delta_D$	$1.08\delta_D$

3.2.6.5 工件以一面两孔定位时的定位误差

工件以一面两孔定位时,其定位误差包括中心偏移误差和转角误差两部分。

A 中心偏移误差

由于工件在 X 方向的移动自由度只受圆柱定位销 1 的限制(如图 3-23 所示),故中心偏移定位误差 Δ_1 与单孔定位的情况相似,由定位孔和圆柱定位销之间的配合间隙确定,即

$$\Delta_1 = \Delta_{1\max} = \Delta_{1\min} + \delta_{D1} + \delta_{d1} \tag{3-8}$$

式中 $\Delta_{1\max}$、$\Delta_{1\min}$——分别为工件定位孔与圆柱销 1 之间的最大、最小配合间隙;

δ_{D1}、δ_{d1}——分别为定位孔和圆柱销 1 直径上的公差。

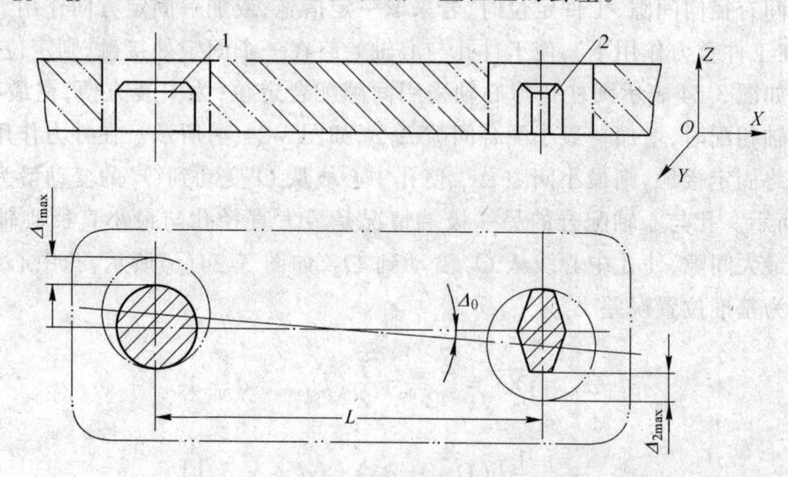

图 3-23 工件定位孔中心连线的转角误差

B 转角误差

转角误差 Δ_θ 是指工件上两定位孔中心连线发生偏转的定位误差,由图 3-24 知:

$$\tan\Delta_\theta = \frac{\Delta_{1\max} + \Delta_{2\max}}{2L}$$

$$= \frac{(\Delta_{1\min} + \delta_{D1} + \delta_{d1}) + (\Delta_{2\min} + \delta_{D2} + \delta_{d2})}{2L}$$

$$\Delta_\theta = \arctan\frac{(\Delta_{1\min} + \delta_{D1} + \delta_{d1}) + (\Delta_{2\min} + \delta_{D2} + \delta_{d2})}{2L} \tag{3-9}$$

式中 $\Delta_{2\max}$、$\Delta_{2\min}$——分别为定位孔 2 与削边销 2 之间的最大、最小间隙;

δ_{D2}、δ_{d2}——分别为定位孔 2、削边销 2 直径上的公差。

考虑到工件可能向另一方向偏转,故全部转角定位误差应为 $\pm\Delta_\theta$。

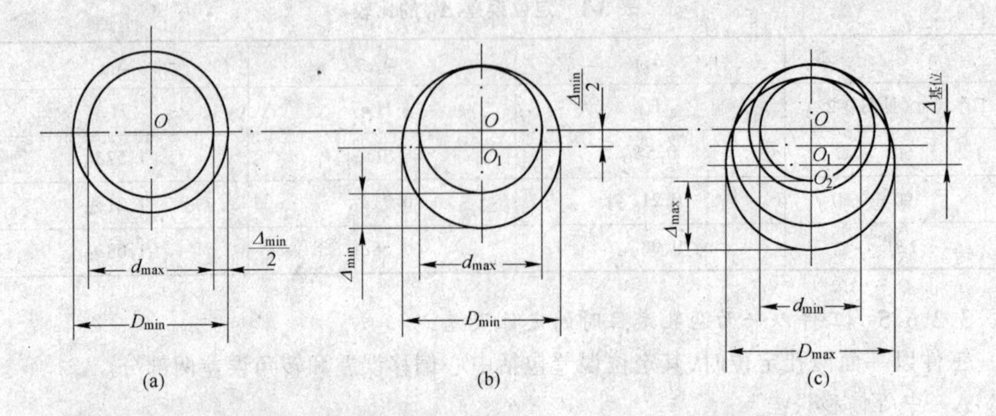

图 3-24 圆柱孔与心轴固定单边接触时的基准位置误差

3.2.6.6 工件以圆柱孔和心轴间隙配合定位时的定位误差

按圆柱孔与心轴(或定位销)的不同接触情况,基准位置误差分析计算分为两种情况:

A 定位时圆柱孔与心轴固定单边接触

定位副间有径向间隙,工件定位时,若采取一定措施,或加一固定方向作用力(例如心轴水平放置,在工件重力作用下),使工件孔与心轴始终在一个固定处接触,则定位副间只存在单边间隙。如图 3-24 表示圆柱孔与心轴采用间隙配合定位,为安装方便,在最小直径孔与最大直径心轴相配时,增加一最小配合间隙 Δ_{min},如图 3-24(a)所示。在外力作用下,孔与心轴上母线始终固定接触,则最小间隙 Δ_{min}使孔中心线从 O 变动到O_1 的变动量为 $\Delta_{min}/2$,如图 3-24(b)所示。孔与心轴配合的另一极端情况是最大直径孔与最小直径心轴相配合,孔与轴间出现最大间隙,使孔中心线从 O_1 变动到 O_2,如图 3-24(c)所示,孔中心线位置的最大变动量即为基准位置误差 Δ_{jw}:

$$\Delta_{jw} = \overline{OO_2} = \frac{\Delta_{max}}{2} = \frac{1}{2}(D_{max} - d_{min})$$

$$= \frac{1}{2}[(D_{min} + \delta_D) - (d_{max} - \delta_d)]$$

$$= \frac{1}{2}(\delta_D + \delta_d + \Delta_{min})$$

式中 δ_D——工件孔 D 的尺寸公差;

δ_d——定位心轴 d 的尺寸公差;

Δ_{min}——最小直径孔 D_{min}与最大直径心轴 d_{max}配合时的间隙,$\Delta_{min} = D_{min} - d_{max}$。

基准位置误差固定在 Z 轴方向。因为 Δ_{min}是增加的配合间隙,所以对一批工件定位来讲,Δ_{min}在基准位置误差中是一常值系统误差(大小、方向相同),可以通过调整刀具相对定位元件的位置预先加以消除,使基准位置误差减小。因此,定值时圆柱孔与心轴固定单边接触的基准位置误差可按下式计算

$$\Delta_{jw} = \frac{1}{2}(\delta_D + \delta_d) \tag{3-10}$$

B　定位时圆柱孔与心轴任意边接触

定位副间有径向间隙，孔中心线相对于心轴中心线可以在间隙范围内做任意方向、任意大小的位置变动，如图 3-25 所示。孔中心线的变动范围是以最大间隙 Δ_{max} 为直径的圆柱体，故基准位置误差为：

$$\Delta_{jw} = \Delta_{max} = \delta_D + \delta_d + \Delta_{min} \tag{3-11}$$

基准位置误差的方向是任意的。其中 Δ_{min} 的方向是任意的，不是常值系统误差，不能预先消除。

上述工件以圆柱孔定位所产生的基准位置误差，与定位方式有关。而基准不重合误差，则取决于定位基准是否与工序基准重合，如果不重合，则必然存在基准不重合误差。

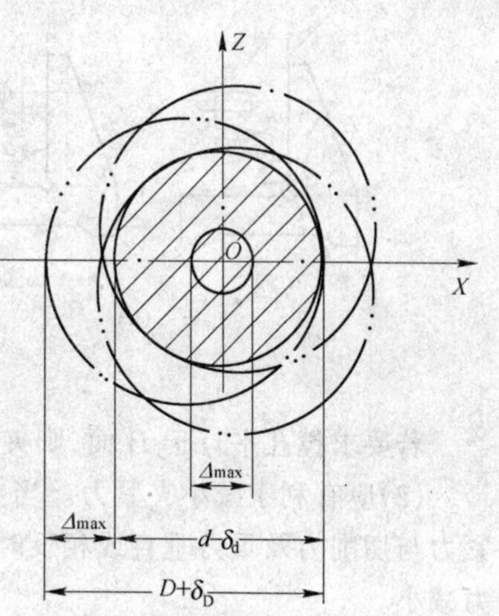

图 3-25　圆柱孔与心轴任意边接触时的基准位置误差

3.3　夹紧装置设计

3.3.1　夹紧装置的组成及设计要求

A　夹紧装置的组成

(1)动力源。产生原始作用力。有手动和机动夹紧(如气、液、电动及机床运动等动力)装置。

(2)夹紧机构。即接受和传递原始作用力，使其变为夹紧力并执行夹紧任务的部分，包括中间传力机构和夹紧元件。中间传力机构把来自人力或动力装置的力传递给夹紧元件，再由夹紧元件直接与工件受压面接触以完成夹紧任务。中间传力机构的作用为：改变夹紧力的方向；改变夹紧力的大小；具有一定自锁性能，以保证夹紧的可靠性，这对于手动夹紧更为重要。

B　夹紧装置的设计要求

夹紧装置的设计和选用是否正确合理，对保证加工精度、提高生产效率、减轻工人劳动强度有很大影响。因此，对夹紧提出如下基本要求：

(1)夹紧力应有助于定位，不能破坏定位；

(2)夹紧力的大小应能保证加工过程中工件不发生位置变动和振动，并能在一定范围内调节；

(3)工件夹紧后的变形和受压面的损伤不应超出允许范围；

(4)有足够的夹紧行程；

(5)手动时要有自锁性能；

(6)结构简单紧凑、动作灵活，制造、操作、维护方便，省力、安全并有足够的强度和刚度。

3.3.2　夹紧力确定

夹紧机构设计时必须确定夹紧力大小、方向和作用点。

3.3.2.1　夹紧力方向

(1)垂直于主要定位基准面。为使夹紧力有助于定位，工件应靠近支承点，并保证工件上各个定位基准与定位元件接触可靠。一般来说，工件的主要基准面的面积较大、精度较高，限定的自由度多，夹紧力垂直作用于此面上，有利于保证工件的准确定位。

如图 3-26(a)所示，在角形支座工件上镗一与 A 面有垂直度要求的孔，根据基准重合的原则，应选择 A 面为主要定位基准，因而夹紧力 W 应垂直于 A 面。不论 A、B 面的垂直度误差有多大，A 面始终靠近支承面，故易于保证垂直度。

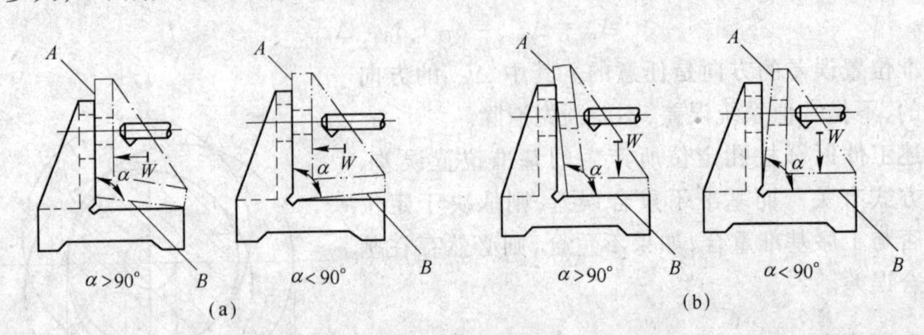

图 3-26 夹紧力方向

若要求镗孔平行于 B 面，则夹紧力 W 应垂直于 B 面，如图 3-26(b)所示。

(2)应有利于减小夹紧力。当夹紧力与切削力及重力同方向时，所需夹紧力最小；当夹紧力与切削力及重力垂直或相反时，所须夹紧力最大。确定夹紧力方向时，应有利于使夹紧力减小。

3.3.2.2 夹紧力作用点

夹紧力作用点是指夹紧元件与工件相接触的一小块面积。选择夹紧力作用点的位置和数目，应考虑工件稳定可靠，防止夹紧变形，确保加工精度。

(1)应能保证工件定位稳定，不致引起工件产生位移或偏转。图 3-27(a)所示夹紧力虽垂直主要定位基准面，但作用点却在支承范围以外，夹紧力与支反力构成力矩，工件将产生偏转使定位基准与支承元件脱离，从而破坏原有定位，为此，应将夹紧力作用在如图 3-27(b)所示的稳定区域内。

(2)应使被夹紧工件的夹紧变形尽可能小。可采用增大工件受力面积和合理布置夹紧点位置等措施。如图 3-28 采用较大弧面的卡爪，防止薄壁筒受力变形。

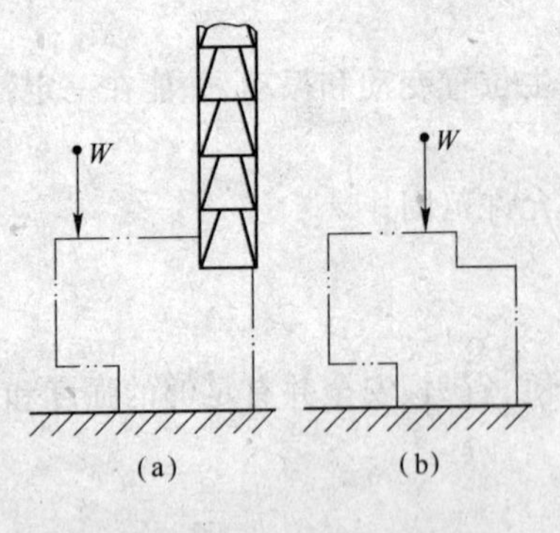

图 3-27 夹紧力作用点

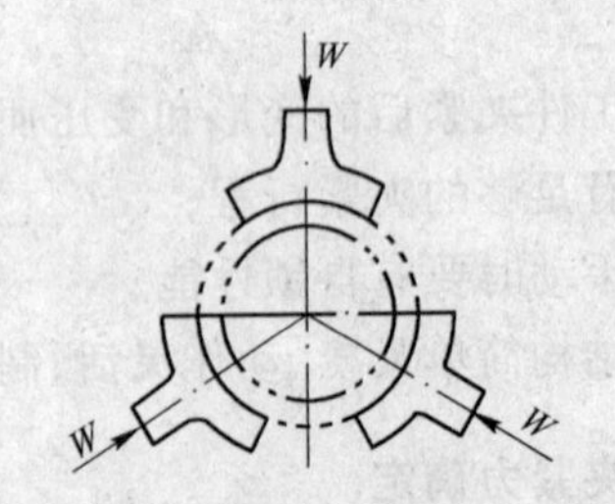

图 3-28 增大夹紧受力面积

(3)尽量靠近切削部位，以提高夹紧的可靠性；若切削部位刚性不足，可采用辅助支撑。图 3-29(a)为滚齿时齿坯的安装简图，若压板 1 及垫片 2 的直径过小，则夹紧力离切削部位较远，降低工件夹紧的可靠性，滚切时易产生振动。图 3-29(b)为提高工件夹紧可靠性和加工部位的刚度，可在靠近工件加工部位处另加一辅助支承和相应的夹紧点。

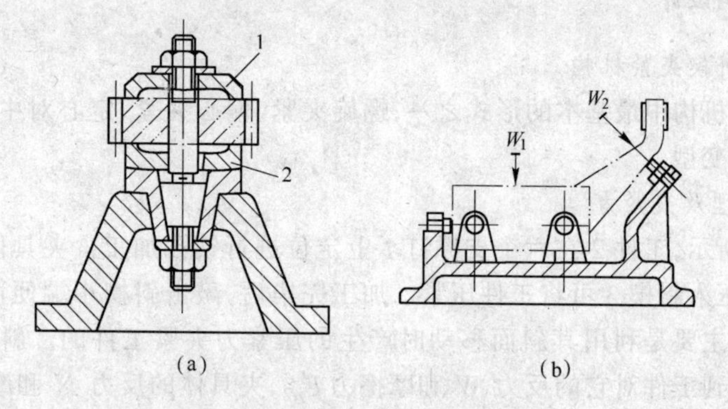

图 3-29 夹紧力作用点靠近工件加工表面

3.3.2.3 夹紧力大小

计算夹紧力，常将夹具和工件看成一个刚性系统以简化计算。然后根据切削力、夹紧力（大工件还应考虑重力，高速运动部件还应考虑惯性力等）静力平衡条件，计算出理论夹紧力 W_0，再乘以安全系数 K，作为实际所需的夹紧力 W，即

$$W = KW_0$$

根据生产经验，一般取 $K = 1.5 \sim 3$，粗加工取 $K = 2.5 \sim 3$，精加工取 $K = 1.5 \sim 2$。

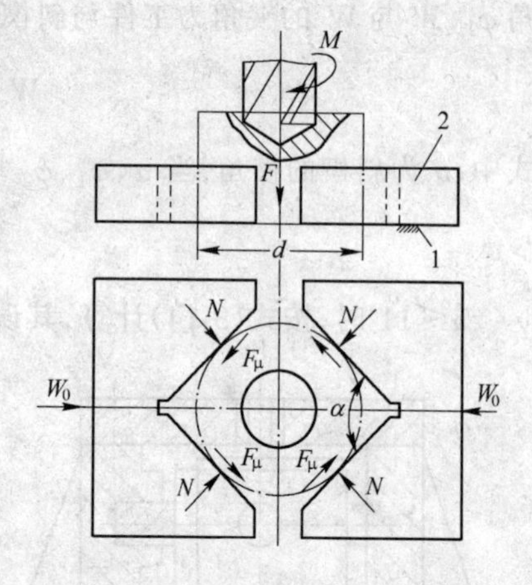

图 3-30 钻盲孔时工件受力情况

图 3-30 所示在立式钻床上以工件底面和外圆中心线定位，用两个 V 形块 2 夹持工件钻孔时的受力情况。工件底面的定位支承 1 承受钻孔的轴向力 F，而钻削力矩 M 则由工件底面与定位支承 1 产生的摩擦力矩和两 V 形块夹持工件时产生的摩擦力矩所平衡，即

$$4F_\mu \times \frac{d}{2} + F'_\mu r' = M$$

$$F_\mu = N\mu_2 = \frac{W_0\mu_2}{2\sin\frac{\alpha}{2}}$$

$$F'_\mu = F\mu_1$$

$$r' = \frac{2}{3}\left(\frac{d}{2}\right) = \frac{d}{3}$$

$$W = KW_0 = K\left(\frac{M - \frac{F\mu_1 d}{3}}{\mu_2 d}\right)\sin\frac{\alpha}{2} \tag{3-12}$$

式中 F_μ——V 形块与工件的摩擦力；

F'_μ——定位支承与工件的摩擦力；

μ_1——定位支承与工件的摩擦系数；

μ_2——V 形块与工件的摩擦系数；

r'——工件底面与定位支承面的当量摩擦半径。

3.3.3 夹紧机构设计

3.3.3.1 斜楔夹紧机构

斜楔是夹紧机构中最基本的形式之一,螺旋夹紧、偏心夹紧、定心对中夹紧等机构均是斜楔夹紧机构的变型。

A 工作原理及夹紧力

图 3-31(a)所示,工件 2 在六个支撑钉 1 上定位进行钻孔加工。夹具体上有导槽,将斜楔插入导槽中,压入斜楔 3 可将工件压紧。加工完毕后,敲击斜楔小端便可拔出斜楔,取下工件。所以斜楔主要是利用其斜面移动时产生的压紧力夹紧工件的。斜楔受力如图 3-31(b)所示,斜楔受到工件对它的反力 W 和摩擦力 $F_{\mu2}$,夹具体的反力 N 和摩擦力 $F_{\mu1}$。设 N 和 $F_{\mu1}$ 的合力为 N',W 和 $F_{\mu2}$ 的合力为 W',则 N 和 N' 的夹角为夹具体与斜楔之间的摩擦角 φ_1,W 与 W' 的夹角为工件与斜楔间的摩擦角 φ_2。于是有:

$$W=\frac{Q}{\tan(\alpha+\varphi_1)+\tan\varphi_2} \tag{3-13}$$

式中,α 为斜楔的楔角,当 α、φ_1、φ_2 均很小,且 $\varphi_1=\varphi_2=\varphi_3$ 时,上式可简化为

$$W\approx\frac{Q}{\tan\alpha+2\tan\varphi} \tag{3-14}$$

$\alpha\leqslant11°$ 时,按式(3-14)计算,其误差不超过 7%。斜角较大时,不采用简化公式。

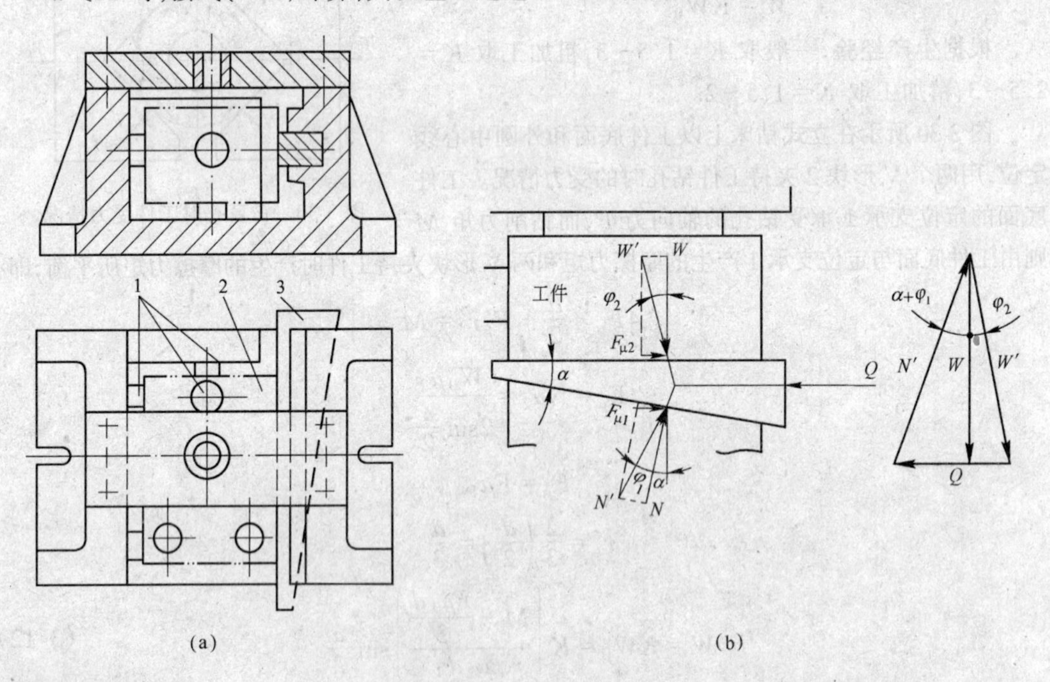

图 3-31 斜楔夹紧机构

B 结构特点

(1)斜楔的自锁性。为满足斜楔自锁条件,其楔角应小于两摩擦角 φ_1、φ_2 之和。通常 $\varphi_1=\varphi_2=6°$,即 $\alpha\leqslant12°$。但考虑斜楔的实际工作条件,自锁更可靠,取 $\alpha=6°$,这时 $\tan6°\approx0.1=1/10$。

(2)斜楔可改变夹紧力方向。由图 3-31 知,斜楔可产生一个与 Q 相垂直的夹紧力。

(3)斜楔具有增力作用。当 Q 一定时,α 越小,增力作用越大。因此,在以气动或以液压作为动力源的加紧装置中,常用斜楔作为增力机构。

(4)斜楔夹紧在夹紧方向上的行程小。该行程与楔角有关,α 减小,自锁性能好,但在夹紧方向上的行程也减小。在设计斜楔夹紧机构选取楔角时,应综合考虑自锁、增力和行程三方面问题。当要求具有较大的夹紧行程又要自锁时,可采用双楔角的斜楔,前端大楔角 α 仅用于加大夹紧行程,后端小楔角 α 则用于夹紧和自锁。采用双楔角斜楔,也可放宽被夹工件在夹紧方向的尺寸精度要求。

(5)斜楔夹紧效率低。斜楔与夹具体及工件之间为滑动摩擦,夹紧效率低。故多用于机动夹紧装置。

3.3.3.2　螺旋夹紧机构

利用螺旋直接夹紧工件,或与其他元件组合夹紧工件,是应用较广泛的一种夹紧机构。图 3-32(a)为最简单的螺旋夹紧机构,直接用螺杆压紧工件表面。图 3-32(b)为典型的螺旋夹紧机构。为避免压坏工件表面和破坏原有定位,在螺杆头部装有摆动压块 5。

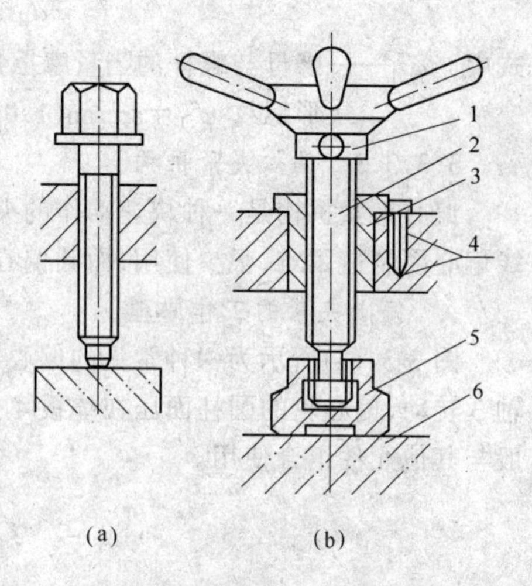

图 3-32　典型螺旋夹紧机构

1—手柄;2—螺杆;3—套;4—螺钉;5—压块;6—工件

由于螺旋夹紧机构具有结构简单、制造容易、夹紧可靠、扩力比大和夹紧行程不受限制等特点,所以在手动夹紧装置中被广泛采用。其缺点是夹紧动作慢、效率低。沿螺纹中径展开,则螺旋相当于一个斜坡作用在工件与螺母之间,其受力情况如图 3-33。手柄上施加作用力矩 $M_Q = QL$,工件对螺旋杆的作用力有垂直于螺杆端部的反作用力 W

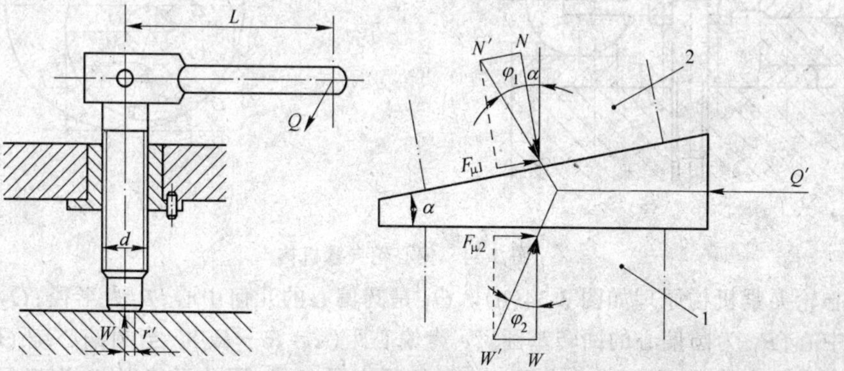

图 3-33　螺杆受力分析

(即夹紧力)及摩擦力 $F_{\mu 2}$。摩擦力分布在整个接触面上,计算时可视为集中于当量半径 r' 的圆环上,其力矩为 $M_{F_{\mu_2}}$。夹具体上的螺母对螺旋杆的作用力有垂直于螺旋面的正压力 N 及螺旋面上的摩擦力 $F_{\mu 1}$,其合力为 N'。此力分布在整个螺旋面上,计算时可视为集中在螺旋中径处,其作用力矩为 M'_N。即

$$M_Q - M_{F_{\mu_2}} - M'_N = 0$$

$$QL - W\tan\varphi_2 r' - W\tan(\alpha+\varphi_1)d_2/2 = 0$$

$$W = \frac{2QL}{d_2\tan(\alpha+\varphi_1) + 2r'\tan\varphi_2} \tag{3-15}$$

式中　φ_1——方牙螺纹螺杆的摩擦角；

φ_2——螺杆端部与工件(或压脚)的当量摩擦角；

r'——螺杆端部与工件(或压脚)的当量摩擦半径，螺杆端部为球面时，$r'=0$。

对于其他类型的螺旋夹紧机构，可按下式计算：

$$W = \frac{2QL}{d_2\tan(\alpha+\varphi''_1) + r'\tan\varphi_2} \tag{3-16}$$

式中　φ''_1——螺母与螺杆的当量摩擦角，对于三角形螺纹 $\varphi''_1 = \mathrm{acrtan}(1.15\tan\varphi_1)$，对于梯形螺纹 $\varphi''_1 = \arctan(1.03\tan\varphi_1)$。

3.3.3.3　偏心夹紧机构

偏心夹紧机构是一种快速动作的夹紧机构。偏心件有圆偏心和曲线偏心两种型式。曲线偏心因制造困难，很少使用，而圆偏心则因结构简单、制造方便而广泛应用。

A　偏心夹紧的工作原理

图 3-34(a)所示为一种常见的偏心压板夹紧机构。力 Q 作用在手柄 1 上，偏心轮 2 绕轴 3 转动，偏心轮的圆柱面压在垫板 4 上，轴 3 向上移动，推动压板 5 夹紧工件。偏心轮一般与其他元件组合使用。

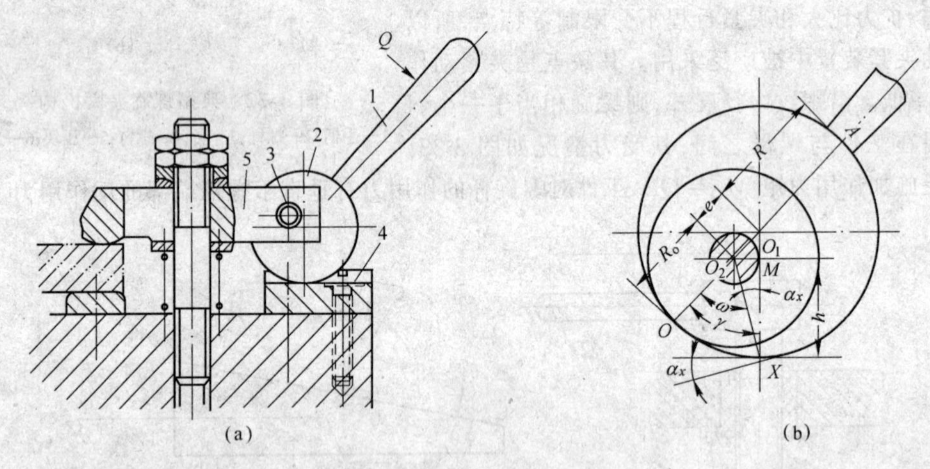

图 3-34　偏心轮夹紧机构

偏心轮夹紧机构原理如图 3-34(b)。O_1 是圆偏心的几何中心，R 为半径；O_2 是圆偏心的回转中心，R_o 为圆偏心的回转基圆。e 为偏心距($e = R - R_o$)。当圆偏心绕 O_2 回转时，其回转半径是变化的，即圆上各点距 O_2 点的距离是变量，因此可将以 R 为半径、O_1 为圆心的圆与以 R_o 为半径，O_2 为圆心的基圆之间所夹的部分，看作是绕在基圆上的曲线楔。当圆偏心顺时针方向回转时，相当于曲线楔向前楔紧在基圆与垫板之间，使 O_2 到垫板之间的距离不断变化对工件产生夹紧作用。

设圆偏心的回转中心 O_2 到垫板之间的距离为 h，

$$h = \overline{O_1X} - \overline{O_1M} = R - e\cos\gamma$$

式中　γ——$\overline{O_1O_2}$与$\overline{O_1X}$之间的夹角。

B　圆偏心的自锁条件

圆偏心夹紧必须保证自锁，这是圆偏心设计必须解决的问题。如果能确切知道圆偏心工作时夹紧点的位置，就可以使圆偏心在该点的升角小于摩擦角来保证其自锁。但一般圆偏心的工作点并不确定，尤其是标准圆偏心，其工作点可以在取定的区域内变化。由图 3-34(b)知，任意夹紧点 X 处的升角 α_x 为

$$\alpha_x = \arctan \frac{\overline{O_2M}}{MX} = \arctan \frac{e\sin\gamma}{R - e\cos\gamma}$$

对上式求导知，当 $\gamma = \arccos \dfrac{e}{R}$ 时 α 有最大值 $\alpha_{\max}$

$$\alpha_{\max} = \arcsin \frac{e}{R} = 90^\circ - \gamma$$

要保证圆偏心夹紧时的自锁性能，应满足 $\alpha_{\max} \leqslant \varphi_2$。$\gamma$ 角的范围有两种情况，一是取 $\gamma = 45^\circ \sim 135^\circ$ 之间的圆弧为工作段，各点升角的变化较小、近似常值，具有夹紧力稳定的优点，但因其升角值较大，自锁性较差，另一种情况是取 $\gamma = 75^\circ \sim 165^\circ$ 之间的圆弧为工作段，在这段区域内，各点升角的变化较上一种为大，但升角的数值较小，夹紧自锁性能较好。

C　圆偏心的适用范围

圆偏心的夹紧力较小，自锁性能较差，一般只适用于切削力不大，且无很大振动的场合。又因结构尺寸不能太大，为满足自锁条件，其夹紧行程也受到限制，只能用于工件受压面经过加工且位置变化较小的情况。

3.3.3.4　联动夹紧机构

需同时夹紧工件的几点或夹紧几个工件时，为了提高生产效率，可采用联动夹紧。

A　多点夹紧机构

最常用且最简单的多点夹紧是采用浮动压头（如图 3-35），即在压头中有一个浮动零件

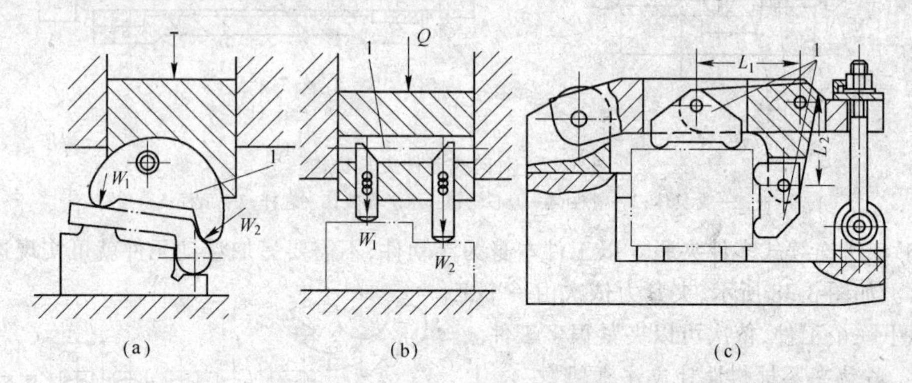

图 3-35　浮动压头及四点双向浮动夹紧机构

1，若有一个夹紧点接触，该零件就能够摆动，如图 3-35(a)或移动如图 3-35(b)，使两个或更多个夹紧点都接触，直到最后的均衡夹紧。如图 3-35(c)为四点双向浮动夹紧机构，夹紧力分别作用在两个互相垂直的方向上，每个方向又各有两个夹紧点。为保证四个点都接触和夹紧工件，也需通过浮动零件 1。两个方向上的夹紧力的比例，可通过杠杆 L_1、L_2 的长度比来调整。

B　多件夹紧机构

能够同时对数个工件进行夹紧称为多件夹紧。多用于夹紧小型工件，在铣床上用得较多。

（1）平行式多件夹紧。如图 3-36，各个夹紧力是相互平行的，理论上讲，分配到各工件上的夹紧力相等。图 3-36(a)利用浮动压块夹紧工件，每两个工件需一个浮动压块。工件多于两个，浮动压块之间需要用浮动件连接。图 3-36(b)是利用流体介质(如液性材料)代替浮动元件实现多件夹紧，有的夹具也采用小钢球代替流体介质。

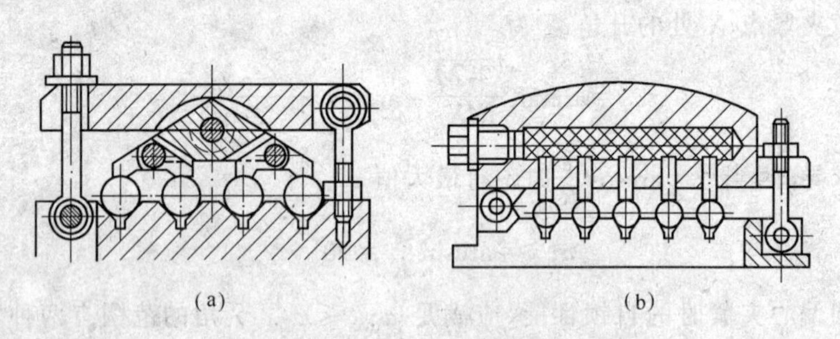

图 3-36　平行式多件夹紧机构

（2）对向式和复合式多件夹紧。对向式多件夹紧是通过浮动夹紧机构产生两个方向相反、大小相等的夹紧力，并同时将各工件夹紧，如图 3-37。复合式多件夹紧多为平行和对向式夹紧的复合结构。

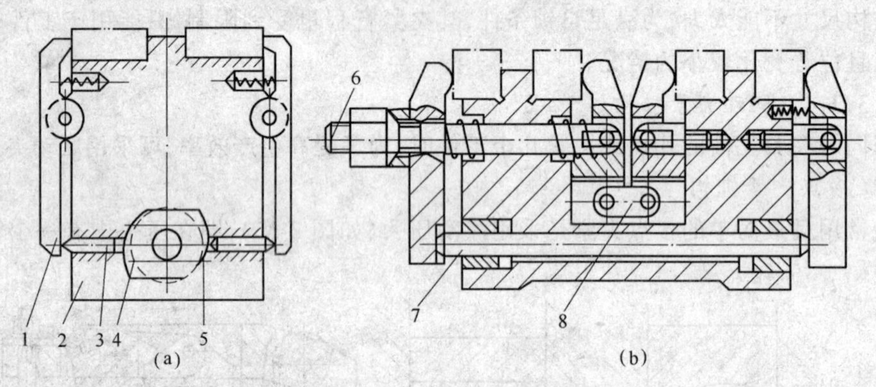

图 3-37　对向式多件夹紧机构

1—压板；2—夹具体；3—滑柱；4—偏心轮；5—水平导轨；6—螺杆；7—顶杆；8—连杆

（3）依次连续式多件夹紧。以工件本身为浮动件，不需要另加浮动元件就可实现连续多件夹紧。如图 3-38 所示，夹紧力依次由一个工件传至下一个工件，依次可以夹紧很多工件。

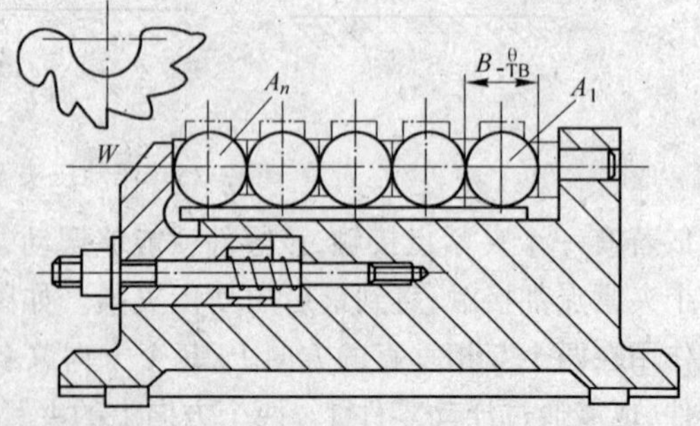

图 3-38　依次连续多件夹紧机构

C　联动夹紧机构设计应注意问题

（1）必须设置浮动环节或工件本身能够浮动。

（2）适当限制被夹紧件的数目，以免机构复杂、动作不可靠。

（3）符合机械传动原理，进行必要的运动分析和受力分析，以确保设计用途的实现。

（4）有足够的刚度。

3.3.4 夹紧动力装置设计

3.3.4.1 气动夹紧装置

动力装置为各种形式的气缸或气室。进入动力装置中的压缩空气一般在 0.4～0.6MPa 之间。典型的气动和传动系统如图 3-39 所示。压缩空气通过管路进入系统，推动气缸工作。有时管路中安有气压继电器 7，控制机床电路，一旦气压突然降落时，能切断主电路，停止机床工作，防止发生事故。单向阀是为了当管路突然停止供气时，夹具不致立即松开造成事故。气动系统元件均已标准化。

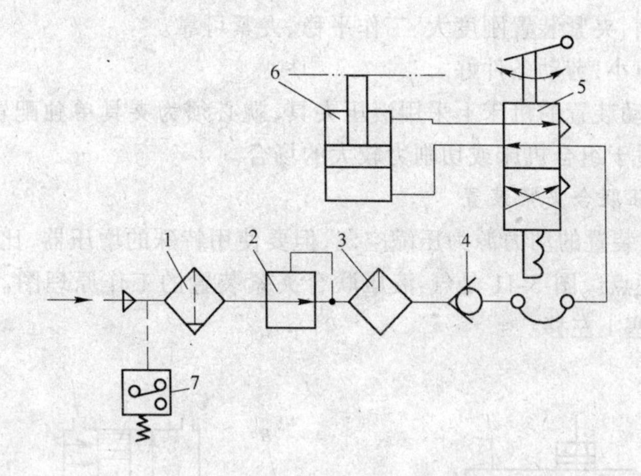

图 3-39 典型气动传动系统

1—分水滤气器；2—调压阀；3—油雾器；4—单向阀；
5—配气阀；6—气缸；7—气压继电器

车床常用的回转式活塞汽缸，工作时要随主轴回转，这时要使用图 3-40 所示的导气接头。导气轴 1 右端固定在汽缸后盖 8 上，导气套通过两个滚动轴承 5 和 7 装在导气轴 1 的

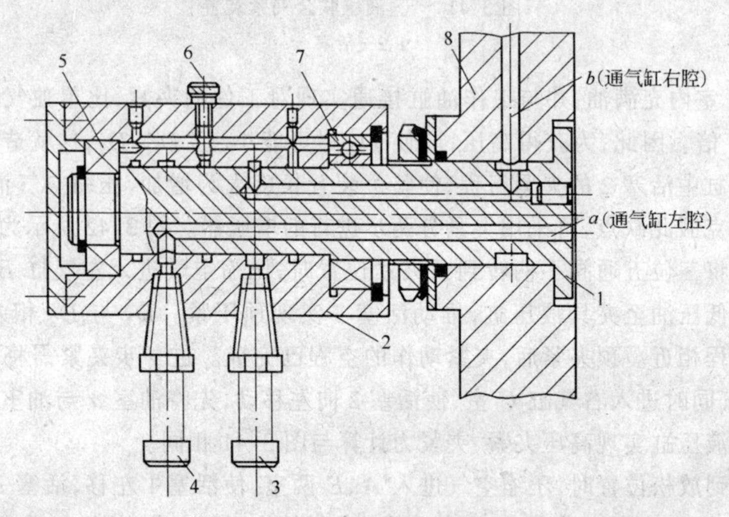

图 3-40 导气接头

1—导气轴；2—导气套；3、4—管接头；5、7—滚动轴承；
6—油孔螺塞；8—气缸后盖

轴颈上，使之不随导气轴转动。压缩空气由管接头3经通道 b 进入气缸右腔，或由管接头4经通道 a 进入汽缸左腔驱动活塞移动。

气动夹紧装置的优点是：夹紧基本稳定，夹紧动作迅速，操作省力。不足之处是：因空气可压缩，夹紧刚度差，一般不适和切削力大的场合；压缩空气压力有限，有时作用力不够大，要与增力机构结合使用；与液压夹紧机构相比，气缸尺寸较大；也容易出现噪声。

3.3.4.2 液压夹紧装置

工作原理与气动夹紧相似，有以下特点：

(1)油压力可达6MPa，比气压高10余倍，油缸尺寸小，无须增力机构，结构简单紧凑。

(2)液体不可压缩，夹紧装置刚度大、工作平稳、夹紧可靠。

(3)液压夹具噪声小，劳动条件好。

但在没有液压传动装置的机床上采用液压夹具，就必须为夹具单独配置一套专用液压辅助装置，成本高。适于组合机床或切削力较大的场合。

3.3.4.3 气-液压联合夹紧装置

气-液压联合夹紧装置的动力源为压缩空气，但要使用特殊的增压器，比气动夹紧复杂，但兼有气、液夹紧的优点。图3-41是气-液压联合夹紧装置的工作原理图。压缩空气进入增压器 A 室，推动活塞1左移。

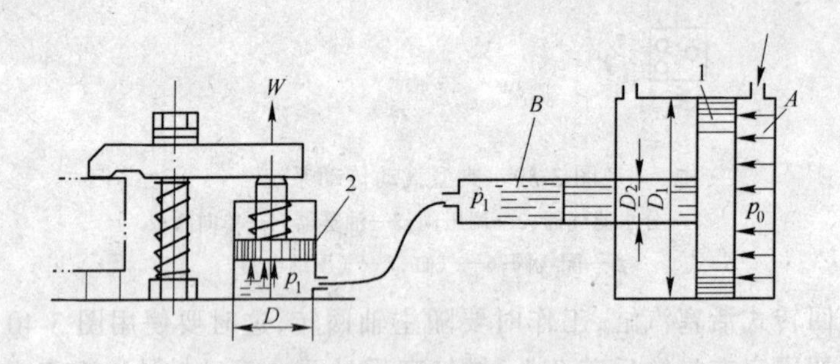

图3-41 气-液压联合夹紧装置

1、2—活塞

增压器 B 室内充满油，并与工作油缸接通实现对工件的夹紧，比单独气动夹紧力约增大$(D_1/D_2)^2$倍。因此，为获得高压，应使 D_2 尽可能小，且 $D>D_2$，这就造成活塞1的行程大于工作油缸中活塞2的夹紧行程，使整个装置长度大为增加，压缩空气消耗量大，动作时间也长。为克服此缺点，可采用夹紧分两步进行的增压器。图3-42所示为这种增压器的工作原理图。将三位五通阀手柄转到预夹紧位置时，压缩空气进入左气缸 B 室，活塞1右移。此时输出低压油至夹具液压缸，推动活塞3实现预压紧。D_1 与 D_2 相差不多，活塞1与活塞3的行程相近。预夹紧后，夹紧动作的空程已完成。进一步夹紧需将手柄转到高压位置，压缩空气同时进入右气缸 C 室，使活塞2向左移动，先将油室 a 与油室 b 断开并输入高压油至夹具液压缸实现高压夹紧，夹紧力计算与图3-41相同。

把手柄转到放松位置时，压缩空气进入 A、E 两室，使活塞1左移，活塞2右移，a 室与 b 室接通，油回到增压器中，夹具液压缸的活塞在弹簧作用下复位，放松工件。

除气、液动力外，还有利用切削力或主轴回转离心力作用的自夹紧装置以及利用电磁吸力、大气压力（真空夹具）和电动机驱动等各种动力源。

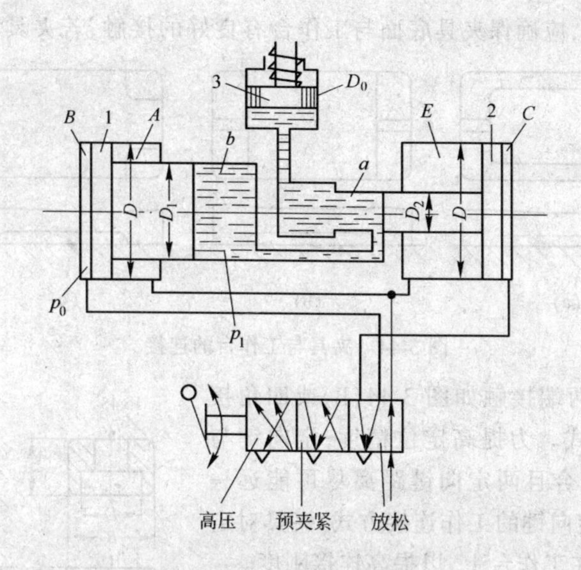

图 3-42　气液增压器

1,2,3—活塞;A,B,C,E—气室;a,b—油室

3.4　导向和对刀机构设计

3.4.1　夹具在机床上的定位

夹具在机床上定位的本质是对成形运动的定位。例如图 3-2 的铣床夹具在机床上的定位如图 3-43 所示。该定位要保证 V 形块中心对成形运动(铣床工作台纵向走刀运动)平行。在垂直面内,这种平行度要求是靠夹具底平面 A 放置在机床工作台上保证的。因此,应保证夹具 V 形块中心对定向键 1 和 2 的中心线(或一侧)平行。对机床来说,应保证 T 形槽中心(或侧面)对纵向走刀方向平行。另外,定向键与 T 形槽有很好的配合。

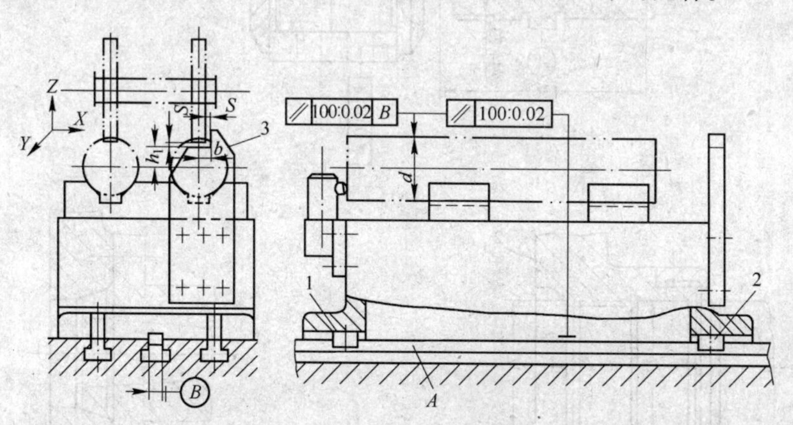

图 3-43　夹具对成形运动的定位

1,2—定向键;3—对刀装置

3.4.2　夹具与机床连接

夹具在机床上定位有两种最基本的形式。一是夹具安装在机床平面工作台上(如铣床、刨床、钻床、镗床、平面磨床等);一种是夹具安装在机床回转主轴上(如车床、内圆磨床等)。

对于平面工作台定位,应确保夹具底面与工作台有良好的接触,若夹具体较大,应采用周边

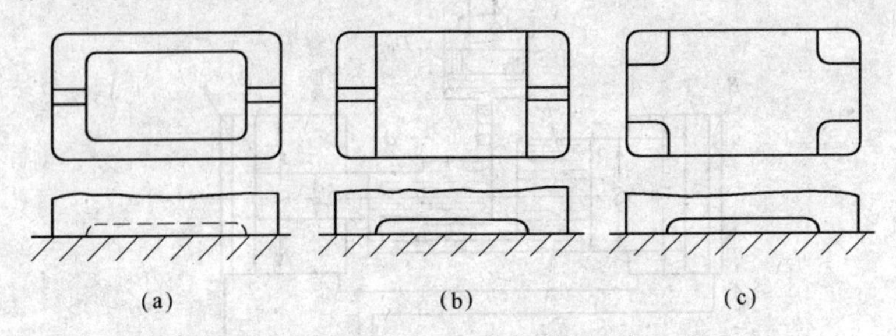

图 3-44　夹具与工作台的连接

接触,如图 3-44(a)、两端接触如图 3-44(b)或四角接触如图 3-44(c)等方式。为提高定位精度,定向键与T形槽要有良好的配合且两定向键距离尽可能远一些。图 3-45 为夹具定向键的工作连接方式,夹具对定后,用螺钉将其压紧在工作台上,以提高连接刚度。

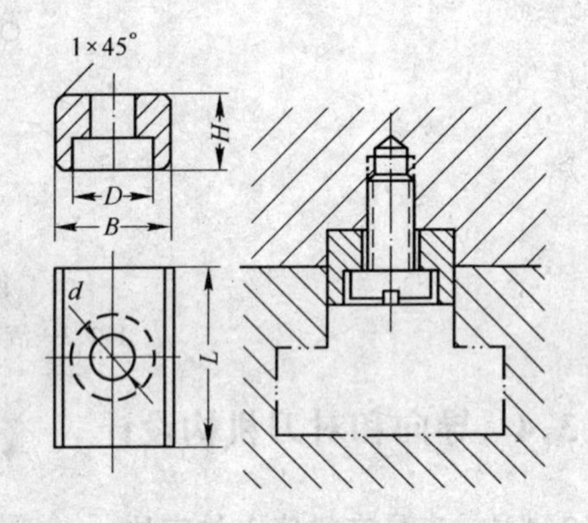

图 3-45　夹具定向键

夹具在回转主轴上安装,取决于所用机床主轴端部结构。图 3-46 为几种常见的安装形式。图 3-46(a)以长锥柄(常为莫氏锥度)安装在主轴孔内,根据需要可用拉杆从主轴尾部拉紧。定位精度高但刚度较低,适用于轻切削的小型夹具,如刚性心轴和自动定心心

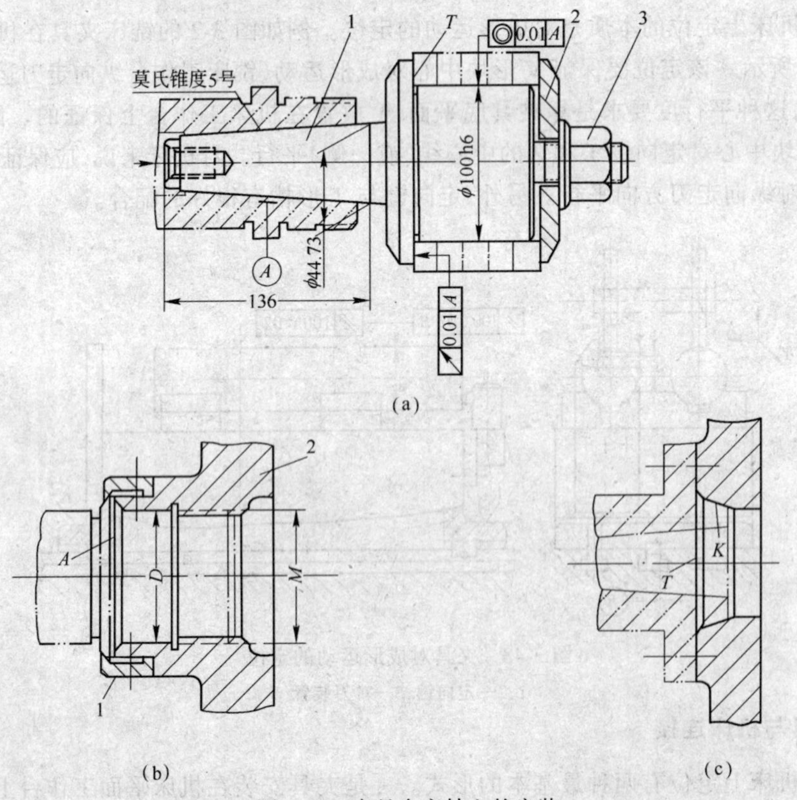

图 3-46　夹具在主轴上的安装

轴等。图 3-46(b)以端面 A 和短圆柱孔 D 在主轴上定位。孔和主轴轴颈的配合常用 H7/h6 或 H7/js6。结构简单易制造,但定位精度低,适于精度不高的加工。图 3-46(c)用短锥 K 和端面 T 定位,定心精度高,连接刚度好。对于通用或专用卡盘,为适用不同主轴端部的结构,可另配图 3-47 所示的专用过渡盘。夹具以其定位孔按 H7/h6 或 H7/js6 与过渡盘短圆柱面配合,然后用螺钉紧固。

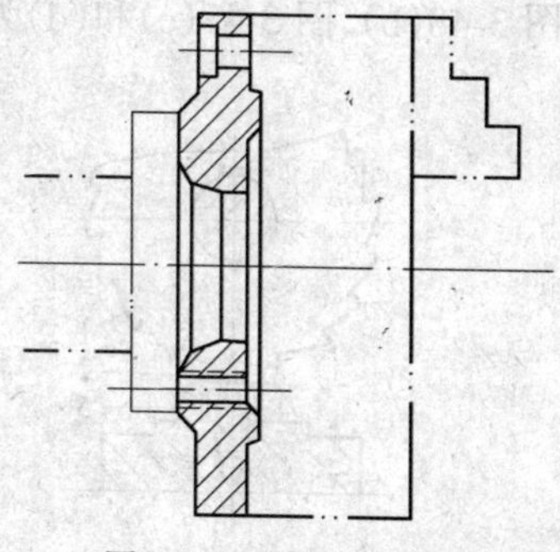

图 3-47 夹具过渡盘

3.4.3 元件定位面对夹具定位面的位置要求

设计夹具时,元件定位面对夹具定位面的位置要求,应在夹具装配图上标出。在图 3-46(a)中应标出 ϕ100h6 圆柱面及台肩面 T 对锥柄锥面 A 中心的同轴度和端面跳动。表 3-2为几种常见元件定位面对夹具定位面技术要求的标注方法。各项允许误差决定于工件有关加工公差,总原则是加工中各项误差造成的工件加工误差应小于或等于相应的工件公差。通常夹具定位时产生的位置误差 Δ_w 为工件制造公差 δ 的 1/6~1/3。

表 3-2 几种常见元件定位面对夹具定位面的技术要求

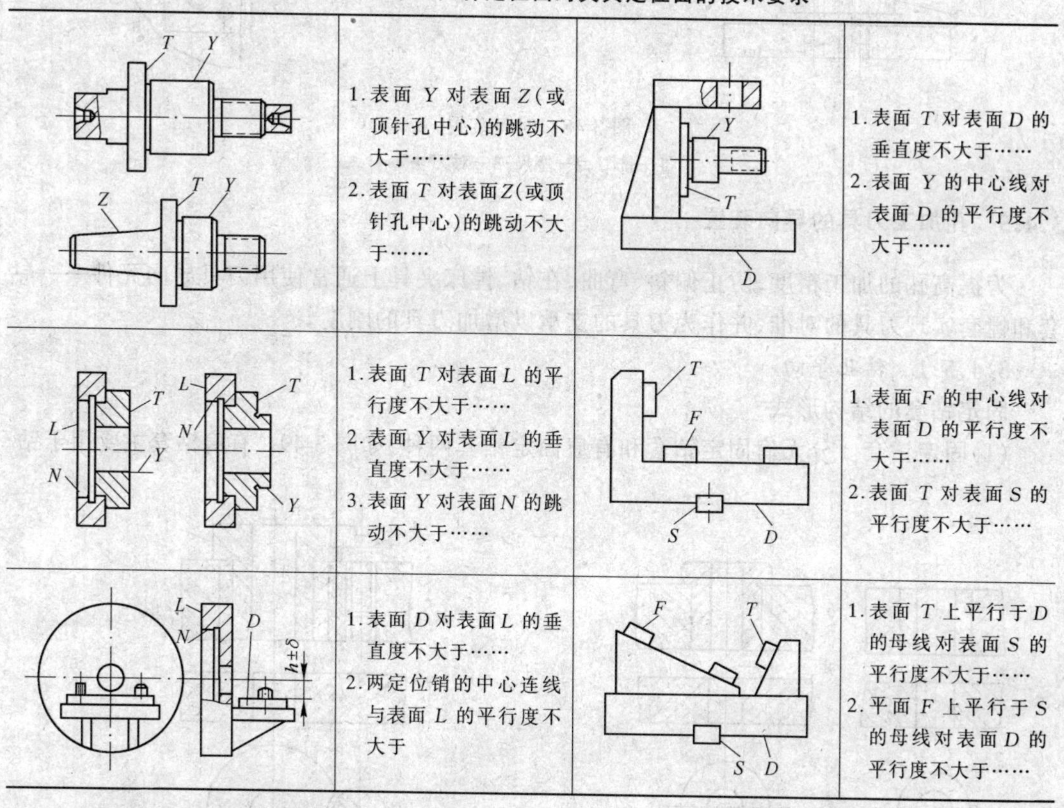

	1. 表面 Y 对表面 Z(或顶针孔中心)的跳动不大于…… 2. 表面 T 对表面 Z(或顶针孔中心)的跳动不大于……		1. 表面 T 对表面 D 的垂直度不大于…… 2. 表面 Y 的中心线对表面 D 的平行度不大于……
	1. 表面 T 对表面 L 的平行度不大于…… 2. 表面 Y 对表面 L 的垂直度不大于…… 3. 表面 Y 对表面 N 的跳动不大于……		1. 表面 F 的中心线对表面 D 的平行度不大于…… 2. 表面 T 对表面 S 的平行度不大于……
	1. 表面 D 对表面 L 的垂直度不大于…… 2. 两定位销的中心连线与表面 L 的平行度不大于		1. 表面 T 上平行于 D 的母线对表面 S 的平行度不大于…… 2. 平面 F 上平行于 S 的母线对表面 D 的平行度不大于……

3.4.4 夹具对刀装置

夹具在机床上定位后,需要进行夹具对刀,图 3-43 中,在 X 方向应使铣刀对称中心面与夹具 V 形块中心重合,在 Z 方向应使铣刀的圆周刀刃最低点离心棒中心的距离为 h_1+s。图 3-44 中采用直角对刀块 3 对刀。因夹具制造时已保证对刀元件位置尺寸 b 和 h_1,只要将刀具对准离对

刀块表面距离 S,即可认为刀具已对准,S 由设计决定,一般为 1、2、3mm,用塞尺进行检查。

图 3-48 为几种铣刀的对刀装置。最常用的是高度对刀块如图 3-48(a),直角对刀块如图 3-48(b),图 3-48(c)和(d)为成形对刀装置,图 3-48(e)为组合对刀装置。

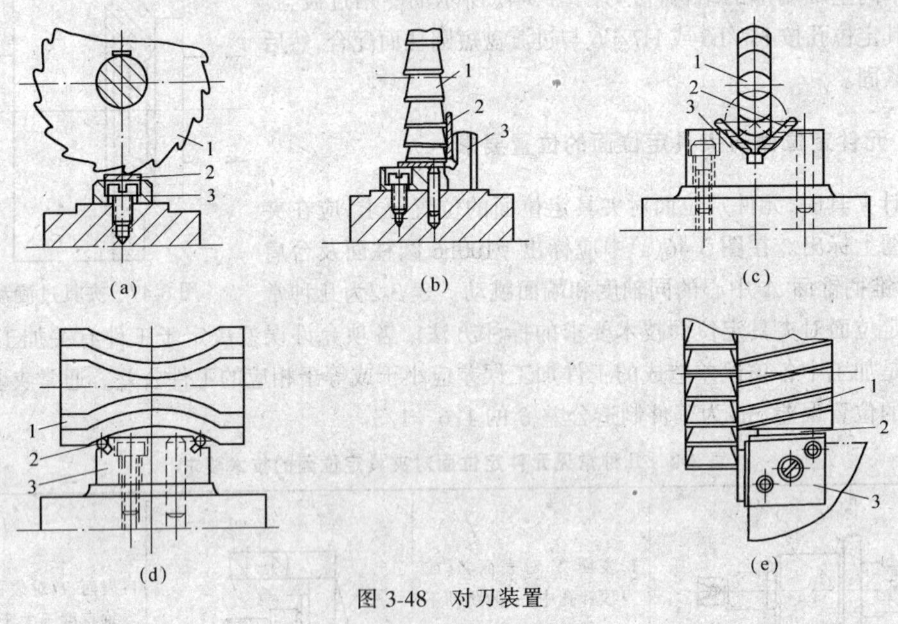

图 3-48 对刀装置

1—铣刀;2—塞尺;3—对刀块

3.4.5 孔加工刀具的导向装置

为提高孔的加工精度,防止偏斜、弯曲,在钻、镗床夹具上通常使用刀具导向元件——钻套和镗套实现刀具的对准,并作为刀具的支承以增加刀具的刚度。

3.4.5.1 钻孔导向

固定钻套的结构形式

(1)固定钻套。分无肩固定钻套和有肩固定钻套两种,如图 3-49。有肩钻套主要用于钻

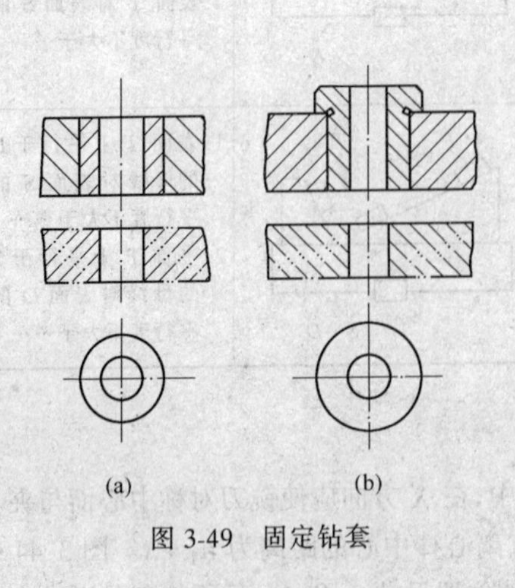

图 3-49 固定钻套

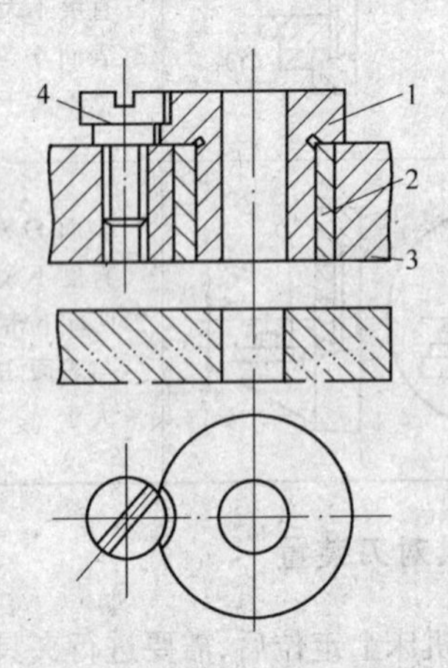

图 3-50 可换钻套

1—可换钻套;2—衬套;3—钻模板;4—螺钉

模板较薄时，以保证钻套必要的导向长度。钻套直接压入钻模板或夹具体上，一般采用 H7/r6 或 H7/n6 配合。

(2)可换钻套。磨损后可更换，结构如图 3-50 所示，其凸缘上铣有台肩，钻套螺钉 4 压在此台肩上防止钻套转动或上移。可换转套通过衬套装在钻模板上。衬套压入钻模板或夹具体，采用 H7/r6 或 H7/n6 配合。可换钻套与衬套常采用 H7/g6 或 H7/g5 配合。

(3)快换钻套。用于同一孔需经多种工步加工，连续更换刀具的场合，其形似可换钻套。但在台肩相邻处铣一削边平面方便钻套取出，如图 3-51。注意取出钻套的旋转方向应与刀具加工时的旋转方向相反。上述三种转套均以标准化，可从夹具手册中查到。

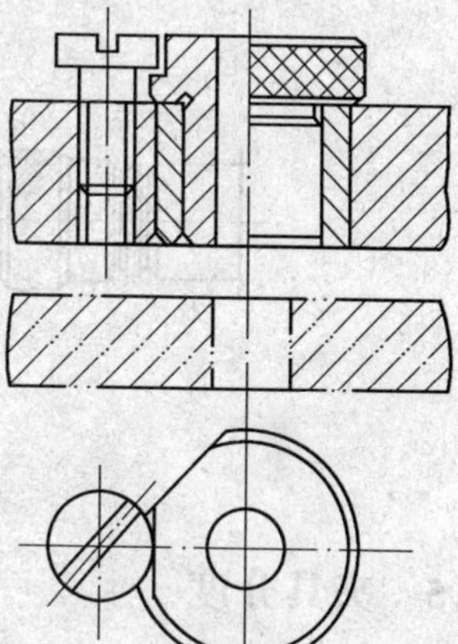

图 3-51　快换钻套

3.4.5.2　镗孔导向

镗床夹具(又称镗模)与钻床夹具很相似，其导引刀具的导向元件称为镗套。镗套的结构和精度直接影响镗孔的精度和表面粗糙度。按运动形式的不同，镗套的结构形式一般分为如下两种。

(1)固定式镗套。结构似固定式钻套，外形尺寸小，结构简单，便于制造，中心位置准确，只适于低速加工。为减少与镗杆工作表面的磨损，镗套应自带润滑油杯。

(2)回转式镗套。镗孔时随镗杆一起转动而镗套与镗杆间无相对转动，只有相对移动，磨损小，但回转部分的润滑要得到充分保证。按回转部分安装位置的不同回转镗套又可分为“内滚式”和“外滚式”。这两种镗套又按使用的轴承不同，分为滑动回转镗套和滚动回转镗套，如图 3-52 所示。

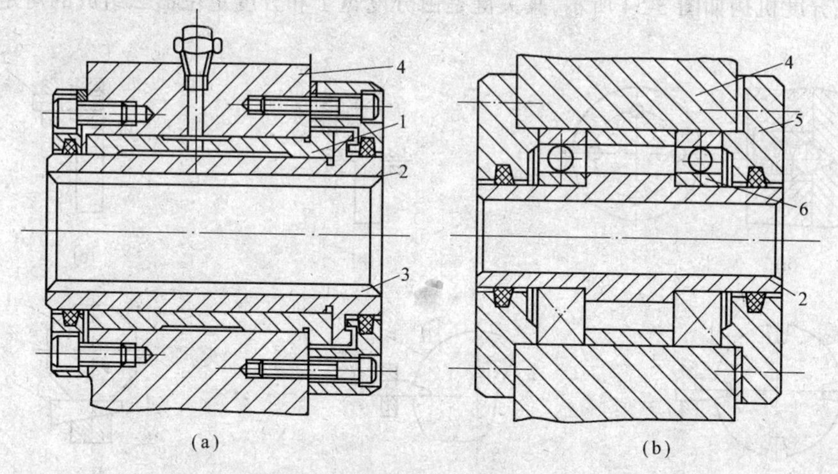

图 3-52　回转式镗套

(a)滑动镗套；(b)滚动镗套

1—轴承套；2—导套；3—键槽；4—导向支架；5—轴承盖；6—滚动轴承

图 3-52(a)所示为外滚式滑动镗套。导套 2 支撑在滑动轴承 1 上，镗杆与导套只有相对移动而无相对转动。由于镗套的回转部分装在导套的外面，故称外滚式。径向尺寸小，减振性较好，承载能力较大，工作速度不能过高。

图 3-52(b)所示是外滚式滚动镗套。其回转部分滚动轴承 6 安在导向支架 4 上,导套 2 在轴承上转动,镗杆相对导套移动。这种镗套结构尺寸较大,润滑条件要求较低,工作速度可以提高。

内滚式滚动镗套中,滚动轴承内圈直接与镗杆配合。由于其回转部分装在导向滑动套里面,故称为内滚式。内滚式镗套结构尺寸较大。其结构如图 3-53 所示。

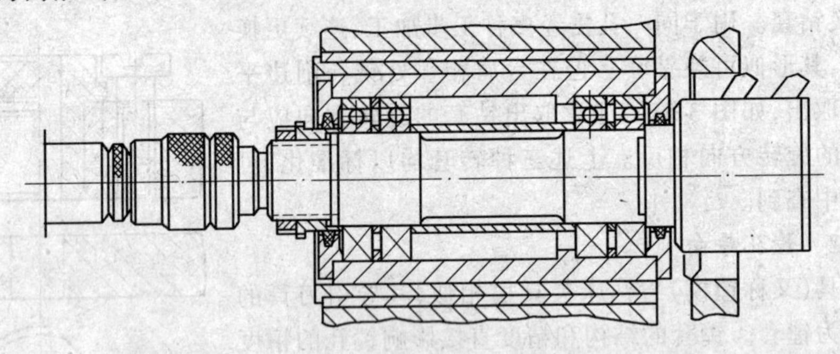

图 3-53　内滚式滚动镗套

3.5　夹具分度

所谓分度,是指工件在一次装夹中,不必使其松开而能连同定位元件相对刀具(或机床)转过一定角度或移动一段距离,从而占有一个新的加工位置(工位)。能实现这种功能的装置称为分度装置。根据分度的要求,有些分度装置可以进行等分分度,有些可以进行不等分分度。分度装置有直线移动式和回转式分度装置,其中回转式分度装置应用较多。

3.5.1　机械式分度装置

机械式分度机构如图 3-54 所示,其关键是由分度盘 1 和分度定位器 2 组成的对定机构。

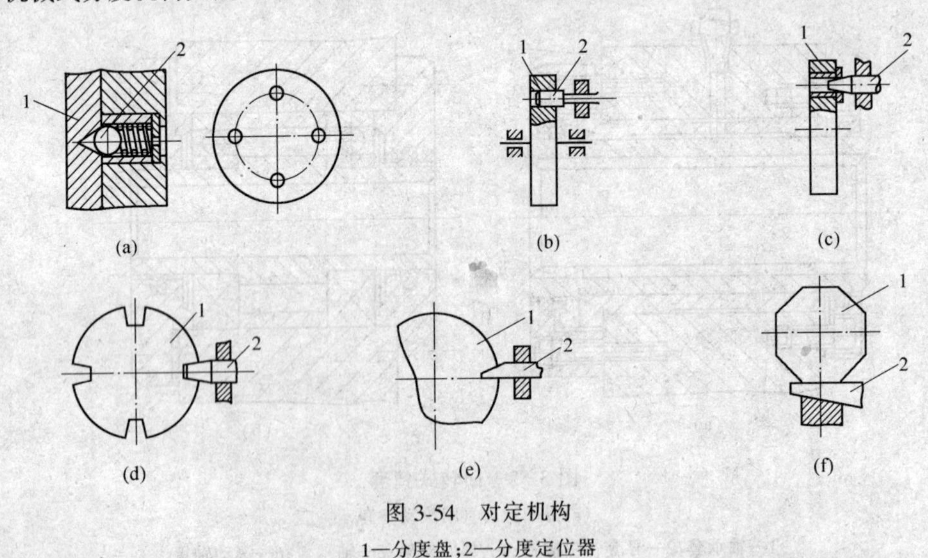

图 3-54　对定机构

1—分度盘;2—分度定位器

3.5.1.1　对定机构类型及结构

根据分度盘和分度定位器相互配置的不同,分度装置可分为轴向分度和径向分度两种。分度定位器的运动方向与分度盘回转轴线平行的称为轴向分度,如图 3-54(a)、(b)、(c)。分度定位器的运动方向与分度盘回转轴线垂直的称为径向分度，如图 3-54(d)、(e)、(f)。分度盘上的分度孔(槽)离分度盘回转轴线越远，分度精度越高。在分度盘直径相同的情况下，径向分度的精度比轴向分度精度高。但轴向分度装置结构尺寸较小。

3.5.1.2 分度定位器的操纵机构

分度定位器操纵机构形式很多。按力源的不同可分为手动(如图 3-55)、气动、液压或电动等类型。图 3-55(a)为手拉式操纵机构，图 3-55(b)为齿轮齿条式，图 3-55(c)为杠杆式，图 3-55(d)为偏心式，图 3-55(e)为脚踏式。

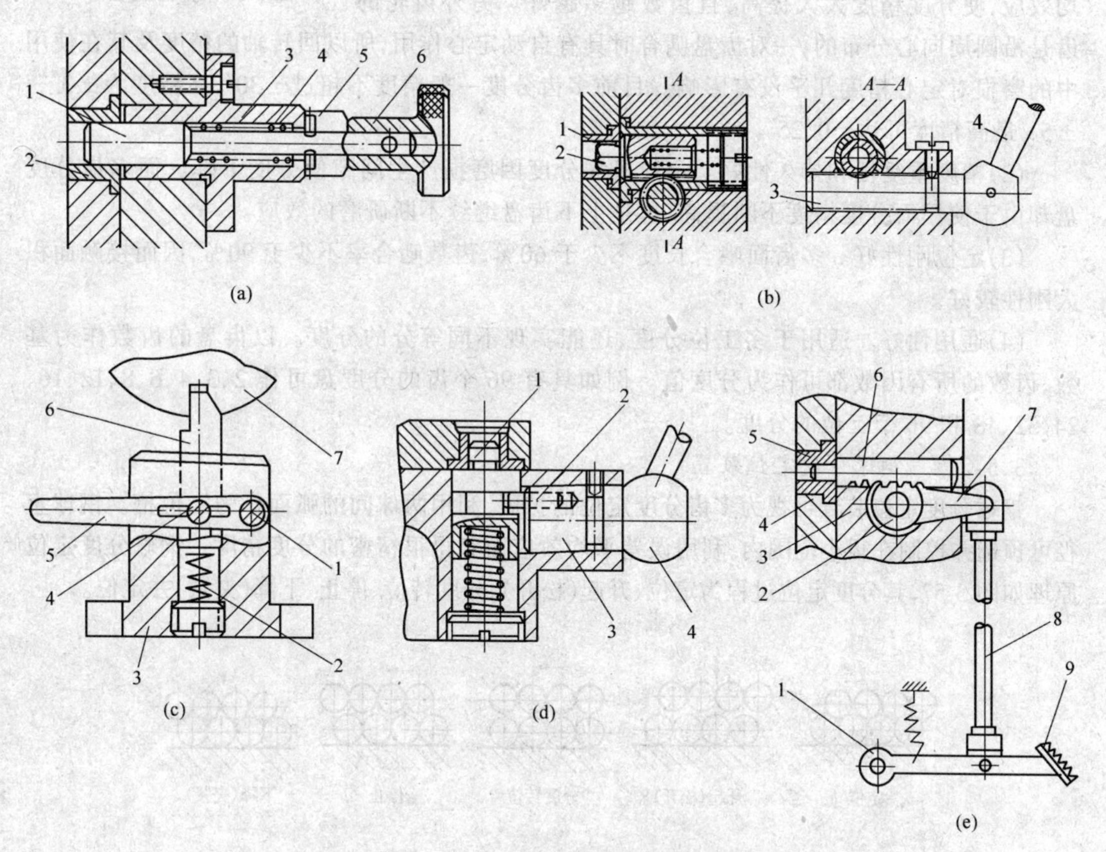

图 3-55 常用分度定位器操纵机构

3.5.1.3 提高分度精度的主要措施

(1)提高分度装置活动部分的配合精度及主要件工作面的相互位置精度。

(2)采用减少配合间隙的结构，如单斜面斜块和锥形定位销分度。

(3)在结构允许的情况下，尽可能增大分度孔中心至分度盘回转中心之间的半径。

(4)正确安排定位销的位置。如果同时考虑到分度装置的转轴与其轴承间的配合间隙，尽可能将工件的被加工面(刀具切削位置)和定位销安排在转轴的同侧。

3.5.2 高精度机械式分度装置

一般机械分度装置定位精度较低，如圆销定位的分度精度很少高于 ±10″，而且对定机构磨损后无法补偿，使分度装置不能持久地保持精度。为此生产中广泛采用高精度多齿盘分度装置，并开始采用高精度的钢球定位分度盘分度装置。

3.5.2.1 多齿盘分度定位装置

多齿分度盘实际上相当于一对齿数相同，齿形为等腰梯形的平顶齿轮的咬合，如图 3-56 所示。它具有定位精度高、刚性好、结构简单、调整方便等优点，广泛地应用在数控机床、组合机床、万能机床附件和自动装配机上。其特点如下：

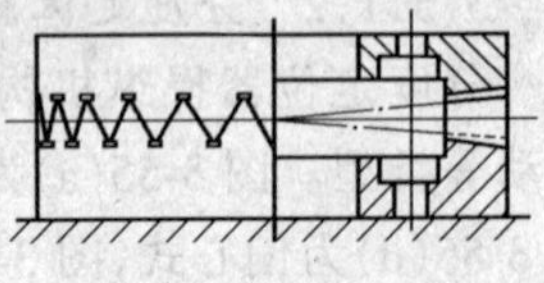

图 3-56 多齿盘啮合

(1)分度精度高。与孔销定位误差相比，其误差是一个平均效应，使分度精度大大提高，且齿数越多越好。另外齿轮的齿是沿圆周向心分布的，一对齿盘啮合时具有自动定心作用，所以回转轴的精度及其在使用中的磨损对定心精度几乎没有影响。目前多齿分度一般精度不超过±30″，高精度为±3″～±5″，最高精度可达±0.25″。

(2)精度重复性和持久性好。一般机械分度因磨损产生间隙使分度下降。而多齿分度盘却由于使用而分度精度不断提高，这是上下齿盘继续不断研磨的效应。

(3)定位刚性好。多齿面啮合长度不少于60%，齿数啮合率不少于90%，因而接触面积大刚性较好。

(4)通用性好。适用于多工位分度，还能实现不同等分的分度。以齿盘的齿数作为基数，齿数的所有因数都可作为分度值。例如具有 96 个齿的分度盘可作 2、3、4、6、8、12、16、24、32、48 和 96 个工位的分度。

3.5.2.2 钢球分度定位装置

钢球分度定位装置可视为多齿分度定位的扩展，利用两球间的弧面作为定位槽。钢球直径可预选并控制在很小范围内，利用误差平均效应而获得很精密的分度精度。钢球分度定位原理如图 3-57，其分度定位过程为定位、升起(松开)、分度转位、停止、下降(夹紧)并定位。

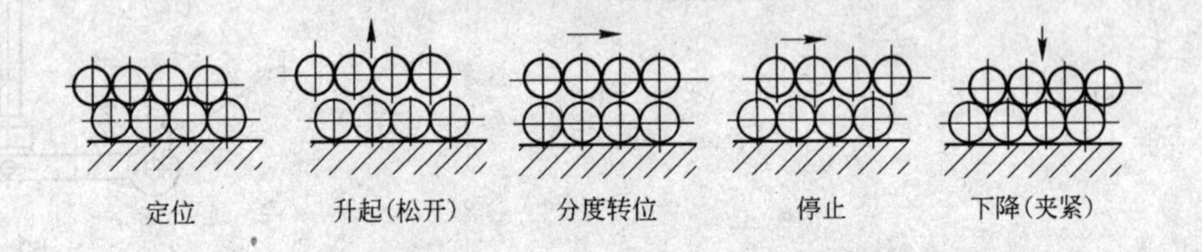

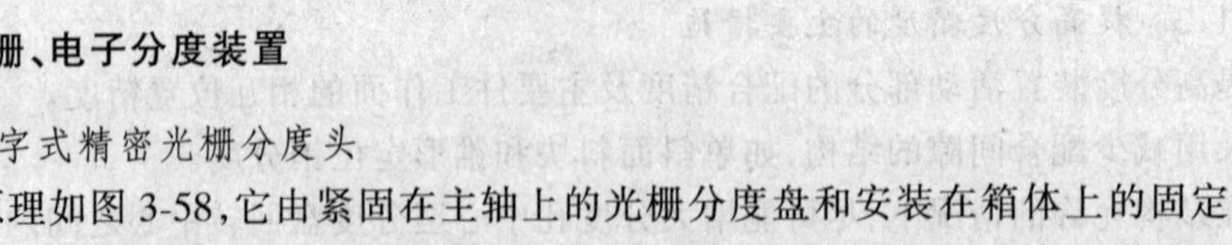

图 3-57 钢球分度定位原理图

3.5.3 光栅、电子分度装置

A 数字式精密光栅分度头

工作原理如图 3-58，它由紧固在主轴上的光栅分度盘和安装在箱体上的固定光栅头组成。主轴旋转时引起莫尔条纹的明暗变化，通过硅光电池接收信号，经数显装置显示分度数量。具有精度高、读数直观、操作方便的特点。其精度可达±1″。

B 电子分度器

电子分度器由机、电、液联动控制进行自动分度以实现自动加工，分度数和工件等分数均有数字显示。图 3-59 为电子分度器机械传动原理图，使用时要和铣床分度头及电器控制箱联用，齿轮 8 将分度运动传给分度头。

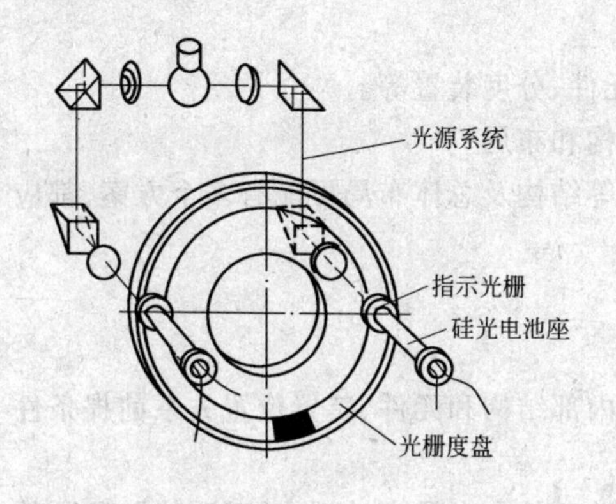

图 3-58　光栅分度头工作原理

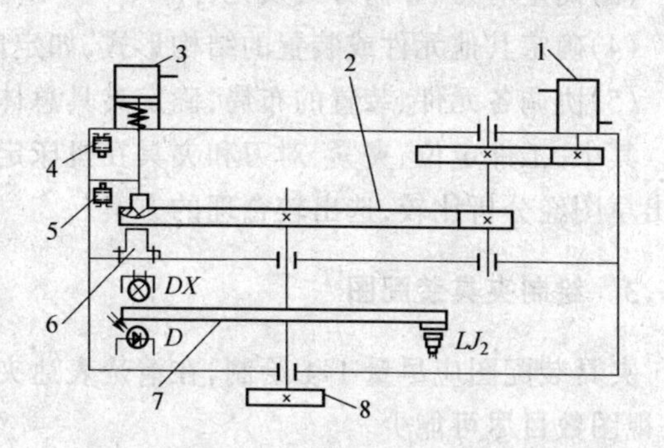

图 3-59　电子分度器机械传动原理图

1—双向定量油马达；2—定位齿轮；3—定位油缸；
4、5—行程开关；6—限位块；7—遮光板；
8—输出齿轮

采用电子分度器可避免人工分度易产生的差错，提高工作效率，保证产品质量，减轻工人劳动强度，为机床加工自动化创造条件。

3.6　夹具设计步骤

夹具设计可分为四个步骤，即设计准备工作，确定夹具总体方案，绘制夹具装配图和绘制夹具零件图。

3.6.1　设计准备工作

设计准备工作包括编制工件加工工艺规程，提出相应的夹具设计书，对定位基准、夹紧方案及有关要求做出说明。特别注意下列问题。

(1)生产批量：大批大量生产多采用气动、液压或其他机动夹具。中小批生产宜采用结构简单成本低廉的手动夹具以及万能通用夹具、可调夹具或组合夹具。

(2)零件图及工序图：零件图给出工件在尺寸、形位及表面粗糙度等方面精度要求。工序图给出所有夹具加工工件的工序尺寸、工序基准、已加工表面、待加工表面、工序加工精度等。它们是设计夹具的重要依据。

(3)零件工艺规程：零件工艺规程表明了该工序所用的机床、刀具及加工余量、切削用量、工时定额及同时加工的工件数目等，这些都是确定夹具结构尺寸、形式、夹紧装置以及夹具与机床连接部分的结构尺寸的主要依据。

(4)夹具典型结构及有关标准：设计夹具还要收集典型夹具结构图册和有关夹具零部件标准等资料。了解本厂制造、使用夹具情况及国内外同类型夹具资料，尽量采用国家标准。

3.6.2　夹具总体方案确定

(1)确定工件定位方式，选择定位元件，验算定位误差。

(2)确定工件夹紧方案，选择适宜的夹紧装置，确定夹紧力方向、作用点及夹紧力大小等。

(3)确定对刀、导向方式及元件。

(4)确定其他元件或装置的结构形式,如定向元件、分度装置等。

(5)协调各元件、装置的布局,确定夹具总体结构和布局。

其中,工件定位、夹紧、对刀和夹具在机床定位等结构及总体布局可能有多个方案,都应绘出草图经分析比较,选出较合理的方案。

3.6.3 绘制夹具装配图

夹具装配图应尽量1∶1绘制,在清楚表达夹具内部结构和元件、装置位置关系前提条件下,视图数目尽可能少。

主视图应根据操作者实际工作位置确定,被加工工件在夹具中被视为“透明体”,所画的工件轮廓线与夹具上的任何线彼此独立,不相干涉,其外轮廓以双点画线表示。用网纹线表示出加工余量。特别注意以下两点:

(1)应标注的尺寸及公差配合:工件与定位元件的联系尺寸及公差;夹具与刀具的联系尺寸及导向件的配合尺寸;夹具与机床的联系尺寸;夹具内部的配合尺寸;夹具外廓尺寸等。

夹具上定位元件之间,对刀、导引元件间的尺寸公差,直接对工件上相应的加工尺寸产生影响,一般取工件加工尺寸的公差的1/3~1/5。定位元件与夹具体的配合尺寸公差,夹紧装置各组成件间的配合尺寸公差等,应按其功能和装置要求,按一般公差要求与配合原则决定。

(2)应标注的技术条件:定位元件之间或定位元件与夹具底面间的位置要求;定位元件与连接元件(或找正基面)间的位置要求;对刀元件与连接元件(或找正基面)间的位置要求;定位元件与导引元件的位置要求。

3.6.4 绘制零件图

装配图中的非标准件均应绘制零件图,尺寸、形状、位置、配合及表面粗糙度等要标注完整,正确。

3.7 典型夹具设计

3.7.1 车床及圆磨床夹具

车床及圆磨床夹具一般用于加工回转体工件。这类夹具的主要特点是:在加工过程中夹具要带动工件一起做旋转运动,这类夹具大多是定心夹具。设计中应注意以下问题:

(1)结构应紧凑,轮廓尺寸要小,重量要轻并且重心尽可能与机床回转中心重合,以减少离心力和回转力矩。

(2)工件的定位必须使加工表面的轴心线与机床主轴回转轴线同轴,而定位装置的结构和布置,应保证工件被加工表面与工序基准之间的尺寸精度及位置精度要求,即应使工件的工序基准和车床主轴回转中心保持正确的相对位置。

(3)工件的夹紧应可靠。由于工件和夹具一起随着主轴旋转,在加工过程中除受到切削力的作用外,夹具还受到离心力的作用。又因为切削力和重力相对与定位装置的位置是变化的,因此夹紧装置产生的夹紧力必须足够,自锁性能要可靠,但同时要注意夹紧力应不使工件或夹具产生较大的变形。

(4)夹具与机床的连接方式,主要取决于夹具的结构和机床主轴前端的结构形式。常用的连接方式有两种:一种是以锥柄与机床主轴锥孔连接,如图 3-46(a),由通过主轴孔的拉杆拉紧。若工件很小也可不必拉紧,直接靠夹具与机床主轴的摩擦力夹紧;另一种是夹具直接或通过过渡盘在机床主轴端外圆柱面或圆锥面上定位,如图 3-46(b)、(c)和图 3-47 所示,通过螺钉或螺栓使之与主轴紧固在一起。

(5)当工件及夹具上各元件相对机床主轴回转线不平衡时,应在夹具体上设置重量或位置可调节的平衡块,尤其是在一次安装中用回转分度的方法加工不同心的回转表面时,更应如此。也可在夹具不重要部位采用减重孔的方法达到平衡的目的。

(6)为保证工作安全,夹具体一般设计成圆柱形,工件及夹具上各元件不要在径向有特别突出的部分,并应防止各元件松脱,必要时应加防护罩。

3.7.2 钻床夹具

在各类钻床上用以确定工件相对刀具的位置并使工件得到夹紧、进而对其进行钻、扩、铰等工序加工的工艺装备均称为钻床夹具,简称钻模。钻床夹具的主要特点是具有导引和确定刀具位置的各种钻套以及安装钻套用的各类模板。

根据钻床夹具的结构特点及加工过程中夹具相对机床的位置,可将钻床夹具分为固定式钻模、回转式钻模、翻转式钻模、盖板式钻模和滑柱式钻模等。

A 固定式钻模

在加工过程中夹具和工件在机床上的位置始终保持不变,一般用于在立式钻床上加工单个孔或在摇臂钻床上加工平行孔系;也可在组合机床上加工孔系,此时夹具已成为机床的重要组成部分,直接决定机床的布局及整体结构,如图 3-60 所示。

在立式钻床上安装钻模时,应首先在钻床主轴孔中安装心轴(精度要求不高时也可直接安装钻头),并将心轴伸入钻套中,以校正夹具在机床工作台上的位置,然后将其固定。一般情况下,当被加工孔径小于 10mm 时,由于钻削扭矩较小,夹具也可以在工作台上不固定。

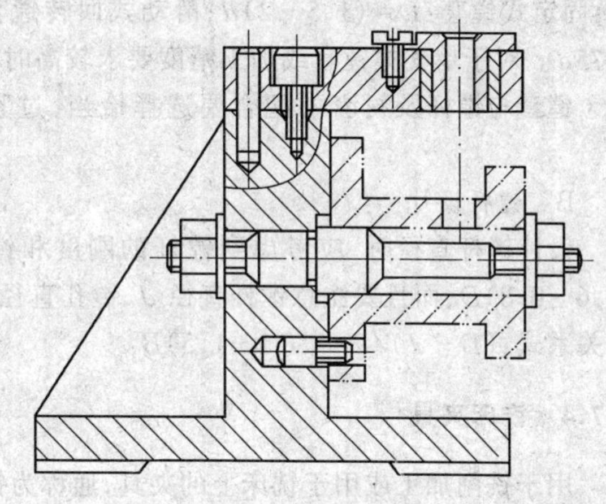

图 3-60 固定式钻模

B 回转式钻模

当加工同心圆周上分布的平行孔系或分布在几个不同表面上的径向孔时,可采用回转式钻模。其主要特点是必须有回转分度装置。回转式钻模可以单独设计回转分度装置,也可以由安装工件的夹具与通用标准回转台或回转工作台组成。

C 翻转式钻模

一般用于加工小型工件上分布在几个面上的孔;有时加工同一平面上的孔时,为便于工件的安装也采用这种钻模。其主要特点是夹具成箱形结构(因此也叫箱形钻模),在使用过程中可在机床工作台上用手翻转,实现加工表面的转换。这种夹具连同工件的质量一般不超过 10kg。采用翻转式钻模,可以减少工件的安装次数,提高工件加工时各被加工孔间的位置精度。

D　盖板式钻模

主要特点是没有夹具体，钻模板直接在工件上定位，有时也可在钻模板上设置夹紧元件，将钻模夹紧在工件上。这类钻模主要用于加工工件上主要孔周围的小孔，这些孔往往与主要孔有位置精度要求，钻模就直接以工件的主要孔来定位。

E　滑柱式钻模

主要特点是钻模板固定在可以自由升降的滑柱上，滑柱的升降可以手动操作，也可以采用气压、液压传动装置。滑柱式钻模的结构已通用化，广泛地被应用于生产中。采用滑柱式钻模装卸工作迅速，操作方便。

3.7.3　镗床夹具

镗床夹具主要用于加工箱体、机体、支架等类零件上的孔或孔系。与钻床夹具相似，镗床夹具有引导刀具的导套(镗套)以及用于安装镗套的镗模架。与钻床夹具不同之处是它的加工精度较高。镗床夹具又简称镗模。

采用镗模，工件的加工精度在很大程度上取决于导向装置的精度和刚度，它可以不受机床精度的影响而加工出较高精度的孔和孔系，但此时镗杆须与机床主轴浮动连接。

镗床夹具设计应注意的问题：

A　镗套设计

镗套的长度 L 影响导向性能，根据镗套的类型和布置方式，它与镗杆直径 d 的关系常取：固定式镗套：$L=(1.5\sim2)d$；滑动式回转镗套：$L=(1.5\sim3)d$；滚动式回转镗套：$L=0.75d$。对于单支撑镗套或加工精度要求较高时，L 应取较大值。

镗套与镗杆及衬套的配合要选择恰当，过紧易研坏或“咬死”，过松不能保证加工精度。

B　镗杆设计

设计镗杆直径时，应考虑到镗杆的刚度和镗孔时应有的容屑空间，一般可取为：$d=(0.6\sim0.8)D$，而且要注意镗杆直径 d、镗孔直径 D、镗刀截面 $B\times B$ 之间的关系一般应符合关系式：$(D-d)/2=(1\sim1.5)B$。

3.7.4　铣床夹具

用于铣削加工或用于铣床上的夹具，通称为铣床夹具。一般平面、沟槽及各类成形面大多采用铣削加工，特别是一些形体复杂的非回转体零件上的平面加工，更多地采用铣削。因此，铣床夹具在生产中占有较大比重。

为了提高生产率，在批量较大的情况下铣床夹具常采用多工位装夹，如图 3-2 所示即为双工位铣键槽夹具。气动、液压传动应用较多。夹具的整体结构及进给方式应尽可能使安装工件的辅助时间与机加工时间重合。

一般铣削加工的切削用量和切削力较大，而且多刀齿断续切削，切削力是变化的，容易产生振动。因此要求工件定位可靠，夹紧力要足够大，夹具要有较好的刚度和强度。多采用定向键和对刀装置等。铣床夹具的设计要特别注意铣削加工的特点和铣削方式、生产率的要求，同时还要考虑加工件的形状。

A 定向键

定向键安装在夹具底面的纵向槽中，一般使用两个，其距离尽可能布置得远一点，小型夹具也可使用一个断面为矩形的长键。通过定向键与铣床工作台T形槽的配合，使夹具上的定位元件的工作表面对于工作台的送进方向具有正确的相互位置关系。定向键可承受切削时产生的转矩，减轻夹紧夹具的螺栓负荷，增加夹具在加工过程的稳固性。因此，铣削平面的夹具体上也装有定向键。

定向键的结构已标准化，常用的矩形断面定向键有两种结构，一种在键的两侧开有沟槽或台阶，把键分成上下两部分，其上部尺寸按H7/h6与夹具体的键槽配合，下部宽度尺寸与T形槽配合，留磨量0.5mm，按H8/h7、H7/h6与机床工作台T形槽宽度配合。另一种上下两部分尺寸相同，适宜于夹具定向精度要求不高时采用。

定向精度要求高的夹具和重型夹具，不宜采用定向键，而是在夹具体上加工出一窄长平面作为找正面，来校正夹具的安装位置。

B 对刀装置

对刀装置由对刀块和塞尺组成，用来确定刀具与夹具的相对位置。对刀块的结构已标准化。加工单一平面时，常用圆形对刀块；在需要调整铣刀两垂直凹面位置时，常用方形对刀块；加工两相互垂直表面或铣槽面时，常用直角对刀块或侧装对刀块。对刀时还要使用平塞尺和对刀圆塞尺。

3.7.5 随行夹具

3.7.5.1 随行夹具

在机械加工、装配自动线上，对于形状复杂且无良好输送基面的工件，或虽有良好输送基面，但材质较软的有色金属工件，为防止输送中划伤基面，需要采用随行夹具。随行夹具带着工件由输送带依次输送到各工位，以实现对工件各工序的加工。此外，在流水线生产中，加工一些形体复杂、无良好定位基面而刚性又较差的薄壁工件，如蜗轮增压器的动叶片，也可采用随行夹具。随行夹具在各工位上必须精确定位和夹紧。

图3-61为卡盒式随行夹具。加工薄片的榫头时，以叶形面为定位基面，叶形面的形状

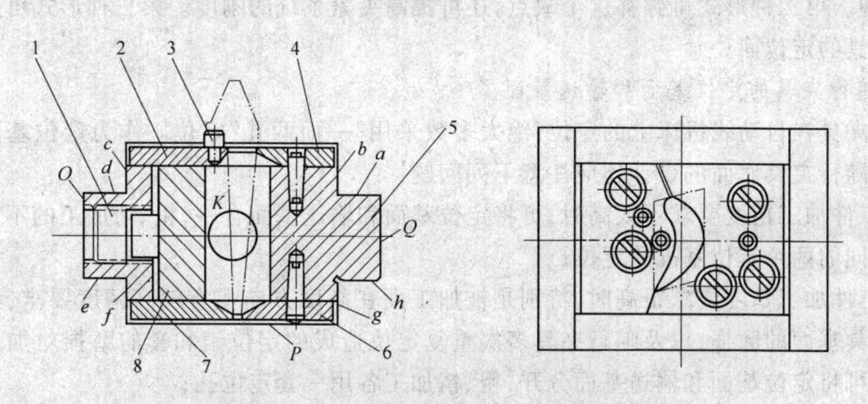

图3-61 加工蜗轮动叶片的卡盒式随行夹具

1—紧固螺钉；2—上压紧卡板；3—支承钉；4—上定位板；
5—卡盒体；6—下定位板；7—下压紧卡板；8—压板

复杂,刚度极弱,为了提高叶片的刚性,保证定位准确、夹紧可靠,工件在卡盒内定位和初步夹紧后,用易熔合金液体(熔点70℃,浇注温度90~98℃)浇注在卡盒中。待冷凝后由于易熔合金体积膨胀,而使工件紧紧地被固定在卡盒内。

卡盒由固定部分和活动部分组成。固定部分有卡盒体5以及由销钉定位、螺钉紧固在卡盒体上的上定位板4和下定位板6;活动部分由紧定螺钉1、压板8和安装在压板8上的上、下压紧卡板2、7组成。上压紧卡板2上有定位支承钉3。

工件在卡盒上的安装过程如下:松开紧定螺钉1,可退回压板8,使定位板4、6与压紧卡板2、7间形成一个较大的空隙,将叶片由上方装入,以叶片背弧的上、下两截面靠到上、下定位板4、6上,以榫头根部靠到支承钉3上以实现工件在夹具上的定位。旋紧螺钉1,带动压板8以及固定在其上面的上、下压紧卡板2、7夹紧在叶片定位截面的内弧面上。然后由孔浇注易熔合金,凝固后即可将叶片固定在卡盒内。

叶片加工完毕,松开螺钉1,将卡盒放入退盒的水箱内,头朝下加热使易熔合金熔化后取下叶片,卡盒又可重新使用。

采用此随行夹具可统一工件各工序加工的定位基准,提高加工精度,卡盒外形规矩、结构简单,容易制造;易熔合金熔点低,工件的装盒和退盒都比较方便;卡盒以 a、b、c、d、e、f、g 和 h 面作为在机床夹具上的定位面,而以 O、P、Q 面作为输送和存放的基准面,由于定位基准面和输送基面分开,且定位面凹向卡盒体,因此可长期保持定位面精度。

3.7.5.2 随行夹具设计应注意的问题

A 工件的装卸、定位和夹紧

工件在随行夹具上的装卸多采用人工装卸。其定位机构与一般夹具机构相似。考虑随行夹具在输送、提升、转向、翻转倒屑和清洗等过程中,由于振动会产生松动现象,工件在随行夹具上应采用自动锁紧机构。

B 随行夹具在自动线机床夹具上的夹紧

夹紧形式有三种:其一是夹紧在随行夹具的底板上;其二是从上方夹紧在工件或随行夹具的某机构上;其三是由上往下夹紧。第一种夹紧形式结构紧凑,且自动线敞开性能好,便于观察刀具的工作及调整,但常因夹紧机构及一些联动元件设置在机床的底座内而不便于维护、修理。第二种形式可弥补这个缺点,还可提高夹紧系统的刚度。第三种形式可防止切屑进入夹具的定位面。

C 随行夹具的定位基面和输送基面

随行夹具在自动线机床上的定位,绝大多数采用"一面两孔"定位。作为定位基面和输送基面的随行夹具底面的设计还应注意下列问题:

(1)工件加工精度要求不太高时,可将定位基面和输送基面合一,粗、精加工的不同工位可采用相同的两个定位基准孔定位;

(2)工件加工精度要求很高时,特别是被加工面在高度方向上有较高精度要求,必须考虑随行夹具基面的磨损,以及随行夹具多次重复定位造成的定位销和套的磨损对加工精度的影响。可将定位基面和输送基面分开,粗、精加工各用一套定位孔;

(3)定位基面应使随行夹具达到稳定而准确的定位,切削力要作用在定位平面内。为了改善结构工艺性,定位基面应做成间断平面,并对其提出平面度的要求;

(4)为使随行夹具定向输送夹具以及能较准确的接通机床夹具的定位机构,还必须设有随行夹具输送的导向机构。目前经常采用的有侧限位板、导向块和支承导向板等。

D 切屑和冷却液的收集和排除

E 随行夹具精度

随行夹具是保证工件精度的关键,除前面提及的保持其持久精度的措施外,还应注意提高随行夹具的定位精度;减少随行夹具的定位次数,使相互位置精度要求较高表面的加工,在随行夹具的一次定位中完成;在设计及制造上应保持自动线全部随行夹具精度的一致性,以保证所有随行夹具在机床上定位后与机床主轴或模板间的精度要求。

F 随行夹具的通用化

除了工件定位和夹紧机构须根据具体工作条件进行专门设计外,其他如随行夹具底板、定位基面和输送基面以及输送的导向机构等都可以设计成通用化的独立部件,并定出几种规格以供具体选用,以使随行夹具实现组合化或可调化。

3.8 可调夹具设计

3.8.1 可调夹具特点及其基本要求

A 可调夹具特点

由于专用夹具是专门设计制造的,虽然其使用效率比通用夹具高,使用成本较通用夹具低,但在其设计制造费用较高的情况下,为了保证经济效益,必须有一定的生产批量。专用夹具的经济效益可用下式计算。

$$F = A(C - D) - E \tag{3-17}$$

式中 A——工件总数(件);

C——使用通用夹具时的估算成本(元/件);

D——使用专用夹具时的估算成本(元/件);

E——专用夹具的设计制造费用(元);

F——使用专用夹具的经济收益(元)。

因此专用夹具使用的最小批量 A_{min}可表示为:

$$A_{min} = E/(C—D)$$

所谓可调夹具是将专用夹具的某些元件设计成可调式或可更换式,因此具有下列优越性:

(1)可调夹具可用于加工形状相似或定位夹紧相似的各种不同零件,可大大提高生产批量,提高夹具的经济效益。

(2)采用可调夹具可大大减少专用夹具的类型和数量,有时甚至可直接对现有夹具进行改装。可大大节约专用夹具的设计制造费用,节约夹具的仓储空间,降低生产成本。

(3)在“成组技术”中应用“可调夹具”即是成组夹具。它更有利于新产品的投产和缩短生产准备周期、缩短产品交货期。

B 可调夹具基本要求

可调夹具是根据夹具结构多次使用原理而设计的。所以除应保证加工质量外,还必须满足以下三方面要求:

(1)尽量扩大一种夹具适应工件的类型和数量。

(2)尽可能缩短夹具的调整时间和生产辅助时间;

(3)要预计到新产品投产时可能出现的类似工件，应迅速、方便地满足新产品投产时需要的夹具。

3.8.2 可调夹具设计步骤

为适应多工件多工序的设计要求，首先要对工件逐个进行工艺分析，在此基础上将工件进行分类，找出其定位基准和夹紧方式，确定与之相适应的定位夹紧元件和调整方法，确定使用范围，然后进行结构设计。

A 绘制可调夹具的定位-夹紧方式图

在工件分类分组的基础上，按工件结构形状、工艺特点决定工件上共同的定位基准和夹紧方法。如图 3-62 为五种轴套类工件钻径向孔定位-夹紧方式图(或系统图)。

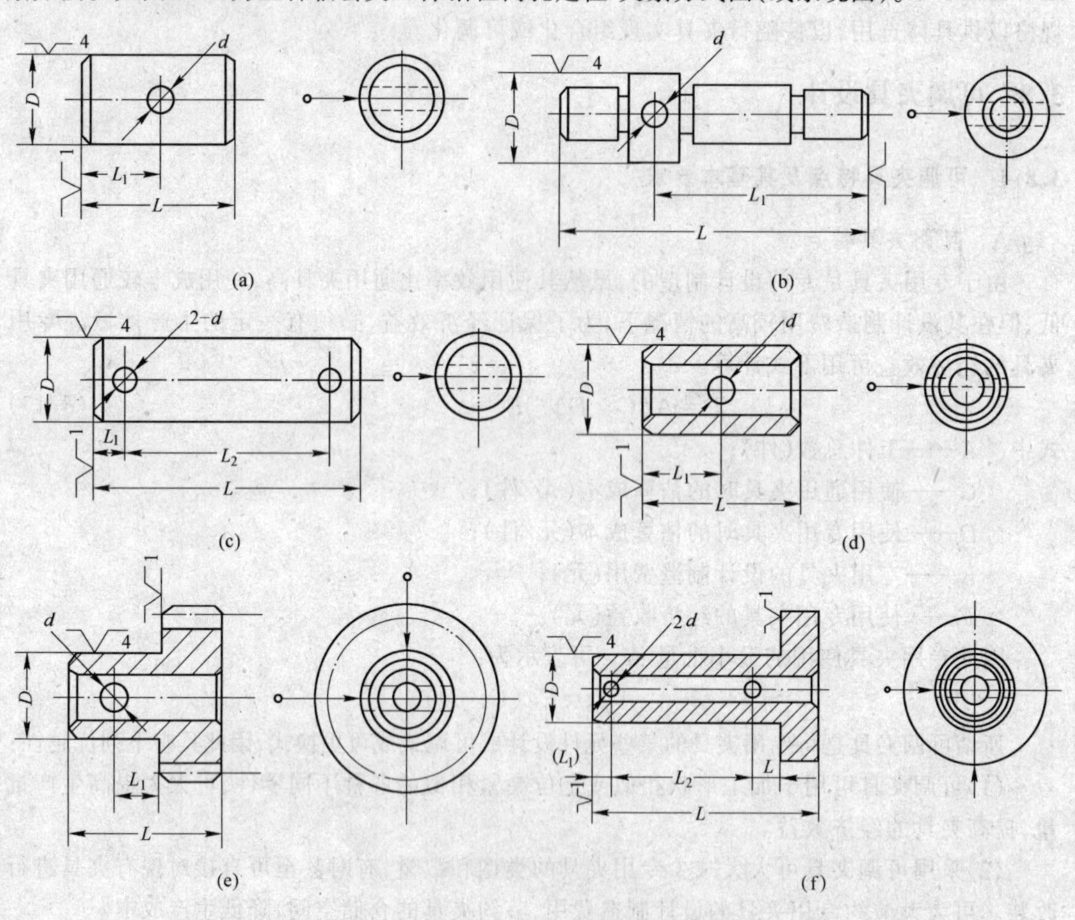

图 3-62 轴套类工件钻径向孔定位-夹紧方式图

B 设计可调夹具的可能性和合理性

图 3-62(a)～(e)五种工件在结构形状上变化较大，但工序内容和技术要求基本相似。钻削 1～2 个直径为 d 的径向孔，保证距一面的尺寸为 L_1，两孔中心距为 L_2。工件的定位基面为外圆 D 及端面或台肩，径向夹紧。符合基准重合原则，而且定位元件不难制造，但轴向定位基准不同，其中前四种工件为一端面，图 3-62(e)工件为台肩面，这样的定位元件不难解决。由以上分析，说明图 3-62 所示 6 种工件钻径向孔设计使用同一副可调钻夹具是可行的、合理的。

C　对工件进行尺寸分段，确定加工范围

可调夹具是用调整或更换定位元件和夹紧元件的方法来满足不同种类工件的加工要求。为使结构紧凑，应确定合理的加工范围。首先根据方式图中工件的有关尺寸列表，再根据所设计的定位装置和夹紧装置可能调整的范围，对工件进行尺寸分段。如图 3-62，为了提高 d 孔对 D 的对称度，定位元件采用长 V 形块和一个轴向可调支撑。根据 V 形块国家标准，工件的定位轴颈 D 有一个范围。为了扩大加工范围，并从简化夹具结构出发，在图 3-63 所示的夹具体 3 的上、下面上加工了两种不同尺寸的 V 形槽兼作定位元件。V 形槽的尺寸应满足尽可能多的工件要求。轴向支承设计成可调的。考虑到可调支承范围过大，采用调整和更换式相结合，即设计几种不同长度的可调支承，相应满足轴向尺寸不同范围，图 3-63 为钻径向孔可调夹具。

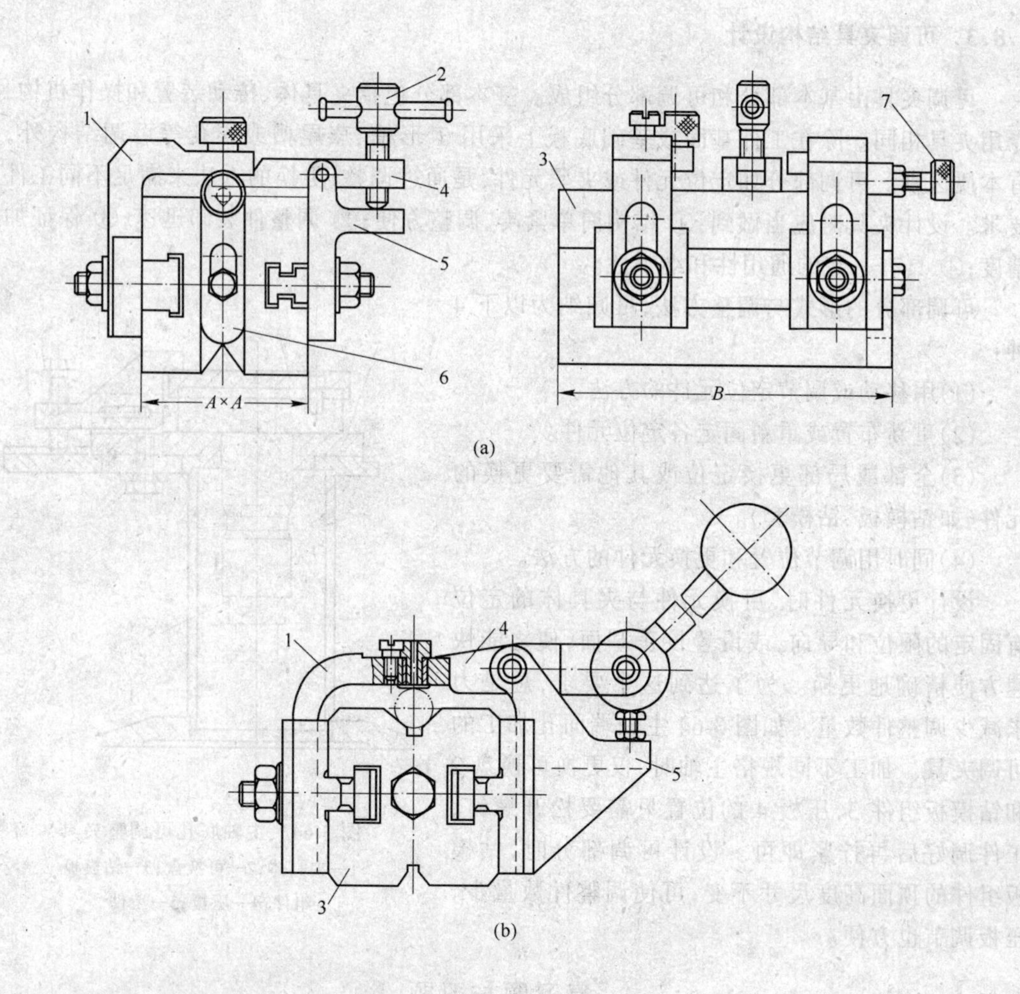

图 3-63　钻径向孔可调夹具

(a)螺旋夹紧；(b)偏心夹紧

1—钻模板；2—螺钉；3—夹具体；4—压板；5—压板座；6—挡板；7—可调支承

D　绘制“复合件”

由于可调夹具是为多种工件设计的，考虑到每种工件的特点，避免发生顾此失彼的差错，应设法绘制一个能代表这些工件的“复合件”。复合件上的加工尺寸、定位尺寸不是一个特定的尺寸，而是一个尺寸范围，复合件必须具有这些工件的形状结构、工艺上的全部特征，如图 3-62(f)所示。

E　拟定夹具结构方案，绘制草图

根据以上分析及构思，可着手绘制夹具结构草图。绘制步骤与专用夹具基本一致，不同的是加工尺寸和定位尺寸是一个范围。所以定位、夹紧元件应有与之相适应的结构(如可调或可换)。

F　完成夹具总图设计，绘制夹具总图

完成草图后，经分析比较和论证后，即可绘制夹具总图。与专用夹具总图不同之处是可调整的定位、夹紧元件的表示方法。对采用调整方法的元件，可用双点划线标明调整范围；而对更换的元件，则可用细实线表示，并注明相应件号，列表表示清楚。

3.8.3　可调夹具结构设计

可调夹具由基本部分和可调部分组成。基本部分包括夹具体、传动装置和操作机构，与专用夹具相同。除在工件基面或基础底板上采用 T 形槽、燕尾槽或螺孔等可调结构外，没有本质区别。可调部分如定位元件或夹紧元件，是通过调整、更换的方法来满足不同工件的要求。设计夹具时应当做到：① 结构简单紧凑、调整方便；② 调整件装卸迅速；③ 保证加工精度；④ 具有一定的通用性和继承性。

可调部分的形式与调整方法，可归纳为以下 4 种：

(1)用移动或调节定位元件的方法。

(2)重新布置或重新固定各定位元件。

(3)全部或局部更换定位或其他需要更换的元件(如钻模板、钻模套)。

(4)同时用调节位置和更换元件的方法。

设计更换元件时，更换元件与夹具体的定位有固定的限位和导向，或设置校正基面，使之能快速方便精确地更换。为了达到这个要求，总是力求减少调整件数量。如图 3-64 主轴端面孔加工的可调夹具。加工不同规格主轴时，仅更换可换盘 2 和钻模板组件 3，压板 4 的位置只需要松开螺钉，工件调好后再拧紧即可。设计可调部分时，钻模板组件的顶面高度尺寸不变，可使调整件数量少，压板调节也方便。

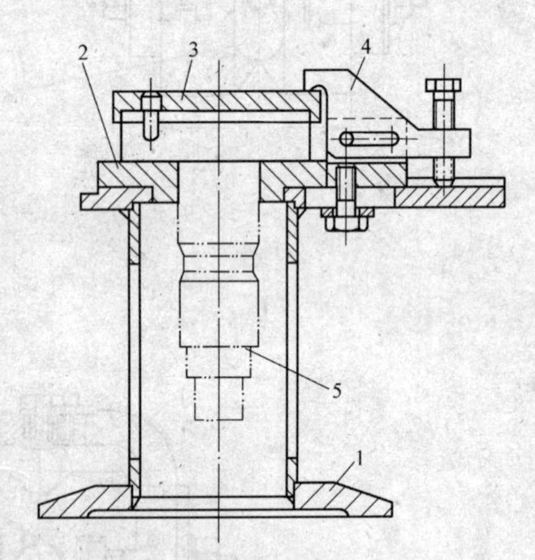

图 3-64　主轴底孔可调整夹具

1—夹具体；2—可换盘；3—钻模板组件；4—压板；5—工件

复习题与习题

1. 为什么说夹紧不等于定位？

2. 什么是辅助支承？使用时应注意什么问题？举例说明辅助支承的作用。

3. 什么是自位支承(浮动支承)？它与辅助支承的作用有何不同？

4. 在夹具中对一个工件进行试切法加工时，是否还有定位误差？为什么？

5. 根据双向联动夹紧的准则，改进图 3-65 中的不合理之处。

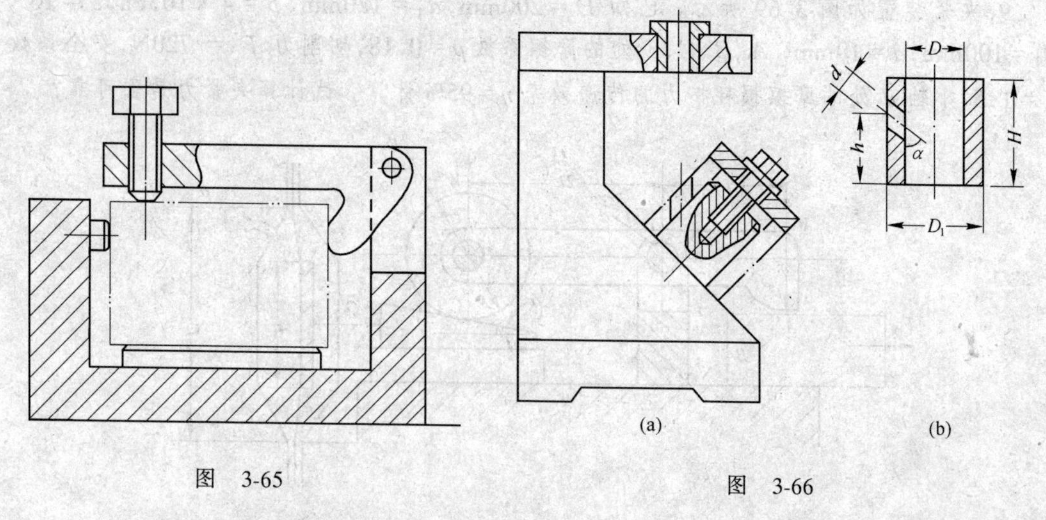

图 3-65

图 3-66

6. 欲加工图 3-66(b)工件的斜孔，其钻模如图 3-66(a)所示，试改进其不合理之处。

7. 图 3-67 所示工件，欲在其上钻孔 O_1 及 O_2，要求 O_1、O_2 连线与 A 面平行。孔 O 及其他表面已加工，工件厚为 8mm，试设计保证设计尺寸 a_1、b_1（如图 3-67a）及 a_2、b_2（如图 3-67b）的合理定位方案。工件以底面为基准放在支承平面上。

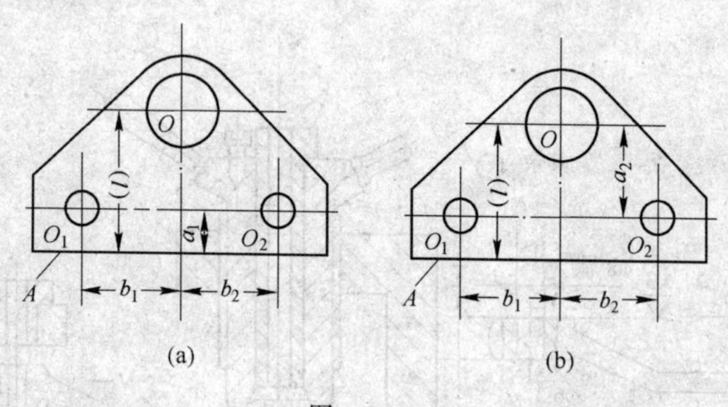

图 3-67

8. 在龙门刨床上加工平面，如图 3-68 所示，已知工件重量 $G=250\text{kgf}$，加工时的切削分力 $F_z=4000\text{N}$，$F_y=1600\text{N}$，摩擦系数 $\mu=0.16$，安全系数 $K=1.5$，机床工作台工作行程加

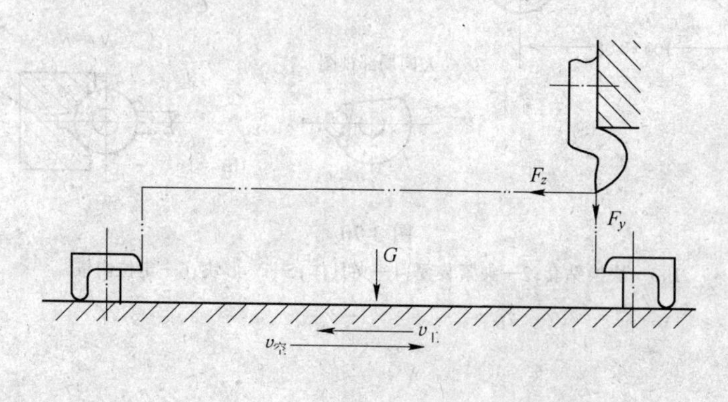

图 3-68

速度 $a_1=5\text{m}/\text{s}^2$，空行程加速度 $a_2=12\text{m}/\text{s}^2$，试计算所需的夹紧力 W 等于多少？

9. 夹紧装置如图 3-69 所示。已知 $D=200\text{mm}$，$d_1=120\text{mm}$，$p=4\times105\text{Pa}$，$\alpha=15°$，$D_1=100\text{mm}$，$d=10\text{mm}$，A、B、C、E 处的摩擦系数 $\mu=0.18$，切削力 $F=720\text{N}$，安全系数 $K=1.5$，小轴 d 处的摩擦损耗按力的传递效率 $\eta=95\%$ 计算。试计算夹紧力是否可靠？

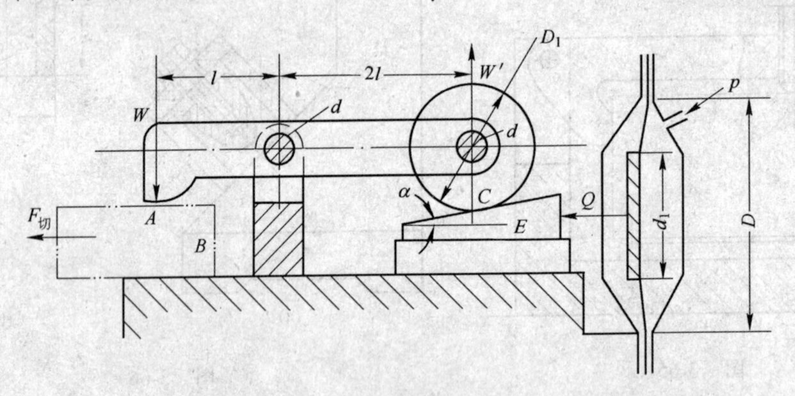

图 3-69

10. 有一批如图 3-70(a)所示的工件，四个端面均已加工完毕。本工序采用图 3-70(b)所示的钻模加工两平行孔 $\phi8^{+0.038}_{0}\text{mm}$，两孔轴心线的平行度公差为 0.06/100。试分析该夹具有何问题，应如何加以改进。

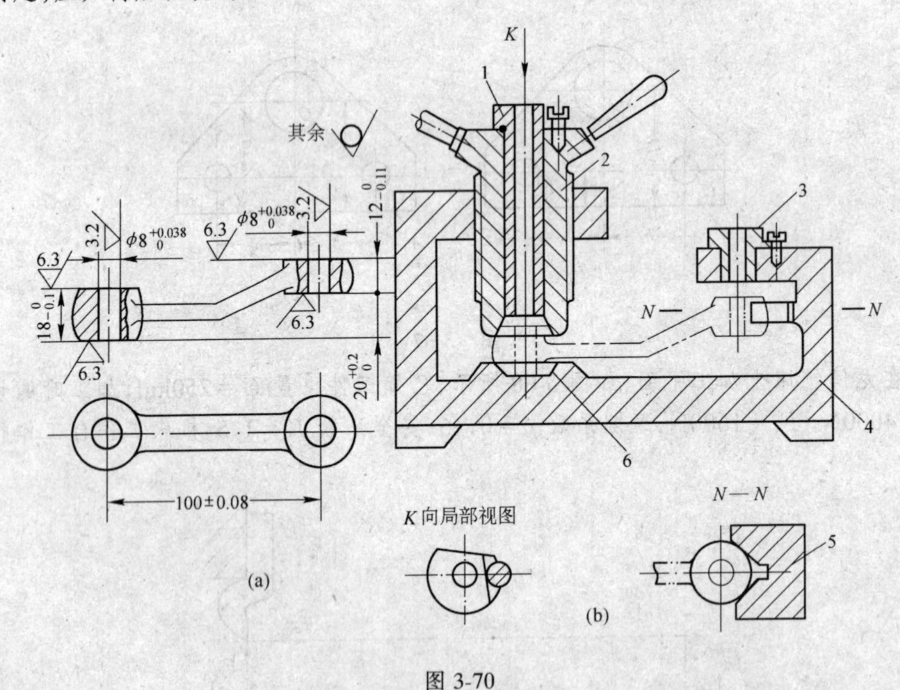

图 3-70

1、3—快换钻套；2—夹紧装置；4—夹具体；5—V 形块；6—定位内锥

4 工业机器人设计

4.1 工业机器人设计概述

4.1.1 工业机器人基本概念

4.1.1.1 工业机器人的定义和用途

按国家标准 GB/T 12643—1997 定义,工业机器人(industrial robot)是自动控制的、可对三个或三个以上轴进行编程并可重复编程的多用途的在工业自动化中使用的操作机。

所谓操作机(manipulator)是机构,通常由一系列相互铰接或相对滑动的构件所组成的,有几个自由度的,用于抓取或移动物体(工具或工件)的一种机器。

可重复编程是指不更换机械结构或控制系统即可更改已编程的运动或辅助功能。

由上述定义可知,工业机器人的两个重要特征是:①能在编程条件下自动工作;②具有高度的空间运动和使用灵活性。因此,工业机器人是目前应用最广、数量最多的一类机器人。在机械制造领域,它被广泛应用于毛坯和工件的搬运、机床上下料、刀具和其他辅具的更换等,是机械制造系统尤其是柔性制造系统物料运输传递的重要装备。另外,它还广泛应用于装配、喷漆、焊接以及一些加工作业中,也是一类重要的柔性加工装备。

4.1.1.2 工业机器人系统组成

图 4-1 是一台工业机器人系统的示意图。可以看出,机器人系统应包括如下组成部分:机器人,末端执行器,为使机器人完成任务所需的外部设备、装置和传感器,操纵和监测机器人、设备和传感器的通讯接口。

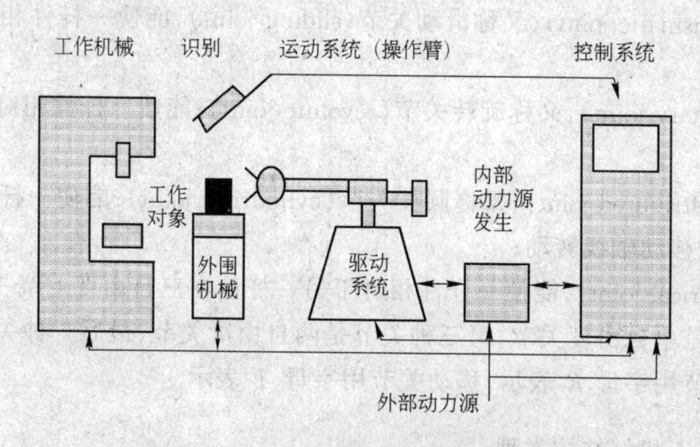

图 4-1 机器人系统示意图

手臂(arm)是机器人完成作业所不可缺少的执行部分,它是由长形杆件组成的一组杆件与主动关节的组合,用以使手腕定位;手腕(wrist)用以支承末端执行器并确定其位置和姿势(合称为位姿,pose);而末端执行器(end effector)是为使机器人完成其任务而专门设计并安装在机械接口处的装置,如夹持器、扳手、焊枪、喷枪等(如图 4-2 所示)。

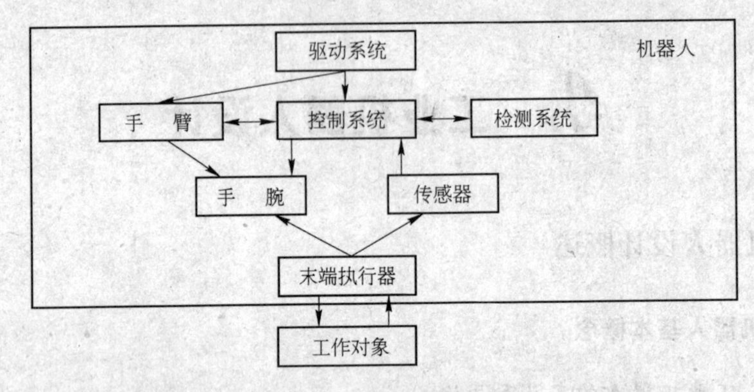

图 4-2　机器人的组成

4.1.1.3　工业机器人的自由度与关节

A　工业机器人的自由度

用以确定物体在空间独立运动的变量称为自由度(degree of freedom,DOF)。一个物体在空间的自由度数最大为 6。手臂中各杆件在三维空间所具有的独立运动数称为手臂的自由度(即机器人自由度)。

由于机器人末端执行器可随工作任务各异而更换,故一般谈及的机器人自由度并不包括腕部以前末端执行器的自由度在内。一般机器人的自由度应不少于 6 个,因为一般作业要求末端执行器在空间有任意的位姿,即有 6 个自由度。6 个以上的自由度称为冗余自由度。至于机器人的自由度取多少合适,则取决于它的用途和作业要求。

用以定义机器人以直线或回转方式运动的方向线称为轴(axis)。机器人的轴数即其自由度数。

B　工业机器人关节

工业机器人手臂各杆件间的相对运动是由连接各杆件的关节(joint)实现的。这些关节有:

棱柱关节(prismatic joint),又称滑动关节(sliding joint),能使一杆件相对于另一杆件作直线运动;

回转关节(rotary joint),又称旋转关节(revolute joint):能使一杆件相对于另一杆件绕固定轴转动;

分布关节(distributed joint),又称圆柱关节(cylindrical joint):能使一杆件相对于另一杆件作移动和/或绕移动轴线转动;

球关节(spherical joint),能使一杆件相对于另一杆件在三自由度上绕一个固定点转动。

前两种关节是单自由度关节,第三种关节是两自由度关节,最后一种关节是三自由度关节。一般转动关节用字母 R 表示,移动关节用字母 T 表示。

4.1.2　工业机器人机械结构类型

4.1.2.1　关节组合形式

机器人手臂由若干刚体杆件经关节组合而成,关节组合可以有串联、并联和混联三种方式。

图 4-3 所示机器人即是一种关节串联方式，它的手臂是由杆件—关节—杆件—关节依次串接而成的。串联机器人作业空间大、作业灵活、控制简单，但机构刚性差、运动精度低。工业机器人一般均为串联机器人。

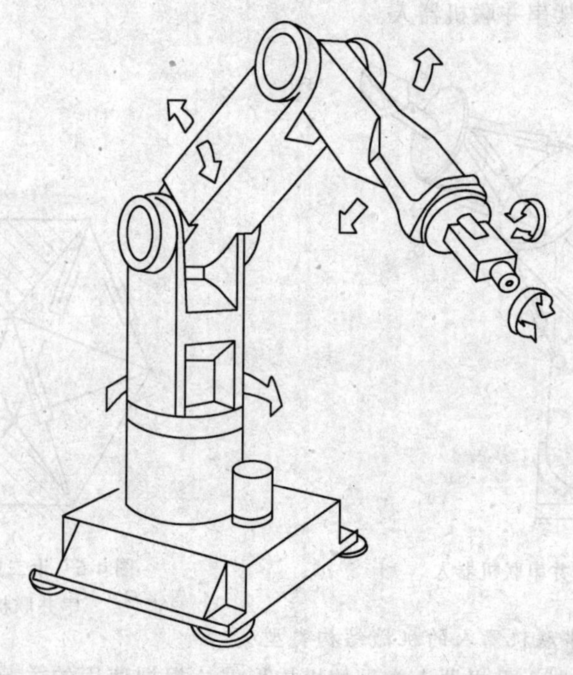

图 4-3　串联工业机器人

并联机器人的两个杆件之间可以有多个关节并联连接。图 4-4 所示为一种 6 杆并联机器人。并联机器人机构刚性好，运动精度高，近年作为一种新型机床受到极大关注。但 6 杆

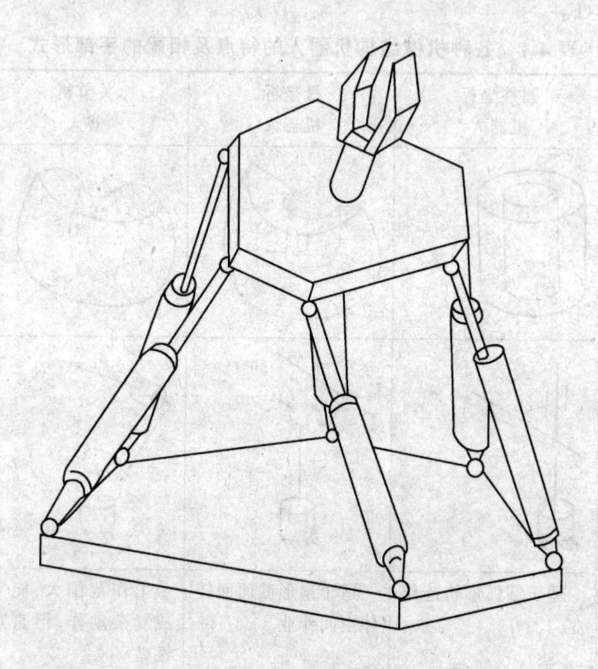

图 4-4　6 杆并联机器人

并联机器人的作业空间小，存在运动耦合，控制困难。所以人们还在努力开发少于6杆的并联机器人。

关节串联和关节并联的综合形式为混联方式，图4-5所示为一种并串联机器人，图4-6所示为十二面体变桁架串并联机器人。

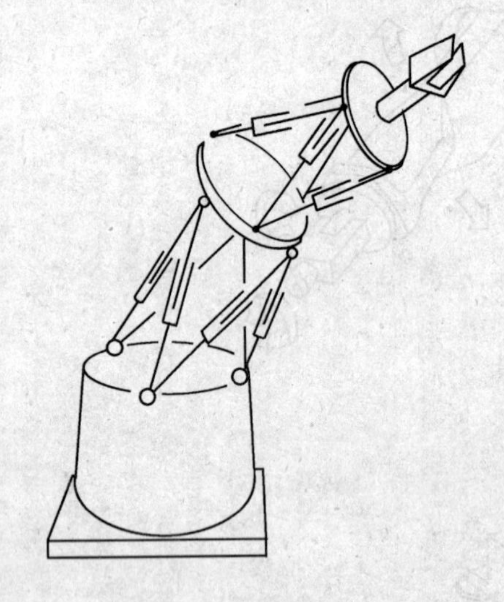

图4-5 并串联机器人

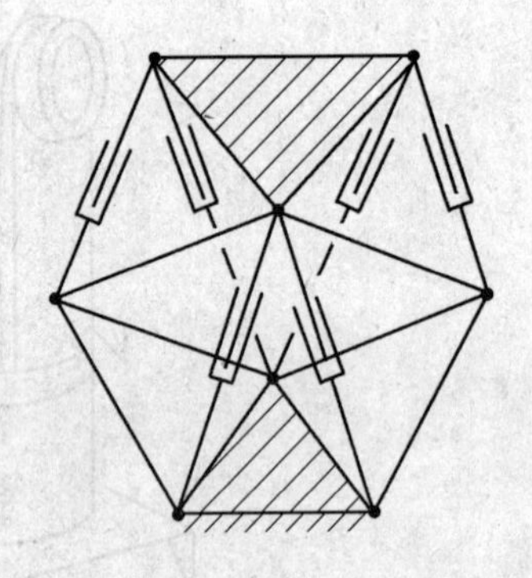

图4-6 十二面体变桁架串并联机器人

4.1.2.2 单自由度串联机器人的机械结构类型

单自由度串联机器人是机器人常见的机构形式。根据使用的关节及其组合的不同，有五种主要的机械结构类型，如图4-7所示：直角坐标机器人，圆柱坐标机器人，极坐标机器人，关节机器人，SCARA机器人(包括水平平面关节式和垂直平面关节式)。各种机械结构机器人的特点见表4-1。

表4-1 各种机械结构机器人的特点及相配的手部形式

	直角坐标机器人	圆柱坐标机器人	极坐标机器人	关节机器人	SCARA机器人
作业空间	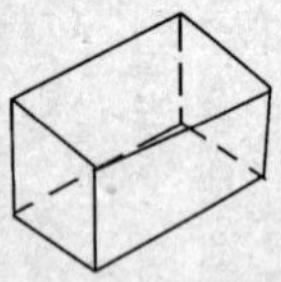	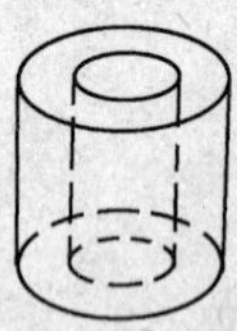	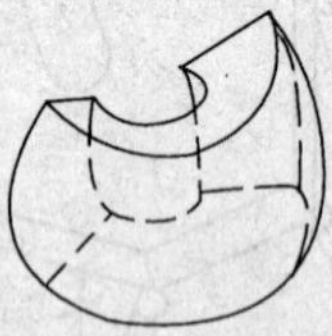	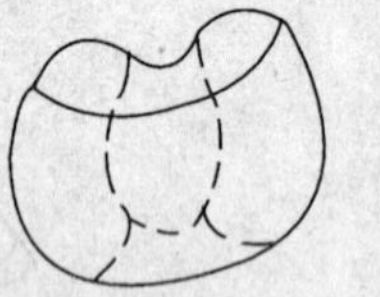	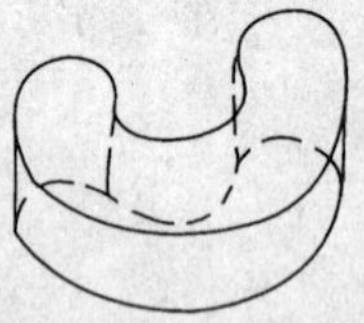
运动链	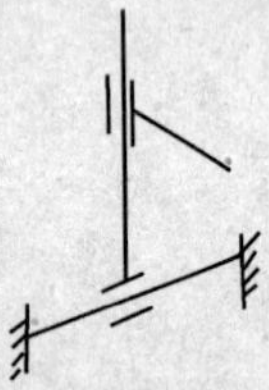	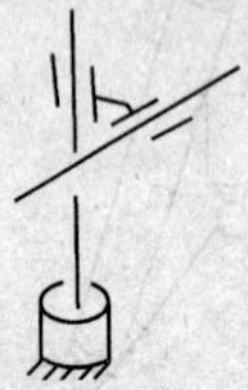	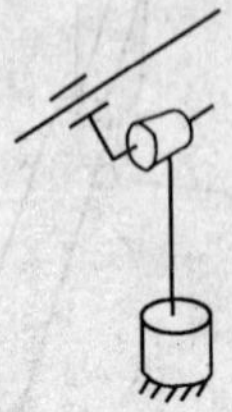	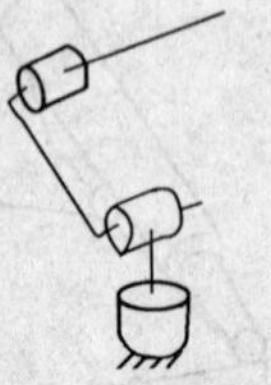	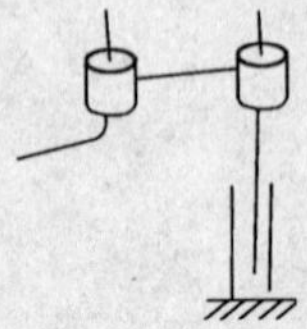
特点	工作范围小，占据空间大，控制直观方便	适于圆弧形轨迹作业	适于扇形截面回转体空间作业	工作范围大，能完成复杂动作，但直观性差	适于在平面上作业或装配工作，重力影响小

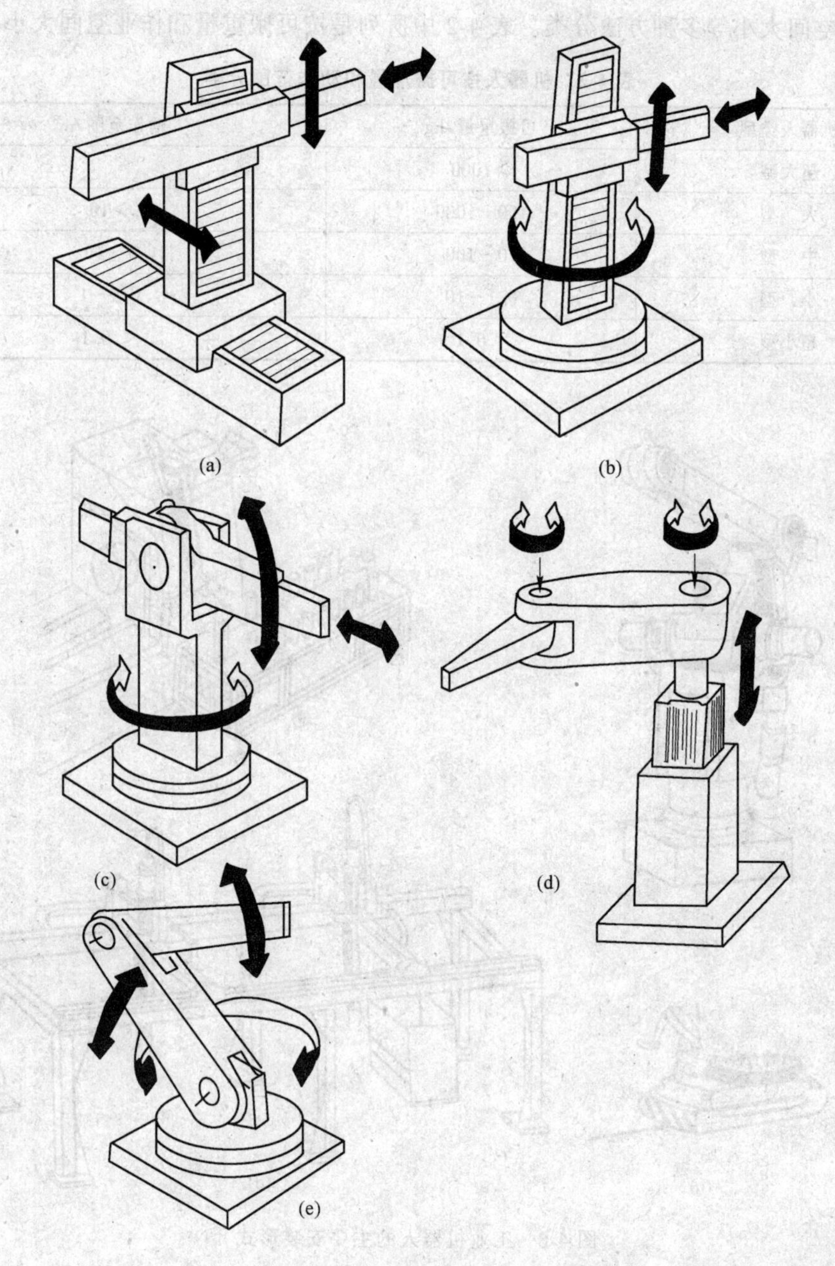

图 4-7 单自由度串联机器人的坐标系统

(a)直角坐标式;(b)圆柱坐标式;(c)极坐标式;(d)SCARA 式;(e)关节式

4.1.2.3 工业机器人的安装使用形式

由于使用目的和环境不同,工业机器人有四种主要使用安装形式(如图 4-8 所示):图(a)是作为独立的设备固定安装使用;图(b)安装在主要工作机械上使用;图(c)安装在可以移动的地面运输设备上使用;图(d)安装在可以移动的龙门行车上使用。

4.1.3 工业机器人分类

工业机器人可按其控制方式、机械系统、主要作业形式、动力源种类、自由度数、可搬重量和作业空间大小等多种方法分类。表 4-2 中所列是按可搬重量和作业空间大小的分类。

表 4-2 机器人按可搬重量和动作范围分类

机器人类型	可搬重量/kg	动作范围/m^3
超大型	>1000	
大　型	100～1000	>10
中　型	10～100	1～10
小　型	0.1～10	0.1～1
超小型	<0.1	< 0.1

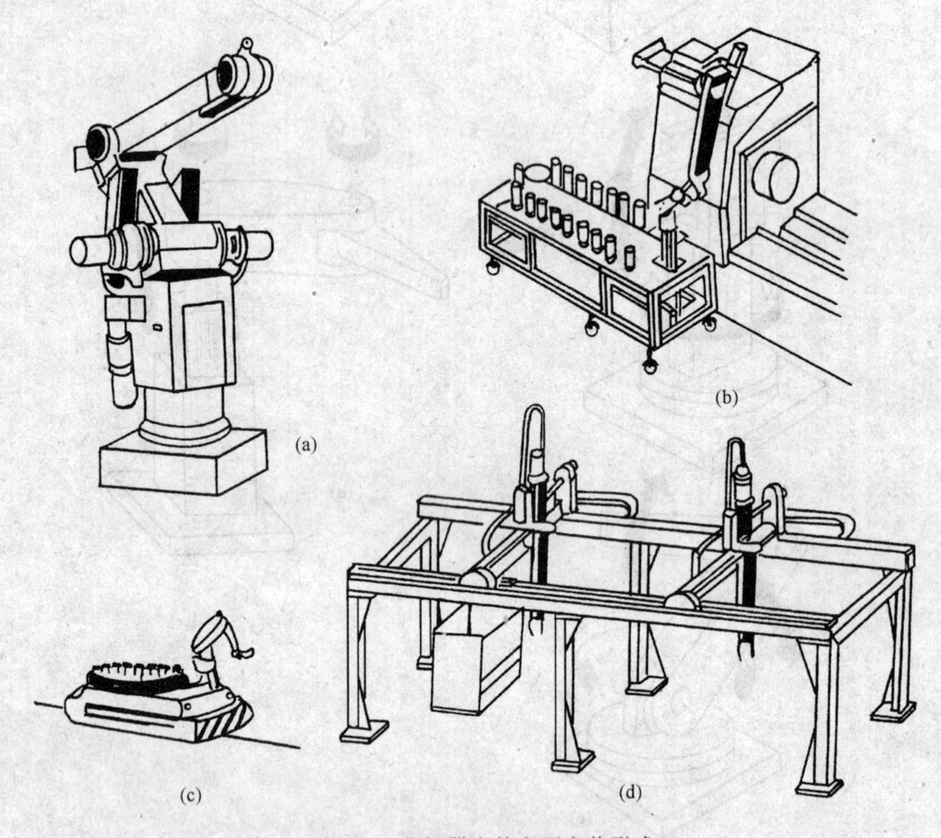

图 4-8 工业机器人的主要安装形式

工业机器人按控制方式分类：

(1)示教再现机器人(playback robot),又称录返机器人(record playback robot),是一种将任务程序通过示教编程输入并能自动复现该程序的机器人。

(2)离线编程机器人(off-line programmable robot),它能完成经离线编程输入的任务程序,且机器人运动学的算法足以执行要求的操作。

(3)顺序控制机器人(sequenced robot),其控制系统能使其运动以指定的次序依次逐轴进行,一个动作完成后再进行下一个动作。

(4)轨迹控制机器人(trajectory operated robot),它实施控制程序是按照指令对三个或更多的受控轴进行控制,而该指令对下一个要达到的位姿规定了所要求的轨迹。

(5)适应机器人(adaptive robot),是一种具有传感控制、学习控制、适应控制功能的机器人。

4.1.4 工业机器人特性

机器人的功能和工作特性主要包括如下内容:

(1)最大空间(maximum space),是机器人活动部件加上末端执行器和工件运动时所能掠过的空间大小。

(2)工作空间(working space),是机器人手腕参考点所能掠过的空间大小。

(3)操作空间(operational space),当实施所有由任务程序指定的运动时,实际用到的那部分限定空间。

(4)负载(load),在规定速度和加速度条件下,沿着运动的各个方向,机械接口处可承受的力或转矩。

(5)额定负载(rated load),正常操作条件下,作用于机械接口,且不会使机器人性能降低的最大负载。

(6)单轴速度(individual axis velocity),又称单关节速度(individual joint velocity),是单个关节运动时指定点所产生的速度。

(7)路径速度(path velocity),沿路径每单位时间内位置的变动速度。

(8)(单方向)位姿准确度(unidirectional pose accuracy),从同一方向趋近指令位姿,指令位姿和实到位姿均值间的差值。

(9)(单方向)位姿重复性(unidirectional pose repeatability),从同一方向重复趋近同一指令位姿时,实到位姿散布的不一致程度。

(10)多方向位姿准确度变动(multidirectional pose accuracy variation),从三个互相垂直方向多次趋近同一指令位姿,所达到的实到位姿均值间的最大距离。

(11)路径准确度(path accuracy),指令路径和实到路径均值间的差值。

(12)路径重复性(path repeatability),对同一指令路径的多次实到路径间的差值不一致程度。

(13)分辨率(resolution),机器人每轴或关节所能达到的最小位移增量。

另外,机器人特性还有极限负载、最大推力和力矩、距离准确度和重复性、路径速度准确度和重复性、路径速度波动、循环时间等等。

分类、型号、外形尺寸及重量、自由度数、各自由度的动作范围和速度范围、正常操作条件、动力源、定位、控制和示教方式、测量和诊断功能、附属功能、噪声、静止和非常停止时的状态等等,也是用户在选择和使用机器人时需要了解的内容。

为更直观地描述机器人的工作空间和各自由度的动作范围,一般还可用图示方法。图4-9即为一例。

4.1.5 工业机器人设计步骤

一般情况,工业机器人的设计步骤如下:

(1)明确机器人的作业要求,包括:作业种类,完成作业要求的空间形状和大小,作业运动轨迹、速度和加速度,作业中的负载及要克服的力及力矩,要求的静态及动态运动精度,作

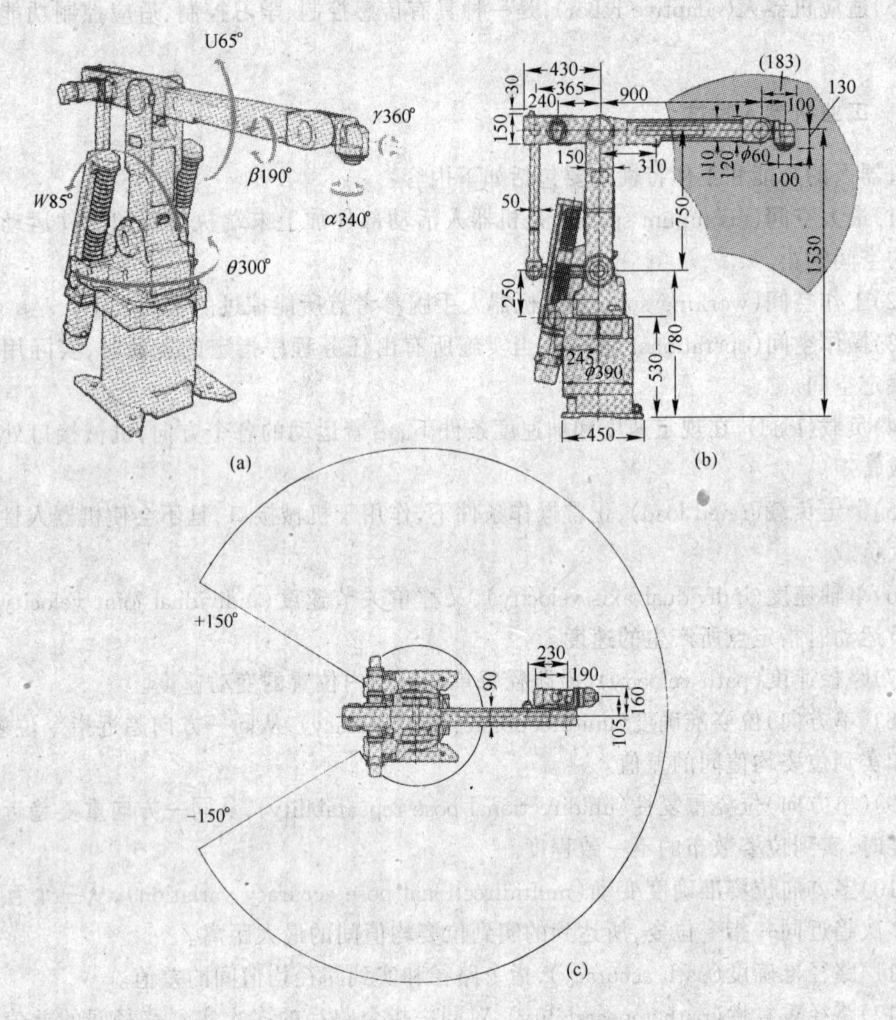

图 4-9　机器人工作空间和各自由度动作范围的图示例

业中是否要绕过障碍物,作业环境及条件等。对通用性较强的工业机器人,则要综合分析几种典型的作业要求。

(2)分析机器人的作业要求,确定机器人手臂的自由度数。

(3)按机器人要求的工作空间形状特点,确定机器人的机械结构类型。

(4)按要求的机器人工作空间大小和确定的机械结构类型,通过机器人运动学分析和仿真计算,确定机器人的主要结构参数和各关节的运动范围。

(5)按要求的作业运动速度和加速度,确定机器人各关节的运动速度和加速度的变化范围。

(6)按要求的机器人静态运动精度,确定机器人各杆件及各关节的精度要求。

(7)按要求的作业负载和要克服的力及力矩大小,以及估计的各杆件及各关节的质量大小,通过静力学分析,确定各关节的静力负载。

(8)设计平衡系统以减小关节静力负载。

(9)按要求的作业运动速度和加速度,以及估计的各杆件及各关节的质量或惯量大小,通过动力学分析和仿真计算,确定各关节的动力负载。

(10)根据关节的静力和动力负载,确定关节驱动方式和驱动器输出转矩、转速及功率,设计驱动器和关节之间的传动机构,确定关节制动方式和制动力矩。

(11)进行控制系统设计,包括伺服驱动形式和控制的设计,运动轨迹的规划和控制,机器人内部和外部传感器的设置和信号处理,示教再现、自适应、智能控制等功能的实现,控制系统硬件设备的选用等。

(12)按已确定的运动及力参数,综合考虑各方面要求,设计机器人手臂各部分的具体结构。

(13)在已设计机器人结构基础上,精确进行静力学和动力学计算,验算驱动功率和机器人刚度。

(14)必要时须进行样机试制,对样机进行各项性能测试,对不满意的部位和性能进行改进,同时整顿图样,完善设计。

上述设计过程可以分为设计准备、总体设计、具体设计和完善设计几个阶段。

由上面步骤可以看到,在机器人设计过程中,要对机器人进行运动学、静力学、动力学、误差、刚度等方面的建模和大量分析、计算与仿真,要综合利用现代微电子技术、信息技术、传感技术和控制技术。这就需要设计者了解和掌握机器人运动学、静力学、动力学、误差理论、伺服控制、计算机控制、传感器等多方面的知识。

4.2 工业机器人总体方案设计

4.2.1 工业机器人运动方案设计

工业机器人的运动方案设计,包括机器人手臂自由度数的确定,机器人空间形状和机械结构类型的确定,以及各关节的运动范围。

(1)机器人手臂的自由度数是由机器人的作业要求确定的。这需要将能完成机器人作业要求的所有运动进行分解,然后分析它们最终能分解为几个最少的自由度,并以此来确定机器人的自由度数。一般 6 个自由度即能满足常见的作业要求。但对于要绕过障碍物或要在容器内部作业的情况,自由度需要超过 6 个。

当然,机器人手臂的自由度数越多,动作就越灵活。比如,灵巧的人手就有 27 个自由度。但这样的机构非常复杂,成本很高,实现起来也很困难。

(2)工作空间大小和形状是选择机器人时所应考虑的最重要的特征。机器人工作空间形状是根据机器人作业要求的空间和操作轨迹所占有的空间确定的。

对通用性强的工业机器人,手臂的自由度数和工作空间形状的确定,要综合分析几种典型的应用目的和作业要求。

在确定了机器人手臂的自由度数和工作空间形状后,即可参照表 4-1 来选择确定机器人的机械结构类型。

比如,在一个大的空间(由几台机床构成的加工系统)内搬运工件,长方体作业空间比较适合,可以确定机器人为直角坐标机械结构。而电路板的装配作业属于平面作业,只需要高度很小的一定作业范围,则可以确定机器人为 SCARA 机械结构。

4.2.2 工业机器人主要参数确定

在工业机器人总体设计阶段,要确定的主要参数包括:额定负载,路径速度和加速度,位姿准确度等。

(1)额定负载主要根据被夹持的末端执行器或物体的重量以及作业时所受的外力来确定,其安全系数一般在1.5~3之间选取。

(2)路径速度主要根据作业要求确定。例如,弧焊机器人的路径速度要考虑弧焊时的焊接工艺要求,进行切削或磨削加工的机器人的路径速度要考虑进给速度要求,当然,还要考虑空行程时的快速运动要求。搬运机器人可根据生产需要的工作节拍分配给每个动作的时间,来确定每个动作的路径速度。

提高路径速度能提高机器人的生产率,但会增大机器人的动力负载,使机器人功率和结构尺寸增大,所以,设计时不宜片面地追求高的路径速度。

(3)路径加速度直接影响运动速度和方向的变化时间,从而影响作业的灵活性和生产率。它也会影响机器人的动力负载和功率,设计时也不宜片面地追求高的路径加速度。

(4)位姿准确度、位姿重复性等位姿精度指标是机器人的主要工作指标。其中位姿重复性对使用要求更为重要。不同的使用目的要求位姿精度一般如下:

金属切削机床上下料	±0.05~1mm
冲床上下料	±1mm
焊接	±1mm
喷涂	±1mm
装配	±0.01~0.5mm
测量	±0.01~0.5mm

4.2.3 工业机器人驱动方式确定

对机器人驱动装置的一般要求如下:

(1)驱动装置的质量尽可能要轻,单位质量的输出功率(即功率/质量比)要高,效率也要高;

(2)反应速度要快,即力/质量比和力矩/转动惯量比要大;

(3)动作平滑,不产生冲击;

(4)控制尽可能灵活,位移偏差和速度偏差要小;

(5)安全可靠;

(6)操作和维护方便;

(7)对环境无污染,噪声要小;

(8)经济上合理,尤其要尽量减少占地面积。

工业机器人手臂关节常用的驱动方式主要有液压驱动、气压驱动和电气驱动三种基本类型。电气驱动又有步进电动机驱动、直流伺服电动机驱动和交流伺服电动机驱动等几种形式。

工业机器人出现的初期,大多使用液压与气压驱动方式。但随着对高速度的要求以及功用和控制日益复杂化,使目前电气驱动的机器人所占有的比例越来越大。仅在需要出力很大的应用场合及运动精度不高、有防爆要求的场合,液压、气压驱动仍在应用。

4.2.3.1 气压驱动

气压驱动由气缸或摆动气缸实现。气动执行机构具有高速性、成本低、控制简单、工作空间无污染等优点，其功率/重量比也相对较高，一般应用于机器人手爪和一些简单的机器人。

气动执行机构应用于机器人手爪比较理想。它能在抓力等于气缸活塞的力时才简单地合上手指。与液压手爪不同的是，由于空气的可压缩性，气动手爪能响应外力而打开或合上，即有一定的顺应性，因此在某种程度上气动手爪能适应一些无法预料的情况。

气动执行机构也可以采用比例控制或伺服控制。但由于气体的可压缩性和较大的时间滞后，系统的动态性能很差，目前只有非常少量的气动伺服控制机器人。

4.2.3.2 液压驱动

液压驱动的执行元件是液压缸、摆动液压缸和液压马达。由于油液的不可压缩性以及高压油的压力比压缩空气高得多，所以液压驱动的性能优于气压驱动。液压驱动系统的压力一般为14MPa，所以它的质量/功率比最大。液压驱动还可以通过使用电液伺服阀实现精确的闭环伺服控制。但用于控制液流的电液伺服阀相当昂贵，并需要高洁净度的油以防止伺服阀堵塞。

同样功率的液压马达比电动机尺寸小很多。当机器人的关节使用液压马达驱动时，结构很紧凑。但目前使用新磁性材料的电动机尺寸也在减小，而且工作更可靠些，维护工作量也小。液压驱动工作中总有漏油的危险，需要使用很贵的管件和良好的维护，以提高其可靠性。

液压驱动优于电动机驱动之处是它的安全性。在喷漆等对安全性有很高要求的作业环境中，要求在作业区域所用电源电压不超过9V。液压系统不存在电弧问题，因此，在易爆气体环境中，无例外地选用液压驱动机器人。

4.2.3.3 步进电动机驱动

步进电动机驱动经常应用在开环控制系统中。它能提供较大的低速转矩，一般可达5倍于相同尺寸的直流伺服电动机连续转矩，从而可能取消减速箱，构成直接驱动系统。

步进电动机主要有永磁式、变磁阻和混合式三种形式。永磁式步进电动机步距角大，有共振效应，低速性能差，也容易失步。变磁阻步进电动机没有维持转矩。混合式步进电动机的结构是前面两种形式的结合，应用最为广泛。

4.2.3.4 伺服电动机驱动

伺服电动机驱动包括直流伺服电动机驱动和交流伺服电动机驱动。

直流伺服电动机在磁场恒定时，电流正比于输出转矩，易于控制，且有理想的机械特性。在20世纪80年代中期前直流伺服电动机广泛应用于机器人关节驱动。但由于它采用电刷换向器，需要定期维护，转速不能太高，功率不能太大，功率/体积比和功率/质量比不高等原因，近年已逐渐被交流伺服电动机所取代。

直流伺服电动机主要有铁心式直流伺服电动机、表面绕组永磁直流伺服电动机和动圈式永磁直流伺服电动机三种。其中铁心式直流伺服电动机的转动惯量大，可靠性高，成本低，应用最为广泛。动圈式永磁直流伺服电动机的电枢用环氧树脂或玻璃纤维支承绕组，所以电枢电感小，转子转动惯量小，快速响应性能好。

小功率直流伺服电动机可以采用线性功率放大器驱动。大功率直流伺服电动机则需要采用开关型放大器驱动。采用开关型放大器构成驱动系统在技术上有模拟驱动和数字式驱动两种方法。

交流伺服电动机驱动有最大的转矩/质量比。由于不使用电刷，其工作可靠性极高，几乎不需要任何维护。20世纪90年代末生产的机器人大多采用这种驱动方式。

4.2.4 工业机器人关节驱动功率确定

工业机器人各关节的驱动功率大小,影响机器人关节驱动器的布置和关节驱动传动方案。但在机器人设计的初始阶段,各杆件质量和转动惯量尚不能确定,这时可以不考虑加速度的影响,只根据稳态负载进行最小功率的估计,以作为方案设计的参考依据。

对于移动负载,所需要的功率 P 为:

$$P = Wv/\eta \tag{4-1}$$

式中 W——负载力,包括重力、摩擦力等;

v——移动速度;

η——机械效率。

对于转动负载,所需要的功率 P 为:

$$P = T\omega/\eta \tag{4-2}$$

式中 T——驱动转矩;

ω——角速度;

η——机械效率。

需要注意的是,这里所指的负载,不仅包括末端执行器的负载,还包括关节之后的杆件质量引起的负载。这时的杆件质量可以取估计值。

4.3 工业机器人机械系统设计

4.3.1 工业机器人位姿描述

4.3.1.1 位姿空间坐标系

机器人手臂实际上是一个空间多刚体系统。其设计计算首先要涉及杆件间及系统与对象间的空间坐标变换问题,需要有效的数学描述工具。本章主要介绍简明易懂的矩阵法。

工业机器人手臂的位置与姿态可以由固结在其上的右手坐标系来描述(图4-10)。

与机器人运动无关,参照大地的不变坐标系称为绝对坐标系(world coordinate system)$O_0-X_0-Y_0-Z_0$。其原点位置和 X_0 坐标轴的方向由用户根据需要确定,Z_0 坐标轴方向与重力加速度矢量共线。

固定在机器人机座上,参照机座安装面的坐标系称为机座坐标系(base interface coordinate system)$O_1-X_1-Y_1-Z_1$。其原点位置由制造厂规定;Z_1 轴正方向垂直于机座安装面,指向其机械结构方向;X_1 轴方向由原点开始指向机器人工作空间中心点在机座安装面上的投影。

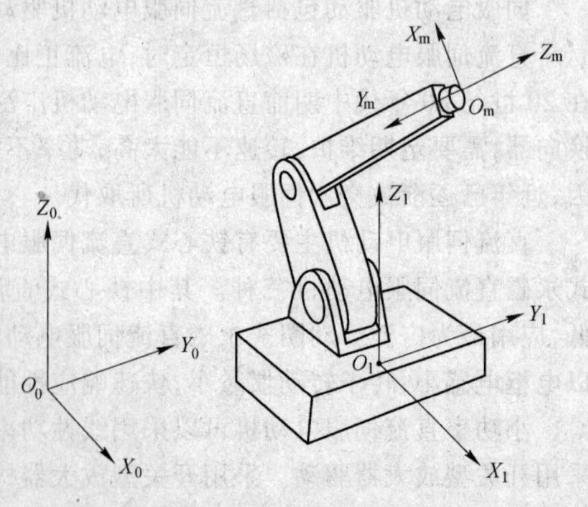

图4-10 机器人手臂的坐标系描述

参照安装在机械接口上的末端执行器或工具的坐标系称为工具坐标系(tool coordinate

system) $O_t - X_t - Y_t - Z_t$。原点是工具中心点，Z_t 轴通常是工具的指向，Y_t 坐标轴平行于手指进行运动的平面。

固定在机器人机械接口上，参照机械接口的坐标系称为机械接口坐标系（mechanical interface coordinate system）$O_m - X_m - Y_m - Z_m$。其原点位置是机械接口的中心，Z_m 轴的正方向指向末端执行器。

参照关节轴的坐标系称为关节坐标系（joint coordinate system）。关节坐标系和 $X-Y$ 轴设置的平面有关。关节坐标系用符号 $O_i - X_i - Y_i - Z_i$ 表示，$i=1,2,3,\cdots$。第 i 个关节的原点 O_i 在第 i 个关节轴上，且到第 $i-1$ 个关节轴的距离 a_{i-1} 为最短（见图 4-11）；Z_i 轴沿关节轴线指向 O'_i 点，且第 i 个关节轴线到第 $i+1$ 个关节轴线的距离 a_i 为最短；X_i 轴的方向由原点开始指向为从 O'_{i-1} 到 O_i 的方向。

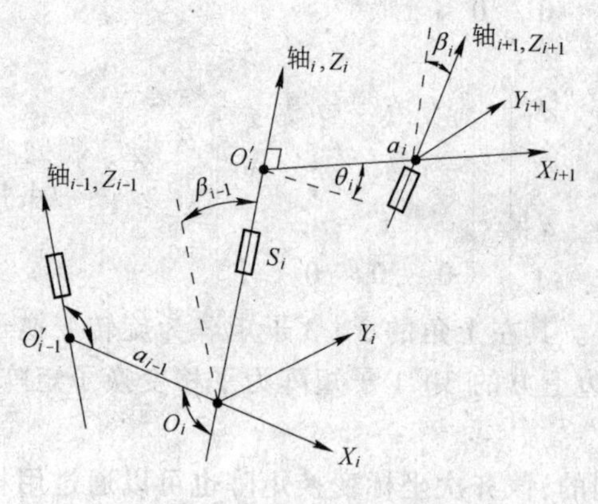

图 4-11　关节坐标系

图 4-11 示关节坐标系中，i 关节坐标系是固结在 i 杆件上的，表示了 i 杆件的位置和姿势。

第 i 个和第 $i-1$ 个关节坐标系间的坐标变换参数为 $a_i, s_i, \theta_i, \beta_i$。它们决定了第 i 个和第 $i-1$ 个关节坐标系间的坐标变换关系。杆长 a_i 是 O'_iO_{i+1} 间的长度，杆间距 s_i 是 $O_iO'_i$ 间的长度，转角 θ_i 是 X_i 和 X_{i+1} 间的旋转角，扭角 β_i 是 Z_i 和 Z_{i+1} 间的旋转角。

由前述可知，机器人手臂的机座编号为 1，与其相邻的杆件编号为 2，依此类推，直至机械接口 m（见图 4-12）。

在机器人学中，通常采用 4×4 的矩阵表示坐标系（或构件）的位姿：

$$\begin{bmatrix} u & k & l & x \\ v & i & m & y \\ w & j & n & z \\ 0 & 0 & 0 & 1 \end{bmatrix}$$

其中，第 1 列的 u, v, w 是坐标系 X_i 轴在绝对坐标系中的方向余弦，第 2 列的 k, i, j 是坐标系 Y_i 轴在绝对坐标系中的方向余弦，第 3 列的 l, m, n 是坐标系 Z_i 轴在绝对坐标系中的方向余弦，第 4 列的 x, y, z 是坐标系原点在绝对坐标系中的坐标。

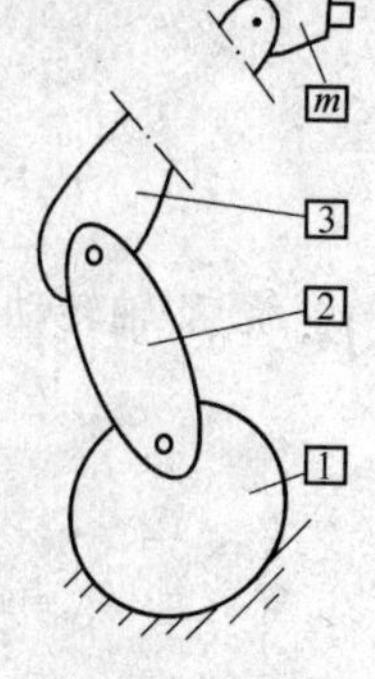

图 4-12　手臂杆件编号

机器人位姿用工具（如手爪）坐标系的位姿来代表。工具坐标系位姿矩阵通常用 $\boldsymbol{T}$ 表示：

$$\boldsymbol{T} = \begin{bmatrix} n_x & o_x & a_x & p_x \\ n_y & o_y & a_y & p_y \\ n_z & o_z & a_z & p_z \\ 0 & 0 & 0 & 1 \end{bmatrix} \tag{4-3}$$

其中，第 1 列、第 2 列、第 3 列分别是工具坐标系 X_t 轴、Y_t 轴、Z_t 轴在绝对坐标系中的方向余弦，第 4 列是工具坐标系原点在绝对坐标系中的坐标。

显然,每个关节的运动都对工具坐标系的位姿产生影响,每个关节的运动是在各自的坐标系下度量。如何将度量结果表示在相邻坐标系中,这就需要坐标变换。

4.3.1.2 空间坐标变换

我们可以用4×4的齐次坐标变换矩阵反映两个坐标系之间的变换关系(或两个物体之间的运动关系)。如坐标系

$$\begin{bmatrix} u & k & l & x \\ v & i & m & y \\ w & j & n & z \\ 0 & 0 & 0 & 1 \end{bmatrix} \text{和} \begin{bmatrix} u' & k' & l' & x' \\ v' & i' & m' & y' \\ w' & j' & n' & z' \\ 0 & 0 & 0 & 1 \end{bmatrix}$$

之间的变换关系为:

$$\begin{bmatrix} u & k & l & x \\ v & i & m & y \\ w & j & n & z \\ 0 & 0 & 0 & 1 \end{bmatrix} = \begin{bmatrix} r_{11} & r_{12} & r_{13} & d_1 \\ r_{21} & r_{22} & r_{23} & d_2 \\ r_{31} & r_{32} & r_{33} & d_3 \\ 0 & 0 & 0 & 1 \end{bmatrix} \cdot \begin{bmatrix} u' & k' & l' & x' \\ v' & i' & m' & y' \\ w' & j' & n' & z' \\ 0 & 0 & 0 & 1 \end{bmatrix} \tag{4-4}$$

则等号右面的第一个矩阵即为齐次坐标变换矩阵。其左上角的3×3子矩阵为旋转变换子矩阵,表示两个坐标系之间的旋转变换关系。右边上方的3×1子矩阵为平移变换子矩阵,表示两个坐标系之间的平移变换关系。

如果这一坐标系变换关系是经多次变换得到的,该齐次坐标变换矩阵也可以通过用相应的变换矩阵按进行顺序连续左乘得到。最基本的简单变换矩阵为:

沿 X 轴移动 d_x,沿 Y 轴移动 d_y 和沿 Z 轴移动 d_z 的平移变换矩阵 $\boldsymbol{T}(d_x,d_y,d_z)$ 为:

$$\boldsymbol{T}(d_x,d_y,d_z) = \begin{bmatrix} 0 & 0 & 0 & d_x \\ 0 & 0 & 0 & d_y \\ 0 & 0 & 0 & d_z \\ 0 & 0 & 0 & 1 \end{bmatrix}$$

绕 X 轴转动 θ 角的转动变换矩阵 $\boldsymbol{R}(X,\theta)$ 为:

$$\boldsymbol{R}(X,\theta) = \begin{bmatrix} 1 & 0 & 0 & 0 \\ 0 & C\theta & -S\theta & 0 \\ 0 & S\theta & C\theta & 0 \\ 0 & 0 & 0 & 1 \end{bmatrix}$$

绕 Y 轴转动 θ 角的转动变换矩阵 $\boldsymbol{R}(Y,\theta)$ 为:

$$\boldsymbol{R}(Y,\theta) = \begin{bmatrix} C\theta & 0 & S\theta & 0 \\ 0 & 1 & 0 & 0 \\ -S\theta & 0 & C\theta & 0 \\ 0 & 0 & 0 & 1 \end{bmatrix}$$

绕 Z 轴转动 θ 角的转动变换矩阵 $\boldsymbol{R}(Z,\theta)$ 为:

$$\boldsymbol{R}(Z,\theta) = \begin{bmatrix} C\theta & -S\theta & 0 & 0 \\ S\theta & C\theta & 0 & 0 \\ 0 & 0 & 0 & 0 \\ 0 & 0 & 0 & 1 \end{bmatrix}$$

其中,$S\theta$ 是 $\sin\theta$ 的缩写,$C\theta$ 是 $\cos\theta$ 的缩写。

对于上述方法建立的关节坐标系 $O_i-X_i-Y_i-Z_i$ 而言,其坐标变换参数为杆长 a_i,杆间距 s_i,转角 θ_i,扭角 β_i。由第 i 个关节坐标系向第 $i-1$ 个关节坐标系变换的变换矩阵 $\boldsymbol{A}^{i,i-1}$(称为 $\boldsymbol{H}-\boldsymbol{D}$ 矩阵)为:

$$\boldsymbol{A}^{i,i-1}=\begin{bmatrix} C\theta_i & -S\theta_i C\beta_i & S\theta_i S\beta_i & a_i C\theta_i \\ S\theta_i & C\theta_i C\beta_i & -C\theta_i S\beta_i & a_i S\theta_i \\ 0 & S\beta_i & C\beta_i & s_i \\ 0 & 0 & 0 & 1 \end{bmatrix} \tag{4-5}$$

当然,由第 $i-1$ 个关节坐标系向第 i 个关节坐标系变换的变换矩阵 $\boldsymbol{A}^{i-1,i}$ 是 $\boldsymbol{A}^{i,i-1}$ 的逆矩阵。

4.3.2 工业机器人运动学的正问题和逆问题

机器人运动学主要是把机器人相对于绝对参考系的运动作为时间的函数进行分析研究,而不考虑引起这些运动的力和力矩。特别是要研究关节变量空间和机器人末端执行器位姿之间的关系。机器人运动学有两个基本问题:

(1)对一给定的机器人手臂,已知杆件几何参数和关节运动状态,求操作手末端执行器相对于参考坐标系的位置和姿态,称为运动学正问题(正解或直接问题)。

(2)已知机器人手臂杆件的几何参数,给定末端执行器相对于绝对坐标系的期望位姿,求解机器人手臂能否使其末端执行器达到这个预期的位姿,如能达到,求解操作手有几种满足条件的形态,该问题称为运动学逆问题(逆解或解臂形问题)。机器人控制中要经常用到运动学逆问题。

4.3.2.1 工业机器人运动学正问题

利用 $\boldsymbol{H}-\boldsymbol{D}$ 矩阵方法,可以把运动学正问题简化为寻求"工具坐标系"与绝对坐标系联系起来的齐次变换矩阵。

首先按规定对每个杆件沿关节轴建立一个关节坐标系,利用每一关节坐标系的关节变换参数(其中有一个是关节变量 q_i),建立描述相邻杆件之间变换关系的齐次变换矩阵,即 $\boldsymbol{A}$ 矩阵。

显然,对 n 关节机器人,包括工具坐标系有 $n+1$ 个坐标系。假设机器人有 6 个关节,A_1 是描述第 1 关节坐标系和第 2 关节坐标系间变换关系的 $\boldsymbol{A}$ 矩阵,$\boldsymbol{A}_2$ 是描述第 2 关节坐标系和第 3 关节坐标系间变换关系的 $\boldsymbol{A}$ 矩阵,依次类推,$\boldsymbol{A}_6$ 是描述第 6 关节坐标系和工具坐标系间变换关系的 $\boldsymbol{A}$ 矩阵,那么,描述机器人工具坐标系位姿的 4×4 位姿矩阵可以由 $\boldsymbol{A}_1,\boldsymbol{A}_2,\cdots,\boldsymbol{A}_6$ 的连乘积表示,即:

$$\begin{bmatrix} n_x & o_x & a_x & p_x \\ n_y & o_y & a_y & p_y \\ n_z & o_z & a_z & p_z \\ 0 & 0 & 0 & 1 \end{bmatrix}=\boldsymbol{A}_1\boldsymbol{A}_2\boldsymbol{A}_3\boldsymbol{A}_4\boldsymbol{A}_5\boldsymbol{A}_6=\boldsymbol{T}_6 \tag{4-6}$$

在这一求积得到的矩阵 T_6 中,其每一元素均应为 $\boldsymbol{A}_1,\boldsymbol{A}_2,\cdots,\boldsymbol{A}_6$ 中包括的关节变量 $q_1,q_2,\cdots,q_6$ 的函数,即:

$$
\begin{cases}
P_X = f_1(q_1, q_2, \cdots, q_6) \\
P_Y = f_2(q_1, q_2, \cdots, q_6) \\
P_Z = f_3(q_1, q_2, \cdots, q_6) \\
n_X = f_4(q_1, q_2, \cdots, q_6) \\
n_Y = f_5(q_1, q_2, \cdots, q_6) \\
\quad \cdots\cdots \\
O_Z = f_9(q_1, q_2, \cdots, q_6)
\end{cases}
\tag{4-7}
$$

此即要求的机器人运动学正方程。

4.3.2.2 机器人运动学逆问题

机器人运动学逆问题具有多解性。图 4-13 所示为一 2 连杆机器人,对于一个给定的手部位置,它具有虚线和实线两组解。为此,在实际求解机器人运动学逆问题时,必须作出判断,以选择合适的解。

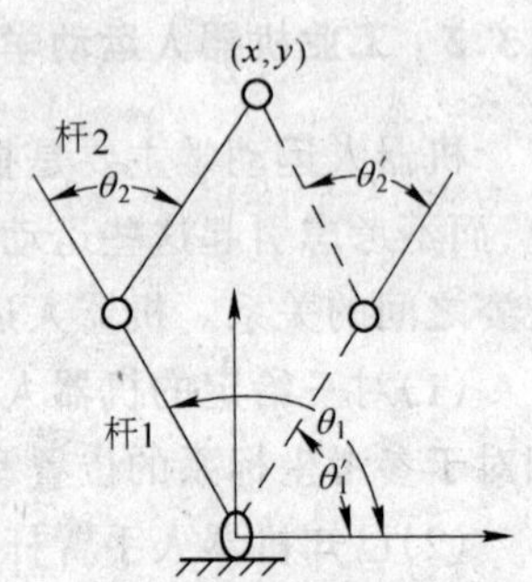

图 4-13 2 连杆机器人

通常,采用如下方法剔除多余的解。

(1)根据关节运动空间限制来选择合适的解。如求得某关节角的两个解为 40°和 220°,而该机器人关节的运动空间为 ±100°,显然应选择 40°的解。

(2)选择一个最接近上一时刻位置的解,以使机器人运动是连续且平稳的。例如,求得某关节角的两个解仍为 40°和 220°,若该关节运动空间为 ±250°,其前一采样时刻关节角为 160°,则为更接近前一时刻解,应选择 220°的解。

(3)根据避障要求来选择合适的解。当有障碍物时,应选择不会和障碍物发生碰撞的解。

(4)逐级剔除多余解,这样可以在树形解中选择合适的解。

所有具有转动和移动关节的系统,在一个单一串联链中总共有 6 个(或小于 6 个)自由度时,它的运动学逆问题是可解的。一般其通解是数值解,不是解析表达式。只有在特殊情况下(若干个相交的关节轴的扭角等于 0°或 ±90°),6 自由度机器人可得到解析解。为此,一般设计应使机器人足够简单,尽量满足这些特殊条件。

对于有解析解的机器人,求解其解析解是运动学中最重要而又最困难的事情,有时需要直觉观察和经验。

解析法求解运动学逆方程有分解变量法、几何法等。分解变量法的求解过程是将一个未知数由矩阵方程的右边移到左边,使其与其他未知数分开,解出这个未知数;再把下一个未知数移到左边,重复进行,直至解出全部未知数。其要点是找出易于简单表达某个未知数的元素,力求得到未知数较少的方程,然后求解。

几何法是利用机构链的几何同一性求解运动方程。所谓几何同一性,是指机器人杆件的某些几何特性如杆长、端点位置、杆与杆的某些关系等在运动中保持不变的特性。

4.3.3 机械系统结构参数确定

按要求的机器人工作空间大小和确定的机械结构类型,通过机器人运动学分析,就能确定机器人的主要结构参数和各关节的运动范围。在这一工作中,运动学仿真是十分有力的工具。运动学仿真要依据准确可靠的运动学正/逆方程,其结果是真实可靠的。

运动学仿真可以完成的工作包括:

(1)求出运动空间,以评估是否满足工作需要。运动学正方程是已知关节参数求末端执行器的位姿的方程。利用运动学正方程编制出计算机计算程序,代入一组关节参数就可以求出末端执行器的一个位姿。让关节参数在各关节的可行空间内逐渐变化,就能搜索出整个运动空间。对求出的机器人运动空间,我们可以评估它是否满足工作的工艺需要。因此,在已知各关节角运动范围条件下,使用运动学正问题就能很好地解决运动空间分析问题。

(2)按要求的工作空间,可以反复调整机械系统结构参数和关节参数空间,反复计算搜索和评估分析,最终确定机器人机械系统结构参数。

(3)完善和验证运动学逆解公式,分析机器人的运动学或检查逆问题求解是否正确。运动学逆问题的求解过程会遇到多解问题,给逆问题求解带来许多困难和不定因素。但通过仿真手段能发现问题、改正问题,最后使逆解公式完全可靠。

首先通过运动学分析,写出给定机器人的一组运动学正解公式和逆解公式。然后编写一个程序,把正解和逆解联系起来,并且在整个运动空间计算搜索。如果正、逆问题的结果每一步都是一致的,说明运动学分析时获得的正、逆解是正确的。一旦出现不一致,就说明这一组正、逆解公式有问题,而且大多出现在逆解公式上。

(4)为机器人运动控制提供必要条件。因为绝大多数工业机器人运动控制是建立在运动学正逆问题求解公式上,也就是基于运动学控制的,没有可靠的运动学公式,运动控制也无法进行。

运动学仿真的基本工具是个人计算机,如果有图形工作站,仿真过程将更加方便和直观。

4.3.4 工业机器人速度参数确定

按要求的作业运动速度,确定机器人各关节的运动速度变化范围,从而确定驱动电动机的转速范围和传动机构的传动比,是机器人设计中的重要问题之一。这就需要了解机器人路径速度和关节速度之间的关系。

将运动学正方程式(4-7)直接对时间求导并写成矩阵形式,可以得到:

$$\begin{bmatrix} \dot{x}_1 \\ \dot{x}_2 \\ \vdots \\ \dot{x}_m \end{bmatrix} = \begin{bmatrix} \frac{\partial f_1}{\partial g_1} & \frac{\partial f_1}{\partial g_2} & \cdots & \frac{\partial f_1}{\partial g_n} \\ \frac{\partial f_2}{\partial g_1} & \frac{\partial f_2}{\partial g_2} & \cdots & \frac{\partial f_2}{\partial g_n} \\ \vdots & \vdots & & \vdots \\ \frac{\partial f_m}{\partial g_1} & \frac{\partial f_m}{\partial g_2} & \cdots & \frac{\partial f_m}{\partial g_n} \end{bmatrix} \cdot \begin{bmatrix} \dot{q}_1 \\ \dot{q}_2 \\ \vdots \\ \dot{q}_n \end{bmatrix} \tag{4-8}$$

式中,$\dot{x}_1, \dot{x}_2, \cdots, \dot{x}_m$,即 $\dot{p}_x, \dot{p}_y, \dot{p}_z, \dot{n}_x, \cdots, \dot{o}_z$;$\dot{q}_1, \dot{q}_2, \cdots, \dot{q}_n$ 为机器人各关节变量对时间的变化率,即各关节运动速度。

上式可以简写为:

$$[\dot{\boldsymbol{X}}] = [\boldsymbol{J}] \cdot [\dot{\boldsymbol{Q}}] \tag{4-9}$$

式中，$m \times n$ 阶矩阵$[\boldsymbol{J}]$即雅可比(Jacobian)矩阵。

式(4-9)给出了机器人速度问题的正方程。即已知各关节运动速度，就可以求出末端执行器的位置和姿势变化速度。

当已知末端执行器的位置和姿势变化速度，要求解各关节的运动速度时，由式(4-9)可以方便地写出：

$$[\dot{\boldsymbol{Q}}] = [\boldsymbol{J}]^{-1} \cdot [\dot{\boldsymbol{X}}] \tag{4-10}$$

式中，$[\boldsymbol{J}]^{-1}$是雅可比矩阵$[\boldsymbol{J}]$的逆。

利用该式，就可以根据机器人工作速度要求，计算确定各关节的运动速度及速度变化范围。

由前述可见，利用雅可比矩阵能建立起机器人关节速度和终端执行器在绝对坐标系下的速度关系，另外，它在机器人控制、静力学分析和误差分析中也有重要作用。所以，雅可比矩阵在机器人学中具有重要地位。需要注意的是，机器人在不同的位姿下，其雅可比矩阵是不同的。

4.3.5 机械系统静力学分析

工业机器人静力学讨论由重力、工作负载等静力引起的机器人关节上的受力问题，而不考虑由于运动引起的力及力矩。在机器人设计中，需要按要求的作业负载和要克服的力及力矩的大小，以及估计的各杆件及各关节的质量大小，通过静力学分析，确定各关节的静力负载，以确定由静力需要的关节驱动力矩和制动力矩。

4.3.5.1 两个坐标系之间的力变换

如已知作用于某坐标系中的力与力矩及该坐标系与另一坐标系间的变换关系，求在另一坐标系中的等效力及等效力矩，可以用虚功原理进行计算。

已知坐标系中过原点的力及绕 3 个坐标轴的力矩为：

$$\boldsymbol{f} = [f_x \quad f_y \quad f_z]^T \qquad \boldsymbol{m} = [m_x \quad m_y \quad m_z]^T$$

并用向量 $\boldsymbol{F}$ 同时表示力和力矩：

$$\boldsymbol{F} = [\boldsymbol{f} \quad \boldsymbol{m}]^T = [f_x \quad f_y \quad f_z \quad m_x \quad m_y \quad m_z]^T$$

设这一力和力矩在另一坐标系 $\boldsymbol{C}$ 上的等效力及等效力矩为：

$$\boldsymbol{C}_f = [C_{fx} \quad C_{fy} \quad C_{fz}]^T \qquad \boldsymbol{C}_m = [C_{mx} \quad C_{my} \quad C_{mz}]^T$$

同样记为：

$$\boldsymbol{C}_F = [\boldsymbol{C}_f \quad \boldsymbol{C}_m] = [C_{fx} \quad C_{fy} \quad C_{fz} \quad C_{mx} \quad C_{my} \quad C_{mz}]^T$$

通过虚功原理有下列关系：

$$\boldsymbol{F} = [\boldsymbol{J}]^T \boldsymbol{C}_f \tag{4-11}$$

随之可得：

$$\begin{cases} C_{mx} = \boldsymbol{n} \cdot [(\boldsymbol{f} \times \boldsymbol{p}) + \boldsymbol{m}] \\ C_{my} = \boldsymbol{o} \cdot [(\boldsymbol{f} \times \boldsymbol{p}) + \boldsymbol{m}] \\ C_{mz} = \boldsymbol{a} \cdot [(\boldsymbol{f} \times \boldsymbol{p}) + \boldsymbol{m}] \\ C_{fx} = \boldsymbol{n} \cdot \boldsymbol{f} \\ C_{fy} = \boldsymbol{o} \cdot \boldsymbol{f} \\ C_{fz} = \boldsymbol{a} \cdot \boldsymbol{f} \end{cases} \tag{4-12}$$

式中，$\boldsymbol{n}, \boldsymbol{o}, \boldsymbol{a}, \boldsymbol{p}$ 是由坐标系 C 向原坐标系变换的变换矩阵$[\boldsymbol{T}]$中的矢量元素，具体为：

$$[\boldsymbol{T}]=\begin{bmatrix} n_x & o_x & a_x & p_x \\ n_y & o_y & a_y & p_y \\ n_z & o_z & a_z & p_z \\ 0 & 0 & 0 & 1 \end{bmatrix}=\begin{bmatrix} \boldsymbol{n} & \boldsymbol{o} & \boldsymbol{a} & \boldsymbol{p} \\ 0 & 0 & 0 & 1 \end{bmatrix}$$

这样，利用式(4-12)即可求解两个坐标系间力的变换问题了。

4.3.5.2 力、力矩与等效关节力矩

如已知机器人工具坐标系上受到的力和力矩为 $\boldsymbol{F}=[\boldsymbol{f} \quad \boldsymbol{m}]^T$，求在此主动力作用下机器人手臂各关节上的广义力(对于移动关节为力，对于转动关节为力矩)。同样利用虚功原理，有

$$\boldsymbol{\tau}=[\boldsymbol{J}]^T \cdot \boldsymbol{F} \tag{4-13}$$

利用机器人静力学，还可以由各关节上测出的误差力矩，求出末端执行器上的负载；或由腕部力传感器上测出的力，计算末端手爪负载大小等等。

4.3.6 机械系统动力学分析

为提供机器人机构的设计依据，需要按所要求的作业运动速度和加速度以及各杆件及关节的质量或惯量大小，确定各关节的动力负载。这一方面可以确定关节驱动力矩和功率，另外对于关节轴承、轴、减速器等的设计计算也是必不可少的。

另外，机器人的每个自由度都由一个单独的执行机构驱动，每个控制任务本身就是一个动力学任务。因此，研究机器人动力学问题，也是为了进一步讨论控制问题，选择合适的控制系统。

同运动学一样，动力学也有两个相反的问题。其正问题是已知机器人各关节的作用力或力矩，求各关节的位移、速度、加速度(即运动轨迹)。其逆问题是已知各关节的位移、速度、加速度，求各关节所需的作用力或力矩。实时控制问题主要是逆向动力学问题，而机器人的计算机仿真涉及正向和逆向动力学问题。

在控制中需要得到每一关节的近似的等效惯量以及关节之间的耦合惯量，即某个关节上的力矩与加速度之间的关系，以及一个关节上的力矩与另一关节的加速度之间的关系。如果耦合惯量相对于等效关节惯量来说比较小，那么就能把机器人当做一系列相互独立的力学系统来处理。这样，简化后的方程将非常简单，能以较高的伺服速率进行计算机实时控制。

对于大多数工业机器人，它们的数学模型基于多刚体动力学，主要采用两种理论来建立机器人数学模型：①动力学基本理论，包括牛顿欧拉方程；②拉格朗日力学，特别是二阶拉格朗日方程。此外，还有应用高斯原理和阿佩尔(Appel)方程来分析动力学问题的。本书仅介绍拉格朗日方法。

拉格朗日方法是一种能量平衡法，它只需速度而不必求内作用力，因此是一种直截了当的简便方法，并且它的动力学符号解有助于对机器人控制问题的深入理解。

4.3.6.1 第二类拉格朗日方程

从能量的观点出发，用广义坐标形式表示的系统运动微分方程即第二类拉格朗日方程，其形式为：

$$F_i=\frac{\mathrm{d}}{\mathrm{d}t}\frac{\partial L}{\partial \dot{q}_i}-\frac{\partial L}{\partial q_i} \tag{4-14}$$

式中　q_i——关节的广义坐标(即关节运动变量)；

$\dot{q}_i$——关节的广义速度；

t——时间；

L——拉格朗日函数,定义为系统动能 K 与系统位能 P 之差,即 $L=K-P$；

F_i——作用于关节上的广义力,当坐标是移动坐标时为力,角度坐标时为力矩。应用第二类拉格朗日方程求机器人动力学方程的步骤为：

(1)选定适当广义坐标,并计算出每一关节上的广义速度；

(2)用广义坐标和广义速度表示出系统的总动能 K 与系统总位能 P；

(3)计算拉格朗日函数 L；

(4)对拉格朗日函数进行微分,求出：

$$\frac{\partial L}{\partial q_i},\frac{\partial L}{\partial \dot{q}_i}\text{和}\frac{\mathrm{d}}{\mathrm{d}t}\frac{\partial L}{\partial \dot{q}_i}$$

利用式(4-14)写出对应每一关节的拉格朗日方程,该式即为所求动力学方程。

4.3.6.2　6 自由度机器人动力学方程的一般形式

利用第二类拉格朗日方程,可写出的 6 关节 6 自由度机器人的一般形式的动力学方程为：

$$F_i=\sum_{p=\max i,j}^{6}D_{ij}\ddot{q}_j+I_{\mathrm{a}i}\ddot{q}_i+\sum_{j=1}^{6}\sum_{k=1}^{6}D_{ijk}\dot{q}_j\dot{q}_k+D_i \tag{4-15}$$

式中　F_i——i 关节上受到的广义力(对移动关节为力,对转动关节为力矩)；

D_{ij}——关节 j 对关节 i 的耦合惯量的系数；

D_{ijk}——关节 j 和 k 的相互作用对关节 i 的复合向心加速度影响的系数($j\neq k$ 时)；

D_{ijj}——关节 j 对关节 i 的向心加速度影响的系数($j=k$ 时)；

D_i——重力项；

$I_{\mathrm{a}i}$——关节驱动器惯量。

并且

$$D_{ij}=\sum\mathrm{tr}\left(\frac{\partial[\boldsymbol{T}_p]}{\partial q_j}[\boldsymbol{H}_p]\frac{\partial[\boldsymbol{T}_p]^T}{\partial q_i}\right) \tag{4-16}$$

$$D_{ijk}=\sum_{p=\max i,j,k}^{6}\mathrm{tr}\left(\frac{\partial^2[\boldsymbol{T}_p]}{\partial q_j\partial q_k}[\boldsymbol{H}_p]\frac{\partial[\boldsymbol{T}_p]^T}{\partial q_i}\right) \tag{4-17}$$

$$D_i=\sum_{p=i}^{6}\left(-m_p\boldsymbol{g}^T\frac{\partial[\boldsymbol{T}_p]}{\partial q_i}\boldsymbol{r}_p\right) \tag{4-18}$$

式中　$\mathrm{tr}[\boldsymbol{A}]$——矩阵$[\boldsymbol{A}]$的迹；

$[\boldsymbol{T}_p]$——自第 p 杆至绝对坐标系的变换矩阵；

$[\boldsymbol{H}_p]$——第 p 杆的伪惯量矩阵；

m_p——第 p 杆的质量；

$\boldsymbol{g}^T$——重力加速度矢量的转置；

$\boldsymbol{r}_p$——第 p 杆的质心在 p 坐标系中的坐标矢量。

而

$$
[\boldsymbol{H}_i] = \begin{bmatrix} \dfrac{-I_{ixx}+I_{iyy}+I_{izz}}{2} & I_{ixy} & I_{ixz} & m_i\bar{x}_i \\ I_{ixy} & \dfrac{I_{ixx}-I_{iyy}+I_{izz}}{2} & I_{iyz} & m_i\bar{y}_i \\ I_{ixz} & I_{iyz} & \dfrac{I_{ixx}+I_{iyy}-I_{izz}}{2} & m_i\bar{z}_i \\ m_i\bar{x}_i & m_i\bar{y}_i & m_i\bar{z}_i & m_i \end{bmatrix}
$$

其中，I_{xx}，I_{yy}，I_{zz}为惯性矩，I_{xy}，I_{xz}，I_{yz}为惯性叉积，mx，my，mz 为一阶矩。

由式(4-15)、式(4-16)、式(4-17)和式(4-18)可见，动力学公式一般非常繁琐复杂，因此在实际设计计算和控制计算时，需对公式进行若干简化。比如，当机器人的运动速度不高时，向心力和哥氏力的影响很小，式(4-15)中第 3 项可忽略不计。另外，转动惯量项、惯量项和重力项也可以进行简化。

这样通过动力学分析和仿真计算，即可根据关节的静力和动力负载确定关节驱动方式和驱动器输出转矩、转速及功率，设计驱动器和关节之间的传动机构，确定关节制动方式和制动力矩。

4.3.7 机械系统误差分析

工业机器人的误差是衡量机器人工作性能的主要技术指标之一，误差的大小决定了工业机器人的工作质量和能力。误差过大可能使机器人无法完成规定工作。因此在设计机器人时要正确确定构件的结构参数、制造公差和传动系统的传动精度。

工业机器人的误差是指工业机器人实际运动情况与理想运动情况的偏差，主要包括前面所述位姿准确度、位姿重复性、路径准确度、路径重复性等。

工业机器人是多自由度系统，影响其运动误差的主要因素包括：机器人各构件的结构参数误差，机器人各关节伺服系统的伺服误差，各运动副间隙和公差以及构件受力后产生的弹性变形，控制系统、驱动系统、检测系统及执行机构的精度、环境、温度、湿度等因素。并且各关节是相互关联的，因此误差是传递的、相关联的。

构件的结构参数误差和机器人运动误差的关系可以通过齐次微分变换矩阵进行建模，得出机器人位姿误差的系统误差部分的模型。而伺服误差、间隙、受力变形、控制检测系统误差等产生位姿误差的随机误差部分，将影响机器人重复运动精度。

正是误差因素的多样性、随机性，以及误差因素的影响还和机器人位姿相关，使设计时对构件的制造公差和传动精度的确定比较困难。而各关节的公差确定过小，则会使工业机器人的制造成本显著增加。

实际上，构件的结构参数误差在规定的制造公差内也是随机的。一般可以对制造出的每一具体机器人，通过测试进行实际结构参数的识别，通过识别出工业机器人的准确结构参数来实现工业机器人的误差补偿。

4.3.7.1 一般运动误差模型

对由 n 个杆件组成的机器人手臂，如每一杆件基本参数(即前述的坐标变换参数)均有误差时，通过分析，可以建立如下式所示的一般运动误差模型，反映杆件基本参数误差对机器人位姿误差的影响。用该式可以进行机器人误差问题的正计算，即已知杆件基本参数误差(可以是设计公差),计算求解这些误差引起的机器人位姿误差的大小,从而可以验算给定的设计公差能否满足机器人运动精度要求。

设机器人的位姿矩阵为式(4-3)所示的[$\boldsymbol{T}$]矩阵,则位姿误差为:

$$\begin{bmatrix} \Delta n_x & \Delta o_x & \Delta a_x & \Delta p_x \\ \Delta n_y & \Delta o_y & \Delta a_y & \Delta p_y \\ \Delta n_z & \Delta o_z & \Delta a_z & \Delta p_z \\ 0 & 0 & 0 & 1 \end{bmatrix} = \begin{bmatrix} n_x & o_x & a_x & p_x \\ n_y & o_y & a_y & p_y \\ n_z & o_z & a_z & p_z \\ 0 & 0 & 0 & 1 \end{bmatrix} \cdot \begin{bmatrix} 0 & -\delta_{zN} & \delta_{yN} & d_{xN} \\ \delta_{zN} & 0 & -\delta_{xN} & d_{yN} \\ -\delta_{yN} & \delta_{xN} & 0 & d_{zN} \\ 0 & 0 & 0 & 1 \end{bmatrix} \tag{4-19}$$

若由 i 坐标系向 n 坐标系变换的变换矩阵为:

$$[\boldsymbol{T}^{i,n}] = \begin{bmatrix} n_x^{i,n} & o_x^{i,n} & a_x^{i,n} & p_x^{i,n} \\ n_y^{i,n} & o_y^{i,n} & a_y^{i,n} & p_y^{i,n} \\ n_z^{i,n} & o_z^{i,n} & a_z^{i,n} & n_z^{i,n} \\ 0 & 0 & 0 & 1 \end{bmatrix} = \begin{bmatrix} \boldsymbol{n}_i^n & \boldsymbol{o}_i^n & \boldsymbol{a}_i^n & \boldsymbol{p}_i^n \\ & & & \\ & & & \\ 0 & 0 & 0 & 1 \end{bmatrix}$$

及由坐标变换参数误差引起的 i 坐标架的微位移和微转动为:

$$\boldsymbol{\delta}_i = [\delta_{xi} \quad \delta_{yi} \quad \delta_{zi}]^T \qquad \boldsymbol{d}_i = [d_{xi} \quad d_{yi} \quad d_{zi}]^T$$

则式(4-19)中

$$\begin{cases} d_{xN} = \sum_{i=1}^{n} [\boldsymbol{n}_i^n \cdot \boldsymbol{d}_i + (\boldsymbol{p}_i^n \times \boldsymbol{n}_i^n) \cdot \boldsymbol{\delta}] \\ d_{yN} = \sum_{i=1}^{n} [\boldsymbol{o}_i^n \cdot \boldsymbol{d}_i + (\boldsymbol{p}_i^n \times \boldsymbol{o}_i^n) \cdot \boldsymbol{\delta}] \\ d_{zN} = \sum [\boldsymbol{a}_i^n \cdot \boldsymbol{d}_i + (\boldsymbol{p}_i^n \times \boldsymbol{a}_i^n) \cdot \boldsymbol{\delta}] \end{cases} \tag{4-20}$$

及

$$\begin{cases} \delta_{zN} = \sum_{i=1}^{n} (\boldsymbol{a}_i^n \cdot \boldsymbol{\delta}_i) \\ \delta_{yN} = \sum_{i=1}^{n} (\boldsymbol{o}_i^n \cdot \boldsymbol{\delta}_i) \\ \delta_{xN} = \sum_{i=1}^{n} (\boldsymbol{n}_i^n \cdot \boldsymbol{\delta}_i) \end{cases} \tag{4-21}$$

而坐标变换参数误差和坐标架的微位移和微转动的关系,可以通过几何关系导出为:

$$\begin{cases} d_{xi} = \Delta a_i \\ d_{yi} = a_i C\alpha_i \Delta\theta_i + S\alpha_i \Delta s_i \\ d_{zi} = -a_i S\alpha_i \Delta\theta_i + C\alpha_i \Delta s \\ \delta_{xi} = \Delta\alpha \\ \delta_{yi} = S\alpha_i \Delta\theta_i \\ \delta_{zi} = C\alpha_i \Delta\theta \end{cases} \tag{4-22}$$

这样,利用式(4-20)、式(4-21)、式(4-22)和式(4-19),即可由已知的机器人杆件的原始误差求出机器人的位置和姿势误差。

当然,这一计算非常复杂,而且随机器人姿态不同而有不同的结果。

4.3.7.2 关节变量误差与执行器运动误差关系

当仅考虑关节变量误差时,认为其他参数均为理想值,利用前述运动学速度问题正方程式(4-9),并用差分近似代替式中的微分,即可得到关节变量误差$[\Delta \boldsymbol{q}]$与执行器运动误差$[\Delta \boldsymbol{X}]$间的关系:

$$[\Delta \boldsymbol{X}]=[\boldsymbol{J}]\cdot[\Delta \boldsymbol{q}] \tag{4-23}$$

在这里将它们联系起来的是雅可比矩阵。设计时利用该式可估计确定各关节要求的驱动和传动精度。

4.3.7.3 机器人重复定位精度

前已述及,伺服误差、间隙、受力变形、控制检测系统误差等产生位姿误差的随机误差部分,使多次同一运动的目标点在空间随机分布,即影响机器人重复运动精度。显然,对这种随机性误差需要考虑其概率分布规律。

若用矢量$\boldsymbol{\Delta}_{\text{syst}}$表示位置误差的系统性成分,用矢量$\boldsymbol{\Delta}_{\text{rand}}$表示位置误差的随机性成分,则每次实际出现的位置误差是该两部分的矢量和。当机器人的自由度比较多且每相邻坐标系的运动变换中均包含有随机性成分时,可以发现,每次出现的实际位置在一个空间椭球形的范围内分布。该椭球中心为多次出现的实际位置的空间平均值(图4-14)。该椭球三个半轴的长度的比为$A\sigma_x/A\sigma_y/A\sigma_z$。而$\sigma_x$、$\sigma_y$、$\sigma_z$分别为随机误差在三个轴上的投影分量的正态分布的均方根。

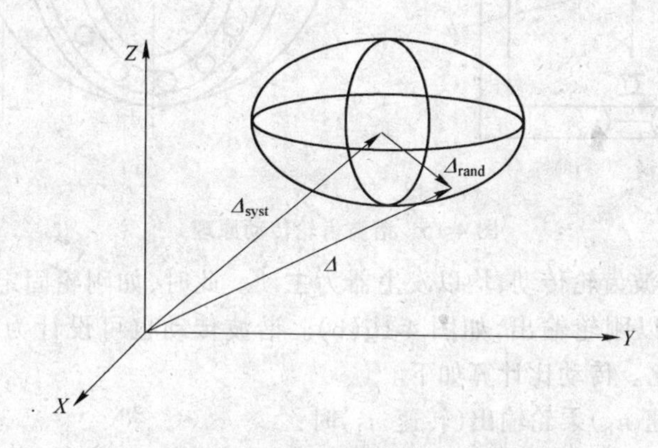

图4-14 位置误差的随机性成分

如取A为某一确定值,可以定义一个以椭球中心为中心的椭球面,每次的实际位置出现在该椭球面上的概率相同。而且在椭球面上的A值越小(即越靠近中心点),位置实际出现的概率越大;而在A值越大的椭球面上,位置实际出现的概率越小。

4.4 工业机器人机械结构设计

4.4.1 工业机器人驱动系统减速机构

驱动马达尤其是各类电动机,往往输出的转速高而转矩又偏小,不适宜作关节的直接驱动,而需要设置减速机构。

机器人实用的减速机构包括普通齿轮减速器、蜗轮蜗杆减速器、行星齿轮减速器和谐波齿轮减速器等。其中谐波齿轮减速器在工业机器人中应用最为广泛,下面对它略作介绍。

谐波齿轮传动机构是依靠柔性件产生的弹性变形波来进行动力及运动传递的机构。其基本构件如图 4-15 所示,有波发生器 h、柔性齿轮 1 及刚性齿轮 2。常用的波发生器是一个外周安装有柔性轴承 3 的椭圆形凸轮。其传动原理如图 4-15 所示,假定发生器为主动,当它在柔轮内旋转时,迫使柔轮产生变形,以使其齿进入或退出刚轮的齿间。在发生器长轴方向,柔轮与刚轮的齿完全啮合;而在其短轴方向,则完全脱开。由于发生器的连续转动,柔轮上的齿依次和刚齿啮合,从而柔轮沿刚轮转过的节圆弧长应相等。但柔轮齿数比刚轮略少(一般齿数差为 2),从而使柔轮产生了与发生器转向相反的低速转动,而达到改变转速和转矩的目的。由于在波发生器旋转时柔轮上某齿分度圆与刚轮分度圆间的间隙呈谐波形随时变化,故称其为谐波传动。

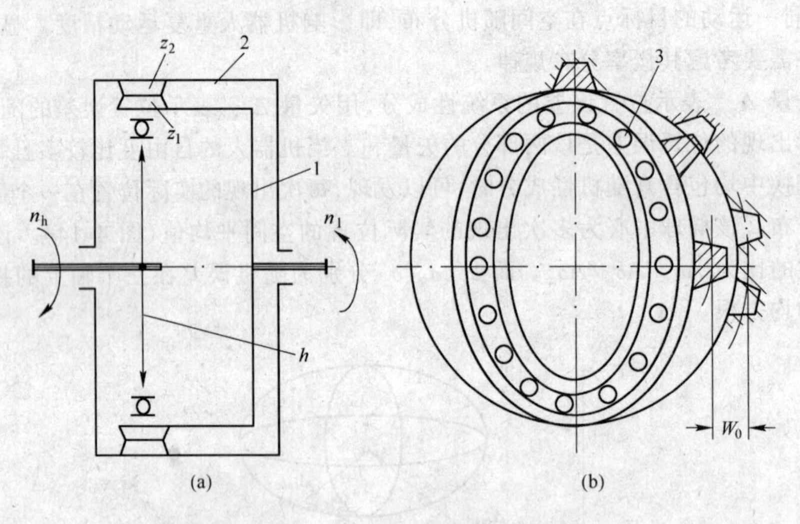

图 4-15 谐波齿轮传动原理

起减速作用的谐波齿轮传动,均以发生器为主动。此时,如刚轮固定以柔轮输出,如图 4-16(a);如柔轮固定以刚轮输出,如图 4-16(b)。谐波传动也可设计为两级形式(如图 4-16c),以获更大减速比。传动比计算如下。

发生器主动(转速 n_h)柔轮输出(转速 n_1)时:

$$i=\frac{n_h}{n_1}=-\frac{z_1}{z_2-z_1} \tag{4-24}$$

发动机主动(转速 n_h)刚轮输出(转速 n_2)时:

$$i=\frac{n_h}{n_2}=\frac{z_2}{z_2-z_1} \tag{4-25}$$

两级传动时:

$$i=\frac{n_h}{n_2}=\frac{z_1 z_2}{z_1 z_2'-z_1' z_2} \tag{4-26}$$

在单级谐波减速器中,为使柔轮可以变形,需将其设计成轴向尺寸较大的杯状,如图 4-16(a)、(b)所示。而双级减速器的柔轮则可设计成环状而使结构更为紧凑,轴向尺寸减小,如图 4-16(c)所示。

通过对柔轮上一点的运动学分析,可以得到柔轮轮齿和刚轮轮齿间的相对位置变动过程,如图 4-17 所示。可见在空载理想状态下,两轮仅在柔轮椭圆长轴顶点附近很小范围内啮合,

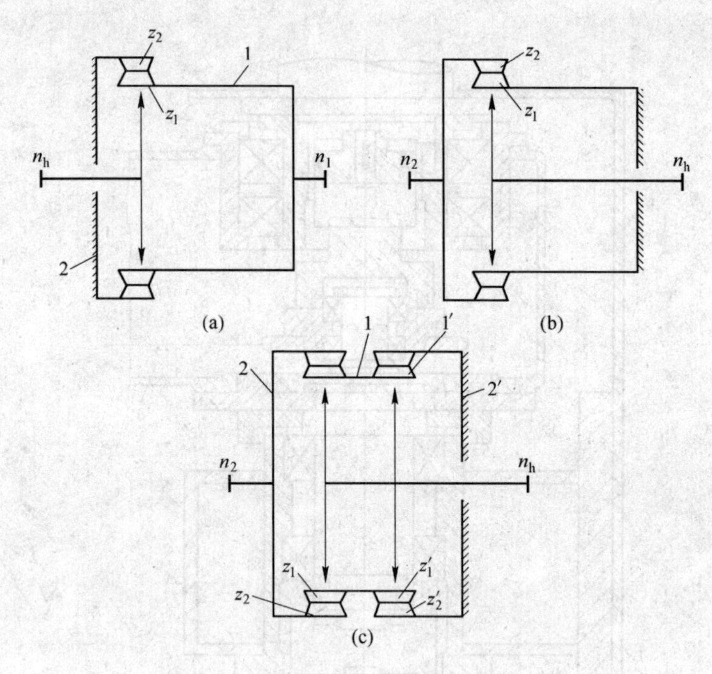

图 4-16　各种谐波齿轮减速器传动方案

而后即脱离接触。但是，在负荷作用之下，两轮的齿啮合区间将大为扩大，几乎能使长轴顶点两侧各 50°～60°的范围内的齿全部处于啮合状态，从而使两轮间同时啮合的齿数大大增加。这一特点及其传动原理使谐波齿轮传动具有如下突出优点：①传动比大，单级即可达 $i=500$；②同时啮合齿数多，模数可选得很小，结构紧凑；③同时啮合齿数多，承载能力高且传动平稳；④同时啮合齿数多，由误差均化作用使传动精度大为提高，接近无侧隙传动；⑤传动效率高达 90%～95%。

但谐波齿轮传动也有其不足之处：①扭转刚度偏低；②零件制造难度大；③只有大的传动比。

目前我国已系列生产谐波齿轮减速器产品，还生产出售成套的波发生器、柔轮和刚轮这些核心零件，以方便设计使用者能将其更紧凑地安装于机器人关节及其他结构之中。

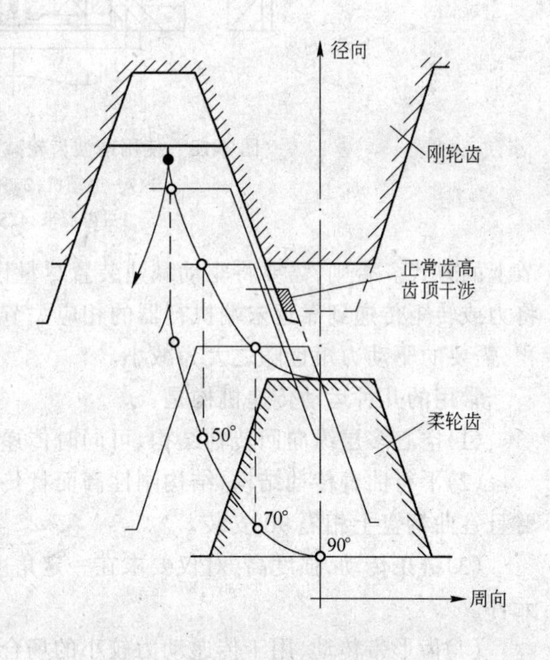

图 4-17　柔轮轮齿和刚轮轮齿间的相对位置移动

图 4-18 所示为工业机器人关节中使用谐波齿轮减速器的一个具体结构。

4.4.2　工业机器人运动传递机构

由于机器人关节驱动装置及减速机构一般具有较大体积和质量，故只是在运动速度较低、功率较小且对机器人定位精度要求不高的场合，才会采用把驱动减速装置直接安装在关

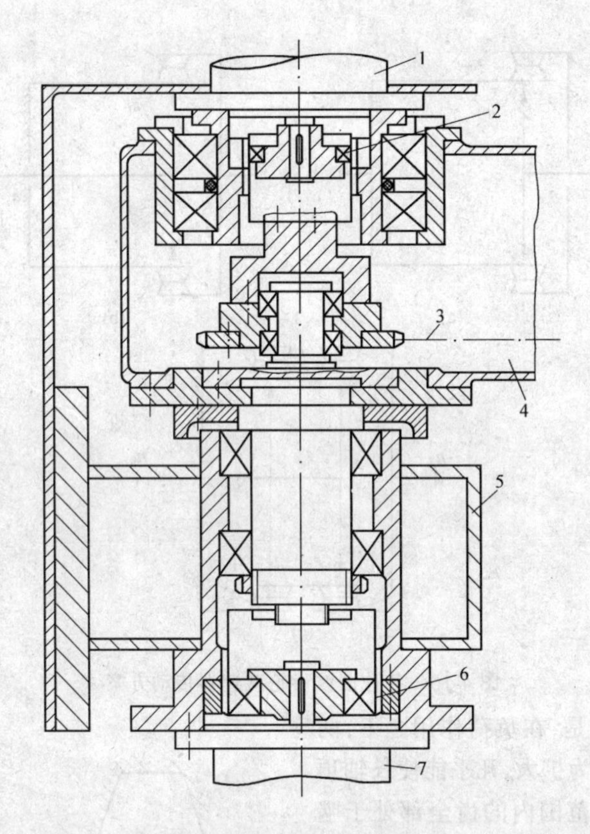

图 4-18 使用谐波齿轮减速器的机器人关节示例

1、7—电动机；2、6—谐波减速器；

3—齿形带；4、5—操作臂杆

节上的方式。否则，需要将驱动减速装置尽量设置在靠近基体处，而通过某种运动传递机构将力或转矩传递到靠近末端执行器的相应关节上。这样会大大减小操作臂的运动惯量和体积，需要的驱动力矩也随之大为减小。

常用的几种运动传递机构是：

(1)空心多层纵向回转轴结构，可同时传递几个关节需要的运动。

(2)平行曲臂传动结构，结构刚性高而且传动可靠。为消除传动死点，使用两根平行曲臂且在曲柄盘上相隔 90°安装。

(3)链条传动，强度高，对仅要求在一定角度范围内回转的关节，可在链条中间设置张紧元件。

(4)齿形带传动，用于传递动力较小的场合，以避免其弹性伸长的影响。

(5)平形带传动，使用钢制带且将端头固定于带轮之上以防滑动。

(6)绳索传动，使用方便自如，但刚性较小。

图 4-22 及图 4-23 中示出了利用空心轴传递运动的例子。图 4-19 是平行曲臂机构应用实例。图 4-20 是利用链条传动来驱动同一机器人腕部的结构实例。

在需要将转动转换为移动时，应用较多的是丝杠副传动机构，尤其是滚珠丝杠副传动在机器人中获得广泛应用。图 4-21 是滚珠丝杠副传动在工业机器人上的应用实例。目前，

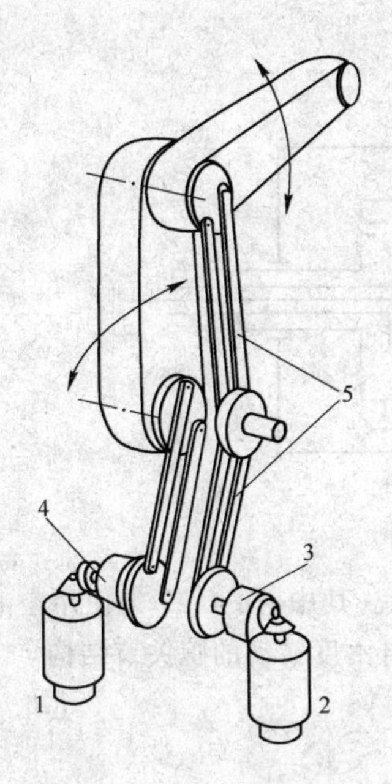

图 4-19　平行曲臂机构应用实例

1—下臂驱动马达；2—上臂驱动马达；

3、4—减速器；5—平行曲臂机构

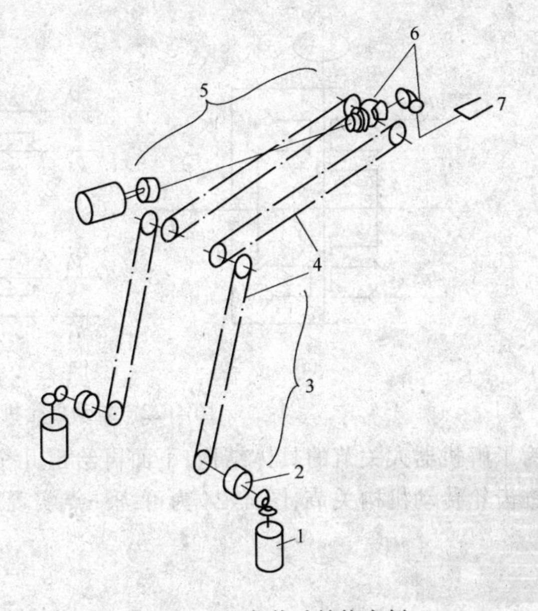

图 4-20　链条传动结构实例

1—马达；2—减速器；3—下臂；4—链条；

5—上臂；6—圆锥齿轮；7—手爪

已有连同驱动减速装置装在一起的滚珠丝杠副传动机构作为独立通用部件生产出售。

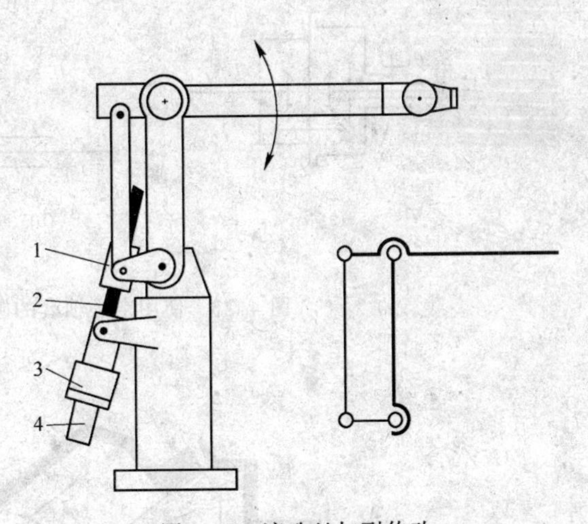

图 4-21　滚珠丝杠副传动

1—螺母；2—丝杠；3—减速机；4—电动机

4.4.3　工业机器人关节结构

为使机器人的关节既能自由运动，又不影响通过该关节的其他关节驱动运动的传递，要求采用特殊设计的关节结构。

图 4-22(a)、(b)是差动齿轮关节结构。它能由主动的运动 θ_1、θ_2 或 $\theta_1-\theta_4$ 产生要求的关节运动 φ_1、φ_2 或 $\varphi_1-\varphi_4$。

对图 4-22(a)情况，有

$$\begin{cases}\varphi_1=(\theta_1+\theta_2)/2\\ \varphi_2=(\theta_2-\theta_1)/2\end{cases}\tag{4-27}$$

对图 4-22(b)情况，有

$$\begin{cases}\varphi_1=(\theta_1+\theta_2)/2\\ \varphi_2=(\theta_2-\theta_1)/2\\ \varphi_3=-\theta_3+\varphi_1\\ \varphi_4=\theta_4+\varphi_1\end{cases}\tag{4-28}$$

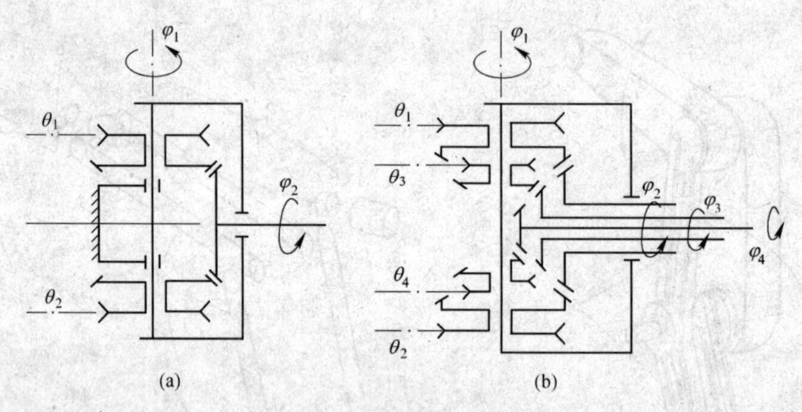

图 4-22　差动齿轮机构关节

为了解机器人关节的具体结构，下面再给出几个实例。其中，图 4-23 为使用空心轴套的圆锥齿轮传动机构关节，图 4-24 为可绕一点实现三个自由度转动的腕关节结构。

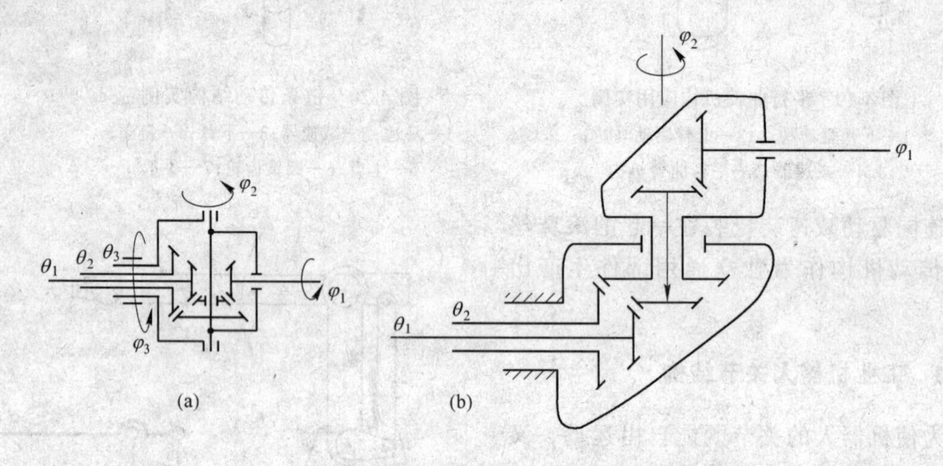

图 4-23　使用空心轴套的圆锥齿轮传动机构关节

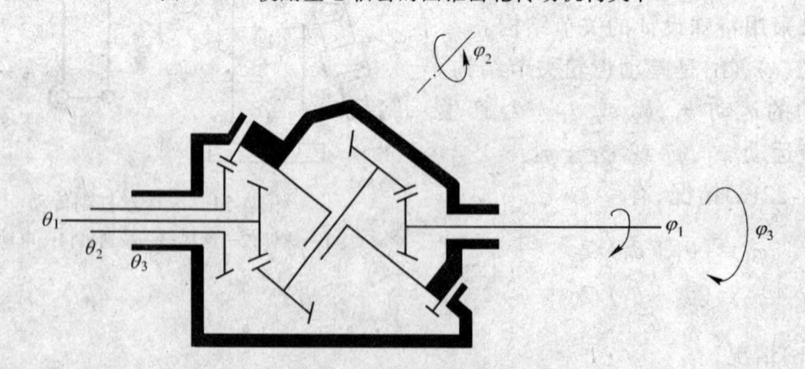

图 4-24　可绕一点实现三个自由度转动的腕关节

4.4.4　工业机器人平衡系统

在机器人的机械系统设计中，需要考虑设置平衡系统，以降低机器人关节驱动器的最大转矩，减小驱动器的重量和尺寸，使驱动器负载分布均匀，改善机器人的动力学特性，消除一些非线性量，简化动力学计算。设置平衡系统是提高机器人性能的一个重要措施，因此，平衡系统设计是机器人设计的一个重要的方面。

机器人的平衡系统可分为质量平衡、弹簧平衡和受控力平衡（以气、液压缸及力矩电动机为平衡力源）三类。

4.4.4.1 质量平衡

质量平衡是许多机械设计中经常采用的一种静平衡方法。在机器人有关构件上加上相应的平衡重，从而调整质量分布（即调整机构重心位置），使构件重力相对关节转轴构成一平衡力系，从而达到平衡目的。

采用这种平衡方法时，一般是将重块加在工业机器人的大臂上，而小臂则利用腕部驱动器来取代重块进行平衡。若改变其安装位置，可使机器人大、小臂重心重合，构成一平衡系统，因而驱动器无需克服静载荷。

质量平衡法只能使机器人部分构件得到平衡。由于负载的变化，机器人整体平衡效果不够理想，有时要靠驱动器来产生平衡力矩。有的根据机器人特定应用条件下的当前负载，在杆件上加一系列重块，然后手动调整，使机器人随负载变化始终处于平衡状态。尽管此法可使机器人运动稳定可靠，但由于构件质量的增加降低了固有频率，对机器人四连杆机构不利。因此，这种方法多用于极坐标、球坐标及圆柱坐标机器人上，起部分平衡作用。

4.4.4.2 弹簧平衡系统

弹簧平衡是机器人平衡系统中最常见的一种方式，平衡效果也比较理想。弹簧平衡系统主要是利用了弹簧受力的线性变化特性，通常需要有非线性运动及负载的转换机构。如弹簧-连杆、凸轮等机构的联合使用。

最简单的弹簧-连杆机构如图 4-25 所示。它是一个正弦机构，弹簧 S 的 A 端与固定连杆 1 相连（即关节式机器人的腰部），与关节 O 点距离为 r。弹簧 S 另一端 B' 与连杆 2（相当于小臂）相连，B' 与 O 点距离为 r_1。若 $AB'=l$，则

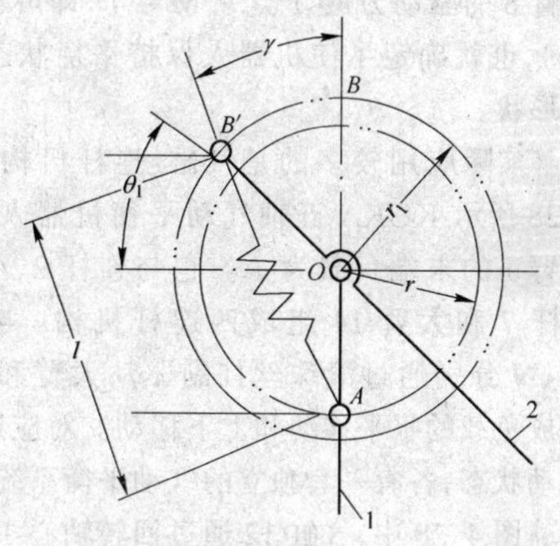

图 4-25 弹簧-连杆平衡机构

$$l=AB'=\sqrt{r^2+{r_1}^2+2rr_1\sin\theta_1}$$

若弹簧受力为 F，则关节 O 的驱动力矩 T_0 为：

$$T_0=Fr\sin\gamma=F\frac{rr_1\cos\theta_1}{l}$$

$$F=(l-l_0)k$$

式中，l_0 为弹簧初始长度，k 为弹簧刚度系数。若 $l-l_0=1$，则

$$T_0=(krr_1)\cos\theta_1$$

令 $krr_1=T_g$，关节 O 为了克服重力（包括负载）所需力矩，可根据机器人有关参数求得，根据 $k=\dfrac{T_g}{rr_1}$ 可求出平衡弹簧的刚度。通常可根据机器人负载变化，做出 T_0 变化曲线，通过优化后选择最佳平衡效果时的 k 值。

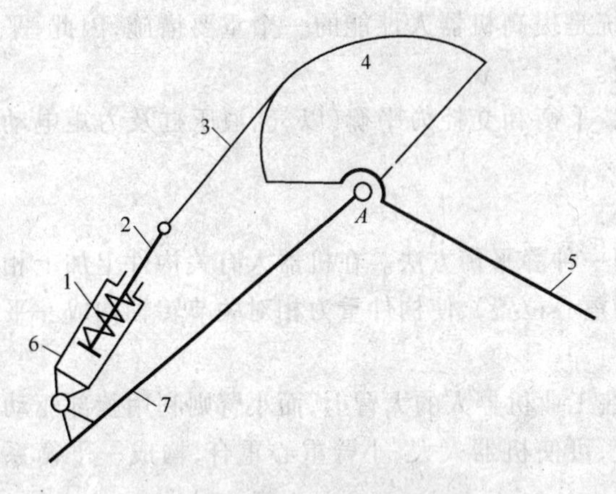

图 4-26　弹簧-凸轮平衡机构

1—弹簧；2—杆；3—钢索；4—凸轮；
5—小臂；6—弹簧筒；7—大臂

为了使弹簧力正确地产生非线性的平衡力，可使用图 4-26 所示的弹簧-凸轮平衡机构。小臂 5 运动时，对关节 A 的力矩发生变化。但随着凸轮的转动，弹簧拉力对 A 点的力矩也相应地发生变化，因而起到平衡作用。

4.4.4.3　气、液压缸平衡系统

使用气、液压缸的平衡系统，在平衡过程中，气、液压缸的作用力通过凸轮或连杆等转换机构，可根据负载的变化转变成所需的非线性的平衡力。如图 4-27 所示，气缸 1 产生一定的作用力 F，对关节 O 点的力矩为：

$$M = F \cdot h(\varphi)$$

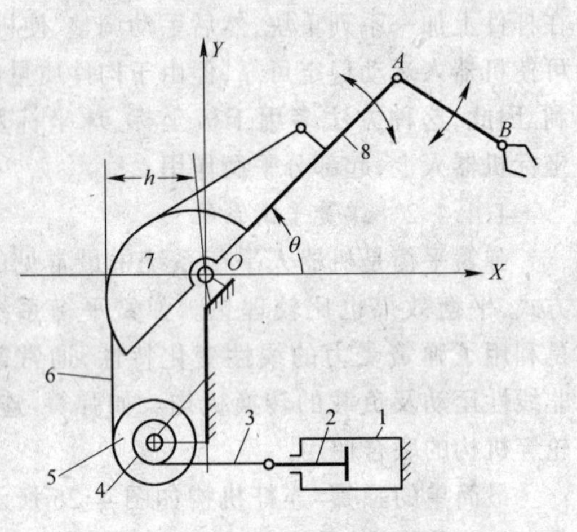

图 4-27　气缸—凸轮平衡机构

1—气缸；2—活塞杆；3—链条；4—链轮；
5—鼓轮；6—钢索；7—凸轮；8—大臂

式中，$h(\varphi)$为钢索 6 与凸轮相切点在 X 轴上的投影，根据机器人的负载及运动情况，可求出大臂 8 的驱动力矩 T。令 $M = T$，即可求出 $h(\varphi)$，也就确定了使机器人保持平衡状态的凸轮形状。

实际应用较多的是气缸-连杆机构，如图 4-28 所示 KUKA 五轴气动平衡机器人，图中小臂 1 的末端负载为 L。它与连杆 2、小臂驱动杆 7 和大臂 14 组成四连杆机构。电动机 M、N 分别通过滚珠丝杠副驱动大臂和小臂，完成负载的水平移动和上下移动。对应这两种运动状态，各有一套独立的气动平衡系统。

图 4-28 中，气缸 12 通过回转轴心 13 安装在机器人腰部，活塞杆与曲柄 9 铰接。在平衡过程中，气缸产生的平衡力矩通过曲柄 9、连杆 8、2、3 传递到小臂驱动杆 1 和大臂 14 上。

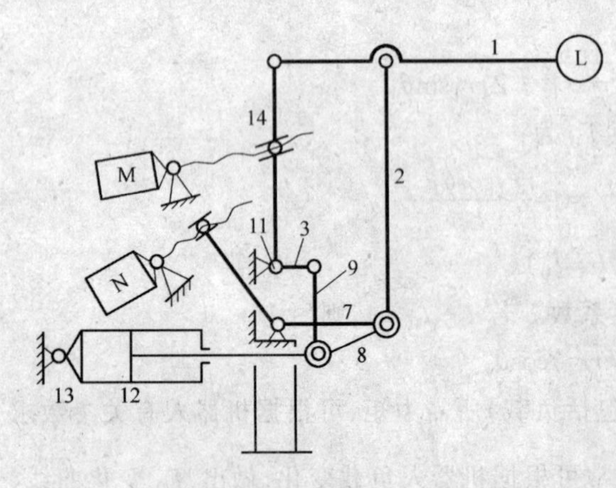

图 4-28　KUKA 机器人的气缸-连杆平衡机构

现以机器人负载的水平运动为例，说明平衡力矩的变化。图 4-29 为机器人负载水平、前后移动时的机构简图和对应的受力分析。图 4-29(a)、(b)分别为机器人负载的后移和前冲，重力 $W = (m_a + m_0)g$，m_a 为机器人小臂质量，m_0 为负载质量。假定重心作用在质心 C_g 处，平衡系统受力简图为图 4-29(c)，(d)。当气缸推

力 F_c 不变时，在图 4-29(a)、(b)两种状态下，连杆 8、9 的受力明显不同，对轴心 11 的力矩也不同，分别如图 4-29(c)、(d)所示。对平衡系统连杆机构进行受力分析可知，图 4-29(c)中的 F_c 小于图 4-29(d)中的 F_c，即图 4-29(a)状态时所需的平衡力矩较小，但能补偿 W 对轴心 11 产生的力矩，其平衡效果十分接近理想的静平衡状态。

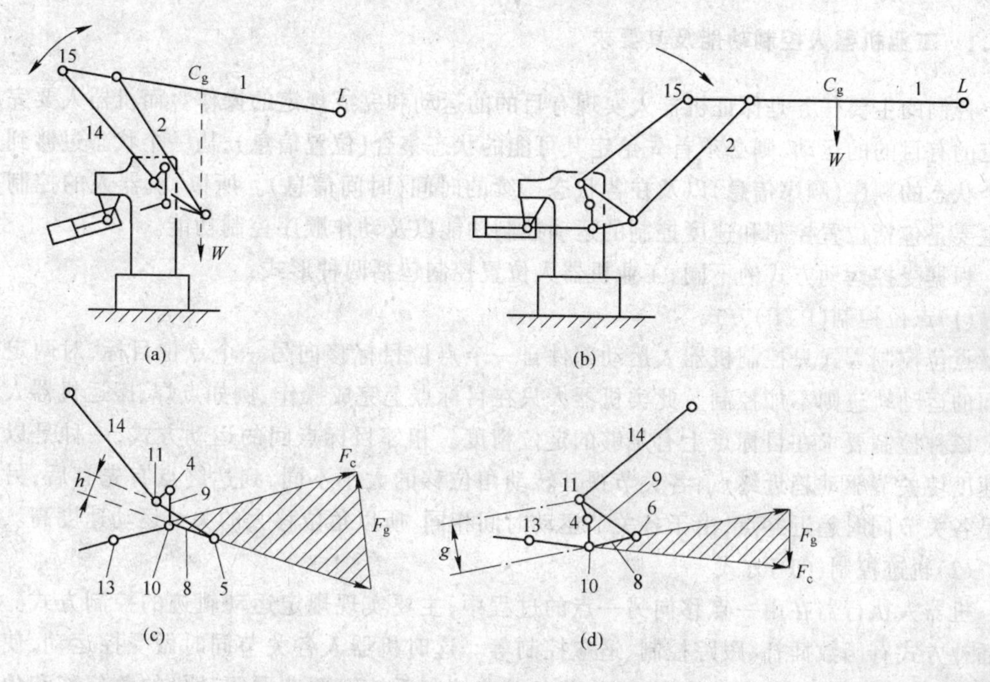

图 4-29 平衡系统结构简图及受力分析

利用气(液)压缸做平衡力源的优点，是对负载的变比易于实现压力调整，如在机器人臂上加重力传感器(应变仪等)，然后连到自动调节装置上即可实现。

4.4.4.4 力矩电动机平衡系统

力矩电动机在输出转矩时，转子位置保持固定，无机械传递过程，完全适用于机器人平衡系统。但其体积较大，并且要连续感知变化的待平衡力矩并配备相应的信号放大系统。另外，力矩电动机与机器人驱动电机使用同一电源，工作可靠性受到影响。所以，机器人的平衡系统中一般不用力矩电动机作为平衡力源。

4.4.4.5 直接驱动机器人的平衡

直接驱动(*DD*)机器人具有高精度和高速度的特点。它将驱动电动机直接与负载相连，因此，无减速器齿隙造成的转矩传递脉动，机构刚性好。由于没有减速器，所以需要电动机本身有相当大的力矩放大作用。因此，电动机的质量是直接驱动机器人平衡的关键。安装时，通常要尽量排除 *DD* 电动机的重力负载。如水平关节式 *DD* 机器人，因关节轴方向而使机器人的驱动不承受 *DD* 电动机的重力负载。对于其他串联机器人来说，腕部驱动电动机常成为手臂驱动电动机的负载。若采用重块平衡，有使惯性矩增大、动态特性变坏的缺点。这时可考虑采用重力补偿电动机，其原理是将 *DD* 电动机与重力补偿电动机并联驱动关节轴。*DD* 电动机使用定位精度高的力矩电动机，而重力补偿电动机应采用带减速器的电动机，利用在输出轴上的力矩传感器构成力矩伺服系统进行反馈控制补偿重力矩。

直接驱动机器人的平衡系统设计，主要是为了克服力矩不足，所以在结构设计时应考虑电动机的配置及手臂的轻量化，尤其是使用手臂连杆具有适当的减速效果。

4.5 工业机器人控制系统设计

4.5.1 工业机器人控制功能及其要求

控制的主要任务是保证机器人实现有目的的运动和完成规定的操作。而机器人要完成规定的有目的的运动，则必须首先给定其可能的状态集合（位置信息），从一个状态过渡到另一个状态的顺序（顺序信息）以及在各状态持续的时间（时间信息）。所以，机器人的控制功能主要是包括位置控制和速度控制的运动控制功能以及动作顺序控制功能。

根据受控运动方式的不同，工业机器人位置控制包括两种形式：

(1)点位控制(PTP)方式

点位控制方式只控制机器人运动部件自一个点位目标移向另一个点位目标，对两定位点间的运动轨迹则不加控制。此类机器人只在目标点上完成操作，例如点焊、搬运机器人。

该种控制要求在目标点上有足够的定位精度。相邻目标点间的运动方式，一种是以最快速度使关节驱动趋近终点，各关节视其转动角位移的大小不同，到达终点有先有后；另一种是各关节同时趋近终点，由于各关节运动时间相同，所以角位移大的关节运动速度高。

(2)轨迹控制(CP)方式

机器人执行器在由一点移向另一点的过程中，主要实现规定运动轨迹的控制方式。它的插补方式有函数插补、跟踪控制、适应控制等。这时机器人各关节同时做受控运动，使机器人终端按预期的轨迹和速度运动，为此各关节控制系统需要获取驱动机的角位移和角速度反馈信号。连续轨迹控制主要用于弧焊、喷漆、修磨和检测机器人。

弧焊、喷漆等机器人作业时，机器人把持着工具沿规定的轨迹运动，机器人本身与被控对象无接触，这是纯运动控制的情况。而另一类机器人作业，如装配、抛光、打毛刺等，不但要对末端执行器（工具）施加运动命令，而且还要保持一定的接触力，这是力控制的情况。

另外，大多数工业机器人还要完成示教控制功能。某些机器人还要完成视觉、图像处理等控制功能。

对机器人控制的基本要求为：

(1)协调控制多轴运动，以产生要求的工作轨迹。

(2)有较高的位置精度和很大的调速范围，以满足作业要求。除直角坐标式机器人外，机器人的位置检测元件不能安放在机器人末端作用器上，而是放在各个驱动轴上，因此是位置半闭环系统。由于开式链传动机构的间隙等使得机器人总的位置精度比数控机床约降低一个数量级，但机器人在工作行程时，机器人可能以极低的速度运动以加工工件；而在空行程时，又以极高速度运动以提高效率。所以，调速范围很大，通常超过几千。

(3)系统的静差率要小。机器人工作时，要求运动平稳，不受外力干扰，为此系统应具有良好的刚性，即有较小的静差率，否则将造成位置误差。例如，机器人某个关节不动，但由于其他关节运动时形成的动力矩作用在这个关节上，使其在外力矩作用下产生滑动，由此形成机器人位置误差。

(4)各关节的速度误差系数应尽量一致。机器人手臂的空间移动是各关节联合运动的结果,应要求各轴关节伺服系统的跟踪误差尽可能一致,而且在不影响稳定性的前提下尽量取较小的数值。

(5)位置无超调,动态响应尽量快。机器人不允许有位置超调,否则将发生与工件的碰撞。加大阻尼可以减少超调,但却牺牲了系统的快速性。所以设计系统时要折中选择。

(6)采用加减速控制。大多数机器人具有开链式结构,机械刚度很低,过大的加(减)速度都会影响它的运动平稳性。因此,在机器人启动或停止时,需要有加(减)速控制。

4.5.2 工业机器人运动控制算法

工业机器人运动控制过程的实现主要包括以下四个阶段:

4.5.2.1 第一阶段:规划工艺作业,按要求作业任务确定执行器在绝对坐标系中的位姿序列或轨迹

由机器人完成哪怕是最简单的作业,也需要对手爪的运动轨迹在空间和时间上进行规划。这样,机器人执行器必须依次在参考坐标系中占据一系列的位姿,而这一规划轨迹上的每一规定点均对应于一个确定的变换矩阵。轨迹上所有规定点按其先后次序排列起来,则对应得到一个变换矩阵序列。这一序列可以通过示教直接给出,也可通过对工艺作业动作分析以数值方式给出。但不管用哪种方法给出,规定点数都是有限的一些特征点。即使是通过示教,也不能把一个空间轨迹的所有点都示教一遍,让机器人记住。因为这样太繁琐,也浪费许多计算机内存。

4.5.2.2 第二阶段:轨迹插补

插补算法是独立于机器人机构的,能获得规定点中间的一些点的坐标(相对基础坐标系)。

机器人实现一个空间轨迹的过程,实际上是实现轨迹离散点的过程,即机器人运动是从一点到另一点的过程。如果这些离散点间隔很大,就是点到点方式,机器人只保证运动经过这两点,而不保证这两点中间的路径。只有通过插补得到的这些离散点彼此很近,才有可能使机器人轨迹以足够精度逼近要求的轨迹。即连续轨迹控制才需要插补计算。那么插补点要多么密集时才能保证轨迹不失真并且运动连续平滑呢?对此有定时插补和定距插补两种方法加以解决。

A 定时插补

这个过程每隔一个时间间隔 T_0 完成一次插补。为保证运动的平稳,T_0 不能太长。由于一般机器人机械结构大多属于开链式,刚度不高,一般 T_0 不超过 25 ms(40 Hz)。但 T_0 的下限又受到计算量限制,即对于机器人的控制,计算机要在 T_0 内完成一次插补运算和一次逆向运动学计算。对于目前大多数机器人控制器,完成这样一次计算约需几 ms。应当选择 T_0 接近或等于它的下限值,以保证有较高的轨迹精度和平滑的运动过程。

定时插补易于为机器人控制系统实现。例如采用定时中断方式,每隔 T_0 中断一次,进行插补一次,计算一次逆向运动,输出一次给定值。由于 T_0 较小(仅几 ms 左右),机器人沿着要求轨迹的运动速度一般不会很高,而且机器人总的运动精度远不如数控机床、加工中心高。所以,大多数工业机器人采用定时插补方式,但当要求以更高的精度实现运动轨迹时,可采用定距插补。

B 定距插补

在此方式下,插补点距离不变,但 T_0 要随着运动速度不同而变化。

这两种插补方式的基本算法是一样的，只是前者固定 T_0，易于实现；而后者能保证轨迹插补精度，但 T_0 要随速度而变化，实现起来稍困难。

工业机器人常用的基本插补算法与数控机床一样，有直线插补和圆弧插补两种。

当然，为保证实现更高质量的控制，对插补算法还要加上若干必要约束条件，如满足速度、加速度的限制，速度、加速度变化要连续等。这时可能需要用一个 4 阶多项式或更高阶方程来插补逼近。

4.5.2.3 第三阶段：将执行器在各规定点和中间点的位姿变换为各关节的相应广义坐标

在第一阶段和第二阶段得到的一系列规定点和中间点的位姿（即变换矩阵），是针对执行器相对参考坐标系进行的。但为了实现机器人的运动控制，还需要进一步将这一规划变换为各个关节相对各关节坐标系的广义坐标规划才行。由执行器位姿得到关节广义坐标值的方法有如下几种：

(1)直接求解运动学位置逆问题。如运动学所述，这时一般得到的是一组解，其中满足结构约束变化范围的某些广义坐标值是可行形态。对求出的多个可行形态，还要进一步地根据某一准则（如速度最快、驱动力矩总和最小等）进行优化，以确定最终数值。

(2)利用雅可比矩阵的逆矩阵求关节坐标的方法（分离速度控制）。表示坐标变换关系的矩阵是非线性的，如把规划路径分割成为许多小段完成，把每一段的端点变换成关节坐标，即可对关节坐标进行点到点的控制。在某时刻关节运动至第 i 段的起始点时，可设该起始点为 0。则该段的终点坐标就是每时间间隔中的关节位移增量 d_q。如果区间分割很小从而使 d_q 很小时，变换矩阵中的 $\sin \mathrm{d}q_i \rightarrow \mathrm{d}q_i$，$\cos \mathrm{d}q_i \rightarrow 1$。这样矩阵就成为线性微分交换，这正是雅可比矩阵[$\boldsymbol{J}$]。利用关系式

$$[\mathrm{d}\boldsymbol{q}] = [\boldsymbol{J}]^{-1}[\mathrm{d}\boldsymbol{P}] \tag{4-29}$$

即可完成广义坐标矩阵的变换。这一方法相当于把位置的逆变换通过微小分割而转变为速度的逆变换了。这一方法又称为分离速度控制，其原理框图见图 4-30。

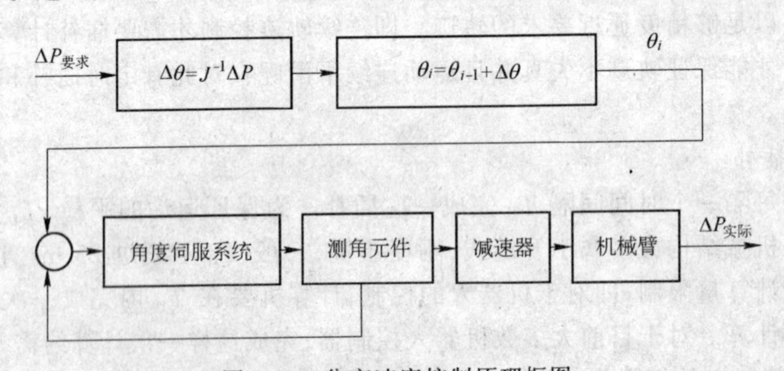

图 4-30 分离速度控制原理框图

在这一方法中，矩阵[$\boldsymbol{J}$]是可计算的。但[$\boldsymbol{J}$]的计算和求逆非常繁琐复杂而需占用很长机时，另外当机器人在某些特殊位置时，[$\boldsymbol{J}$]会退化为奇异矩阵。为此，在实际控制中，可采用如下近似方法计算[$\boldsymbol{J}$]$^{-1}$：

1)先对若干机器人姿态计算出[$\boldsymbol{J}$]$^{-1}$并将其存储在计算机中，运动控制时再由实际姿态通过查表插值计算近似决定[$\boldsymbol{J}$]$^{-1}$。

2)用一个非负比例因子对角线矩阵[$\boldsymbol{C}$]和下列矩阵转置和乘法代替求逆计算：

$$[\boldsymbol{C}][\boldsymbol{J}]^T = [\boldsymbol{J}]^{-1}$$

(3)在示教过程中,直接将与执行器位置相对应的各关节广义坐标值一起记忆存储起来。这实际上是利用机械机构进行模拟计算求解的方法。它要求大的信息存储能力,同时示教结果不一定是最优动作。

4.5.2.4　第四阶段:解决关节驱动装置本身的控制问题以保证最终完满实现预定运动

该部分内容详见下节。

总结起来,机器人的轨迹控制过程如图 4-31 所示。

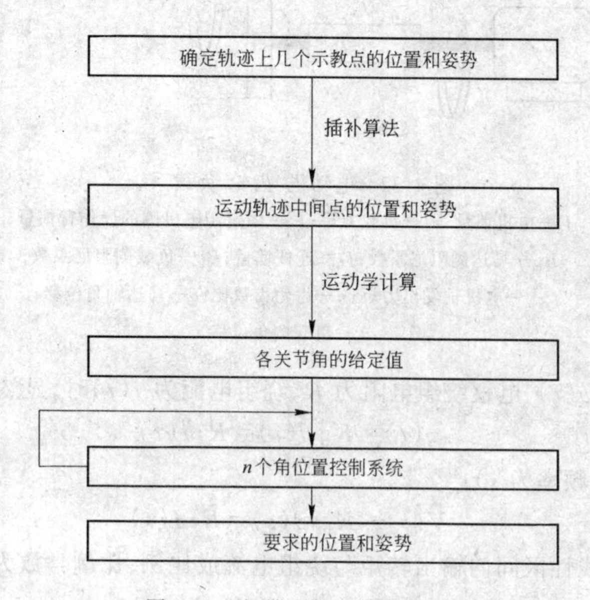

图 4-31　机器人轨迹控制过程

4.5.3　工业机器人关节伺服驱动控制

由于绝大多数机器人是关节式运动形式,很难直接检测机器人末端的运动,只能对各关节进行控制。从控制观点来看,它属于半闭环系统,即仅从电动机轴上反馈。

另外,尽管现代机器人越来越多地采用交流伺服电动机,但直流伺服电动机的控制模型是基础,交流电动机控制模型也可以转化成直流电动机模型,因此,这里以直流伺服电动机控制为例。

4.5.3.1　单关节操作臂伺服驱动系统控制

工业机器人为能精确完成预定运动,其关节驱动采用伺服驱动系统,即以误差信号控制驱动系统,它具有力(转矩)的放大作用和为获得误差信号而必须的负反馈回路,其运动状态始终是过渡过程状态。现以永磁直流电动机为例分析只有一个关节的操作臂的伺服驱动系统控制。

对图 4-32 所示的电动机-齿轮-负载系统,电动机轴发出的力矩

$$\tau_m = J\ddot{\theta} + B\dot{\theta} \tag{4-30}$$

式中　J——电机轴有效惯量,$J = J_a + J_m + n^2 J_L$;

B——电机轮有效阻尼系数,$B = B_m + n^2 B_L$。

永磁电动机电枢绕组中的反电动势

$$v_b(t) = K_b\,\dot{\theta}(t)$$

式中　K_b——反电动势常数。

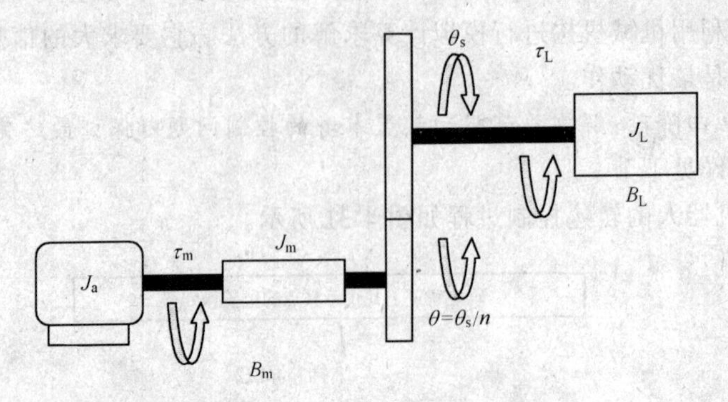

图 4-32　电动机-齿轮-负载系统

J_a—电机惯量；τ_L—负载力矩；J_m—固定于电机侧的操作臂惯量；

B_m—马达侧阻尼系数；J_L—连杆惯量；B_L—负载侧阻尼系数；

τ_m—电机轴发出力矩；n—齿轮齿数比；θ—马达轴角位移；

θ_s—负载侧角位移

当外加电压为 $v(t)$、电枢绕组电阻为 R、绕组电流为 $i(t)$时，显然有

$$v(t)=K_b\,\dot{\theta}(t)=R\cdot i(t)$$

其频域关系为(频率为 s)：

$$V(s)-K_b s\Theta(s)=R\cdot I(s)$$

直流电动机在线性区间内输出转矩与绕组电流成比例，比例常数为 K_I，

$$T_m(s)=K_I I(s) \tag{4-31}$$

由拉氏变换可以得到由输入电压到输出角位移的传递函数：

$$\frac{\Theta(s)}{V(s)}=\frac{K_I}{s[RJs+(RB+K_I K_b)]} \tag{4-32}$$

伺服控制系统的控制信号是目标角位移 $\theta_d(t)$与实际角位移 $\theta_s(t)$间的误差信号：

$$e(t)=\theta_d(t)-\theta_s(t)$$

再将误差信号变换为电压，其转换常数为 K_θ，传递方程为：

$$V(s)=K_\theta[\Theta_d(s)-\Theta_s(s)]$$

综合得其开环伺服控制系统框图如图 4-33(a)，其传递函数为：

$$\frac{\Theta_s(s)}{E(s)}=\frac{nK_\theta K_I}{s[RJs+(RB+K_I K_b)]} \tag{4-33}$$

这样构成了控制信号和误差 $e(t)$成比例的比例误差(PE)控制系统。

比例误差控制系统在误差为零时没有力矩输出，因此，在有外载作用时不能准确定位于理想位置，即存在有“稳态误差”。对机器人操作臂而言，外载有摩擦力 f_m、负载力矩 τ_L、重力矩 τ_g及向心力矩 τ_c 等。为克服稳态误差，可采用误差对时间的积分作信号输入，其伺服输出将随时间而逐渐增大，直至负载能在误差为零时被稳定的抓住为止。这样构成的控制系统称比例积分(PI)控制器。

比例控制器的另一个问题是运动中除摩擦外没有任何制动，当摩擦小或惯量大时，会冲过目标点，形成负误差才出现反向力矩返回，经多次振荡后才能停止的“超调振荡问题”。为

克服这一问题和缩短定位时间，可按如下原则为系统提供制动：当距目标尚远（误差值大）及运动速度低时，提供大的驱动力矩；而当距目标近及速度高时，则提供制动力矩。该制动力矩由在绕组中施加反电压 $K_I K_t \theta(t)$ 实现，其中：$\theta(t)$ 由测速电动机反馈，K_t 为测速电动机常数，K_I 为放大增益。这样构成为比例微商（PD）控制器，如图 4-33(b)。传递函数为：

$$\frac{\Theta_s(s)}{E(s)}=\frac{nK_\theta K_I}{RJs^2+[RB+K_I(K_b+K_lK_t)]s} \tag{4-34}$$

把比例积分和比例微商结合起来的控制器即 PID 控制器。

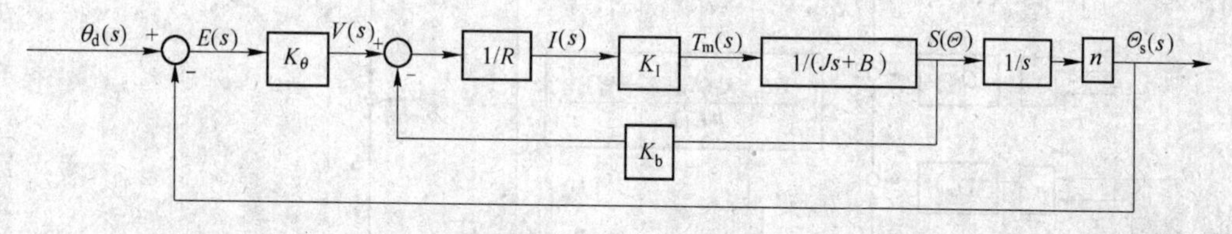

(a) 控制器基本结构框图

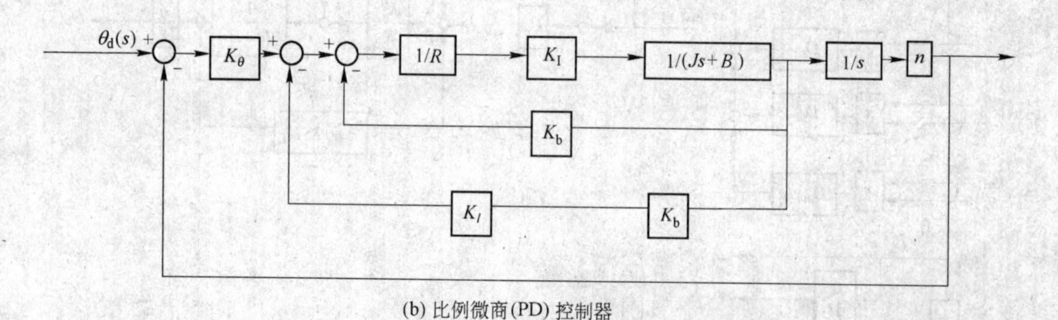

(b) 比例微商(PD) 控制器

图 4-33　位置控制系统结构框图

对一确定的机器人，参数 $n, K_b, K_I, K_t, R, J, B$ 值是确定的；K_θ, K_l 则要根据结构响应频率 ω 及阻尼比确定，

$$K_\theta \leqslant \frac{(J_l\omega^2)R}{4nK_I} \tag{4-35}$$

$$K_l \geqslant \frac{R(\omega/J_lJ-B)}{K_IK_t}-\frac{K_b}{K_t} \tag{4-36}$$

式中，J_l 为关节有效惯量。

当机器人跟随某恒速运动的物体（如传送带上的工件）作业，会产生总落后于物体某一距离的“速度误差”。这可以通过输入前馈信号来消除。

4.5.3.2　多关节操作臂伺服驱动系统控制

由机器人动力学可知，机器人是耦合的非线性动力学系统。动力学方程第一项 $\sum D_{ij}\ddot{q}_j$、第三项 $\sum D_{ijk}\dot{q}_j\dot{q}_k$ 表明，机器人其他关节的运动对讨论的关节 i 有耦合作用并产生相应干扰力矩，所以其影响也应予以考虑，一般是通过前馈加以消除。这样形成的多关节操作臂伺服驱动系统的控制框图如图 4-34 所示。其前馈值中元素 D_{ij}, D_{ijk}, D_i 由计算得出。

显然，这一控制系统将非常复杂而难以实现，实际使用的机器人控制系统是经过适当简化的。

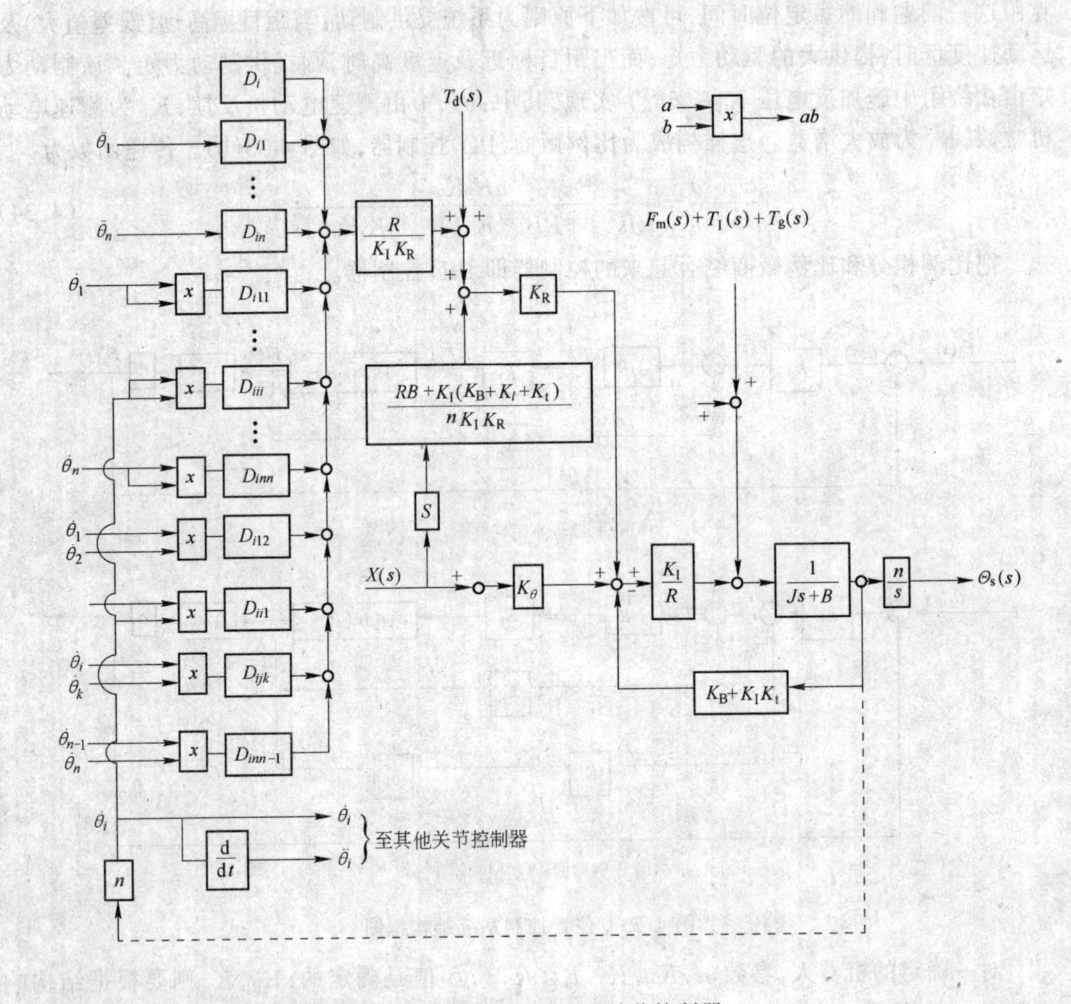

图 4-34　有 N 个关节的 i 关节控制器

由于直流伺服电动机的转矩不大，都无例外地需要加减速器，其速比往往接近 100。这使得负载的变化（例如由于机器人关节角的变化使得转动惯量发生变化）折算到电动机轴上要除以速比的平方，因此，电动机轴上负载变化很小，可以看做定常系统处理。各关节之间的耦合作用，也因减速器的存在而极大地削弱。另外，工业机器人运动速度不高（通常小于 1.5 m/s），由速度项引起的非线性作用也可以忽略。这时，工业机器人系统就变成为一个由多关节组成的各自独立的线性系统。

4.5.4　工业机器人计算机控制系统

计算机在工业机器人控制中获得广泛应用，其特点是：①运算能力强；②存储能力大；③灵活的软件编辑能力、条件判定功能及可变程序功能，即良好的开放性；④人机对话功能及子程序功能；⑤便于实现数字控制、适应控制和人工智能；⑥可实现软件伺服；⑦体积小、成本低等。

计算机控制系统是机器人的核心部分，它决定了控制性能的优劣，也决定了机器人使用的方便程度。

在机器人计算机控制系统中，经常使用各种专门用于机器人控制的机器人语言。该机器人语言可分为三个级别：

(1)运动描述语言，用语句在关节水平上表述机器人运动及动作。

(2)对象物描述语言，直接用指令表述工作对象的运动状态。

(3)任务描述语言，只表述作业任务目标和目的。

计算机控制系统有三种结构：集中控制、主从控制和分布式控制。集中控制是用一台功能较强的计算机实现全部控制功能，这只在早期机器人中采用。因为当时计算机造价较高而机器人功能不多，实现容易，但这种结构控制速度较慢。随着计算机技术的进步和机器人控制质量的提高，集中式控制不能满足需要，取而代之的是主从式控制和分布式控制结构。图 4-35 为主从式控制结构。

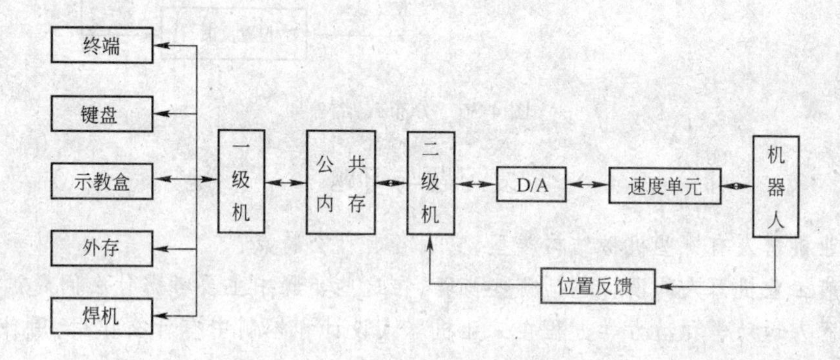

图 4-35　主从式控制系统结构

其中一级计算机(一级机)为主机，它担当系统管理、机器人语言编译和人机接口功能，同时也利用它的运算能力完成坐标变换、轨迹插补，并定时地把运算结果作为关节运动的增量值送到公共内存，供二级计算机(二级机)读取。

二级机完成全部关节位置数字控制。它从公共内存读取给定值，也把各关节实际位置送回到公共内存中，供上一级机使用。由于功能分散，控制质量较集中式控制明显提高。这类系统的控制速率较快，一般可达 15 ms，即每 15 ms 刷新一次给定，并实现一次位置控制。

这类系统的两个微机总线之间基本没有联系，仅通过公共内存交换数据，是一个松耦合关系。这对采用更多的微机进一步分散功能是很困难的。

现代机器人控制系统几乎无一例外地采用分布式结构，即上一级主控制计算机负责整个系统管理以及坐标变换和轨迹插补运算等，下一级控制由许多微处理器组成，每一个微处理器控制一个关节运动，它们并行地完成控制任务，因而提高了工作速度和处理能力，这些微处理器和主控机的联系是通过总线形式的紧耦合实现的。美国 PUMA 机器人的控制系统就属于这种结构。图 4-36 表示了这种系统的组成。

分布式结构是开放型的，可以根据需要增加更多的处理器，以满足传感器处理和通信的需要。这种结构功能强，速度快，是当今机器人计算机控制系统的主流。

计算机控制系统中的位置控制部分，几乎无一例外地采用数字式位置控制，其中的执行电动机已由直流伺服电动机变为交流或直流无刷电动机。对于交流无刷电动机，可以采用电流、位置双闭环结构，这样系统频带更宽、响应更快。如果希望系统有更大的伺服刚度，还可以采用电流、速度、位置三闭环结构。

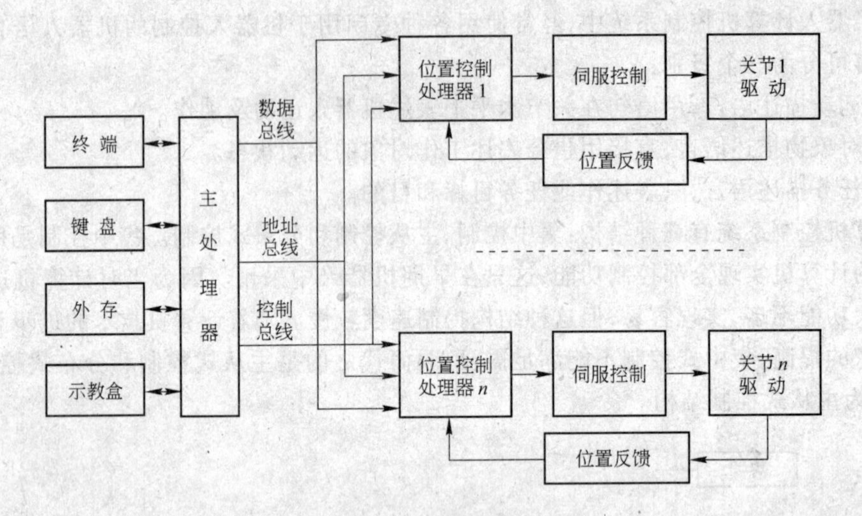

图 4-36　分布式结构

复习题与习题

1. 工业机器人有哪些机械结构类型,它们各有什么特点?
2. 一般工业机器人的设计包括哪些步骤,在这些步骤中主要考虑什么问题?
3. 机器人运动学和动力学方程在工业机器人设计和控制中有什么作用,用什么方法可以建立这些方程?
4. 工业机器人控制中有哪些主要问题?

5 物料储运装备设计

5.1 物料储运装备概述

物流系统是实现物料(毛坯、半成品、成品及刀具等)输送、存储、分配及管理的系统,被视为最能体现生产管理现代化和降低成本最有潜力可挖之处。

一个工件由毛坯到成品,在整个生产过程中,有 80%~90% 的时间是处在运输过程和库存中,所需费用占整个工件加工费用的 30%~40%,可见物流系统对生产效率和加工成本的影响之大。一个设计完善、运行良好的物流系统,能使物流通畅,有效减少积压,加速周转,缩短生产周期和降低成本。

物料储运装备是指机床上下料装置、物料的仓储和运输装置,它是物流系统的主要装备,也是机械加工生产线的重要组成部分。

A 机床上下料装置

为了提高劳动生产率和生产技术水平,改善劳动条件,实现自动化生产,机床采用自动上下料装置势在必行;同时,自动上下料装置又是组成自动生产线和柔性制造系统中不可缺少的装置。

机床上下料装置种类很多,主要有料仓式上料装置、料斗式上料装置、装卸料机械手或机器人等。

B 物料运输装置

物料运输(或输送)包含两方面内容:一是将物料从加工系统的外部传送到加工系统的内部;二是实现物料在加工系统内部的传送。一般情况下,前者是在人工干预下进行的,后者可由物料输送装置自动完成。

物料在被传输时,要求输送装置工作安全、可靠,传输位置准确,传输节拍与生产加工节拍相适应。并且,在同一输送系统中,不同的输送机构之间衔接性要好。

生产中常用的输送装置有输料槽、输料道、输送机、步伐式输送装置和自动运输小车,还有拖盘、储料装置、提升装置及转位装置等辅助装置。

C 物料仓储装备

现代仓储系统是以自动化仓库为中心构成的物料自动存储和自动检索系统,是一种在作业和管理两方面均由计算机统一控制的仓库系统。其主要装备是自动化仓库。自动化仓库一般可分为自动化立体仓库和回转式棚架仓库。回转式棚架仓库多用于小型物料的仓储(如电子器件等),在机械生产中应用最多的是自动化立体仓库。

仓储是物流系统中一个重要环节,因此,要求仓储装备存储量大,占地面积小,能方便、迅速地进行货物的入、出库作业。此外,还应保证库存管理的准确性和迅速性,从而相对减少库存量,缩短零部件或成品的存储周期,减少库存资金的积压。仓储装备应能调节工序之间、车间之间生产节拍的不协调性,以保证工厂生产的均衡性,具有适应生产诸多变化的灵活性。

D 输送及仓储装备总体方案设计中的影响因素。

物料储运装备总体方案设计,是指物料运输、仓储装备及相关辅助装备、控制方案、驱动方案的选择,布局和主要技术参数、相关尺寸参数的确定,它是生产系统或生产线总体设计的重要组成部分。

储运装备的总体方案应满足生产系统或生产线的总体布局、生产规模、生产类型、生产率及自动化水平要求。在设计时,主要应考虑以下几方面的影响因素:

(1)物料的结构、形状、尺寸、质量等特征参数;

(2)物料输送的距离、速度及频率要求;

(3)物料输送到位后的定位方式及定位精度要求;

(4)与生产系统或生产线中加工设备的功能匹配及接口连接;

(5)厂房的空间位置约束及生产系统或生产线的总体布局形式;

(6)物流系统的自动化程度、柔性和可扩充性要求;

(7)生产系统或生产线对仓储容量的要求;

(8)输送装置与仓储装备及其他辅助装备的功能匹配和接口连接;

(9)生产安全性、可靠性及维护、操作方便性等方面的要求;

(10)投资额度限制。

5.2 机床上料装置设计

5.2.1 机床上料装置类型及特点

根据毛坯形式的不同,上料装置一般可分为三种类型:

(1)带状料上料装置。将线状和带状的材料预先绕成卷状,加工时将卷料装在上料机构上,毛坯料由卷中拉出,经过自动校直后送到加工位置。在一卷料用完之前,送料和加工是连续进行的。

(2)棒状料上料装置。采用棒料毛坯时,将一定长度的棒料装到机床上,然后按每一工件所需长度进行自动送料。当一根棒料用完后,需再次手工装料。

(3)单件毛坯上料装置。采用锻件或预制棒料的毛坯时,机床上需设置单件毛坯上料装置。

按照毛坯形状、大小及其工作特点的不同,上料装置又可分为料仓式、料斗式以及机械手上料等不同类型。

5.2.2 料仓式上料装置

料仓式上料装置是一种半自动上料装置,其特点是工件需由人工按一定的方向和位置预先排列在料仓内,然后由送料机构逐个将其送到机床的夹具中。料仓式上料装置由料仓、输料槽、隔料器和上下料机构组成。其中输料槽用于将工件从料仓(或料斗)输送到上料机构中,有时还兼有贮料的作用。机床上料装置中所用输料槽,与生产线中作为输送装置的输料槽在结构和工作原理上是相同的。

5.2.2.1 料仓

料仓用于存储工件,根据工件形状、尺寸和存贮量的大小及上料机构的配置方式的不同，料仓具有不同的结构形式。

典型的料仓形式如图 5-1 所示。图(a)为最简单的槽式料仓，按工件的结构形式和尺寸，可以是直槽或弯曲形槽，可以垂直放置也可以倾斜放置。这种料仓结构简单，存贮量小。图(b)为 Z 形槽式料仓，存贮量比简单槽式料仓大。图(c)为螺旋形料仓，适用于存贮量较大的圆柱形或圆锥形工件的存贮。图(d)为转盘式料仓，工件存放在转盘上，作周期性间歇回

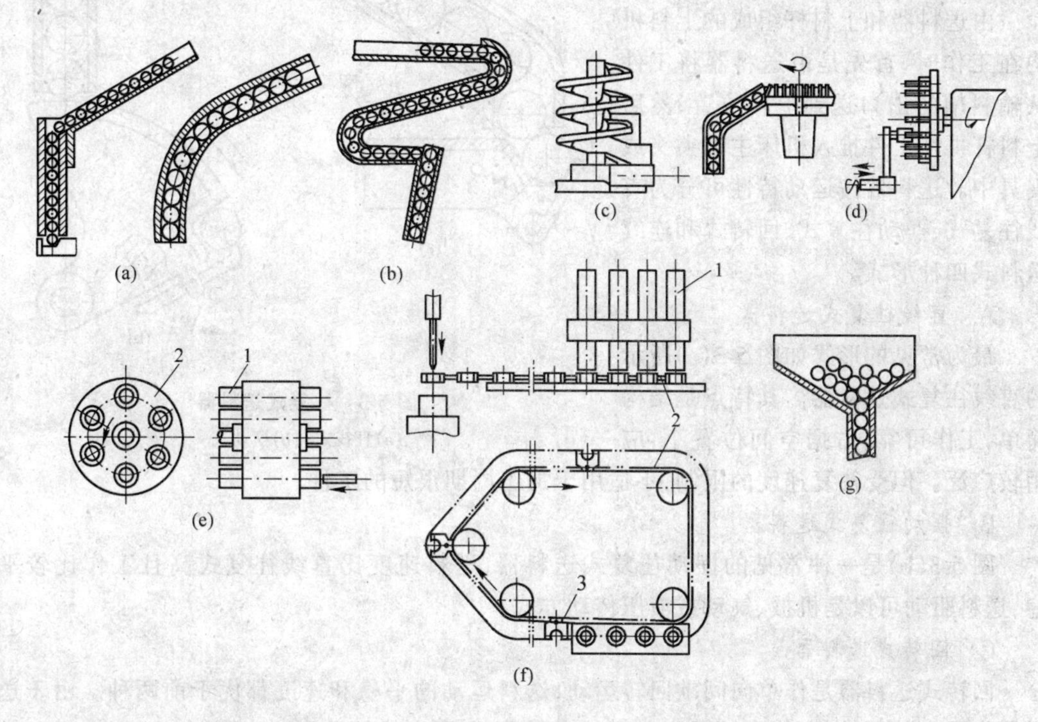

图 5-1　料仓形式

(a)槽式料仓；(b)Z 形槽料仓；(c)螺旋料仓；(d)转盘式料仓；(e)、(f)圆柱形料仓；(g)斗式料仓

转运动，与送料机构的动作相配合。图(e)和(f)为圆柱形料仓。图(e)中贮料圆筒 1 装在鼓轮 2 上，作周期性间歇转动。图(f)中贮料圆筒 1 固定，由链条 2 带动送料器 3 进行连续或间歇性送料。图(g)为斗式料仓，它的存贮量较大，适用于圆柱、圆盘和圆环类工件的存贮。但是工件在斗式料仓中整齐排列时，往往会在内部的挤压下形成“拱桥”，下面的工件逐渐被送出后，上面的工件被卡住不能下落。

为了保证工件的连续输送，在斗式料仓中设有搅动器。图 5-2 为搅动器示意图。图(a)为齿式送料器，利用往复运动的摩擦力使工件产生扰动。图(b)为摆动杠杆式搅动器。图(c)除有摆动杠杆外，料仓内还装有往复摆动的菱形搅动器。图(d)在出料口处安置搅动器。图(e)为电磁振动式搅动器。

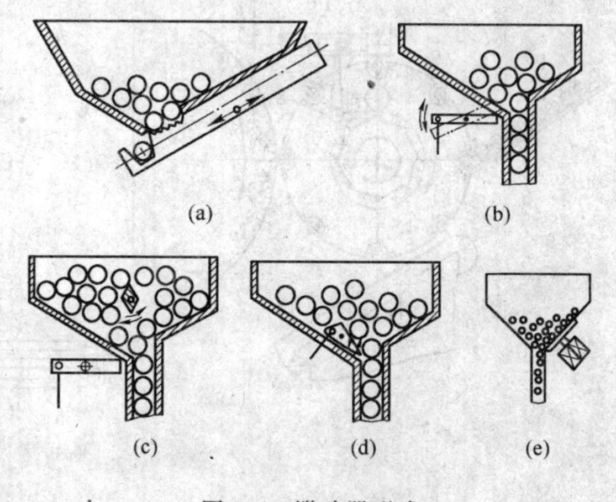

图 5-2　搅动器形式

5.2.2.2　上料机构

上料机构的作用是，将料仓或料斗经输料槽送来的工件，送到机床上预定的位置。上料机构有两种类型：送料器和上料杆组成的上料机构和能完成复杂运动的上料机械手。

由送料器和上料杆组成的上料机构在工作时，首先是由送料器将工件从输料槽的出口送到上料位置，然后上料杆再将工件推入机床主轴夹头或夹具中。送料器按运动特性可分为直线往复式、摆动往复式、回转式和连续送料式四种形式。

A　直线往复式送料器

最为常见的形式如图 5-3(a)所示的直线往复式送料器。其特点是结构简单，工作可靠，占据空间位置小，应用较广泛。但受往复速度的限制，不适用于加工周期很短的工件。

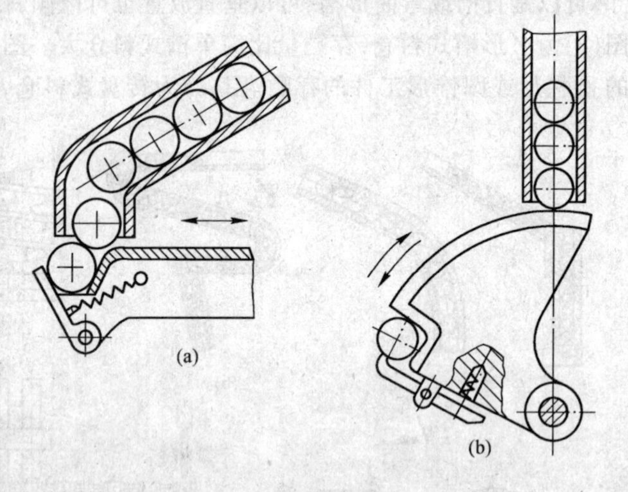

图 5-3　往复式送料器

(a)直线式；(b)摆动式

B　摆动往复式送料器

图 5-3(b)是一种常见的摆动往复式送料器，送料速度比直线往复式高且工作比较平稳，送料驱动可以是机械、气动或液压传动方式。

C　回转式送料器

回转式送料器是作单向间歇回转运动，送料运动的平稳和速度都优于前两种。由于送料器绕固定轴回转，不能全部退出机床的工作空间，所以应用受到一定限制。

图 5-4 所示是外圆磨床上采用的间歇回转式送料器。工件 1 从输料器 2 送来，上料杆 3 将工件推进送料器 4 的接料圆槽中。送料器 4 通过齿轮齿条机构传动，由液压缸 10、棘爪 8

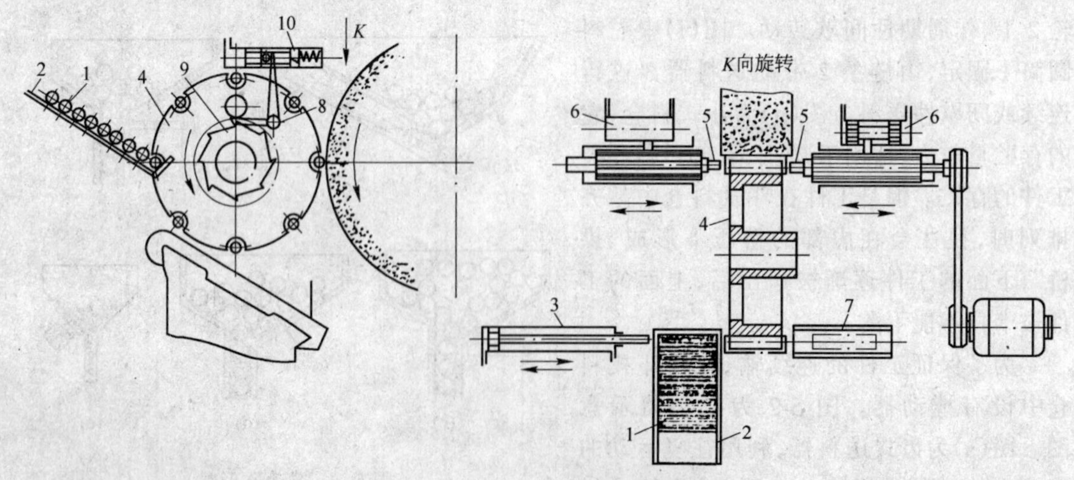

图 5-4　回转式送料器

1—工件；2—输料器；3—上料杆；4—送料器；5—顶尖；6、10—液压缸；7—输料槽；8—棘爪；9—棘轮和棘轮 9 定位，使送料器实现间歇运动，依次将工件送到机床的顶尖 5 的中心线上。在液压缸 6 的驱动下，顶尖将工件顶住以便磨削。加工完毕后，工件随送料器回转，并再次回到上料位置，被待加工工件推出送料器，落进输料槽 7 中。

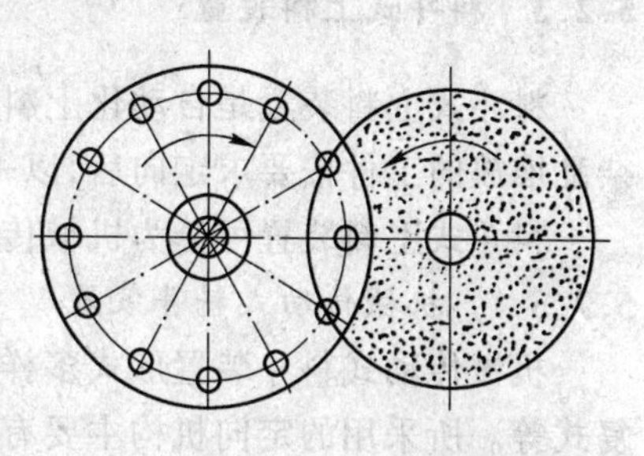

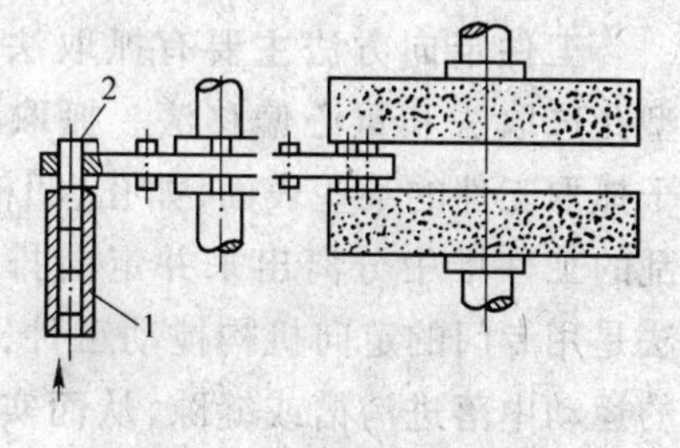

图 5-5 连续回转式送料器

1—输料管；2—工件

D 连续回转式送料器

在无心磨床及双端面磨床上加工圆柱体、环形、盘类工件时，常采用高效连续传送式送料器，如图 5-5 所示。活塞销、圆柱滚子等回转类工件 2，从输料管 1 中靠重力或上料推杆送入送料圆盘的接料孔中，并被带着通过砂轮的磨削区域后，加工即告完成。

5.2.2.3 隔料器

隔料器用来控制从输料槽进入送料器的工件数量。比较简单的上料装置中，隔料的作用兼由送料器完成。当工件较重或垂直料槽中工件数量较多时，为了避免工件的全部重量都压在送料器上，要设置独立的隔料器。图 5-6(a)是利用直线往复式送料器的外圆柱表面进行隔料。图(b)是由气缸 1、弹簧片 4 及隔料销 2、3 组成的隔料器。气缸驱动拔出销 2，销 3 在弹簧片 4 的作用下，插入料槽将工件挡住。当气缸 1 驱动销 2 插入料槽将第二个工件挡住时，销 2 的前端顶在方铁 5 上，推动销 3 退出料槽，放行第 1 个工件。图(c)是连杆往复销式隔料器。图(d)是牙轮旋转式隔料器。

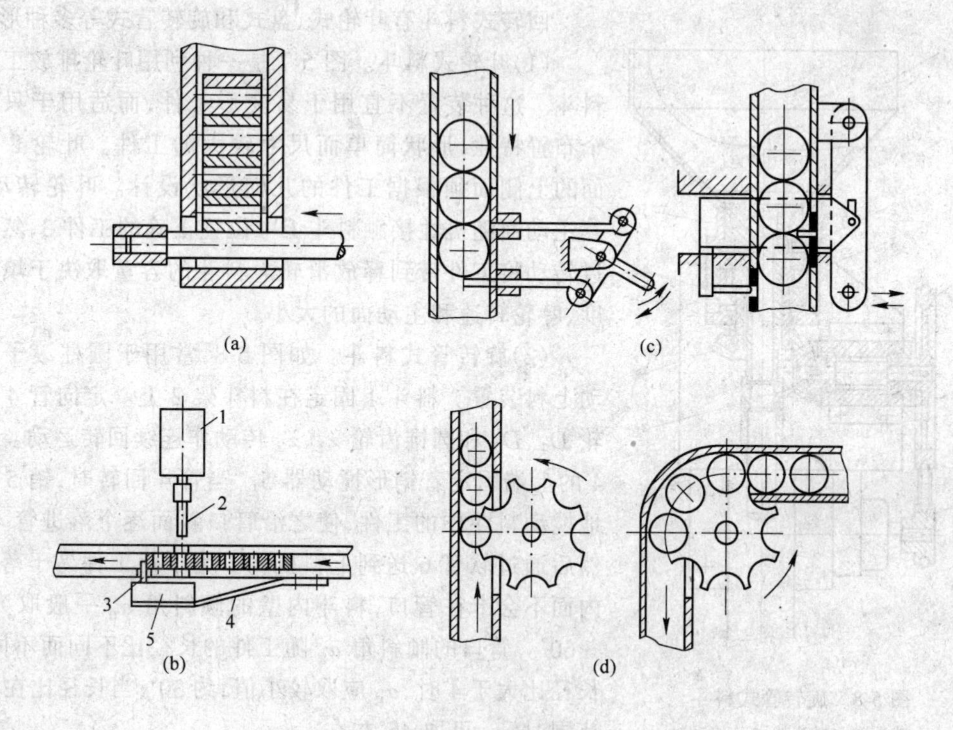

图 5-6 隔料器

5.2.3 料斗式上料装置

料斗式上料装置是自动化上料装置,其特点是将工件成批地倒入料斗中,由定向机构将杂乱堆放的工件按要求定向后,以一定的生产节拍把工件送到机床夹具中。

料斗式上料装置可分为机械传动式料斗装置和振动式料斗装置两大类。

5.2.3.1 机械传动式料斗装置

机械传动式料斗装置形式多样,按定向机构的运动特征可分为回转式、摆动式和直线往复式等。所采用的定向机构主要有钩式、销式、圆盘式、管式和链带式等。

工件定向方法主要有抓取法、槽隙定向法、型孔选取法和重心偏移法。抓取法是用定向钩子抓取工件的某些表面,如孔、凹槽等,使之从杂乱的工件堆中分离出来并定向排列。槽隙定向法是用专门的定向机构搅动工件,使工件在不停的运动中落进沟槽或缝隙,从而实现定向。型孔选取法是利用定向机构上具有一定形状和尺寸的孔穴对工件进行筛选,只有位置和截面相应于型孔的工件,才能落入孔中而获得定向。重心偏移法是对一些在轴线方向重心偏移的工件,使其重端倒向一个方向实现定向。

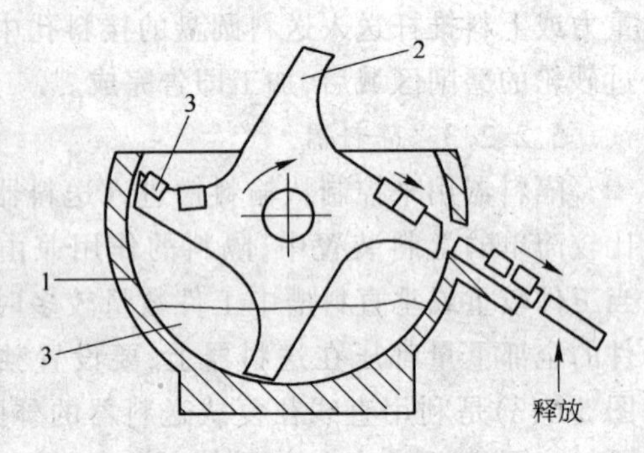

图 5-7 叶轮式料斗装置

1—料斗;2—叶轮;3—工件

A 回转式料斗装置

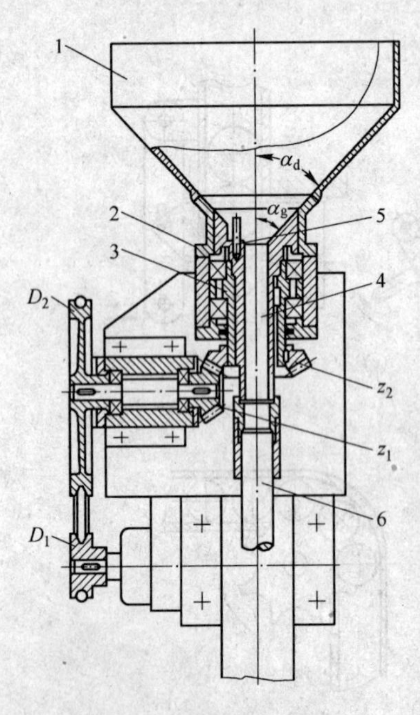

图 5-8 旋转管式料斗

1—料斗;2—料斗架;3—传动轴;4—定向管;5—销;6—软管

回转式料斗有叶轮式、盘式和旋转管式等多种形式。

(1)叶轮式料斗。图 5-7 是一种利用叶轮排放工件的料斗。这种装置不宜用于易变形工件,而适用于只有一个布置特性,形状简单而尺寸较大的工件。叶轮 2 主动面的上侧面须根据工件的几何形状设计。叶轮转动时,其主动面随机性接触料斗 1 中位置正确的工件 3,然后通过转动将工件带到释放滑轨。料斗的容量取决于填料高度、叶轮转速和主动面的大小。

(2)旋转管式料斗。如图 5-8,常用于圆柱滚子的自动上料装置。料斗 1 固定在料斗架 2 上。定向管 4 由带轮 D_1、D_2 和圆锥齿轮 z_1、z_2 传动作连续回转运动。在管 4 的上端固定着销形搅动器 5。当管 4 回转时,销 5 不停地搅动料斗中的工件,使之沿管口斜面逐个落进管 4 中,然后通过软管 6 送到上料机构。为了使工件易于落入管内而不会卡在管口,料斗内壁的倾斜角 α_d 一般取为 45°～60°。管口的倾斜角 α_g 随工件的长径比不同而不同,当长径比大于 4 时,α_g 应取较小值,约 30°;当长径比在 2～4 范围时,α_g 可取 45°左右。

(3)盘式料斗。结构形式较多,有双盘式、磁盘式、倾斜盘式和径向格子圆盘式等。

图 5-9 为双盘式料斗，由两个互成一定角度、轴线相交的旋转料盘组成，一个用来贮料，另一个用来定向整理。有内盘输出型(如图 a)和外盘输出型(如图 b)两种。

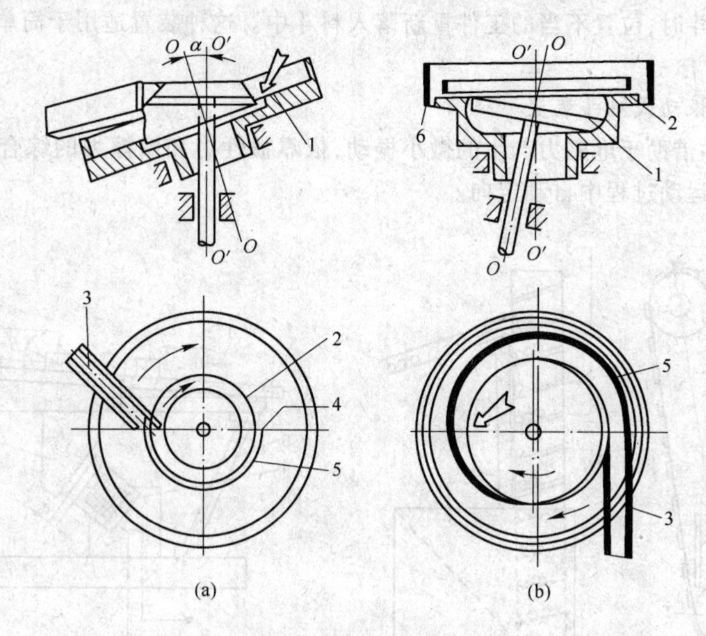

图 5-9　双盘旋转式料斗
(a)内盘输出型；(b)外盘输出型
1—贮料盘；2—定向输料盘；3—输料槽；4—使工件跨移的导板；
5—环状定向导板；6—供料器箱壁

两个转盘可分别调速并同向转动，由于轴线成一定角度相交，使两盘工作面之间在一些部位具有高度差，并形成一种螺旋式轨道的作用，工件在摩擦力的带动下随贮料盘的旋转形成跨移区域。内盘输出型利用挡板的作用协助输料，外盘输出型利用贮料盘上的锥面和旋转产生的离心力进行输料，并利用送料轨的定向元件或输料槽上的定向轨道使工件定向输出。

B　摆动式料斗装置

摆动式料斗有中心摆动式和扇形块摆动式等。

中心摆动式料斗如图 5-10 所示，摆板 2 围绕支点 3 的摆动过程中，姿势正确的工件被摆板上的料铲引入到输料槽 4 中，不正确排列的工件回落到锥形料仓 1 中，摆板的摆动由凸轮或曲柄驱动。该料斗适用于球形、圆柱、螺栓和销钉等工件的定向上料。

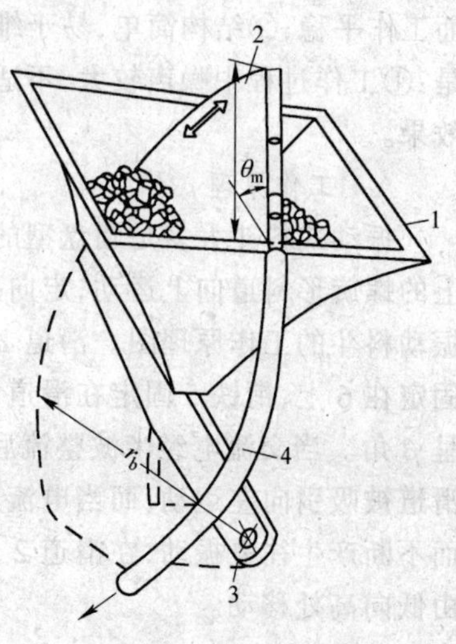

图 5-10　中心摆动式料斗
1—料仓；2—摆板；
3—支点；4—输料槽

为了提高摆动式料斗上料的效率，可在同一转轴上安装多个摆板与输料管。当摆动式料斗以恒定的频率摆动时，随着料仓中工件的减少，料斗的送料效率将降低。

C 直线往复式料斗装置

直线往复式料斗多为带式传送,如图 5-11 所示。传送带主动轮 7 安装于料斗中,传送带 4 上的运送及分类条 3 带有一定的斜度并用铆钉连接在传送带上。从料斗 2 中提取一批工件,在移出料斗时,位置不当的工件重新落入料斗中。这种装置适用于简单圆形平面件的大量输送。

5.2.3.2 振动式料斗装置

振动式料斗借助于电磁力产生的微小振动,依靠惯性力和摩擦力的综合作用驱使工件向前运动,并在运动过程中自动定向。

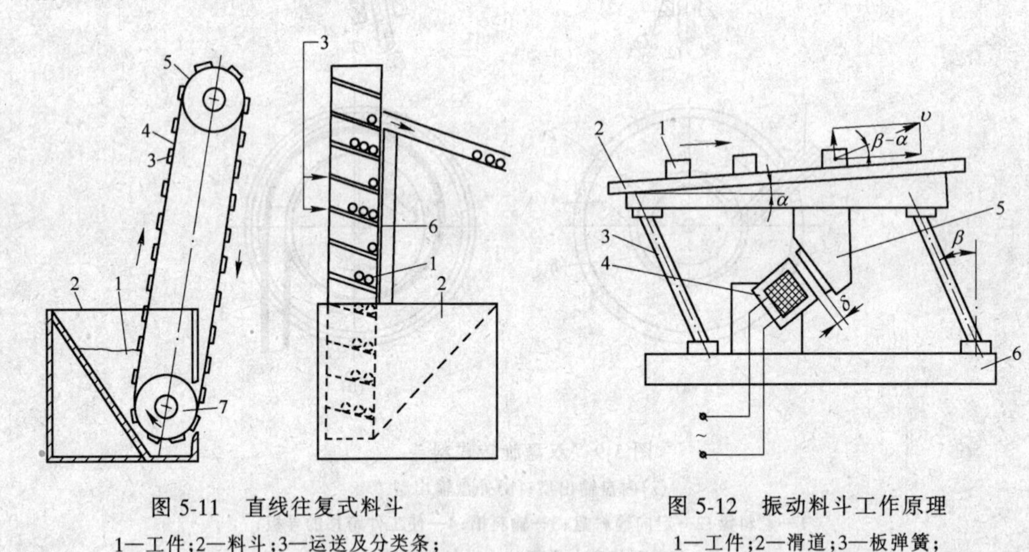

图 5-11 直线往复式料斗

1—工件;2—料斗;3—运送及分类条;
4—传送带;5—输送轮;6—限制面;7—主动轮

图 5-12 振动料斗工作原理

1—工件;2—滑道;3—板弹簧;
4—线圈;5—衔铁;6—底座

振动式料斗的优点是:①送料和定向过程中没有机械搅拌、撞击和强烈的摩擦作用,因而工作平稳;②结构简单,易于维护,经久耐用;③适用性强,送料速度可任意调节。其缺点是:①工作过程中噪声较大,不适于传送大型工件;②料斗中不洁净,会影响送料速度和工作效果。

A 工作原理

振动式料斗大多是圆盘型的,工件堆放在圆盘底部,在微小振动的作用下,沿圆盘内壁上的螺旋形料道向上运动,定向正确的工件从圆盘上部的出料口进入输料槽中。图 5-12 是振动料斗的工作原理图。滑道 2 用板弹簧 3 支撑在底座 6 上,电磁振动器的铁芯和线圈 4 固定在 6 上,衔铁 5 固定在滑道 2 的底部。2 与水平面呈一很小的角度 α,弹簧 3 与垂直面呈 β 角。当交流电经半波整流后通过线圈,在电流从 0 到最大的 1/4 周期内吸力逐渐增大,滑道被吸引向左运动;而当电流从最大逐渐到零时,滑道在板弹簧的作用下向右复位。以此而不断产生往复振动,在滑道 2 上的工件 1 在摩擦力和惯性力的综合作用下,便从左向右,由低向高处移动。

B 定向方法

振动式料斗是以剔除法进行定向的。一般在螺旋料道的最上一层,根据工件的形状特性和定向要求,安装一些剔除构件,或将某一段料道开出缺口、槽子或做出斜面等,将不符合定向要求的工件剔除,使之重新落入料斗底部,而让正确定向的工件通过。图 5-13 表示了一些定向方法。图中只表示出料斗最上一层接近出料口的一段料道。

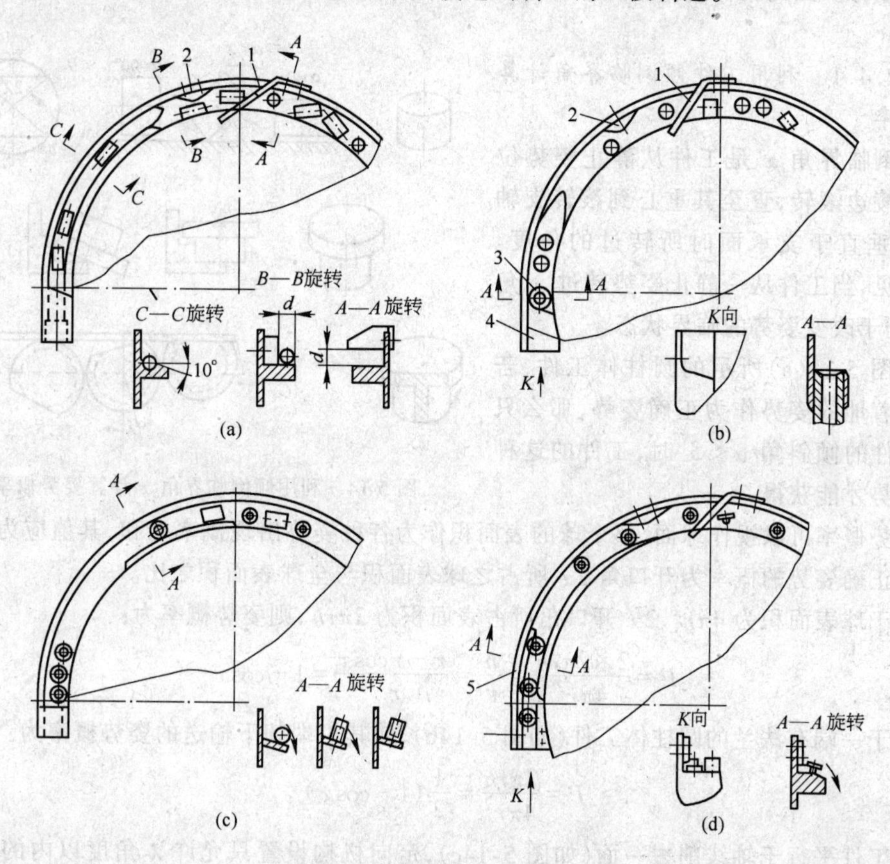

图 5-13　振动式料斗定向方法

1—挡板；2、4—挡料块；3—进料管；5—凸块

图 5-13(a)为要求长度大于直径($L>D$)的工件沿轴心线排列的定心方法。沿料道向前运动的工件具有各种不同的姿势，前进到挡板 1 时，只有卧倒的工件能够通过，直立的工件则沿挡板的斜面运动，最后落入料斗底部。挡料块 2 使工件成单行通过，然后落进圆弧槽里，从这里移出料口。

对于长度小于直径($L<D$)的圆柱体，可采用图 5-13(b)所示方法。挡板 1 只让直立的工件通过，横卧的工件则滚落料斗中。以单行通过挡料块 2 的工件，顺次落进料管 3，没能落进料管的工件被挡料块 4 的斜面推落料斗中。

图 5-13(c)用于杯形或罩形工件，定向后底部朝下。将料道中的一段做成带卷边的倾斜面，平卧和底部朝上的工件均翻落料斗中，只有底部朝下的工件能够通过。

图 5-13(d)为具有头部的工件的定向方法。在料斗侧壁上装有凸块 5，头部向下的工件可从凸块下面通过，头部向上的工件被凸块挡住，从斜面上翻入料斗。

5.2.4　工件姿势概率

在自动上料系统中，小型工件一般都是被随便地倒入供料器的料斗底部，所采用的定向方法，多数是姿势正确者得以通过，姿势不正确者被排除回到料斗底部重新处理。为了提高定向效率，需合理安置定向元件。供料姿势尽可能是工件落到供料器底面上出现数量最多的那种姿势。因此,研究落入底面工件姿势的概率分布,对设计和选择上料装置具有重要参考价值。

5.2.4.1 利用工件倾倒临界角计算姿势概率

倾倒临界角 x 是工件从静止姿势位置绕其棱边滚转,直至其重心到滚转支轴的垂线垂直于支承面时所转过的角度。由此可见,当工件从一静止姿势转过 x 角后,将处于改变姿势的临界状态。

如图 5-14(a)所示的圆柱体工件,若以端面着地的姿势作为正确姿势,那么只有当工件的倾斜角 $\alpha < x$ 时,工件的这种正确姿势才能获得。

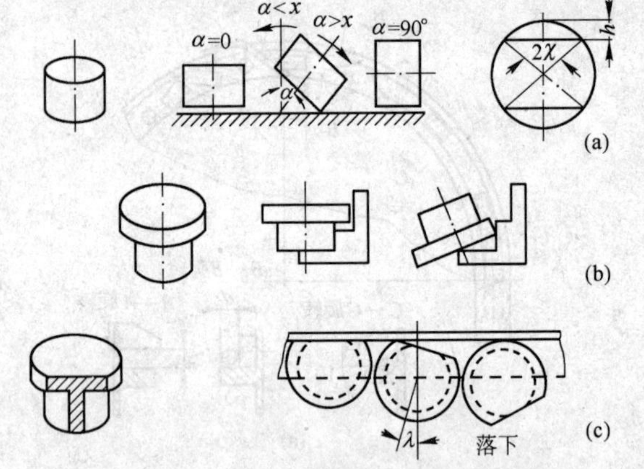

图 5-14 利用倾倒临界角 x 计算姿势概率

姿势概率可以视作球面,整个球的表面积作为各种姿势出现概率之和,其值应为 1。此时取得正确姿势的概率为开口角 $2x$ 所占之球表面积与全球表面积之比。

由于球表面积为 $4\pi r^2$,$2x$ 开口角所占表面积为 $2\pi rh$,则姿势概率为:

$$P = \frac{2 \times 2\pi rh}{4\pi r^2} = \frac{h}{r} = \frac{r - r\cos x}{r} = 1 - \cos x \tag{5-1}$$

对于一端有法兰的圆柱体工件(如图 5-14b),使其小端朝下输送的姿势概率为:

$$P = \frac{2\pi rh}{4\pi r^2} = \frac{1}{2}(1 - \cos x) \tag{5-2}$$

若工件平行于轴线削去一面(如图 5-14c),定向机构设置只允许 λ 角度以内的工件通过,其概率为:

$$P = \frac{1}{2}(1 - \cos x)\frac{2\lambda}{2\pi} = \frac{\lambda}{2\pi}(1 - \cos x) \tag{5-3}$$

5.2.4.2 由工件落下时重心位置的分布确定稳定姿势概率

这种计算模型是假设一个物体从空中以随机姿势落在水平面上,如果最初自由落下时重心位置的分布情况不同,则稳定姿势的概率也不相同,可按以下两种情况进行计算。

A 姿势分布假定是几何均匀分布

设自由落到平面上的工件姿势初始沿角度 θ 均匀分布,如图 5-15(a)所示。在各种可能姿势的范围内,重心位置都在$\angle AOB$ 范围内,但其稳定姿势只有两个,即重心分别处于 A、B 点时的姿势。

由图中看出,重心最高点为 M,则所有重心位置初始时处于$\angle AOM$ 区域内的物体,其重心将趋向于 A 点而得到稳定。同样,重心初始位置在$\angle BOM$ 区域时,将趋于 B 点而稳定。因此,工件的这两种稳定姿势的概率与几何角度有关,按比例分配得工件重心处于 A、B 点时稳定的姿势概率为:

$$P_A = \frac{\angle AOM}{\angle AOB} = \frac{\theta_0}{\pi/2} = \frac{2}{\pi}\operatorname{arccot}\frac{b}{a} \tag{5-4}$$

$$P_B = \frac{\angle BOM}{\angle AOB} = \frac{\pi/2 - \theta_0}{\pi/2} = \frac{2}{\pi}\arctan\frac{b}{a} \tag{5-5}$$

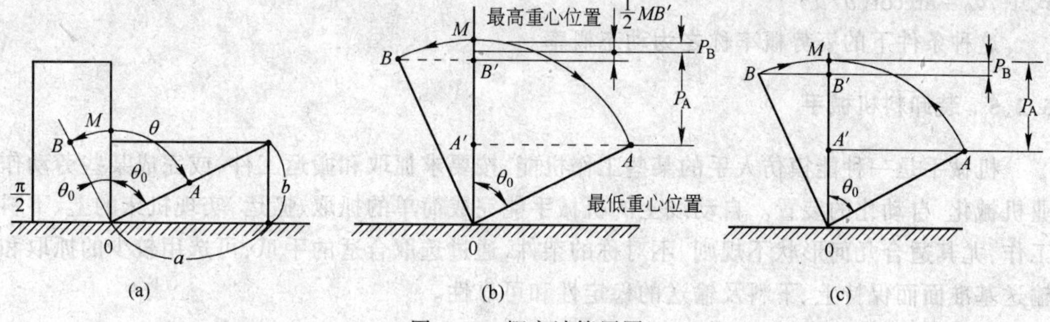

图 5-15　概率计算用图

式中　P_A、P_B——表示重心处于 A、B 点时稳定的姿势概率；

　　　a、b——分别为物体的棱边长度。

这种情况下的概率称为静态概率。

B　重心的位置分布假定是位能均匀情况

设工件在初始落下时姿势是按位能均匀分布的，也就是说初始位置不同的工件以等比例存在。

如图 5-15(b)，工件重心的最高位置为 M，最低位置为 A，在 M 与 A'之间重心位置均匀分布。根据初始落下时重心的不同位置可知，重心高度在 $A'B'$间的工件将趋于 A'点的高度而达到稳定。重心高度在 M 与 B'之间的工件，趋向 A 点和 B 点而达到稳定状态的可能性相等。因此，工件的稳定姿势概率可由下式计算：

$$P_A=\frac{\overline{A'B'}+\frac{1}{2}\overline{MB'}}{\overline{MA'}}=\frac{1+\sin\theta_0-2\cos\theta_0}{2(1-\cos\theta_0)} \tag{5-6}$$

$$P_B=\frac{\frac{1}{2}\overline{MB'}}{\overline{MA'}}=\frac{1-\sin\theta_0}{2(1-\cos\theta_0)} \tag{5-7}$$

式中，$\theta_0=\mathrm{arccot}(b/a)$。

这种初始状态按位能均匀分布的姿态概率称之为准动态概率。

5.2.4.3　重心位置的分布假定在动能为零时位能均匀分布

大部分工件并不是按投入料斗时那样的姿势一次稳定下来的，而是在表面碰撞时发生反弹，最后动能耗尽才稳定下来。在反弹过程中，工件具有一定的旋转动能，并按图 5-15(c)所示箭头方向位能逐渐增大而动能逐渐减少。当到达某一点时，动能消失而瞬时停止。

以 A 点反弹为例，在重心的运动轨迹圆弧 $\overset{\frown}{AMB}$ 中，动能为零的情况限于圆弧 $\overset{\frown}{AM}$ 范围内。由于工件的动能是重心的位能变换得来的，所以可以认为重心位置是按位能均匀分布的。同理，以 B 点反弹时，动能为零瞬时停止的机会仅限于圆弧 $\overset{\frown}{BM}$ 范围内。因此，各稳定位置的姿势概率可由下式得出：

$$P_A=\frac{\overline{A'M}}{\overline{A'M}+\overline{B'M}}=\frac{1-\cos\theta_0}{2-\cos\theta_0-\sin\theta_0} \tag{5-8}$$

$$P_B=\frac{\overline{B'M}}{\overline{A'M}+\overline{B'M}}=\frac{1-\sin\theta_0}{2-\cos\theta_0-\sin\theta_0} \tag{5-9}$$

式中，$\theta_0 = \operatorname{arccot}(b/a)$

这种条件下的姿势概率称之为动态概率。

5.2.5 装卸料机械手

机械手是一种能模仿人手的某些工作机能，按要求抓取和搬运工件，或完成某些劳动作业机械化、自动化的装置。自动线上的机械手能完成简单的抓取、搬运，实现机床的上、下料工作，尤其适合几何形状不规则、不对称的杂件，通过选取合适的手爪，可选用较少的抓取和输送基准面而保持上、下料及输送的稳定性和可靠性。

5.2.5.1 机械手分类

机械手可分为专用机械手和通用机械手两大类。

A 专用机械手

这种机械手一般仅由手爪、腕部和手臂构成，是附属于机床的辅助设备，其动作必须与机床的工作循环相配合，多数动作由机床控制系统来完成，大多数生产线的机械手都属专用机械手。

B 通用机械手

是一种独立的自动化装置。工业机器人就是一种通用机械手，又称工业机械手，其功能完善，自由度较多能模仿人的某些工作机能与控制机能，能实现多种工件的抓取、定向和搬运工作，并能使用不同工具完成多种劳动作业。

5.2.5.2 机械手的手爪设计

A 手爪类型

机械手的手爪，又称为机械手或机器人的末端执行器，是直接执行作业任务的装置。手爪结构和尺寸是根据其不同作业任务来设计的，从而形成多种多样的结构形式。用于装卸作业的机械手的手爪主要是机械夹持式（又称为机械夹持器或夹钳）、气吸式或磁吸式。它们安装在机械手的手腕（如果配置有手腕的话）或手臂的机械接口上，较简单的可用法兰盘作为机械接口处的接换器，为实现快速和自动更换，也可采用电磁吸盘或气动锁紧的换接器。

机械夹持式多为双指手爪式，按其手爪的运动方式可分为平移型和回转型。回转型手爪又可分为单支点回转型和双支点回转型。按夹持方式又可分为外夹式和内撑式，如图 5-16 所示。按驱动方式又可分为电动（或电磁）式、液压式和气动式等。

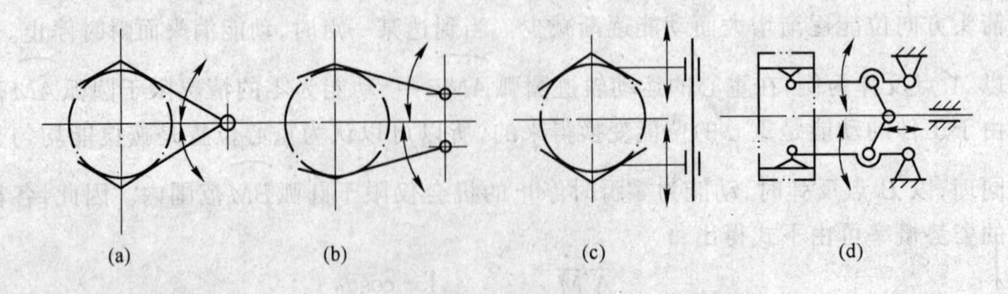

(a) (b) (c) (d)

图 5-16 机械式夹持器

(a) 单支点回转型；(b) 双支点回转型；(c) 平移型；(d) 内撑式

(1)电动式。用各种电动机作为动力源来直接驱动手爪，常用步进电动机、直流或交流伺服电动机以及直线电动机等。电动式的工作载荷一般小于10kg,使用和维护十分方便。

(2)液压式。利用液压泵供给压力油驱动手爪运动,其优点是驱动力大,执行机构体积小,运动平稳,调整简单方便,是应用最多的驱动方式;其缺点是液压系统较复杂,成本高。

(3)气动式。利用压缩空气来驱动手爪,其优点是气体的黏滞性低,运动时摩擦阻力小,可获得快速运动;无燃烧、着火问题,可用于条件恶劣的工作环境;维修简单,成本较低。但快速时平稳性差,冲击力大,因此要在气路系统中设置缓冲装置,特别是液压缓冲装置;此外,由于空气压缩性大,控制性能较差。

B 手爪设计要求

(1)不论是夹持或吸附,必须具有足够的夹持(或吸附)力和所要求的夹持位置精度;

(2)手爪运动的速度和位置大小必须满足要求;

(3)对装有传感器的机械手,应能可靠启动各类传感器并把各种信号传输给控制计算机;

(4)尽可能做到结构简单、紧凑、质量轻,以减轻手臂负荷,提高工作效率。

C 机械手的检测功能

图5-17所示具有特殊功能的机械手,装有特殊功能的传感器,以保证对特殊工件的正确抓取。不同种类的传感器根据完成功能的不同,安装的位置也各不相同,一般可安装在手指上或手腕处。

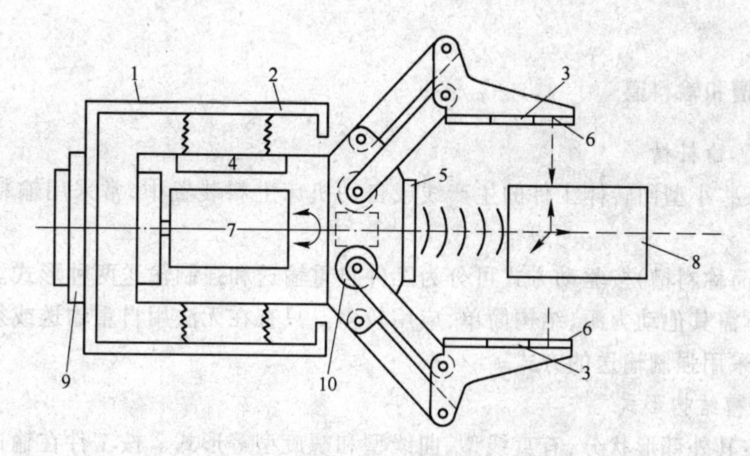

图5-17 装有传感器的通用手爪的结构

1—增量传感器;2—力-力矩传感器;3—压电晶体(微音器);
4—抓紧力传感器;5—超声传感器;6—红外传感器;7—电动机;8—操作对象;
9—连接器(主机器人手腕);10—位置测量用电位计

机械手的传感器大体分为四种:

(1)触觉传感器。它是由压电晶体制成的,为了减少接触噪声,用橡胶将其埋在手爪里面。这种传感器一般安装在手指中心,当被抓工件位置不对时,可能只有一个手爪接触,触觉传感器记录下倾斜值。机械手记录工件的位置并进行调整。使用这种传感器可识别手爪间的工件及其位置。

(2)超声波传感器。用超声波传感器可以检测和控制垂直抓取的工件。一个简单的超声波传感器是由薄膜式发送器和接收器组成,并采用不同超声频率的脉冲序列。根据不同材料的不同反射特性，可以调节传感器的发射频率，其分辨率可达 1mm。聚焦的超声波先送到被抓物，然后再反射到接收器，可以算出在发送器和接收器间声波的传递时间。这种传感器可测量的最小距离为 20 mm。

(3)力-力矩传感器。它主要用于控制抓取工件、监视工件重量的过载保护，一般装在机械手的手腕内，并能在机械手抓取工件重量的范围内提供准确的测量结果。

(4)红外线目标识别传感器。它无须与工件接触，就可以正确判别工件的位置。这种传感器一般装在手爪的指尖处，并由 1 个发送器和 2 个接收器组成。当被抓取的工件在两个传感器中间时，由发送器发射出的红外线被反射至接收器上。若工件表面与手爪表面平行，则两接收器就接收到等量的反射光线，否则接收器接收到的光强度不等。这时，机械手就会重新调整手爪位置使其与工件表面平行。传感器可根据两个反射信号的强度来检测物体的距离大小，并在一定范围内进行调整。

5.3 物料运输装置设计

物料运输装置是机械加工生产线的一个重要组成部分，用于实现物料在加工设备之间或加工设备与仓储装备之间的传输。

在生产线设计过程中，可根据工件或刀具等被传输物料的特征参数(如结构、形状、尺寸、重量等)和生产线的生产方式、类型及布局形式等因素，进行运输装置的设计或选择。

5.3.1 输料槽和输料道

5.3.1.1 输料槽

在加工某些小型回转体工件的生产线或自动机床上料装置中，常采用输料槽作为基本输送装置。

输料槽(简称料槽)按驱动方式可分为工件自重输送和强制输送两种形式。自重输送工件的输料槽不需其他动力源，结构简单，应用较多。只有在无法用自重输送或须确保运送的可靠性时，才采用强制输送的方式。

A 输料槽结构形式

输料槽按其外部形状分，有直线型、曲线型和螺旋型等形式。按工件在输送时的运动状态可分为滚动式和滑动式两种形式。

图 5-18 所示为滚动式输料槽。图 5-18(a)和图 5-18(b)是最常见的箱形截面输料槽，用于输送圆柱形、盘形或环形工件。一般可采用图(a)的开式料槽。当输料槽倾斜角较大、工件滚送速度较高时，为了防止工件因碰撞而跳出槽外，可采用图 5-18(b)的闭式料槽。图 5-18(c)的输料槽用于输送阶梯形盘类工件。图 5-18(d)是输送长杆状阶梯工件的输送槽的截面结构，由于工件的头部直径大而杆身细长，为了防止在滚动过程中偏斜或因头部较重而使杆身翘起，在头部一边做成闭式料槽。图 5-18(e)用于传送垂直下落的工件，为了减缓工件的下落速度，将其做成蛇形料槽。图 5-18(f)用于齿轮类工件的输送。为了避免轮齿间相互啮合而卡住，在料槽中安装可绕轴销 2 摆动的隔离块 1，当前面一个齿轮压在隔离块 1 的小端时，扇形大端便向上翘起将后面一个齿轮挡住。

图 5-19 所示为滑动式输料槽。图 5-19(a)为 V 形输料槽，适用于圆柱形工件。图 5-19

(b)为管形输料槽，常用于输送圆柱、圆锥滚子以及圆柱销之类的工件，可制成弯曲状或用软管制成，适应性强。图 5-19(c)为轨道式输料槽。图 5-19(d)为箱式输料槽，用于传送头部和杆身直径相差甚大的阶梯形工件。

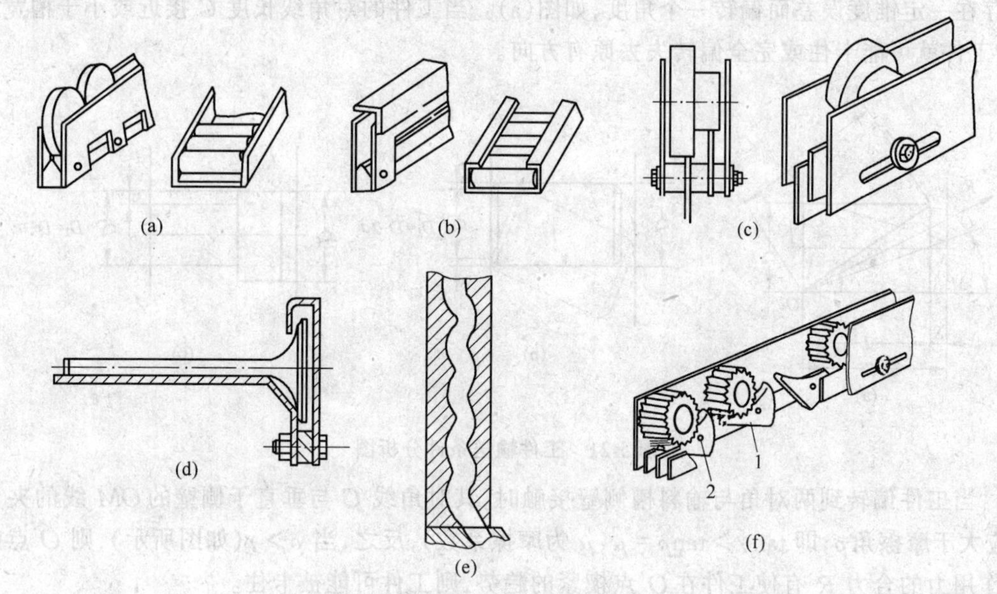

图 5-18 滚动式输料槽

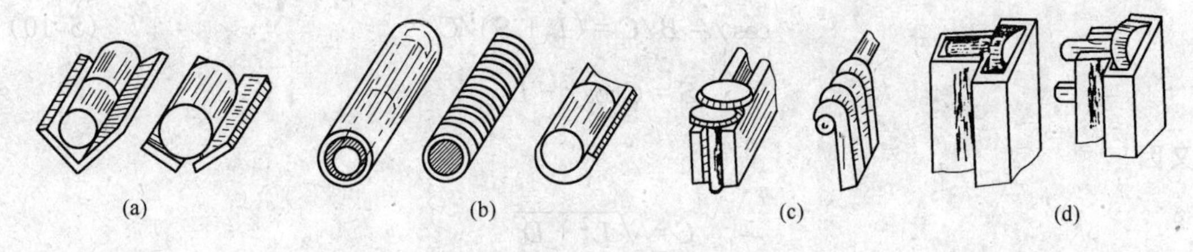

图 5-19 滑动式输料槽

有时，为减小工件传输过程中的摩擦阻力，工件与输料槽往往不采用平面接触形式，如图 5-20 所示。图(a)在输料槽底部用两个长板条 1 或两根圆棒 2 代替整个滑动平面，而在侧壁则开有长窗口 3，不仅可减小摩擦阻力，而且便于观察工件的运送情况。图(b)则在底部和侧壁均采用长圆棒线接触形式。

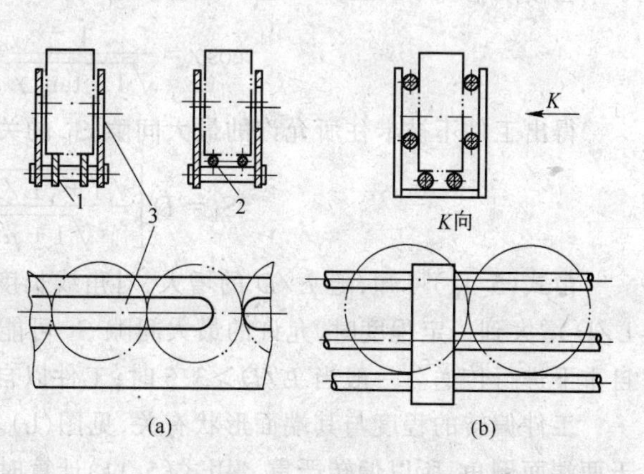

图 5-20 减小摩擦阻力的输料槽

1—长条板；2—圆棒；3—长窗口

B 输料槽设计

以自重输送工件的输料槽虽然结构简单，但容易产生阻塞或失去定向等故障。因此，在设计时必须针对具体情况，分析保证其工作可靠性的条件，并正确决定其结构参数。

(1)滚动式输料槽设计。需确定料槽的宽度、侧壁高度和倾斜角度。

输料槽截面宽度 B 主要根据工件的长径比(L/D)来确定。图 5-21 是工件在输料槽中的输送条件分析图。工件在输料槽中滚动时,由于存在间隙 S,可能因摩擦阻力的变化或工件存在一定锥度误差而偏转一个角度,如图(a)。当工件的对角线长度 C 接近或小于槽宽 B 时,工件就可能卡住或完全偏转失去原有方向。

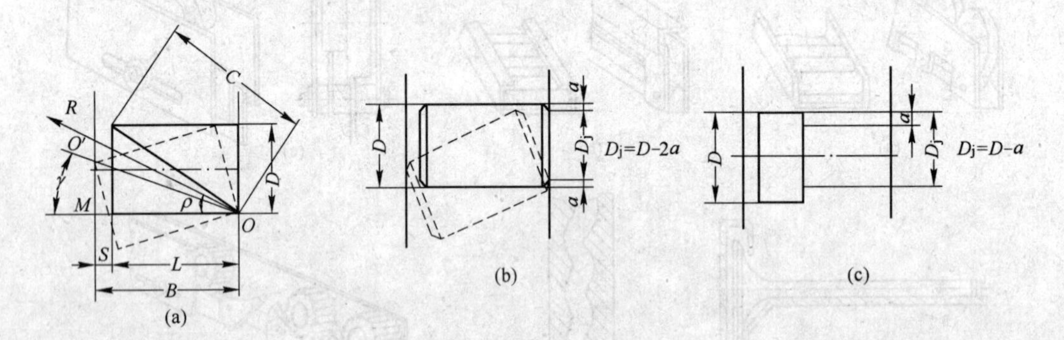

图 5-21　工件输送条件分析图

当工件偏转到两对角与输料槽侧壁接触时,其对角线 C 与垂直于侧壁的 OM 线的夹角 γ 应大于摩擦角 ρ,即 $\tan\gamma > \tan\rho = \mu$($\mu$ 为摩擦系数),反之,当 $\rho > \gamma$(如图所示),则 O 点的反作用力的合力 R 有使工件在 O' 点楔紧的趋势,则工件可能被卡住。

由图(a)

$$B = L + S$$

$$\cos\gamma = B/C = (L+S)/C \tag{5-10}$$

$$S = C\cos\gamma - L$$

又因

$$C = \sqrt{L^2 + D^2}$$

在极限情况下,$\tan\gamma = \tan\rho = \mu$,则

$$\cos\gamma = \frac{1}{\sqrt{1+\tan^2\gamma}} = \frac{1}{\sqrt{1+\mu^2}}$$

得出工件不被卡住所允许的最大间隙 S_k 的关系式:

$$S_k = D\left[\frac{\sqrt{1+(L/D)^2}}{\sqrt{1+\mu^2}} - \frac{L}{D}\right] \tag{5-11}$$

由式(5-11)可知,随 L/D 的增大,对角线长度 C 将愈接近 L,允许的 S_k 值将减小。当 L/D 增大到一定程度时,允许的最大间隙 S_k 可能为零,这说明工件在输料槽内已不可能在自重下进行传送。一般当 $L/D > 3.5$ 时,工件以自重传送的可靠性就严重下降。

工件偏转的程度与其端面形状有关,见图(b)。图中的 L/D 比值虽与图(a)相同,但由于两端面倒角,所以偏转严重。用式(5-11)计算时,应将 D 改为$D_j = D - 2a$。图(c)为 $D_j = D - a$。

S_k 是在一定的摩擦系数 μ 下所允许的最大间隙,一般只用于校核计算。实际上,确定槽宽 B 时,应考虑槽宽的制造公差 δ_B 和工件的长度公差 δ_L,这样最大间隙为:

$$S_{max} = S_0 + \delta_L + \delta_B \tag{5-12}$$

式中　S_0——工件在槽中滚送所必须的最小间隙。

用式(5-12)校核时,应使

$$S_{max} < S_k \tag{5-13}$$

若不满足上述条件,或计算出 $S_k \leqslant 0$ 时,则表明该工件不宜利用自重输送。

侧壁高度也是一个重要参数。侧壁太高则阻力过大;侧壁若太低,则工件在较长的输料槽中,以较大的加速度运送到终点碰撞前面的工件时,可能会跳起来,产生歪斜卡住后面的工件,甚至跳出槽外。一般推荐,圆柱工件侧壁高度 $H = (0.6 - 0.8)D$,盘状或环状工件 $H \geqslant D$。

输料槽倾斜角的确定需考虑工件传输时克服摩擦阻力的需要,也要考虑输送装置结构布局的合理性。对于滚动式输料槽,倾斜角一般在 5°~15°范围内选取。

(2)滑送式输料槽设计。在结构尺寸设计中,必须考虑避免工件在传输过程中互相骑压或阻塞。此外,在确定输料槽的倾斜角时,要根据工件和料槽结构形状,计算摩擦阻力,保证工件的可靠输送,必要时需通过试验确定。一般滑送式输料槽的倾斜角不得小于 25°。

5.3.1.2　输料道

对于形状复杂、尺寸较长工件的传送,一般采用输料道(简称料道)。输送方式也分为自重滚送与强制运送两种。较重的工件或精加工后的工件,可采用自重输送方式。为了减缓工件的下落速度或防止工件相互碰撞,可采用缓冲断续滚送方式,见图 5-22。图(a)在料道中安装摆动隔离块 2,当前面一个工件压在隔离块的小端时,扇形大端便上翘,将后面的工件 1 挡住。图(b)在隔离块 2 上加了摆锤 3,调整摆锤高度,可改变工件 1 的滚动阻力,使工件平稳地逐个滚送。

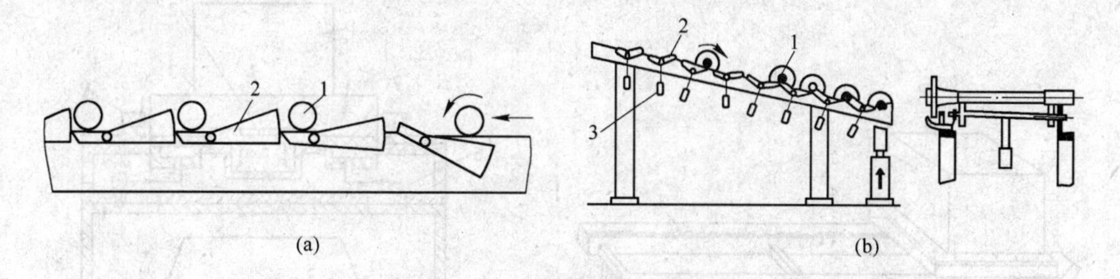

图 5-22　重力断续滚送料道

1—工件;2—隔离块;3—摆锤

5.3.2　输送机

输送机系统中多采用滚子输送机、链式输送机和直线电动机输送机,具有能连续输送和单位时间输送量大的优点。但输送机占地面积较大,设置后再改变布置较困难。输送机的布置方式多根据工艺安排而定。

5.3.2.1　滚子输送机

滚子输送机是利用转动的圆柱形滚子或圆盘输送物料。按照输送方向及生产工艺要求,输送机可以布置成各种线路,如直线的、转弯的和具有各种过渡装置的交叉线路等,如图 5-23 所示。为了将工件从一个输送机转移到另一个输送机上,需要在输送机的交叉处设置滚子转盘结构,即转向机构,如图 5-24 所示。

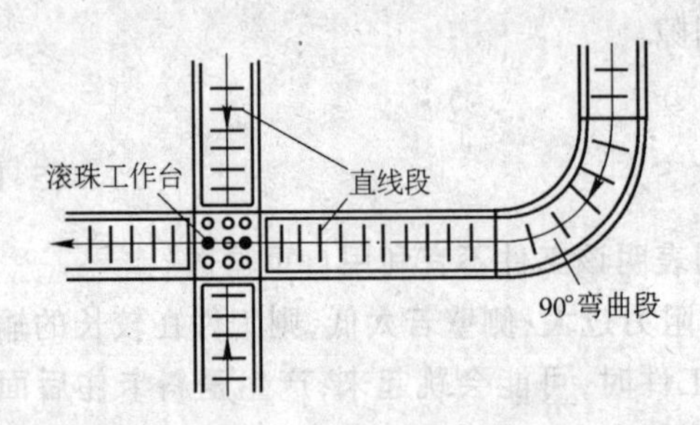

图 5-23 输送机布置线路

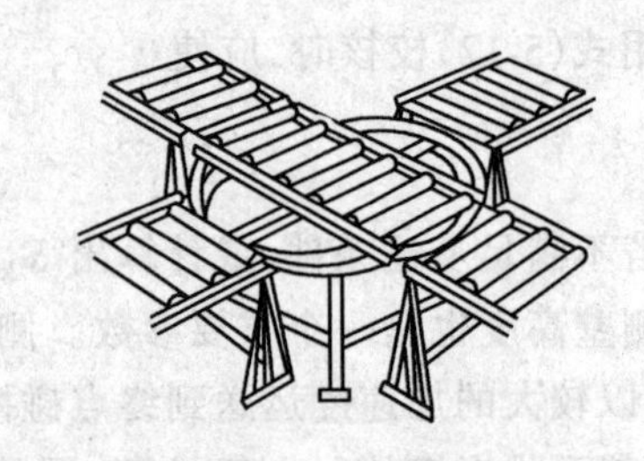

图 5-24 滚子转盘结构

滚子输送机的驱动装置可以是牵引式的或是机械传动式的。牵引式驱动装置一般适用于轻型的工作条件件,可以采用链条、胶带或绳索。对于繁重的工作类型,可采用刚性的机械传动式驱动装置,见图 5-25,可分为单个驱动(如图 a)和分组驱动(如图 b)两种。单个驱动装置可使降低机械部分的造价,易于启动、工作可靠且便于拆装和维修。

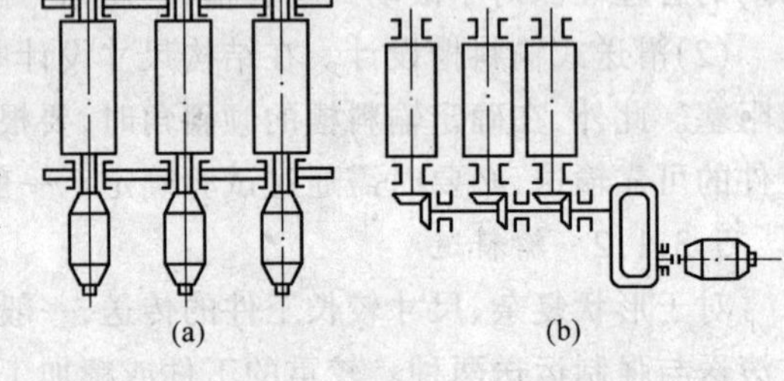

图 5-25 机械传动式驱动装置

5.3.2.2 链式输送机

链式输送机常用的一种是链板履带式输送机,它是用带齿链板连接而成,如图 5-26 所示。链板上表面磨光,靠摩擦力输送工件。链板下的齿与链轮啮合,作单向循环运动。为了防止链带下垂,用两条光滑的托板支承。

5.3.2.3 直线电动机输送机

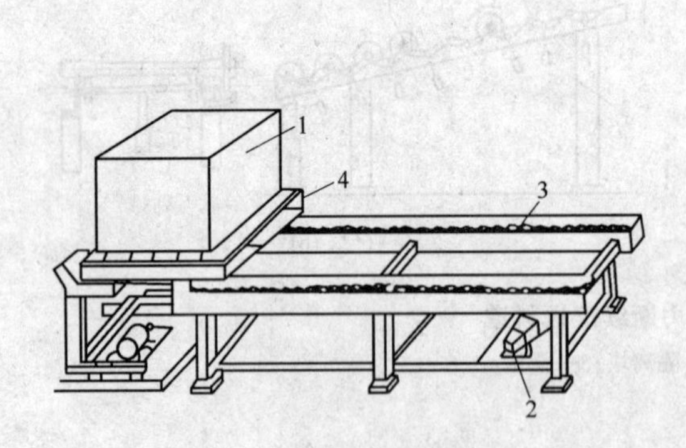

图 5-26 链式输送机

1—工件;2—驱动电动机;3—链;4—木制托板

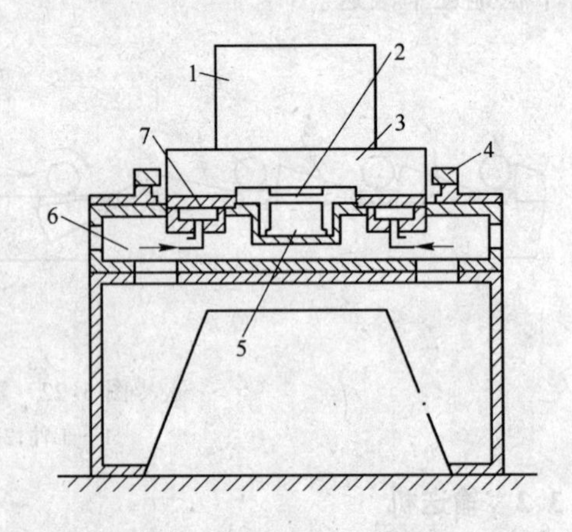

图 5-27 直线电动机输送机

1—工件;2—衔铁;3—托盘;4—侧导轨;
5—直线电动机;6—压缩空气入口;7—导轨面

直线电动机是一种特殊设计的适用于直线传动的电动机,如图 5-27 所示。在直线电动机输送系统中,托盘在空气静压导轨上运行。直线电动机设置在中部,衔铁设置在托盘的下方。由于直线电动机的结构为模块化设计,可以很容易地延长或缩短输送线路,方便地组合成直线、折线和环形等各种输送线路。电动机传递力和信号可共用一个电枢,托盘装在工作台上,可平稳加减速,但其速度随载荷变化较大,必须控制其速度和设置准确的定位装置。

5.3.3 步伐式输送装置

步伐式输送装置一般用于箱体类工件的输送,常用的有移动步伐式、抬起步伐式两种主要类型,其中移动步伐式主要有棘爪式和摆杆式两种。

5.3.3.1 棘爪式移动步伐输送带

如图 5-28 所示,输送杆 2 在支承滚轮 12 上作往复运动,输送杆前进时通过棘爪 5 推动工件 10(或随行夹具)在支承板 14 上向前移动,移动一个步距后,输送杆返回,棘爪可绕棘爪销 6 转动而被后续工件压下,到达工件的推动面后在弹簧 4 的作用下又复位抬起。输送杆由两侧板构成,分成若干节,通过连接板 8 连成输送带,由传动装置 9 通过拉架 3 被驱动。输送带根据情况可布置在工件上方、下方或侧面。对于短宽的工件可采用两条传送带并行驱动。

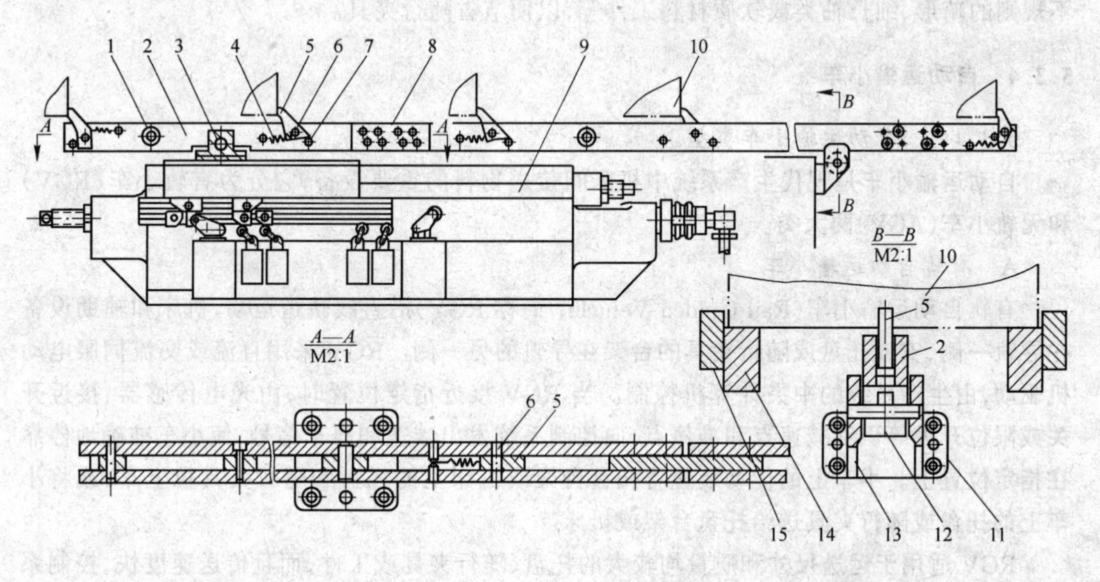

图 5-28 棘爪移动步伐输送带

1—垫圈;2—输送杆;3—拉架;4—弹簧;5—棘爪;6—棘爪销;7—支销;8—连接板;9—传动装置;10—工件 11—滚子轴;12—滚轮;13—支承滚架;14—支撑板;15—侧限位板

棘爪输送带结构简单、动作单一,通用性强,同一输送带也可安排几种不同的输送步距。但这种输送带是刚性连接,运动速度过高时,由于惯性作用会影响工件定位精度,因此速度一般不高于 16m/min,在工件到达定位点 30～40mm 时,最好进行减速控制。棘爪式输送带的驱动装置,一般多采用组合机床的机械动力滑台或液压动力滑台,如图 5-28 所示。

5.3.3.2 摆杆式移动步伐输送带

摆杆式输送带采用圆柱形输送杆和前后两个方向限位的刚性拨爪,工件输送到位后,输送杆必须作回转摆动,使刚性拨爪转离工件后再作返回运动,如图 5-29 所示。

摆杆式输送带可提高输送速度及定位精度,但由于增加了输送杆的回转运动,其结构及控制都较棘爪式复杂。

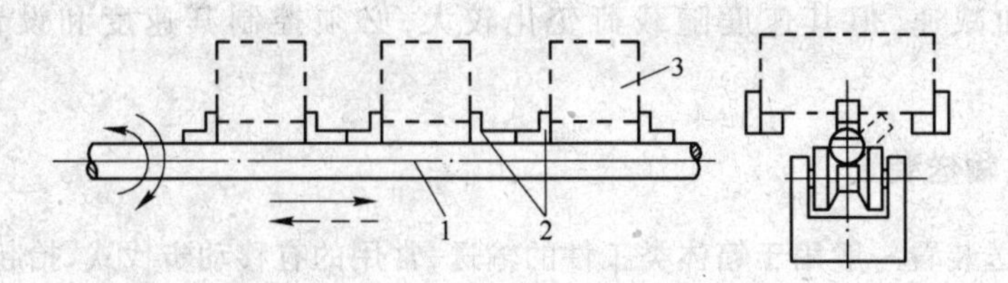

图 5-29 摆杆式移动步伐输送带

1—输送带;2—拨爪;3—工件(或随行夹具)

5.3.3.3 抬起步伐式输送装置

输送板上装有对工件限位用的定位销或V形块,输送开始前,输送板首先抬起,将工件从固定夹具上托起并带动工件向前移动一个步距;然后输送板下降,不仅将工件重新安放在固定夹具上,同时下降到最低位置,以便输送板返回。输送板的抬起可由齿轮齿条机构、拨爪杠杆机构、凸轮顶杆或抬起液压缸等机构来完成。抬起式步伐输送装置可直接输送外观不规则的畸形、细长轴类或软质材料工件等,以便节省随行夹具。

5.3.4 自动运输小车

5.3.4.1 自动运输小车类型

自动运输小车是现代生产系统中机床间传送物料的重要设备,它分为有轨小车(RGV)和无轨小车(AGV)两大类。

A 有轨自动运输小车

有轨自动运输小车(Rail Guided Vehicle, 简称RGV)沿直线轨道运动,机床和辅助设备在导轨一侧,安放托盘或随行夹具的台架在导轨的另一侧。RGV采用直流或交流伺服电动机驱动,由生产系统的中央计算机控制。当RGV接近指定位置时,由光电传感器、接近开关或限位开关等识别减速点和准停点,向控制系统发出减速和停车信号,使小车准确地停靠在指定位置上。小车上的传动装置将托盘台架或机床上的托盘和随行夹具拉上车,或将小车上的托盘或随行夹具送给托盘台架或机床。

RGV适用于运送尺寸和质量均较大的托盘、随行夹具或工件,而且传送速度快、控制系统简单、成本低廉、可靠性高。其缺点是一旦将导轨铺设好,就不便改动;另外转换的角度不能太大,一般宜采用直线布置。

B 无轨自动运输小车

无轨自动运输小车,又称为自动导向小车(Automated Guided Vehicle, 简称AGV)是装备有电磁或光学自动导引装置,能够沿规定的导引路径行驶,具有小车编程与停车选择装置、安全保护以及各种移载功能的运输小车。

AGV主要由车体、蓄电和充电系统、驱动装置、转向装置、精确停车装置、车上控制器、通信装置、信息采样子系统、超声探障保护子系统、移载装置和车体方位计算子系统等组成。

图5-30是一种AGV物料输送系统的规划设计图。采用埋置在地下的导线,利用电磁感应原理引导小车。图中1表示AGV,仅画出两台,可根据需要增加。2是交换工作站,可与加工中心或装配工作台连接。3是装卸工作站,原材料由这里装入,加工完成的成品从这里取出。控制计算机4控制小车的移动、上下料机构的工作及处理相关信息。中央控制器

5 主要控制小车的移动路线。机床控制器 6 主要控制某一工作站的动作。导向电线 7 和标志板 8 用来控制小车的移动速度、转向、停车等。9 为充电站,供小车充电之用。

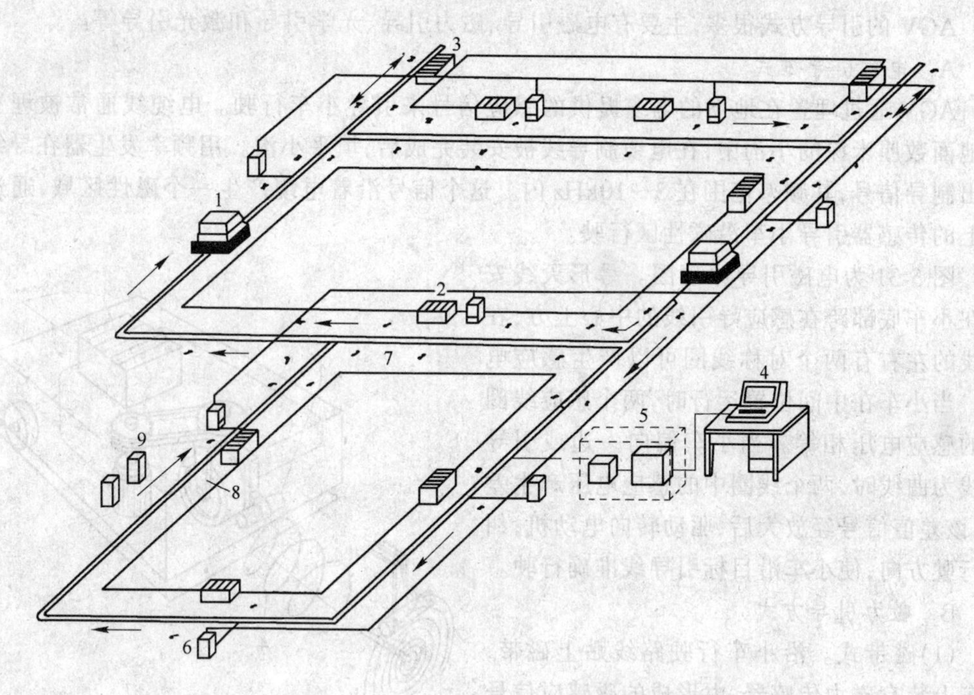

图 5-30 AGV 物料输送系统规划设计图

1—AGV;2—交换工作站;3—装卸工作站;4—控制计算机;5—中央控制器;6—机床控制器;7—导向电线;8—标志板;9—充电站

AGV 采用非接触导向方式,运行路线易于改变和扩展,而且可方便地实现曲线输送任务,具有较高的柔性,特别适合于规模较大、物料迂回运输的柔性制造系统中;可保证物料分配及输送的优化,减小物料缓冲数量;不需设置地面导轨,运输路线地面平整,使机床的可接近性好,便于机床的管理及维修;还具有能耗小、噪声低等优点。虽然 AGV 存在价格较高、控制复杂等问题,但由于具有以上诸多优点,在现代自动物料储运系统中得到日益广泛的应用。

5.3.4.2 AGV 选用的主要技术指标

(1)外形尺寸。一般长度为 750～2500mm,宽 450～1500mm,高 550～650mm。

(2)载重量。从 50kg 至 2000kg。选择载重量时不应仅考虑工件的重量,还应考虑托盘和夹具的重量。

(3)运行速度 10～70m/min。

(4)转弯半径 一般指在某种速度下最小的转弯半径。如在 10m/min 时,最小转弯半径为 600mm 等。

(5)蓄电池 额定电压与每两次充电之间的平均寿命。

(6)安全设备 是否有安全杠、警报扬声器、警告灯,并注意全速行驶时的停车距离。

(7)载物平台 是否有液压或其他形式的提升器,平台的拉升高度多少。

(8)控制方式 人工控制,有线控制或遥控。

(9)定位方式 托盘在小车上的固定方法。

(10)计算机　兼容的控制计算机类型。

5.3.4.3　AGV引导方式

AGV的引导方式很多,主要有电磁引导、磁力引导、光学引导和激光引导等。

A　电磁引导方式

AGV通过埋置在地下的电缆提供的感应信号来引导小车行驶。电缆线通常被埋置在距地面数厘米深的小沟中,在电缆制导线被安装完成后,填平小沟。用频率发生器在导线上发出制导信号,其频率范围在3～10kHz内。这个信号沿着电缆产生一个磁性区域,通过小车上的传感器引导小车沿磁性区行驶。

图5-31为电磁引导原理图。弓形天线安装在小车底部跨在感应导引线的中心上方,在天线的左右有两个对称线圈可以产生感应电压。当小车在中间位置运行时,两个感应线圈中的感应电压相等。当小车偏向一边或引导路线为曲线时,两个线圈中的感应电压产生差值,该差值信号经放大后,驱动转向电动机,纠正行驶方向,使小车沿目标引导线准确行驶。

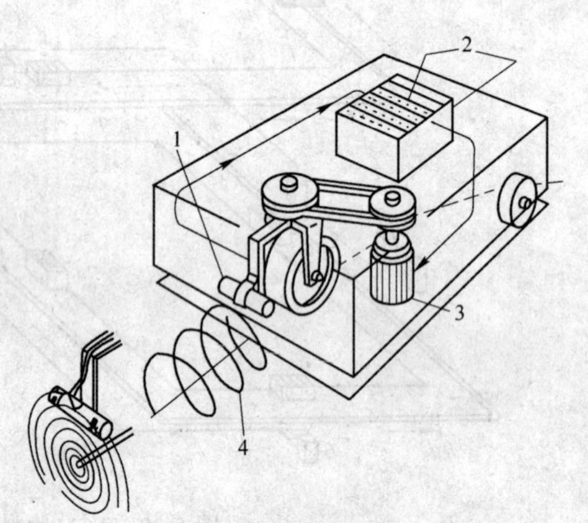

图5-31　电磁引导原理图
1—操纵天线;2—操纵天线控制器;
3—AGV操纵电动机;4—磁场

B　磁力引导方式

(1)磁带式。沿小车行驶路线贴上磁带,小车上装有磁力传感器,由形成的磁感应信号对小车进行引导。

(2)铁素体式。用树脂或混凝土将铁素体粉末进行固体化,把这种铁素体标识器连续地敷设在小车行驶路线上,在交叉点和停车点贴上位置标识器,由小车上装载的铁素体传感器进行路线偏移和位置补偿。

(3)磁铁式。在小车行驶路线的任意点和重要位置打入条型磁铁;小车上装有磁力传感器,磁铁和磁铁之间没有引导,是独立的,一般需打入很多条型磁铁以减小磁铁间距;也可对小车引入智能化方法,实现相邻磁铁间的导引。

C　光学引导方式

在行驶的路面上贴上易反射光的铝控制带或涂聚氯乙烯绝缘带,而在交叉点和弯曲部分不贴,把该部分的引导进行智能化,使其独立行驶。自导小车上装有聚光灯和受光器,用控制带捕捉反射光,以此为信号进行引导和控制。

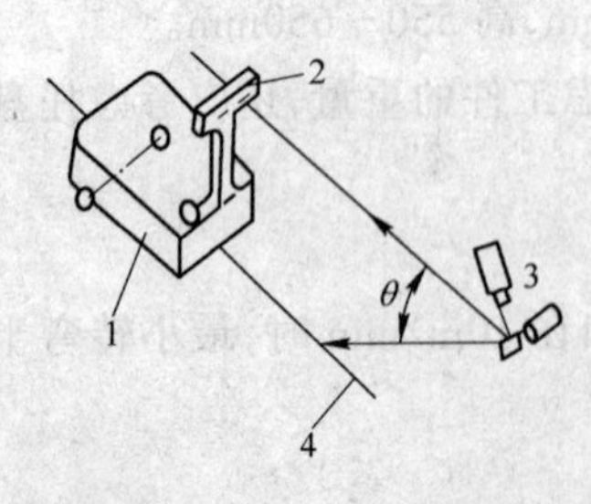

图5-32　激光引导原理图
1—无人输送车;2—激光检测器;
3—激光扫描器;4—路线

D　激光引导方式

如图5-32所示,在厂房的墙壁、柱子或行走的地面上贴上带有条形码的标记,激光扫描器以每秒两转的速度不停地扫描,并根据条形码标记的方位角算出小车所处的位置,配合安装在车轮上的测距系统,通过小车上的计算机引导小车按指定路线行驶。这种引导方式可以将车间的平面布置坐标图事先存入计算机。

5.3.4.4　AGV的转向和驱动方式

AGV的方向控制是由小车接受引导系统的方向信息，通过转向驱动装置实现的。其转向和驱动方式直接影响小车的控制方案、使用性能和应用场合。驱动电动机可采用伺服电动机、步进电动机或普通直流电动机。常见的转向和驱动方式有如下三种类型：

A　铰轴转向式

图5-33是一种铰轴转向式三轮小车示意图。这里的转向轮同时也是驱动轮，而转向与驱动由两个不同的电动机带动，用伺服或步进电动机控制转向，用直流电动机加上电阻切换调速来驱动行驶，制动器是以开关量控制方式准停。如果采用伺服电动机驱动，就能实现闭环控制的准停，可获得较高的准停精度，这种设计适用于转向灵活，轻载和单向行驶的场合。

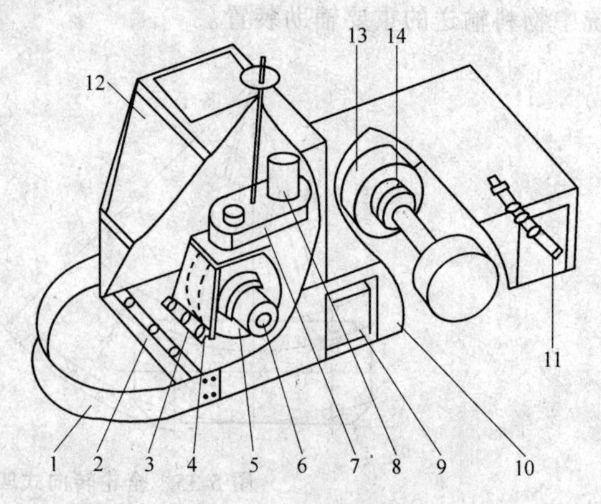

图5-33　铰轴转向式三轮AGV

1—保险杠；2—认址线圈；3—失灵控制线圈；4—导向探测线圈；5—驱动轮；6—驱动电动机；7—转向机构；8—导向伺服电动机；9—蓄电池箱；10—车架；11—认址线圈；12—操纵台；13—后轮；14—制动用的电磁离合器

B　差速转向式

差速转向式四轮小车车轮布局如图5-34所示。小车车体中部有两个驱动轮，分别由各自的电动机驱动。在小车车体前、后部各有一个转向轮，利用中部两个驱动轮的转速差可实现转向功能。主动轮一般采用脉冲调制控制的伺服驱动。这种转向驱动方式结构简单，转弯半径小，可实现前后双方向行驶，根据需要可设计成四轮或六轮型，载重量较大(300～3000kg)。

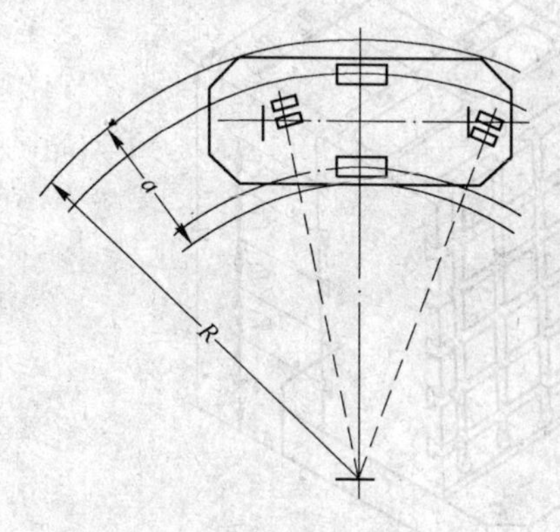

图5-34　差速转向式四轮AGV车轮布局

C　全轮转向式

全轮转向式四轮AGV车轮布局如图5-35所示。小车车体前后各有两个驱动和转向一体化车轮，每个车轮分别由各自的电动机驱动，可实现沿纵向、横向、斜向及回转方向任意路线行走，具有最高的机动性，但其结构和控制都较复杂，只用于有特殊行驶要求的场合。

5.3.4.5　AGV控制系统

AGV的控制系统十分复杂，包括外部控制和内部控制，外部控制有：小车调度、行走路线、交通管理与安全、辅助设备控制、监控与故障诊断、信息传递等。内部控制有：制导控制、驱动控制、路线控制、辅助功能控制、安全装置控制、状态控制、通讯与操作控制等。其中路线控制采取内部控制与外部控制相结合，以保证系统工作的可靠性。

5.3.5　辅助装置

物料输送系统中的主要辅助装置有托盘、贮料装置、提升装置及转位装置。

5.3.5.1　托盘

托盘是实现工件和夹具系统、输送设备及加工设备之间连接的工艺装备，是柔性制造系统中物料输送的重要辅助装置。

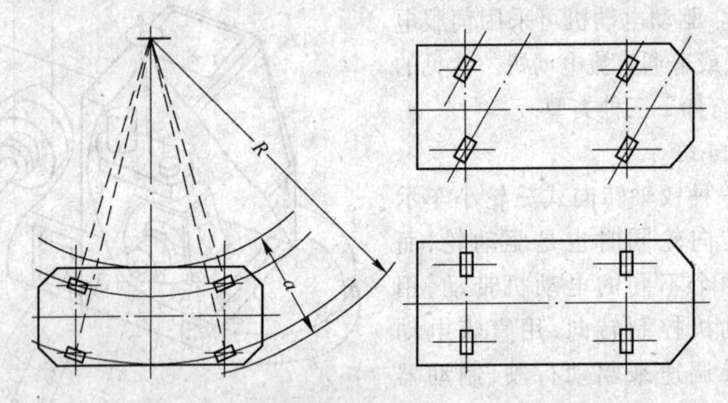

图 5-35　全轮转向式四轮 AGV 车轮布局

A　托盘结构

托盘按其结构形式可分为箱式和板式两种，图 5-36 为箱式托盘，图 5-37 为板式托盘。

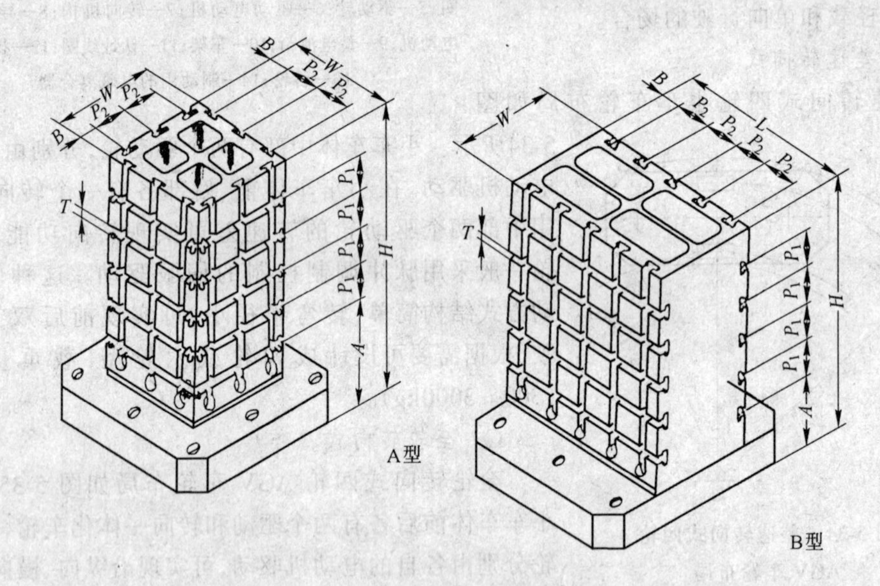

图 5-36　箱式托盘

箱式托盘不进入机床工作空间，主要用于小型工件及回转体工件，主要功能是起输送和储存载体的作用。为了保证工件在箱中的位置和姿态，箱中设有保持架。为了节约储存空间，箱式托盘可多迭层堆放。

板式托盘主要用于较大型非回转体工件，工件在托盘上通常是单件安装。它不仅是工件的输送和储存载体，而且还需进入机床的工作空间，在加工过程中起定位和夹持工件，承受切削力、冷却液、切屑、热变形、振动诸因素的作用。托盘的形状通常为正方形，也可以是长方形，根据具体需要也可做成圆形或多角形。为了安装储装构件，托盘顶面应有 T 形槽或矩阵螺孔，托盘还应具有输送基面以及与机床工作台相连接的定位夹压基面，其输送基面在结构上应与系统的输送方式、操作方式相适应。此外，托盘要满足交换精度、刚度、抗振性、切削力承受和传递、防止切屑划伤和冷却液浸蚀等要求。

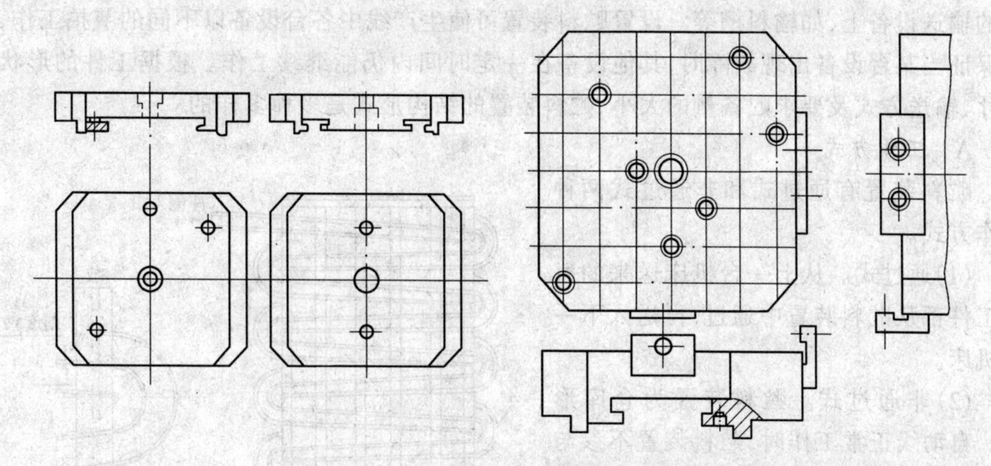

图5-37　板式托盘

B　托盘识别

工件的性质(如毛坯、半成品、成品)在传输和加工过程中不断地变化,很难识别,所以需采用托盘识别方法。在诸多识别方法中,条形码识别技术优点较多,成本低、可靠性高、对环境要求不严格、抗干扰能力强、保密性好、识别速度快及性能价格比高等,因而被广泛用于托盘的识别。

将标识物料的条形码装在托盘上某一易于扫描处,每一托盘都有一个惟一的编码(托盘号),托盘号与其中的工件种类和数量对应。将条形码分成若干段,托盘号永久性固定在托盘上,则托盘与其编号永久性地一一对应,将反映工件性质和加工顺序的条形码可拆式地装在托盘上的条形码夹持器中,它随着工件装入托盘而插入夹持器,每一毛坯的加工顺序通过条形码加工顺序列段输入计算机。托盘携带工件进入某一加工设备时,计算机根据加工顺序而判别物料当前之状态。托盘条形码分段方式如图5-38所示。

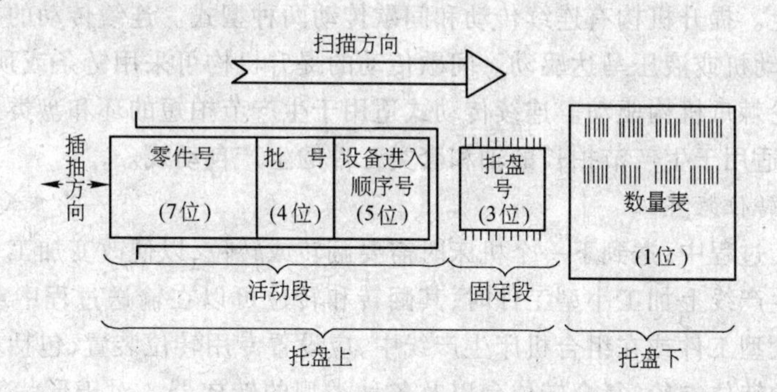

图5-38　托盘条形码分段示意图

(1)托盘号固定在托盘上,托盘与其编号永久性地一一对应。

(2)反映物料性质的条形码可拆式地装在储运托盘的条形码夹持器中,它随着物料装入储运托盘而插入夹持器。

(3)标识物料数量的条形码段不装在托盘上而放在扫描器的工作台上。

5.3.5.2　贮料装置

贮料装置通常布置在柔性制造系统和自动生产线的各个分段之间,也可布置在每台机床之间，对于加工小型工件或加工周期较长的加工系统，工序间的贮备量也常建立在连接工序的输送设备上，如输料槽等。设置贮料装置可使生产线中各台设备以不同的节拍工作，也可保证当某台设备出现故障时，其他设备在一定时间内仍能继续工作。根据工件的形状与尺寸、输送方式及要求贮备量的大小，贮料装置的结构形式是多种多样的。

A　工作方式

贮料装置有通过式和非通过式两种工作方式。

(1)通过式。从上一台机床送来的每个工件都从贮料装置中通过，再送入下一台机床。

(2)非通过式。贮料装置为仓库形式。自动线正常工作时，贮料装置不参与工作，工件直接送到下一台机床。当某一台机床发生故障或换刀停歇时，贮料装置才进行贮料或排料。

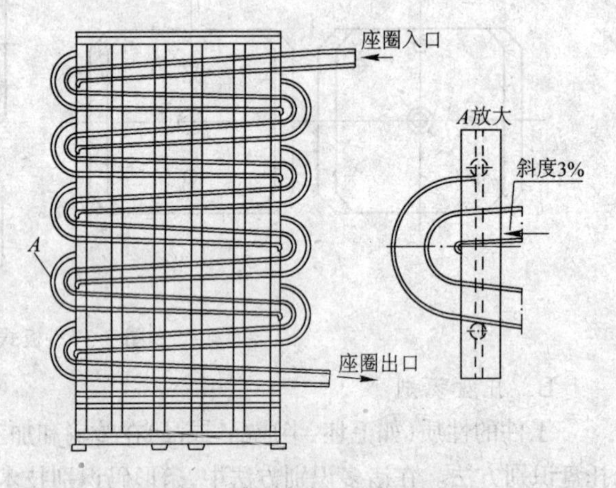

图 5-39　曲折形贮料装置

B　结构形式

有重力传送式和强制传送式。重力传送式利用工件重力进行入料和出料，最简单的如曲折形贮料装置，如图 5-39 所示，轴承座圈靠重力滚入或滚出贮料器；此外还有多槽柜式。强制传送式设有驱动装置，常见的有螺旋圆盘式、垂直链条式和水平链条式等。

5.3.5.3　提升装置

在采用自重运送的输料槽或输料道时，往往不可能依靠机床的立面布局来形成输料槽或输料道两端必要的高度差，必须采用提升机构将工件提升到一定的高度，然后再靠自重传送工件至机床上。提升机构有连续传动和间歇传动两种型式。连续传动的提升机构多采用链条传动，由电动机或液压马达驱动。间歇传动的提升机构可采用链条或顶杆传动，用油缸或气缸通过棘轮棘爪机构驱动。连续传动式适用于生产节拍短的环和盘类工件的生产自动线，间歇传动式适用于生产节拍长的轴和套类工件的生产自动线。

5.3.5.4　转位装置

工件在加工过程中，送到下一个机床时需要翻转或转位，以便改变加工表面。在通用机床或专用机床生产线上加工小型工件时，其翻转和转位可以在输送过程中或上下料过程中完成。若加工大型工件或在组合机床生产线中，应设置专用转位装置，包括水平安放的转位台和垂直安放的转位鼓轮、复合转位台以及各种类型的转向器。对于形状简单的短小旋转体工件，可利用各种类型的转向装置来完成转位，如图 5-40 所示。

图 5-40(a)为摆动转向器，转向器 2 可绕轴心 5 摆动，在重块 4 的作用下，处于 K 向所示位置。当工件从滑道 1 送到转向器 2 上后，由于左边重于重块 4，于是转向器 2 反时针方向摆动，工件便沿斜面进入滚道 3 内。图 5-40(b)为圆锥形转向器，将工件从滚动状态变为滑送。图 5-40(c)为圆盘式转向器，回转 180°后将工件调头。图 5-40(d)为利用输料槽的弯曲部分使工件在运送过程中调头。图 5-40(e)和 5-40(f)是利用输料槽的特殊组合结构，使环或盘形工件由滚动变为滑送或换向。

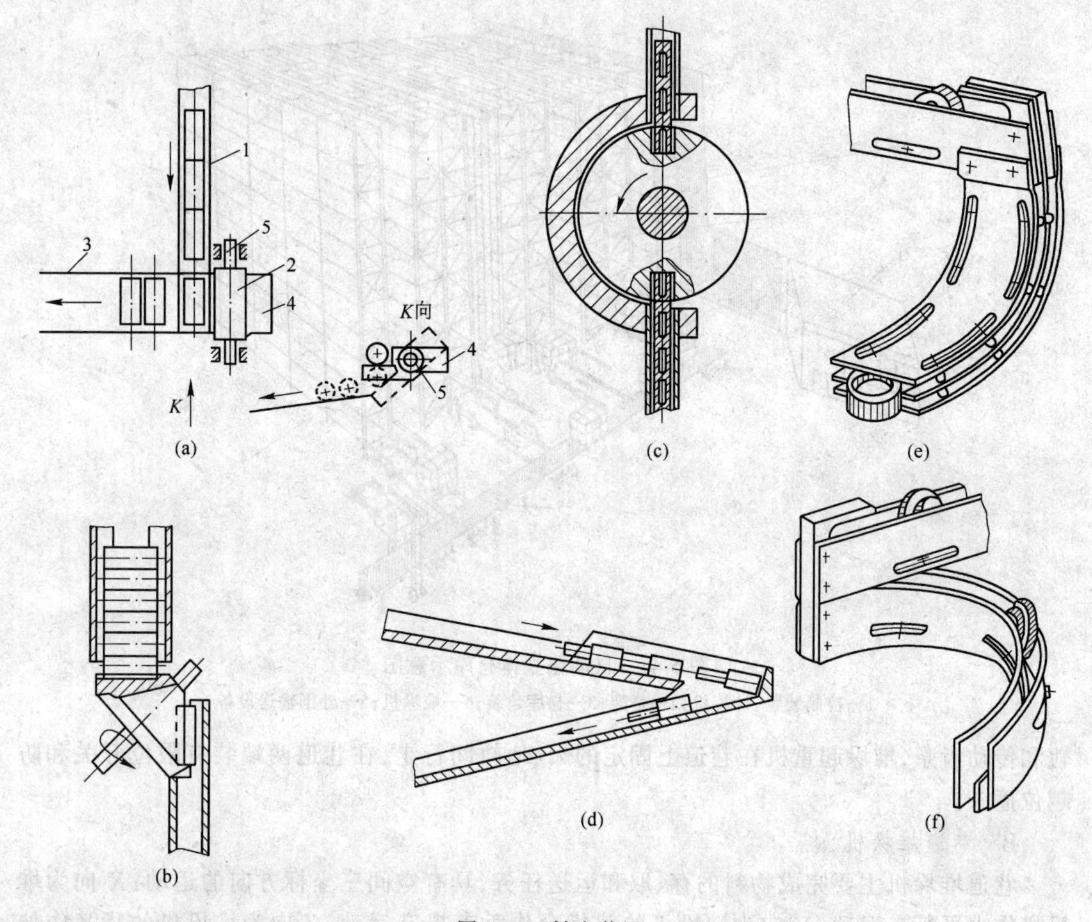

图 5-40 转向装置

5.4 自动化立体仓库设计

5.4.1 自动化立体仓库构成

自动化立体仓库是一种设置有高层货架，并配有仓储机械、自动控制和计算机管理系统，实现搬运、存取机械化，管理现代化的新型仓库，具有占地面积小、储存量大，周期快等优点，在现代生产系统中得到了广泛应用。

虽然建库目的不同，自动化立体仓库的规模、形式和自动化水平各不相同，但自动化立体仓库通常都由以下几个基本部分所构成(参见图 5-41)。

A 存贮单元

存贮单元包括仓库建筑和货架。货架分若干排，每排货架上下分“层”，纵向分“行”，“行”与“层”之间形成许多货格。每一个货格可以存放货箱或装入托盘。每个货格赋以一个“地址”，这些地址对应于控制计算机中的一些“单元”。当货格中的货物发生变化时，单元中的内容也相应变化。通常，每个货格中存放的零件或货箱的重量不超过 1t，尺寸大小不超过 $1m^3$。

自动化立体仓库中，每两排货架为一组，两个货架之间称为巷道，每个巷道内安装有导

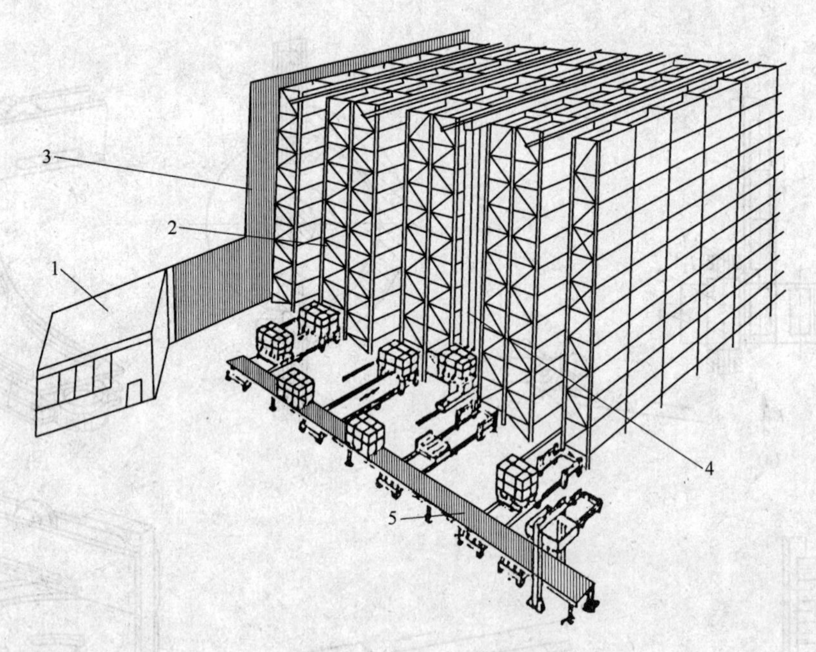

图 5-41　自动化立体仓库示意图

1—控制装置、计算机；2—货架；3—仓库建筑；4—堆垛机；5—外围输送设备

轨和传动齿条，堆垛起重机在巷道上固定的天、地轨间行走，在巷道两端装有限位开关和防越位撞头。

B　巷道堆垛机

巷道堆垛机主要完成物料的存、取和运送任务，具有空间三坐标方向的运动：X 向为堆垛机作水平行走运动，Y 向为堆垛机的载货台作垂直提升运动，Z 向为堆垛机的货叉作伸缩运动。这样堆垛机有单立柱式和双立柱式等不同形式，可以完成向任意货格的存取货物的作业。

C　外围设备

它包括对物料的验收、检测、装卸托盘、内部输送机的入出库货物运送、分类、装车、发送等作业设备。这部分设备根据系统的不同有很大差异。但应当注意组成部分的入、出库作业节奏，必须与堆垛机保持协调，以保证从入库到发货过程的畅通。

在自动化立体仓库中，一般设置工件收发站和有轨或无轨自动引导小车。收发站完成线外物流设备与系统之间的工件交换，小车承担系统与加工设备之间货物的运送。

除以上机械装备外，自动化立体仓库还包括物料的检测设施和控制系统。

(1)验货站。用于识别物料，并把数据输入计算机管理系统以进行库存管理。

(2)入库物料检测站。用于确保超尺寸物料不进入自动化立体仓库系统，检测内容有超长、超高、超宽三个方面；同时也要进行位置检测。

(3)货格检测器。它是检测货格内有无物料的装置，防止货格内已有物料而进行再次存放物料的“双重入库”作业事故，以及从空货格取货，发出错误的取货信号，影响仓库的管理。

(4)信息传输、自动控制和管理设备。信息传输装置是进行系统信息流的交换与传输。

自动控制和管理设备是仓库自动化作业的核心，完成对系统搬运设备的控制，实行对自动化作业的“指挥”。

5.4.2 自动化立体仓库分类

自动化立体仓库一般按以下几种方法进行分类：

(1)按货架形式可分为整体式和分离式。整体式仓库的货架除了用于存放货物外，还用来支承屋架的重量和侧壁，即货架与仓库建筑构成了不可分的整体。此类形式一般用于高层大型库，具有建筑费用低、库房占地面积小、施工周期短等优点。分离式货架仅用于存放货物，与建筑构件无连接，优点是不会因厂房的下沉影响货架垂直和水平精度，确保自动认址，具有增减灵活性。

(2)按职能分为工序型、补偿型、外购外协型、综合型、销售型。

工序型即制品库设在加工车间内部或附近，起相关工序间的缓冲作用。补偿型又称总零件库，存放本厂自制零部件的成品，并按时、按量向装配线供应，调节零部件生产与装配节奏。外购外协型是调节计划订货、成批进货与均衡生产间的矛盾。综合型是补偿型和外购外协型的组合，以调节装配为主，同时也调节其他各加工车间的生产。销售型即成品库，调节产品均衡生产与不均衡销售或销售与集中运输间的矛盾。

(3)按堆垛设备分有轨式和无轨式。

有轨式是采用巷道堆垛机，转移巷道比较困难，但在三维空间容易实现精确定位，有利于自动控制。无轨式是采用高升程叉车，转移巷道容易，在库存量较大而入、出库频率较低时，便于几个巷道共用一台高架叉车，具有机动灵活、设备利用率高、投资少等优点。但无轨式仓储装备只适于低层、自动化程度不高的场合。

(4)按巷道堆垛机的控制方式可分为手动和半自动控制、机上自动控制、远距离集中控制等。

(5)按存储库容量可分为小型(2000 货位以下)、中型(2000～5000 货位)、大型(5000 货位以上)。

(6)按仓库高度分为低层(6m 以下)、中层(6m～12m)、高层(12m 以上)。

5.4.3 巷道式堆垛起重机

图 5-42 所示是一种适用于中、小型工件的巷道式堆垛起重机。它由上横梁 2、双方柱 8、货叉 9、载货台 10、行走机构 6、液压站和位置反馈测试元件等组成。堆垛起重机通过行驶机构在轨道 7 上运行。双立柱顶端的横梁装有水平导轮，沿天轨 1 的矩形导轨移动。为了堆垛起重机运行的稳定性，在横梁顶部装有减振器 3。

堆垛机具有沿巷道方向的水平运动，沿货架层方向的垂直运动，货叉送、取货的伸缩运动，载货台的旋转运动和载货台为货叉送、取货的准确位置而进行的微量垂直运动。

水平运动和垂直运动分别由底座上的直流电动机驱动，采用无级调速控制系统，可以正反向切换。采用两个高精度的 14 位绝对式光电转角编码器 4 检测坐标位置。到位停车由 DHD2-16 型快速失电制动器制动。

货叉的伸缩用于货物的取送，伸缩量为 300mm。取放货物时，货叉能微抬、微降 30mm。水平运动终点转轨时，货叉与载货台旋转 90°。这三个运动分别是由直线液压缸或旋转液压缸驱动。

堆垛机的数据通讯与供电系统均采用滑接输送，使用标准的工业控制接口板与计算机连接，供计算机采集数据并进行处理。系统软件有对直流电动机和液压控制阀的控制、堆垛机的控制、仓库的管理、查询的动态显示、故障检测、手动调整、自动取存交换货位等。计算机按程序控制堆垛机，根据相应的检测信号和出入库的工艺流程，启动堆垛机按顺序进行转位、水平与垂直行驶、货叉伸缩、微抬微落直到取放货物作业完毕止。

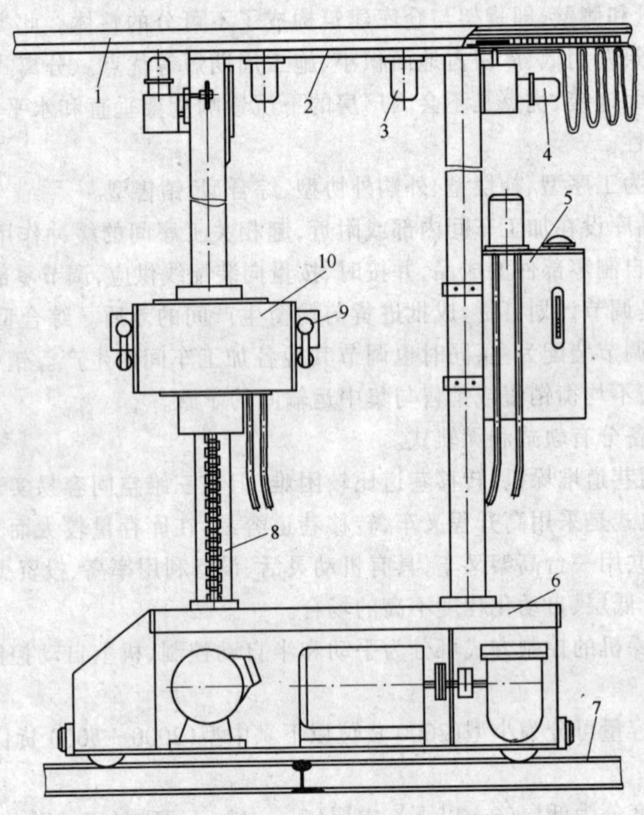

图 5-42　巷道式堆垛起重机

1—天轨；2—上横梁；3—减振器；4—编码器；5—集油器；6—行走机构；7—轨道；8—双方柱；9—货叉；10—载货台

5.4.4　自动化立体仓库计算机控制

自动化是指管理和作业流程的自动化。仓库管理自动化，包括对货箱、账目、货格及其他信息管理的自动化。入库和出库的作业流程自动化，包括货箱零件的自动识别、自动认址、货格状态的自动检测以及堆垛机各种动作的自动控制。计算机控制系统功能有：

(1)信息的输入及预处理。信息的输入有对货箱零件条形码的识别，认址检测器和货格状态检测器。在货箱或零件的适当部位贴条形码，当货箱通过入库运输机滚道时，用条形码扫描器自动扫描条形码，将货箱零件的有关信息自动录入计算机内。认址检测器通常采用脉冲调制式光源的光电传感器。为提高可靠性，采用三路组合，向控制机发出的认址信号以三取二的方式准确判断后，再控制堆垛机的停车、正反向和点动等动作。货格状态检测器采用光电检测方法，利用光的反射作用来控货格内有无货箱等。

(2)计算机管理系统。它是全仓库进行物资管理、账目管理、货位管理及信息管理的中心。入库时将货箱“合理分配”到各个巷道作业区，出库时按“先进先出”的原则或其他排队的原则出库。管理系统要定期或不定期地打印报表。当系统出现故障时，可通过总控制台的操作按钮进行运行中的“动态改账及信息修正”，并及时判断出故障的巷道，暂停该巷道的出入库作业。

(3)各机电设备的计算机控制。它包括堆垛机和出入库运输机的控制。堆垛机的主要工作方式是入库、搬运和出库。从通讯监控机上得到作业指令后，在屏幕上显示作业目的地址和运行地址，显示实际的水平移动速度和垂直升降速度的大小与方向，显示伸叉方向及堆垛起重机的运行状态。在控制系统中还设有货叉到位报警、取货无箱报警、存货占位报警。如发生存货占位报警时，应将货叉上的货箱改存到另外指定的货格中。系统中还设有暂停功能，以备机电系统发生短时小故障时，暂时停止工作。此外，控制系统还设置了控制运动的变速功能，先快速地接近目标，然后再慢速到位，以保证位置控制精度在允许范围内。

入库运输机的控制方式和堆垛机的控制方式相同。从通讯监控机接到批作业指令后，取出作业指令中的巷道号，完成对这些巷道数据的处理，以便控制分岔点的停止器最终实现货箱在入库运输机上的自动分岔。

复习题与习题

1. 试述料仓式上料装置的特点及基本组成。
2. 振动式料斗如何实现工件的定向。
3. 简述工件姿势概率基本计算方法。
4. 有一圆柱形工件，材料为45号钢，长度 $L=100^{+0.35}_{0}$ mm，直径 $D=40$ mm，两端倒角尺寸为 $2\times45^{\circ}$，拟采用输料槽靠自重滚送方式。试选择输料槽材料，并确定料槽宽度。若工件直径变为10mm，是否还能靠自重滚送？
5. 简述装卸料机械手类型及特点。
6. 试述物料输送装置的主要类型及特点。
7. 何谓托盘，其结构形式有几种，各适用于什么情况？
8. 自动导向小车如何实现自动导向。
9. 试述自动导向小车几种主要转向和驱动方式的工作原理及特点。
10. 自动化立体仓库主要由哪几部分组成，简述其工作过程。

6 机械加工生产线总体设计

6.1 机械加工生产线概述

6.1.1 机械加工生产线及其组成

在机械产品的生产过程中,对于一些加工工序较多的工件,为保证加工质量,提高生产率和降低成本,把加工装备按工艺规程顺次排列,用相应输送装置与辅助装置将它们连接成为一个整体,工件顺序地经过各台加工装备,完成全部加工过程。这样的生产作业线称为机械加工生产线。

机械加工生产线由加工装备、工艺装备、储运装备、辅助装备和控制系统组成。图 6-1 所示为加工箱体类工件的一条简单的机械加工生产线。

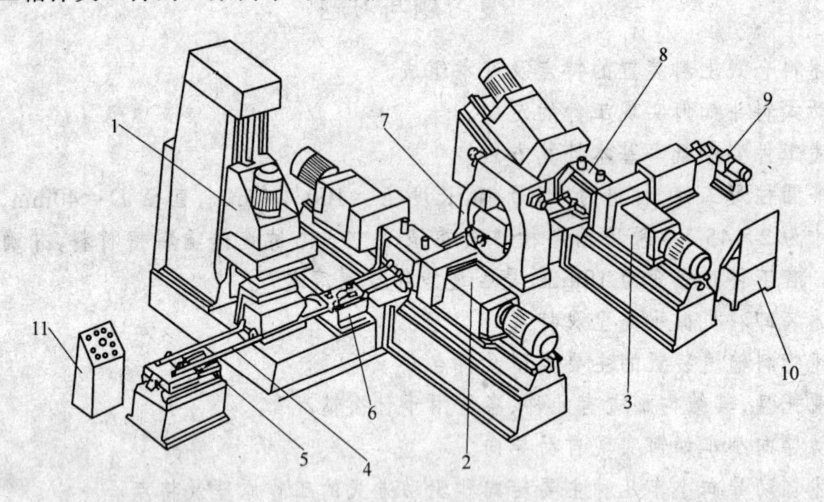

图 6-1 机械加工生产线

1、2、3—组合机床;4—工件输送带;5—传动装置;6—转位台;7—转位鼓轮;8—夹具;9—切屑运输装置;10—液压站;11—操纵台

6.1.2 机械加工生产线类型及特征

机械加工生产线形式多样,根据不同的特征,可有不同的分类方法。按照工件输送方式可分为:辊道式传送带输送生产线,链式传送带输送生产线,料槽输送生产线,小车输送生产线等;按照布局形式可分为:直线排列的生产线,折线排列的生产线,环形封闭式生产线等。按生产线所用加工装备和工作节拍特性可作如下分类:

6.1.2.1 按所用加工装备分类

A 通用机床生产线

这类生产线多数是在流水线的基础上，利用现有的通用机床进行自动化改装后连接而成，有时也根据需要配置少量专用机床。这类生产线建线周期短、成本低，多用于加工盘类、环类、轴、套、齿轮等中小尺寸旋转体类工件。以通用的单轴或多轴自动机床连成的生产线也属此类。

B　专用机床生产线

这类生产线以专用自动机床为主要加工装备，因而设计制造周期长、投资较大、专用性强，但生产效率高、产品质量稳定，适用于产品结构稳定的大量生产类型。

C　组合机床生产线

这类生产线以组合机床为主要加工装备。组合机床不仅具有专用机床结构简单、生产率和自动化程度高的特点，由于大部分是通用部件，因而还具有设计制造周期短、成本低的优点。组合机床生产线主要适用于箱体和杂类工件的大批量生产，其应用较专用机床生产线更为普遍。

D　柔性加工生产线

前述三类机械加工生产线主要适用于单一品种（或少量品种）工件的大批量生产，难以满足产品向多品种、中小批量生产发展的要求。以数控机床为主要加工装备的柔性加工生产线，是以数控机床为基础，配以柔性的物料储运装备，在计算机控制系统的控制下进行加工的自动化生产系统。通常不必对机床设备进行人工调整，只需改变有关工件的数控加工程序和少量工夹具（有时甚至不需要更换工夹具），就很容易地在一定范围内实现从一种工件变换为另一种工件的加工，可进行批量生产或同时对多个品种工件进行混流生产，从而显著地缩短多品种生产中设备调整和生产准备时间，方便地适应各种生产条件的变化。这类生产线可应用于各种结构形状复杂、精度要求高的同类工件中小批量生产，根据其规模、功能特点及柔性程度可分为柔性制造单元（FMC）、柔性制造系统（FMS）和柔性制造线（FML）三种类型。这类生产线虽然技术难度高、投资大，由于能快速响应市场对产品的多样化要求，因此发展迅速，应用日趋广泛。

6.1.2.2　按生产线工作节拍特性分类

通用机床生产线、专用机床生产线和组合机床生产线，按其工作节拍特性可分为固定节拍和非固定节拍两种形式。

A　固定节拍生产线

固定节拍是指生产线中所有设备的工作节拍等于或成倍于生产线的生产节拍。工作节拍成倍于生产线生产节拍的设备需配置多台并行工作，以满足每个生产节拍完成一个工件的生产任务。这类生产线没有贮料装置，加工设备按照工件工艺顺序依次排列，由自动化输送装置严格地按生产线的生产节拍，强制性地沿固定路线从一个工位移到下一个工位，直到加工完毕。其移动的步距 t 可等于两台机床的间距，如图 6-2(a)；也可以是两台机床间距的二分之一，如图 6-2(b)。

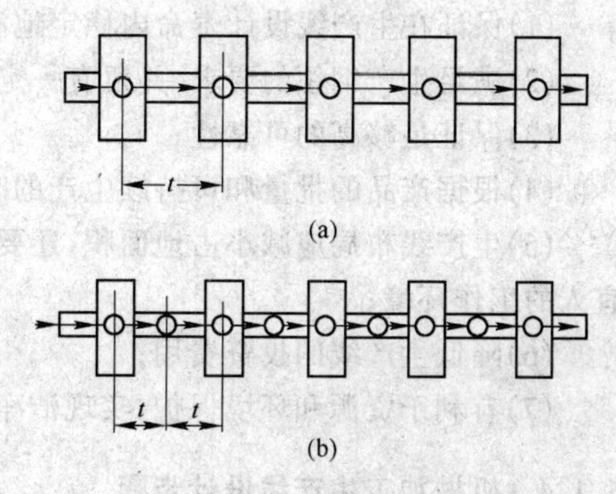

图 6-2　固定节拍生产线
工件的传输

固定节拍生产线所有加工装备由输送设备和控制系统联成整体，工件的加工和输送过程具有严格的节奏性。当某一台机床发生故障而停歇时,将导致整条生产线的瘫痪。生产线中加工装备和辅助设备的数量愈多,生产线愈长,因故障而停歇的时间损失影响就愈大。为了保证生产线的生产率,采用的所有设备都应具有较好的稳定性和可靠性,并避免采用过于复杂和易出故障的机构。

B 非固定节拍生产线

非固定节拍生产线是指生产线中各设备的工作节拍不同,各设备的工作周期是其完成各自工序需要的实际时间。由于各设备的工作节拍不一样,在相邻设备之间或在相隔若干台设备之间需设置储料装置,如图 6-3 所示。这样,在贮料装置前、后的设备或工段就可彼此独立地工作。由于贮料装置中贮备着一定数量的工件,当某一台机床(或某一工段)因故停歇时,其余的机床或工段仍可以在一定的时间内继续工作。当前后相邻两台机床(或工段)的生产节拍相差较大时,贮料装置可在一定时间内起到调剂平衡的作用,而不致使工作节拍短的机床总要停下来等候。非固定节拍生产线一般较难采用自动化程度较高的输送装置。尤其当生产节拍较慢,批量较小,工件质量和尺寸较大时,工件在工序间也可由人工辅助输送。

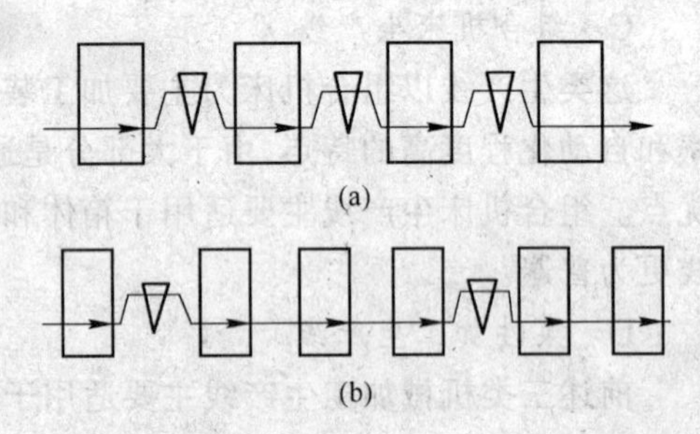

图 6-3 非固定节拍生产线工件的传输

以数控机床为主要加工装备的柔性加工生产线根据其类型不同,工作节拍特性也不同。一般柔性制造单元(FMC)和柔性制造系统(FMS)是非固定节拍工作方式,而柔性制造线(FML)是固定节拍工作方式。与加工装备不是数控机床的固定节拍生产线相比,FML 在工件变换后,其生产节拍的调整较为容易。

本章重点介绍以组合机床和专用机床为主要加工装备的固定节拍生产线的设计。

6.1.3 机械加工生产线设计原则

机械加工生产线设计应遵循的原则:

(1)保证在生产线设计寿命内稳定地满足工件的加工精度和表面质量要求;

(2)满足生产纲领的要求,并留有一定的生产潜力;

(3)保证足够高的可靠性;

(4)根据产品的批量和可持续生产的时间,应考虑生产线具有一定的可调整性;

(5)生产线布局应减小占地面积,还要便于操作者的操作、观察和维修,提供一个安全、宜人的工作环境;

(6)降低生产线的投资费用;

(7)有利于资源和环境保护,实现洁净化生产。

6.1.4 机械加工生产线设计步骤

机械加工生产线的设计一般可分为准备工作阶段、总体方案设计阶段、结构设计阶段:

(1)拟定生产线工艺方案,绘制工序图和加工示意图;

(2)拟定全线的自动化控制方案;

(3)确定生产线的总体布局,绘制生产线的总体联系尺寸图;

(4)编制生产线的工作循环周期表；

(5)生产线通用加工装备的选型和专用机床、组合机床的设计；

(6)生产线输送装置、辅助装置的选型及设计；

(7)液压、电气等控制系统的设计；

(8)编制生产线的使用说明书及维修等注意事项。

由于总体方案设计和结构设计是互相影响、相辅相成的，因此，上述各设计步骤有时需平行或交错进行。

6.2 机械加工生产线工艺方案设计

工艺方案是确定生产线工艺内容、加工方法、加工质量及生产率的基本文件，也是进行生产线结构设计的重要依据。因此，工艺方案的拟定应做到方案可靠、合理、先进。

6.2.1 工艺方案制定

6.2.1.1 工件工艺基准选择

确定生产线的工艺基准时，要从保证工件的加工精度和简化生产线的结构这两个基本原则出发，应注意以下问题：

(1)尽可能采用“基准重合”原则，即设计基准作为定位基准，以保证加工精度。为了简化生产线结构或便于实现自动化等原因，有时不能遵守这一原则，须进行工艺尺寸换算，以保证加工精度要求。

(2)尽可能采用“基准统一”原则，即全线统一的定位基准，可减少安装误差，有利于保证加工精度和实现生产线夹具结构的通用化。但有时需改变基准，如工件有些孔距定位销孔太近，而无法加工时，只好采用变换定位基面的办法。

(3)尽可能采用已加工面作为定位基准。如果工件以毛坯上线加工，定位基面不应选在铸件或锻件的分型面上，也不要选在有铸孔的地方，因为此处毛刺较多或形状误差较大；若不得已用其作定位基准时，必须经过清理平整。作为毛坯上线的第一道工序的定位基准，一般应选用工件上最重要的表面，以便保证该表面加工余量均匀。若某一不需加工的表面，相对其他要加工的表面有较高位置精度要求时，也可选择该表面作为粗基准。

(4)定位基准应有利于实现多面加工，减少工件在生产线上的翻转次数，减少辅助设备数量，简化生产线结构。

(5)定位基准要使夹压位置及夹紧简单可靠。如果工件没有良好的定位基准、夹压位置或输送基准时，可采用随行夹具。

(6)箱体类工件和随行夹具应采用“一面两销”定位方式，做到定位可靠，便于实现自动化，易于全线采用统一的定位基面。两个定位销中，一个是圆柱销，另一个是菱形销。在工件移动一个步距时，为保证定位销可靠地插入销孔中，通常使输送前方的那个孔作为圆销孔。这样，当输送装置将工件输送至距定位位置0.3～0.5mm(输送滞后量)处时，可由圆柱销的锥部将工件往前拉至最终位置。

6.2.1.2 工件输送基准选择

生产线设计中还要选择工件的输送基准，并考虑工艺基准和输送基准的关系。

工件的输送基准包括输送滑移面、输送导向面和输送棘爪推拉面。采用随行夹具输送时,随行夹具就包含了上述输送基准的内容。对于轴类工件,输送基准是指被机械手夹持的轴颈面。对于齿轮、轴承环等盘环状工件,输送基准是指工件输送过程中的滚动基准。可以看出,输送基准和输送方式密切相关,输送基准的选择应和输送方式的选择同时进行。

外形规则的箱体类工件具有较好的输送基准,可采用直接输送方式。只要有可能,直接输送方式应优先选用。采用直接输送时,要防止工件的歪斜和窜动,要求输送基准的滑移面和导向面有足够的长度,最好选取已加工面。必要时,在结构允许的前提下,可在工件上增加工艺凸台。当固定夹具对输送有较严格的要求时,输送基准与工艺基准之间要有相应位置精度要求。例如,用一面两销作工艺基准时,为保证工件在被输送后的停留位置准确,要求棘爪推拉面与圆销孔中心的距离尺寸必须稳定,其尺寸偏差一般不应大于±0.1mm,所以这个推拉面要经过加工。如果以毛坯上线,作为输送基准的各面应比较规矩平整,并在输送导轨两侧限位板上设置弹性导向装置,以保证工件在输送时不致偏转过多。此外,还应增大输送滞后量,并将定位销适当削尖(顶锥角为60°)并增长锥部,以便定位销能方便地插入定位孔中而得到可靠的定位。

外形复杂没有良好输送基准的中小尺寸工件,如拨叉、连杆、电动机座等,可采用随行夹具进行输送。有些工件虽有较好的输送基准,但因刚性不足,也应采用随行夹具输送方式,易于设置辅助支承。毛坯直接上线时,目前也大都采用随行夹具输送。

形状复杂、导向困难、尺寸较大的工件如曲轴、连杆、桥壳等,可采用悬挂输送或抬起(落下)输送方式。对于连杆等工件,也常采用托盘输送,这时应优先考虑输送基准与工艺基准重合。轴类工件要考虑被机械手抓取部位与工艺基准的位置要求。

不论采用哪种输送方式,全线应尽量统一输送基准,以简化输送装置结构。

6.2.1.3 工艺流程拟定

拟定工艺流程是制订生产线工艺方案最重要的内容,它直接关系到生产线的经济效益及其工作的可靠性。

A 在生产线上工件加工工序的确定

为了确定生产线应具备的工序,要做好以下两项工作:

(1)正确选择各加工表面的工艺方法和工步数。首先应认真分析工件的有关情况,明确加工部位,要求的精度和粗糙度等级;然后参考已有的工艺及有关技术资料,根据工件材料的种类、工件被加工表面的要求等因素,确定工件各加工表面所需的工艺方法和工步数。

(2)合理确定工序间余量。为了保证加工精度、生产线正常工作,除要正确选择工艺方法及工步数外,还必须合理分配工序间余量。可根据工厂实际情况参照有关手册推荐数据选择。安排各加工表面的加工次数时。如果工序间余量过大,为保证精加工的刀具耐用度,可以考虑增加一道半精加工工序。

确定各加工表面的工艺方法、工序间余量及工步数后,工件在生产线上加工所需要的工序内容也就确定了。

B 加工顺序安排

工件上具有各种待加工表面,其中以高精度孔所需的工步数为最多。所以在拟定加工顺序时,可以从工件各个面的主要孔入手。首先根据精度和表面粗糙度要求,确定出各主要孔的工步数,以此作为工件各个工位的基础,然后再将多余的工序内容分别安插到既定的工位上。如果实在无法安排,再另行设置工位。这样把工件各面上的工位数都确定后,再按拟

定加工顺序的原则,将不同面上的工位进行排列组合,以便编制出工艺流程的方案。安排加工顺序的一般原则是:

(1)先面后孔。先加工定位基面,后加工一般工序。先加工平面,后加工孔。

(2)粗、精分开,先粗后精。对于重要的加工表面,粗、精加工应分为若干道工序。对于不重要的加工表面,粗、精加工安排可以近一些,以便及时发现前道工序产生的废品,一般不宜安排在同一台机床上同时进行粗、精加工。重要加工表面的粗加工工序,应安排在生产线的前端,以利于及时发现和剔除废品。高精度的精加工,一般应放在生产线的最后一道工序,以免精加工表面多次被碰伤,并减少粗加工的热变形和夹紧变形的影响。但对于那些废品率较高的孔的精加工工序,则不宜放在最后。

(3)废品率较高的粗加工工序可放在线外进行,以免影响生产线的正常节拍。

(4)精度太高而不易稳定达到加工要求的工序,不应放在线内加工,如有必要在线内加工,则应采取相应措施,如采用备用机床、自动测量及刀具自动补偿装置等,甚至设计成备有支线的单独精加工生产线。

(5)工序集中。将工序合理地集中,可以把若干加工表面在一次安装完成后加工出来,减少工件安装定位的误差,提高被加工表面的相互位置精度。此外,也可以减少机床的使用数量,有利于简化生产线结构。所以,合理地集中工序是安排生产线工艺最重要的原则之一。

根据上述原则,在拟定加工顺序时,应首先保证将那些具有相互位置精度要求的加工表面,安排在同一工位上加工。对于若干个固定用的螺栓孔,为了保证位置精度,也应安排在同一工位上加工,并应注意从结合面开始进行切削。对于同一方向的次要加工表面,也应尽量在一次安装下加工完毕,以减少转位装置,简化生产线结构。

必须指出,工序集中的原则不是绝对的。对于某些工序,有时集中不如分散合理,甚至一定要采用分散原则。

(6)适当考虑单一化工序。镗大孔、钻小孔、攻丝等工序,尽可能不要安排在同一主轴箱上,以免传动系统过于复杂及调整刀具不便。攻丝工序最好安排在单独的机床上进行,必要时也可以安排为单独的攻丝工序。这样可简化机床结构,而且还有利于冷却润滑液和处理切屑。

(7)安排必要的辅助工序。为了提高工件加工过程中的可靠性,防止出现成批的废品,应在生产线中安排必要的检查、倒屑、清洗等辅助性工序。

6.2.1.4 切削用量选择

生产线的工艺方法和刀具类型确定之后,就可着手选择切削用量。合理的切削用量是保证生产线加工质量和生产效率的重要因素,也是计算切削力、切削功率和切削时间的必要数据,是设计机床、夹具的基本依据。生产线切削用量的选择须注意如下几点:

(1)对于工作时间最长,影响生产线节拍的关键工序,应尽量采用较大的切削用量以提高生产率;但应保证其中耐用度最短的刀具能连续工作一个班或半个班,以便利用非工作时间进行换刀。对于非关键性工序,生产率不是主要矛盾,可采用较低切削用量以提高刀具耐用度。

(2)同一主轴箱上的刀具,一般共用一个进给系统,故各刀具的每分钟进给量应相同。如果少数刀具确有必要选取不同的进给量时,可以采用附加的增速或减速机构。

(3)同一主轴箱上有定向停车要求的各主轴,选择转速时,要使它们的每分钟转数相等或互成整数倍。

(4)选择复合刀具的切削用量时,应考虑到刀具各部分的强度、耐用度及其工作要求。

6.2.1.5 工序节拍平衡

生产线的工序及其加工顺序确定之后,可能出现各工序生产节拍不等的情况。如果有的工序节拍比生产线要求的节拍 t_j 长,则这个工序将无法完成加工任务;若有的工序节拍又比 t_j 短得多,则该工序的设备负荷不足。因此,必须平衡各工序的节拍,使其与 t_j 相匹配,生产线才能取得良好的经济效果。按工艺流程初步选定所需设备台数以后,也需要经过平衡工序节拍,加以核实或适当增减,才能最后确定。

平衡工序节拍,首先按拟定的工艺流程,计算出每一工序的工作循环时间 t_g,即

$$t_g = t_q + t_f \tag{6-1}$$

$$t_q = \frac{L + l_r + l_c}{f} \tag{6-2}$$

式中 t_q——基本工艺时间(min);

t_f——与 t_q 不重合的辅助时间(min),可取为 0.3～0.5min,主轴需要定位时取 0.6min;

L——工作行程长度(mm);

l_r——切入行程长度(mm);

l_c——切出行程长度(mm);

f——动力部件的进给速度(mm/min)。

将得出的 t_g 与生产线节拍 t_j 相比较,即可找出 $t_g > t_j$ 的工序,称为限制性工序。必须缩短其工作循环时间 t_g。当 t_g 与 t_j 差不多时,可以适当提高切削用量来缩短 t_g,若 $t_g \gg t_j$ 时,可采用下列措施平衡生产线节拍:

(1)增加顺序加工工位,采用工序分散的方法,将限制性工序的工作行程分为几个工步,分摊到几个工位上完成。但采用这种方法时,会在工件已加工表面留下接刀痕迹,只适用于粗加工或精度要求不高的工序。

(2)把 t_g 调整为 t_j 的整数倍,在限制性工序实行多件加工。这时需要将限制性工序单独组成一个工段,进行成组输送,而其他各工序仍然是单件输送。这种方法较适用于加工中小型工件的生产线。

(3)当工件体积较大,不便用上述方法时,可以增加同时加工的工位数,即在生产线上设置若干台同样的机床,同时加工同一道限制性工序,机床排列可采用串联和并联两种方式。图 6-4 为串联方式,设有几个加工工位和两个空工位。其中 C_5、C_6 为两个相同的工位,用以加工同一道限制性工序。生产线的输送过程为:第一个节拍加工时,各工位上的工件处于图 6-4(a)所示位置。第一个节拍终了后,输送带 1 将 C_1～C_4 各工位的工件移动一个步距,而输送带 2 和 C_5、C_6 两工位上的工件维持不动,如图 6-4(b)所示,以便继续加工。在第二个节拍终了时,输送带 1、2 同时动作;输送带 2 的步距为输送带 1 的两倍,并且输送带 2 一次输送两个工件。因此,工件移动的结果如图 6-4(c)所示。然后再进行下一次循环。

图 6-5 为并联方式,其各工序的工作循环时间 t 如图中所示。为了满足生产线节拍 t_j 的要求,用两台滚齿机并联接入生产线,这种并联方式适于非固定节拍的生产线。

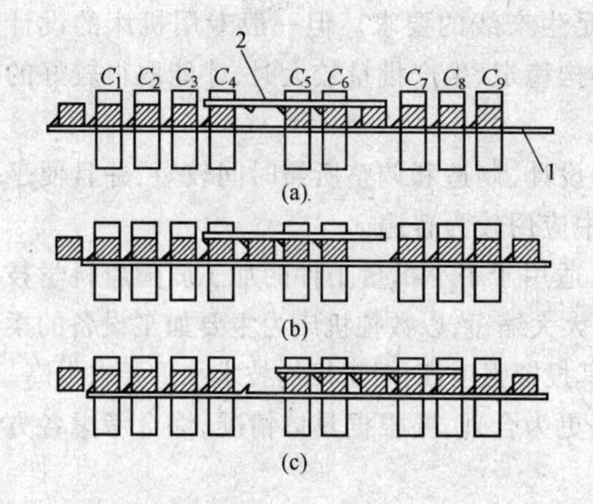

图 6-4 串联方式平衡生产线节拍

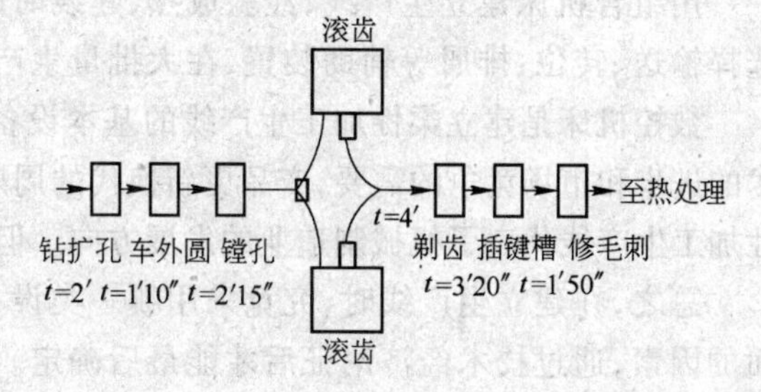

图 6-5 并联方式平衡生产线节拍

6.2.1.6 生产线分段

生产线的工艺顺序确定以后，由于生产线的工艺要求或因工位过多需要对生产线进行分段，以增加生产线的"柔性"和利用率。通常，对符合下列情况的生产线要进行分段：

(1)工件结构或工艺比较复杂，为了完成全部工序的加工，工件需在生产线上进行多次转位。这些转位装置往往使得全线不能采用统一的输送带，而必须分段独立输送。这时，转位装置就自然地将生产线分成若干个工段。

(2)为了平衡生产线的节拍，当需要对限制性工序采用"增加同时加工的工位数"或"增加同时加工的工件数"等方法，以缩短限制性工序的工时，往往也需要将限制性工序单独组成工段，以便满足成组输送的需要。

(3)当生产线的工位数较多，生产线较长时，需要将其分段，并在段与段之间设置贮料库。这样，生产线各段就能独立地工作，当某一段因故障而停歇时，其他各段仍可继续生产，从而降低生产线使用时的停车损失。较长的生产线一般每隔 10～15 台机床进行分段。

(4)如果生产线包括有不同种类的工序，而它们的生产率不易平衡时，也可按工序的种类划分工段并设置贮料库。

6.2.2 加工设备选择

加工设备选择是否正确、合理，不但影响工件的加工质量、生产效率和制造成本，而且还涉及生产线的投资强度和投资的回收期限。加工设备选择是生产线设计的关键环节。

前面已介绍，机械加工生产线所采用的加工设备主要有四大类型：经过自动化改装的通用机床(包括通用自动机床)、专用机床、组合机床和数控机床。由于被加工工件的结构特征、生产批量、工厂条件等的不同，构成生产线的主要加工设备选择也各不相同。在大批量生产条件下，旋转体类工件通常选择全自动通用机床、经自动化改装的通用机床及专用机床。箱体、杂类工件通常选用组合机床。

采用通用机床进行自动化改装后建立生产线，可充分发挥现有设备的潜力，进一步提高劳动生产率。对某些暂时无条件设计和制造专用机床和组合机床的企业，具有一定的现实意义。但通用机床要符合生产线要求，改装工作量也较大。应在总体设计时，从工艺和结构上进行全面分析和规划后，提出改装任务和要求。

为建立生产线而设计的专用机床，可充分满足生产线的要求。但一般专用机床的设计制造成本较高，建线所需时间较长，只有当产品结构稳定、生产批量较大时，才能取得较好的经济效果。

用组合机床建立生产线，经验成熟，建线时的设计、制造和调整所需时间较短，并且便于选择输送、转位、排屑等辅助装置，在大批量生产中应用较为普遍。

数控机床是建立柔性加工生产线的基本设备，适用于中小批量工件的加工。随着科学技术的进步和市场竞争的需要，产品更新换代的周期大大缩短，以数控机床为主要加工设备的柔性加工生产线代表了机械制造业的发展方向。但其投资强度高，对工厂的技术水平要求也高。

总之，在建立生产线时，究竟采用哪一类设备更为合理，要根据具体情况，综合考虑各方面的因素，通过技术经济论证后才能最后确定。

6.2.3 生产线的生产率和经济性

6.2.3.1 生产线的生产率

生产线的生产率是生产线设计的一个重要指标，由生产率计算出生产线的生产节拍，并由生产节拍的大小来确定生产线所需机床的数量。

$$Q = \frac{N}{T} \tag{6-3}$$

式中 Q——用户所要求的生产线生产率（件/h）；

N——生产线的计算生产纲领，是在生产纲领的基础上考虑废品率和备品率计算出来的（件/a）；

T——年基本工时（h/a）。

生产线在实际工作中，常常由于故障、维修等原因而停歇，也就是说生产线不能达到满负荷工作。若生产线的负荷率为 η（η 通常取 0.65～0.85，复杂的生产线取低值，简单的生产线取高值），则为满足用户所要求的生产率，生产线的设计生产率 Q_1 应为：

$$Q_1 = \frac{Q}{\eta} \tag{6-4}$$

据此，生产线的生产节拍 t_j 应为：

$$t_j = \frac{60}{Q_1} = \frac{60}{Q}\eta = \frac{60T}{N}\eta \tag{6-5}$$

生产线中某一工序的单件时间为 t_{gi}，则该工序所需机床的数量 S_i 为：

$$S_i = \frac{t_{gi}}{t_j} \tag{6-6}$$

将所得机床数圆整为整数 S_i'。若 S_i 值小数点后的尾数较小，可删去该尾数，因 $S_i' < S_i$，为弥补该工序生产能力的不足，应采取提高切削用量、降低辅助时间等措施提高其生产能力。

若 $S_i' > S_i$，则该工序机床负荷率 k_i 为：

$$k_i = \frac{S_i}{S_i'} \tag{6-7}$$

一条生产线要完成若干道工序的加工，有些工序的机床可能利用得较充分，k_i 较大；有的工序机床可能利用的不充分，k_i 较小。为了衡量整条生产线机床的利用情况，在此引入生产线

机床平均负荷率的概念。设生产线上有 n 道工序,则生产线的机床平均负荷率 k_0 为:

$$k_0 = \frac{1}{n}\sum_{i=1}^{n}\frac{S_i}{S'_i} \tag{6-8}$$

为保证生产线上机床能得到充分利用,生产线的机床平均负荷率 k_0 不应低于0.8。

6.2.3.2 生产线的经济性分析

生产线的经济效果是建造生产线的一个最为重要的因素,也是比较不同设计方案优劣的主要内容。评价生产线经济效果的主要指标有:①机床平均负荷率;②所需各类工作人员总数;③占地面积;④制造零件的生产成本;⑤投资费用;⑥投资回收期。

生产线的投资回收期长短直接关系到生产线的经济效益,是生产线设计的重要经济指标。生产线建线投资回收期限 T(年)为:

$$T = \frac{I}{N'(S-C)} \tag{6-9}$$

式中 I——生产线建线投资总额(元);

S——零件的销售价格(元/件);

C——零件的制造成本(元/件);

N'——生产纲领。

生产线建线投资回收期 T 越短,生产线的经济效益越好。一般应同时满足以下条件才允许建线:①投资回收期应小于生产线制造装备的使用年限;②投资回收期应小于该产品(零件)的预定生产年限;③投资回收期应小于4~6年。

在生产线建线投资总额 I 中,加工装备尤其是关键加工装备的投资所占份额甚大,在决定选购复杂昂贵加工装备前,必须核算其投资的回收期限,如在4~6年内收不回设备投资,则不宜选购,应另行选择其他类型的加工装备。

6.3 机械加工生产线专用机床总体设计

专用机床设计是机械加工生产线的重要设计内容之一。专用机床是为实现某一种零件(或一组相似零件)的特定工序而设计的机床,包括一般专用机床和组合机床。组合机床是以通用部件为基础配以少量专用部件组成的一种专用机床,具有设计制造周期短、投资少、加工精度稳定、改装方便、经济效益高等优点,因此在机械加工生产线中应用较广。通常只在缺少通用部件或通用部件不能很好满足生产线要求时,才设计以专用部件为主的一般专用机床。一般专用机床与组合机床在设计方法上是相似的。

专用机床设计是根据生产线工艺方案设计提出的专用机床设计任务书进行的,包括总体设计和专用零部件结构设计等内容。在总体设计中,要完成工件工序图、加工示意图、机床联系尺寸图和生产率计算卡(即“三图一卡”)的设计工作。本节主要以组合机床为例,介绍“三图一卡”的设计方法。

6.3.1 工件工序图

A 工序图的作用

工件工序图是专用机床设计和验收的依据,它不能由用户提供的产品图样代替,而需在产品图上突出本机床或生产线的加工内容及加上必要的文字说明绘制而成。

B　工件工序图所表示的内容及画法

(1)为使工件工序图清晰明了,突出本机床加工内容,绘制时应按一定比例,选择足够视图和剖视图。为突出加工部位,用粗实线画出本机床的加工部位,并用细实线把工件轮廓及与机床、夹具设计有关的部位表示清楚。

(2)标出工件的轮廓尺寸。

(3)标出本道工序加工部位的尺寸(包括位置尺寸)、精度、表面粗糙度、形位公差及技术要求,还包括本道工序对前道工序提出的要求。为清楚起见,可在本道工序要保证的尺寸数值的下方画粗实线或用方框标记。加工部位的位置尺寸应由定位基准标起。当所选定位基准与设计基准不重合时,则须对加工部位要求的位置尺寸精度进行分析换算。此外,应将零件图上的不对称位置尺寸公差换算成对称尺寸公差,以便于在进行夹具和主轴箱设计时,确定导向孔与主轴孔的位置坐标尺寸。如零件图尺寸为 $10^{-0.1}_{-0.3}$,则在工序图中应换算为 9.8 ± 0.1。

(4)标出加工用定位基准、夹压部位及夹压方向。定位基准用符号 ⌵ 或⬘,夹紧部位及方向用符号 ⇩ 和⊗,辅助支承用符号 § 表示。

(5)标明工件的名称、编号、材料、硬度及加工余量,此外还应标明其他技术要求,如是否允许留有退刀痕迹,以及允许退刀痕迹的形状(直线或螺旋线)。

(6)生产线的工件工序图,一般不按各台机床绘制,而是按全线或工段来绘制,并表示出与输送装置有关的图形、尺寸及精度要求。图 6-6 为汽车变速器上盖工件工序图。本工序加工部位及要求为:底面六个孔,2、5 孔 $\phi8.5^{+0.058}_{0}$;1、3、4、6 孔 $\phi8.5$,表面粗糙度均为 $R_a1.6\mu m$。上面五个孔,四个 M8×1.5 螺纹孔的底孔 $\phi6.7$,深 20;一个 $\phi7$ 孔、深 10,表面粗糙度 $R_a1.6\mu m$。

6.3.2　加工示意图

6.3.2.1　加工示意图作用

加工示意图是机床部件设计和选择的依据,也是机床调整和试车的依据。它表示工件在机床上的加工过程,刀具、辅具的布置状况以及工件、夹具、刀具等机床各部件间的相对位置关系,机床的工作行程及工作循环等。

6.3.2.2　加工示意图表示内容

(1)加工部位结构尺寸、精度及分布情况。

(2)所采用刀具类型、数量、结构、尺寸。

(3)主轴的结构类型、规格尺寸及外伸长度。

(4)选择标准或设计专用的接杆、浮动卡头、导向装置、攻丝靠模装置、刀杆托架等,并决定它们的结构、参数及尺寸。

(5)标明主轴、接杆(卡头)、夹具(导向)与工件之间的联系尺寸、配合及精度。

(6)根据机床要求的生产率及刀具、材料特点等,合理确定并标注各主轴的切削用量。

(7)机床动力部件的工作行程及工作循环。

(8)工件名称、材料、硬度、加工余量及是否加冷却液等说明。

图 6-7 为汽车变速器上盖 11 个孔双面钻(铰)的加工示意图。

6.3.2.3　加工示意图画法

(1)按比例绘出工件加工部位和局部结构的展开图,加工表面用粗实线画,非加工表面

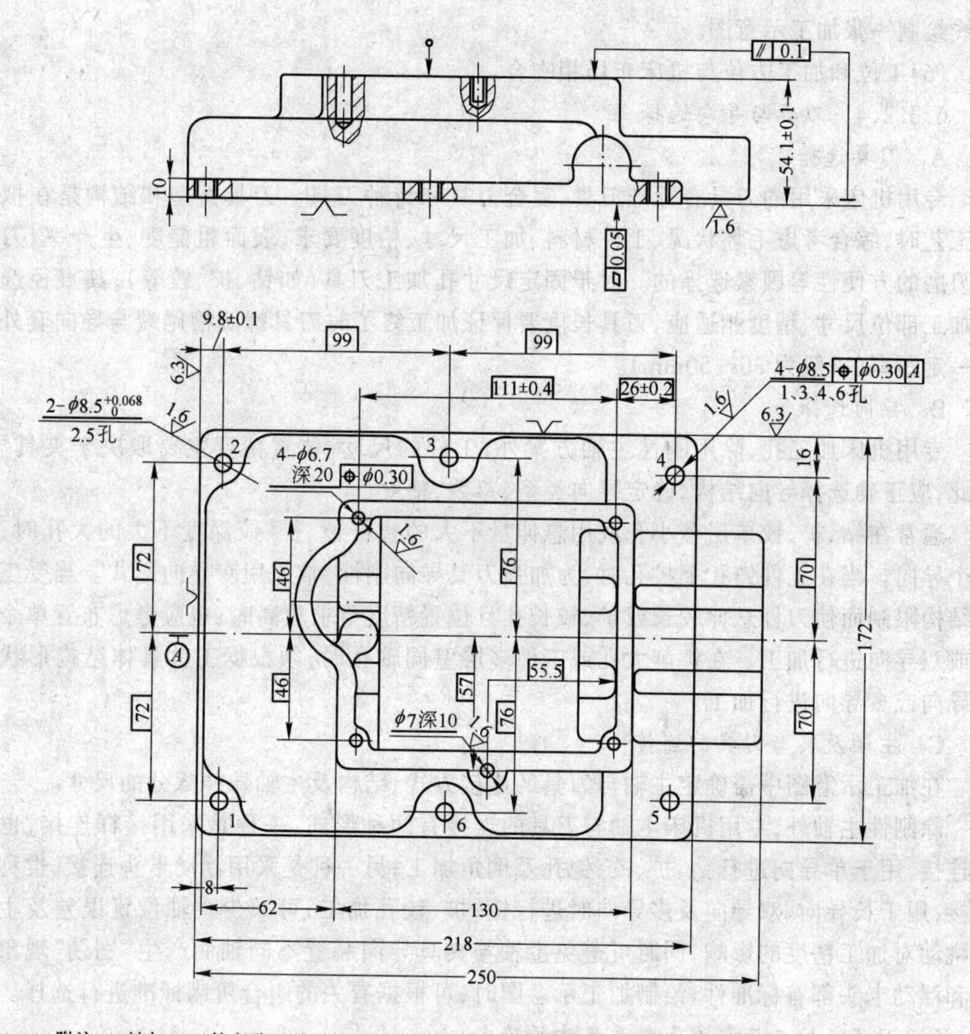

附注:1.被加工工件名称及编号:汽车变速器上盖;材料及硬度:灰铸铁 HT200,HB175~255。

2.图中 ⌒╲╱⌒ 为定位基准符号,⇣为夹压符号。

3.——上尺寸为本工序保证尺寸。

图 6-6　汽车变速器上盖工件工序图

用细实线画。刀具在图中是加工终了位置。

(2)同一主轴箱上结构尺寸相同的主轴可只画一根,但必须在主轴上标注轴号(与工件孔号相对应)。当轴数较多时,可采用缩小比例,用细实线画出工件加工部位向视图,并在向视图上标注孔号。

(3)一般情况下,在加工示意图上主轴分布可不按真实距离绘制。当被加工孔间距很小或需设置径向结构尺寸较大的导向装置时,相邻主轴必须严格按比例绘制,以便检查相邻主轴、刀具、辅具、导向等是否干涉。

(4)标准的通用结构,如接杆、浮动卡头、攻丝靠模及丝锥卡头、通用主轴箱的标准钻镗主轴外伸部分等,只画外轮廓,并须标注规格代号。一些专用结构如导向、刀杆托架、专用接杆等,为显示其结构必须剖视,并标注尺寸、精度及配合。

(5)生产线的每台机床都要绘制一张加工示意图。有时为简化设计,对较短的生产线可全线绘制一张加工示意图。

(6)工位和加工方位与机床布局相吻合。

6.3.2.4 刀具与导向选择

A 刀具选择

专用机床采用的刀具有标准刀具、复合刀具和特种刀具。刀具类型和结构是在拟定加工工艺时,综合考虑毛坯状况、工件材料、加工尺寸、精度要求、表面粗糙度、生产率、刀具制造刃磨的方便性等因素选择的。对于固定尺寸孔加工刀具(如钻、扩、铰等),其直径选择应与加工部位尺寸、精度相适应,刀具长度要保证加工终了时刀具螺旋槽尾端与导向套外端面有一定距离(一般为30~50mm)。

B 导向选择

专用机床加工孔,除用刚性主轴方案外,工件的尺寸、位置精度主要取决于夹具导向。因此,应正确选择导向结构,确定导向类型、参数、精度。

通常在钻、扩、铰单层壁小孔或用悬伸量不大的镗杆镗、扩、铰深度不大的大孔时,设置单个导向。当在工件铸孔上扩孔时,为加强刀具导向刚性,常采用双导向形式。当受工件内部结构限制而使刀杆悬伸较长或扩、铰长孔且位置精度要求较高时,也应考虑布置单个长导向或双导向进行加工。在镗削大孔或工件多层壁同轴孔时,须根据工件具体结构形状布置双导向或多导向进行加工。

C 主轴及其与刀具的连接

在加工示意图中需确定主轴与刀具的连接方式、结构及主轴外伸部分的尺寸。

除刚性主轴外,专用机床主轴与刀具的连接有两种形式:一种是采用接杆连接,也称刚性连接,用于单导向进行钻、扩、铰、锪孔及倒角加工;另一种是采用浮动卡头连接,也称浮动连接,用于长导向、双导向及多导向时进行镗、扩、铰孔加工,可减少主轴位置误差及主轴径向跳动对加工精度的影响,同时可避免主轴与夹具导向装置不同轴而产生“别劲”现象。接杆和浮动卡头都有标准件,绘制加工示意图时,可根据有关的组合机床标准进行选择。

6.3.2.5 加工示意图上联系尺寸的确定

主轴箱端面至工件端面间的轴向距离是加工示意图上最重要的联系尺寸。为了缩短刀具悬伸长度和工作行程长度,要尽量减小这一距离尺寸。它取决于两个方面,一是主轴、接杆(或浮动卡头等)、刀具之间由于结构和相互连接所需的最小轴向尺寸,如采用麻花钻、扩孔钻时,刀具长度要考虑在加工终了其螺旋槽尾部离开导套端面有一定距离,以备排屑和刀具刃磨后有向前调整的可能。接杆长度的标准尺寸,各规格均有可选择的范围,设计时通常先按最小长度选取。二是机床总布局所要求的联系尺寸。

确定同一主轴箱上各主轴的联系尺寸时,首先找出最长的刀具,从其加工终了位置,依次画出刀具、导向装置、接杆及主轴,根据前述各项决定其各部分轴向联系尺寸,然后确定主轴箱端面位置。最后,以确定的主轴箱端面位置再标定其余各轴的轴向联系尺寸。

6.3.2.6 动力部件工作循环及行程长度确定

动力部件的工作循环是指加工时动力部件从原始位置开始运动到加工终了位置,又返回到原始位置的动作过程。一般包括快速进给、工作进给和快速退回等动作。左、右头工作循环如图6-7所示,工作进给长度等于工件加工部位长度 L 与刀具切入长度和切出长度之和。

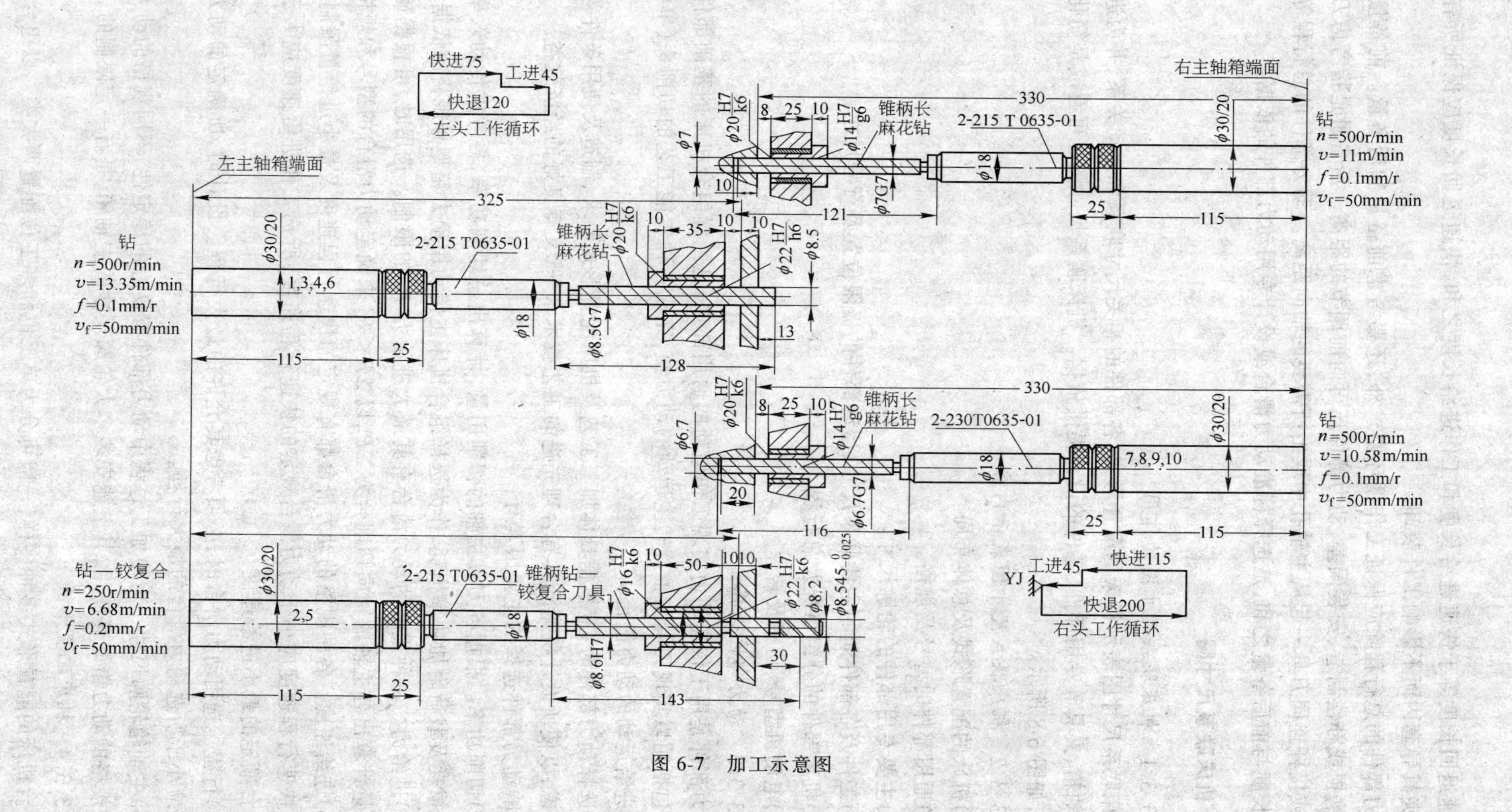

快进75
工进45
快退120
左头工作循环
右主轴箱端面
左主轴箱端面
330
φ20 H7/k6
8
25
10
φ14 H7/g6
锥柄长麻花钻
2-215 T 0635-01
φ30/20
钻
n=500r/min
v=11m/min
f=0.1mm/r
v_f=50mm/min
φ7
10
φ18
φ7G7
121
25
115
325
钻
n=500r/min
v=13.35m/min
f=0.1mm/r
v_f=50mm/min
φ30/20
1,3,4,6
2-215 T0635-01
锥柄长麻花钻
φ20 H7/k6
10
35
10
10
φ22 H7/h6
φ8.5
φ18
φ8.5G7
13
115
25
128
330
φ20 H7/k6
8
25
10
φ14 H7/g6
锥柄长麻花钻
2-230T0635-01
φ30/20
钻
n=500r/min
v=10.58m/min
f=0.1mm/r
v_f=50mm/min
φ6.7
20
φ18
7,8,9,10
φ6.7G7
116
25
115
钻—铰复合
n=250r/min
v=6.68m/min
f=0.2mm/r
v_f=50mm/min
φ30/20
2,5
2-215 T0635-01
锥柄钻—铰复合刀具
φ16 H7/k6
10
50
10
10
φ22 H7/k6
φ8.2
φ8.545-0.025
φ18
φ8.6H7
30
115
25
143
工进45
快进115
YJ
快退200
右头工作循环

图 6-7 加工示意图

快速退回长度等于快速进给长度和工作进给长度之和，快速退回长度应保证所有刀具均退至夹具导套内而不影响工件装卸。

动力部件的总行程除应保证工作循环要求外，还要考虑前备量和后备量。前备量是指因刀具磨损或补偿制造、安装误差，动力部件还可向前调节的距离。后备量是指考虑刀具从接杆中或接杆连同刀具一起从主轴孔中取出所需要的轴向距离。动力部件的总行程等于快退行程长度与前后备量之和，是选择标准动力滑台或设计专用动力部件的依据。

6.3.3 机床联系尺寸图

6.3.3.1 机床联系尺寸图的作用

机床联系尺寸图表示机床的配置形式，各部件的相关尺寸联系和运动关系，并为进一步开展主轴箱、夹具等专用部件、零件的设计提供依据。机床联系尺寸图也可看成是简化的机床总图，如图6-8所示。

6.3.3.2 机床联系尺寸图表示内容

(1)机床的配置形式及总体布局。

(2)通用部件的型号及规格。

(3)主要专用部件的轮廓尺寸。

(4)工件及各部件间的主要联系尺寸、运动部件的极限位置及行程尺寸。

(5)机床部件的分组情况及总行程。

(6)电动机型号、功率及转速。

6.3.3.3 动力部件选择

动力部件是用于传递动力实现工作运动的通用部件，是配置组合机床的基础部件。动力部件包括用以实现刀具主轴旋转主运动的动力箱，完成各种专能工艺的切削头(单轴头)和实现进给运动的动力滑台。

在选择动力部件时，应根据具体加工工艺及机床配置形式要求、制造及使用条件等因素全面考虑，以使所设计机床既具有合理先进的工艺技术水平，又有良好的经济效益。

影响动力部件选择的主要因素有：

(1)切削功率。根据各刀具主轴的切削用量，计算出总切削功率，再考虑传动效率或空载功率损耗及载荷附加功率损耗，作为选择组合机床主传动用动力箱型号规格的依据。

(2)进给力。每种规格的动力滑台有其最大进给力 P_f 的限制。选用时，可根据确定的切削用量计算出各主轴的轴向切削合力 ΣP，以 $\Sigma P < P_f$ 来确定动力滑台的型号和规格。

(3)进给速度。各种规格的动力滑台都有规定的快速行程速度及最小进给量限制，所以选择的快速行程速度应小于动力滑台规定的快速行程速度，所选工作进给速度应大于所选动力滑台额定的最小进给速度。

(4)行程。选用动力滑台时，必须考虑其允许的最大行程。设计时，所确定的动力部件总行程应小于所选动力滑台的最大行程。

(5)主轴箱轮廓尺寸　为使加工过程中动力部件有良好的稳定性，不同规格的动力滑台与何种规格的动力箱配套使用，其上能安装多大轮廓尺寸的主轴箱，是有一定限制的。

6.3.3.4 机床配置形式

组合机床的配置形式多种多样，一般可分为单工位和多工位配置两大类。以组合机床

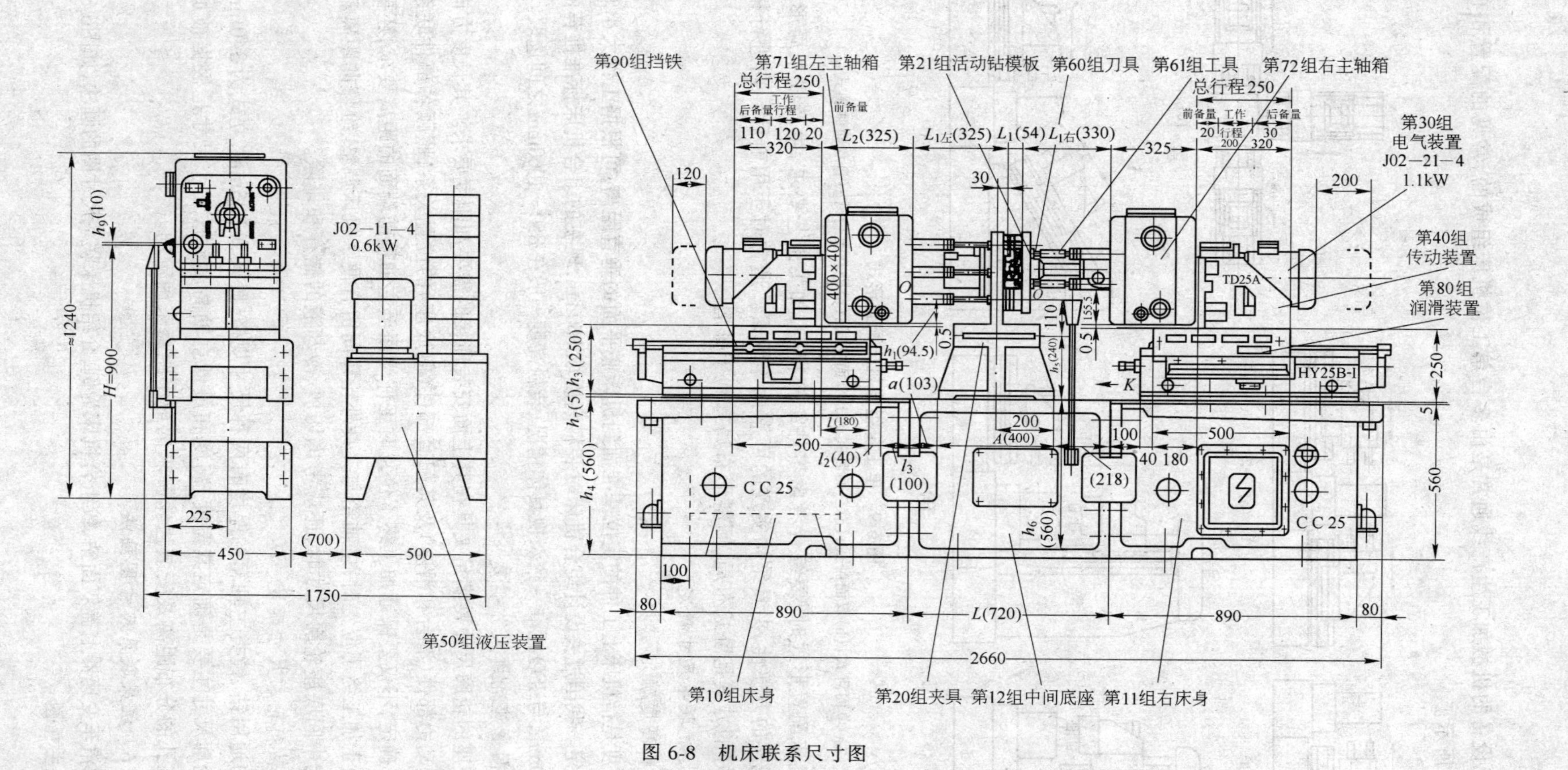

第90组挡铁
第71组左主轴箱
总行程250
第21组活动钻模板
第60组刀具
第61组工具
第72组右主轴箱
总行程250
第30组
电气装置
J02—21—4
1.1kW
第40组
传动装置
第80组
润滑装置
TD25A
HY25B-I
400×400
J02—11—4
0.6kW
CC25
第50组液压装置
第10组床身
第20组夹具
第12组中间底座
第11组右床身
H=900
≈1240
1750
2660

图 6-8 机床联系尺寸图

为主要加工设备的机械加工生产线通常是由多台单工位机床组成的,常见的配置和布局形式如图 6-9 所示。

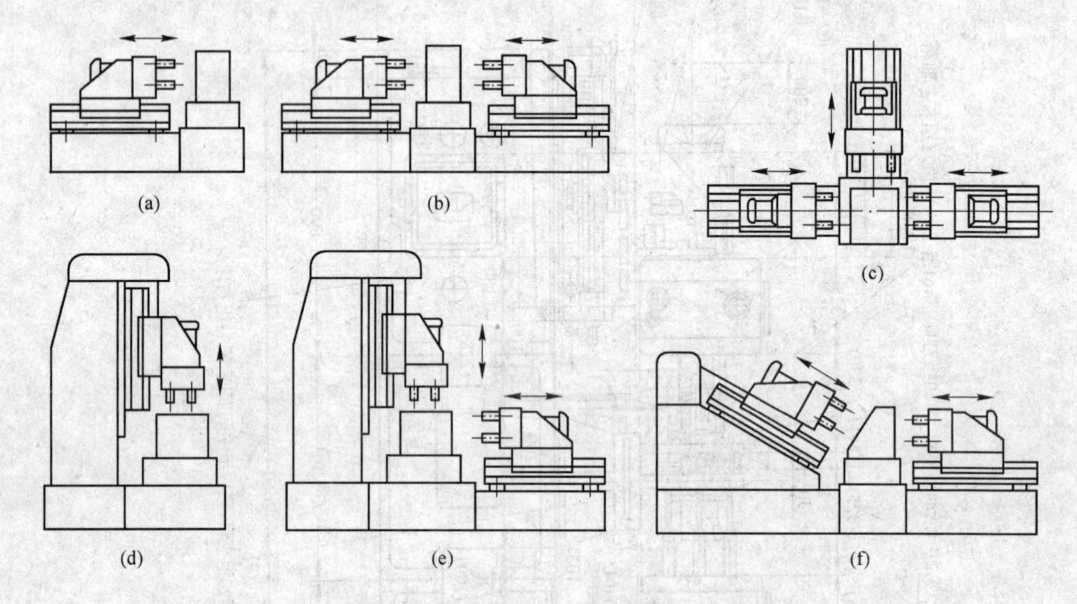

图 6-9 单工位组合机床配置形式

(a)单面卧式;(b)双面卧式;(c)三面卧式;(d)单面立式;(e)卧立复合式;(f)双面倾斜式

确定机床配置形式时,要综合考虑零件结构特点,加工工艺要求,生产线布局形式,排屑、操作、观察的方便性,夹具结构实现的可靠性等因素。通常对于用前后导向进行精加工的机床,较好的方案是卧式布局,倾斜形布局有利于排屑。

6.3.3.5 联系尺寸确定

A 装料高度确定

装料高度是指机床上工件的定位基准面到机床底平面的垂直距离,可根据工件大小和输送线高度来确定。我国过去设计组合机床时装料高度取 850mm,现在的组合机床标准推荐的装料高度为 1060mm,与 ISO 标准一致。视具体情况、装料高度一般在 850～1060mm 之间选取。

B 中间底座轮廓尺寸确定

中间底座的轮廓尺寸要满足夹具在其上面安装连接的需要和刚度要求。其长度方向尺寸要根据所选动力部件(滑台和滑座)及其配套部件(侧底座)的位置关系,照顾各部件联系尺寸的合理性来确定,不仅要保证加工终了位置时工件端面至主轴箱前端面的距离要求,还要考虑动力部件处于加工终了位置时,主轴箱与夹具外轮廓间留有便于机床调整、维修的距离。

在确定中间底座轮廓尺寸时,还应考虑切屑、冷却液的储存和排除。

C 主轴箱轮廓尺寸确定

标准的通用钻、镗类主轴箱的厚度有两种尺寸规格,卧式为 325mm,立式为 340mm。确定主轴箱轮廓尺寸主要是确定其宽度、高度和最低主轴高度。这三个尺寸是根据被加工工件需要加工孔的分布距离及安装齿轮要求的最小距离来确定的。

6.3.3.6 机床联系尺寸图画法

这里以汽车变速器上盖双面钻、铰组合机床为例,介绍机床联系尺寸图的画法,如图6-8所示。

A 画主视图

要求主视图图形布置与机床实际工作位置一致，且比例适当。

首先用双点划线画出被加工工件长度和高度方向的轮廓线。以工件两端面(本例为间距54mm的两端面)和工件最低孔中心线 $O_1—O_1$ 分别为长度和高度方向上的基准，根据已确定的机床各组成部件轮廓尺寸及主要相关尺寸，按下列顺序进行(为简化说明，以机床左面为例)：

以工件左端面为基准，按加工示意图已确定的工件端面至主轴箱前端面的距离(325mm)画出机床左主轴箱前端面的轴向位置。再根据已确定的主轴箱最低主轴中心高度 h_1 和主轴箱轮廓尺寸画出左主轴箱(图中 $h_1 = 94.5$mm，主轴箱轮廓尺寸为400mm×400mm×325mm)。

主轴箱通过后盖与动力箱定位连接。主轴箱底面应高于动力箱底面0.5mm，以防止动力箱与滑台连接时，主轴箱底面与滑台顶面发生干涉。根据选定动力箱(图中为TD25A)的安装连接尺寸画出动力箱轮廓。

动力箱以其底面与动力滑台定位连接，在机床长度方向上，通常动力箱后端面与滑台后端面平齐安装，于是可将选定动力滑台画出(图中动力滑台选为HY25B-I型)。

动力滑台与滑座在机床长度方向的相对位置，由加工终了时滑台前端面到滑座前端面的距离 l_2 决定。l_2 是在机床长度方向上各部件联系尺寸的可调环节。对于通用的标准动力滑台，l_2 的最大范围为75～85mm。l_2 是动力滑台、滑座本身结构决定的滑台前端面到滑座前端面的最小距离与前备量二者之和。前者本例取为20mm；后者本例前备量也取为20mm，所以 $l_2 = 40$mm。l_2 确定后可根据选定滑座的轮廓尺寸画出滑座。

滑座与侧底座之间连接时，为便于机床的调整和维修，需加5mm厚的调整垫。滑座与侧底座在机床长度方向上的相对位置由滑座前端面和侧底座前端面间的距离 l_3 决定。若所采用的侧底座为标准型，则 l_3 可由组合机床通用部件联系尺寸标准中查得；若不能采用标准型侧底座，则可根据具体情况确定。本例侧底座选通用部件，型号为CC25，$l_3 = 100$mm。l_3 确定后可画出侧底座。

中间底座轮廓尺寸的确定原则前已述及。其长度方向尺寸可按下式确定：

$$L = (L_{1l} + L_{1r} + L_{2l} + L_{2r} + L_3) - [(l_{1l} + l_{2l} + l_{3l}) + (l_{1r} + l_{2r} + l_{3r})] \tag{6-10}$$

式中 L_1——加工终了位置，主轴箱端面至工件端面间的距离；

L_2——主轴箱厚度；

L_3——工件沿机床长度方向的尺寸；

l_1——机床长度方向上，主轴箱与动力滑台的重合长度；

l_2——加工终了位置，滑台前端面与滑座前端面的距离；

l_3——滑座前端面至侧底座前端面的距离。

本例中：$L_{1l} = 325$mm，$L_{1r} = 330$mm，$L_{2l} = L_{2r} = 325$mm，$L_3 = 54$mm，$l_{1l} = l_{1r} = 180$mm，$l_{2l} = l_{2r} = 40$mm，$l_{3l} = l_{3r} = 100$mm。

所以，中间底座长度 $L = 719$mm，取为720mm。

中间底座长度 L 确定后，还须根据夹具底座长度尺寸 A(本例中 $A = 400$mm)及其在中间底座上的相对安装位置来检查其周边尺寸是否符合要求。若不符合要求，可通过重新选择接杆长度尺寸进行调节，此时必须同时修改加工示意图。也可改变滑台前端面到滑座前端面距离 l_2 来调节，但在减小 l_2 尺寸时，一定要注意保证滑台具有足够的前备量(15～20mm)。

根据确定的中间底座长度和高度画出中间底座。

对运动部件，应画出其退回到工作起始点时的轮廓（图中虚线所示），以确定机床最大轮廓尺寸。并用工作循环图表示运动部件的运动过程。

B 画左（或右）视图

重点在于表示清楚各部件在宽度方向的轮廓尺寸和相关位置。

C 尺寸标注

为完整、恰当地标注机床各主要组成部件的轮廓尺寸及相关联系尺寸，应使机床在长、宽、高三个方向的尺寸链封闭。应标明工件、夹具、动力部件、中间底座对称中心线间的位置关系。当工件加工部位对工件中心不对称时，动力部件相对夹具、夹具相对中间底座也就不对称，此时应标明它们相互间偏置的尺寸。

D 标注电动机型号、功率、转速及所选标准通用部件的型号规格，并对组成机床的所有部件进行分组编号，作为部件和零件设计的原始依据。

在进行各部件具体设计过程中，可能会发现某些结构、尺寸定得不够合理，甚至不能满足设计与使用要求。此时要在机床联系尺寸图上对相关尺寸统筹考虑后再作修改，而不允许对个别部件或尺寸孤立地修改，以免造成设计工作的混乱和错误。

在机床各组成部件的设计完成后，再以机床联系尺寸图为基础进行细化，填加必要的电气、液压控制装置、冷却润滑和排屑装置等，并加注技术要求等文字说明，就成为机床总图。

6.3.4 机床生产率计算卡

机床生产率计算卡是反映机床生产率与负荷率情况的表格，表明机床工作循环过程及每一过程所用时间、切削过程所选择的切削用量等。在确定了机床工作循环所要求的工作行程长度、切削用量、动力部件的快速及工进速度后，就可计算机床的生产率并编制生产率计算卡。

机床加工一个工件所需单件时间 T 等于加工一个工件所需切削时间 T_q 与辅助时间 T_f 之和。

$$T = T_q + T_f \tag{6-11}$$

$$T_q = l/v \tag{6-12}$$

$$T_f = t_1 + t_2 + t_3 + t_4 \tag{6-13}$$

式中 l——工作进给行程(mm)；

v——工作进给速度(mm/min)；

t_1——空行程时间(min)，包括快进和快退时间；

t_2——死挡铁停留时间(min)，当加工沉孔、止口锪窝、光整表面时，在加工终了位置，无进给状态下刀具相对工件旋转时间。一般为主轴转 5～10 转所需的时间；

t_3——指多工位机床工位转换时间，一般取 0.1min 左右；

t_4——工件装卸所需时间(min)，它取决于工件质量大小，装卸是否方便及工人的熟练程度，一般为 0.5～1.5 min。

对于多动力头机床，在计算单件时间时，以切削时间与辅助时间最长的动力头为计算基础，同时要考虑各动力头不重叠的工作时间。

计算出单件时间 T 后，在不考虑机床故障、维修情况下，机床可达到的理想生产率 Q 为：

$$Q = 60/T \tag{6-14}$$

表 6-1 机床生产率计算卡

<table>
<tr><td rowspan="3">被加工工件</td><td>图 号</td><td colspan="5"></td><td colspan="3">毛 坯 种 类</td><td colspan="3">铸 件</td></tr>
<tr><td>名 称</td><td colspan="5">汽车变速器上盖</td><td colspan="3">毛 坯 重 量</td><td colspan="3"></td></tr>
<tr><td>材 料</td><td colspan="5">HT200</td><td colspan="3">硬 度</td><td colspan="3">HB175～255</td></tr>
<tr><td colspan="2">工 序 名 称</td><td colspan="5">钻、铰连接螺栓孔及螺纹底孔</td><td colspan="3">工 序 号</td><td colspan="3"></td></tr>
<tr><td rowspan="2">序号</td><td rowspan="2">工步名称</td><td rowspan="2">被加工零件数（个）</td><td rowspan="2">加工直径/mm</td><td rowspan="2">加工长度/mm</td><td rowspan="2">工作行程/mm</td><td rowspan="2">切削速度/(m/min)</td><td rowspan="2">每分钟转速/(r/min)</td><td rowspan="2">每转进给量/(mm/r)</td><td rowspan="2">每分钟进给量/(mm/min)</td><td colspan="3">工 时（分）/min</td></tr>
<tr><td>机动时间</td><td>辅助时间</td><td>共计</td></tr>
<tr><td>1</td><td>装入工件</td><td>1</td><td></td><td></td><td></td><td></td><td></td><td></td><td></td><td></td><td>0.5</td><td></td></tr>
<tr><td>2</td><td>工件定位、夹紧</td><td></td><td></td><td></td><td>10</td><td></td><td></td><td></td><td></td><td></td><td>0.002</td><td></td></tr>
<tr><td>3</td><td>右动力部件快进</td><td></td><td></td><td></td><td>155</td><td></td><td></td><td></td><td>5000</td><td></td><td>0.031</td><td></td></tr>
<tr><td>4</td><td>右动力部件工进</td><td></td><td>ϕ6.7</td><td>20(盲孔)</td><td>45</td><td>10.52</td><td>500</td><td>0.1</td><td>50</td><td>0.90</td><td></td><td></td></tr>
<tr><td>5</td><td>死挡铁停留</td><td></td><td></td><td></td><td></td><td></td><td></td><td></td><td></td><td></td><td>0.02</td><td></td></tr>
<tr><td>6</td><td>右动力部件快退</td><td></td><td></td><td></td><td>200</td><td></td><td></td><td></td><td>5000</td><td></td><td>0.04</td><td></td></tr>
<tr><td>7</td><td>松开工件</td><td></td><td></td><td></td><td>10</td><td></td><td></td><td></td><td></td><td></td><td>0.002</td><td></td></tr>
<tr><td>8</td><td>卸下工件</td><td></td><td></td><td></td><td></td><td></td><td></td><td></td><td></td><td></td><td>0.5</td><td></td></tr>
<tr><td rowspan="4">备注</td><td colspan="6" rowspan="4">本机床装卸工件时间取为 1min</td><td colspan="3">单 件 总 工 时</td><td>0.90</td><td>1.095</td><td>1.995</td></tr>
<tr><td colspan="3">机床理想生产率 Q</td><td colspan="3">30(件/h)</td></tr>
<tr><td colspan="3">用户要求生产率 Q_u</td><td colspan="3">25.53(件/h)</td></tr>
<tr><td colspan="3">负荷率 η</td><td colspan="3">0.85</td></tr>
</table>

若用户在考虑备品及废品后提出的生产率要求为 Q_u(件/h),则机床负荷率 η 为:

$$\eta = Q_u / Q \tag{6-15}$$

适宜的机床负荷率一般为 75%~90%。

需要指出的是本节所介绍的机床负荷率 η 与 6.2.3(1)中所介绍生产线某一工序机床负荷率 k_i 概念有所不同。

机床生产率计算卡如表 6-1 所示。表中用户所要求生产率 Q_u 为 25.53(件/h)。

6.4 机械加工生产线总体布局设计

6.4.1 机械加工生产线总体布局方式

生产线的总体布局根据工件的结构形状、生产率、工艺过程和车间的布置情况不同,而有各种不同的形式。本节主要介绍用于箱体、杂类工件加工的组合机床生产线和用于回转体类工件加工的通用机床、专用(非组合)机床生产线的常见布局方式。

6.4.1.1 组合机床生产线布局方式

A 直线输送工件的生产线

直线输送工件的生产线是指工件由输送带直接带动,而不用随行夹具的生产线。这种生产线最常见的布局形式是按工件贯穿通过的直线形式来布置,如图6-10。生产线的步伐

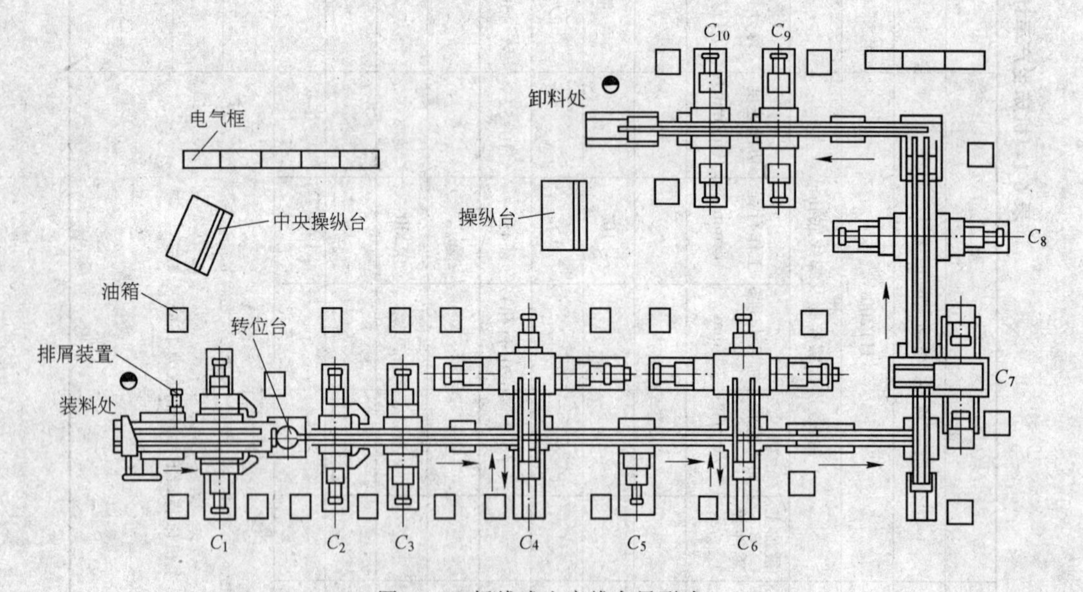

图 6-10 折线式生产线布局形式

式输送带,按一定的节拍将工件依次输送至各台机床的夹具上进行加工,工件每次被输送一个进行加工,每次输送一个步距。机床一般为单面或双面的组合机床,在生产线的起端装料,在生产线的尾端卸料。如果在同一条生产线上要对工件的其他表面加工时,则应在适当的地方设置转位台,可以实现工件的转位。

若由于车间长度的限制,生产线不能按直线方式布置,可将生产线布置成折线型(如图6-10)或封闭形,封闭形式的布局也可用于带随行夹具的生产线。生产线按折线或封闭式布置时,在转弯处可以设置转位台,也可不设置转位台。

除以上通过式布局外,有时也采用非通过式布局,如图 6-11 所示。这种布局方式可采用三面以上的机床,在一个工位上加工三个以上的面,有利于提高生产率,保证加工表面的相互位置精度。其缺点是占地面积大,需要横向运送机构。

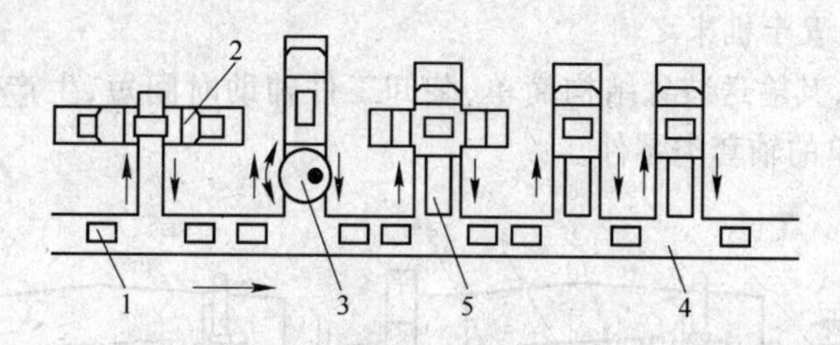

图 6-11 非通过式生产线布局形式

1—工件;2—机床;3—转位装置;4—输送带;5—横向输送带

B 带随行夹具的生产线

带随行夹具的生产线在布局上必须考虑随行夹具的返回。随行夹具的返回方式有水平返回、上方返回和下方返回三种形式。对于水平返回方式,生产线在水平面内组成封闭布局。

上方返回式生产线布局如图 6-12 所示。随行夹具从生产线末端升起,然后从主输送带上方的空中滚道回到始端。

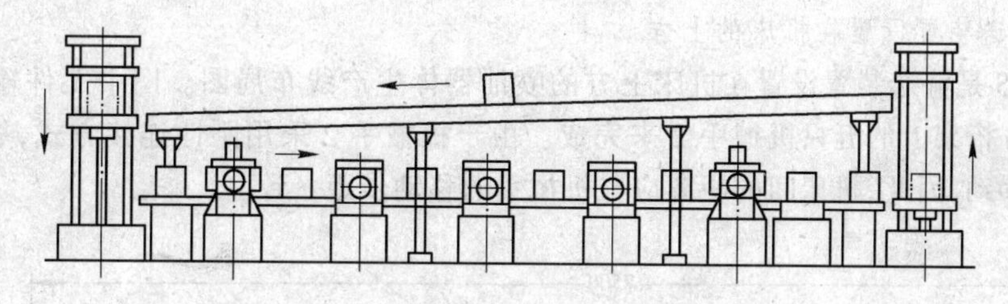

图 6-12 随行夹具上方返回的生产线布局形式

下方返回式生产线布局如图 6-13 所示。随行夹具从主输送带下方机床中间底座中返回。

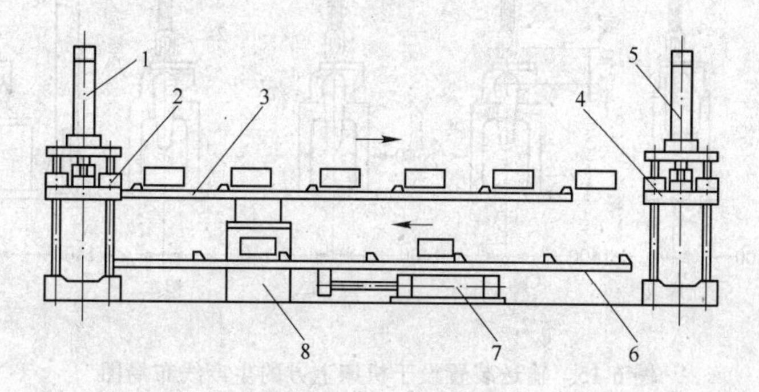

图 6-13 随行夹具下方返回的生产线布局形式

1、5—前、后升降液压缸;2、4—前、后升降台;3—主输送带;

6—返回输送带;7—返回输送液压缸;8—机床中间底座

由于随行夹具的数量多,精度要求高,在拟定带随行夹具的生产线结构方案时,应注意设法减少随行夹具的数量,主要途径有:①减少生产线机床之间的空工位;②提高工序集中的程度,以减少加工工位;③提高返回输送带的传送速度,使返回输送装置上的随行夹具数量最少。

6.4.1.2 通用和专用(非组合)机床生产线布局方式

这种生产线的布局灵活性很大,一般有下列几种布局形式。

A 输送装置设置于机床之间

如图 6-14 所示,其输送装置结构简单,装卸工件辅助时间短,生产线占地面积小,一般适用于加工外形简单的轴套类零件。

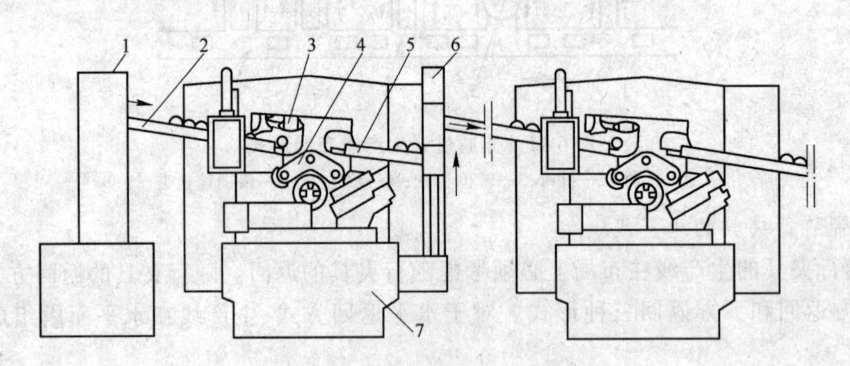

图 6-14 输送装置设于机床之间的生产线

1—料仓;2—上料道;3—隔料装置;4—上下料机械手;5—下料道;6—提升装置;7—机床

B 输送装置设置在机床的上方

图 6-15 是输送装置设置在机床上方的喷油器体生产线布局图。图中工件输送由设置在机床上方桁架上的五只机械手 2 来完成。由于机械手 2 采用刚性连接方式,靠液压缸 1 实现同步移动,因此,机床间的距离应与机械手的移动步距一致。

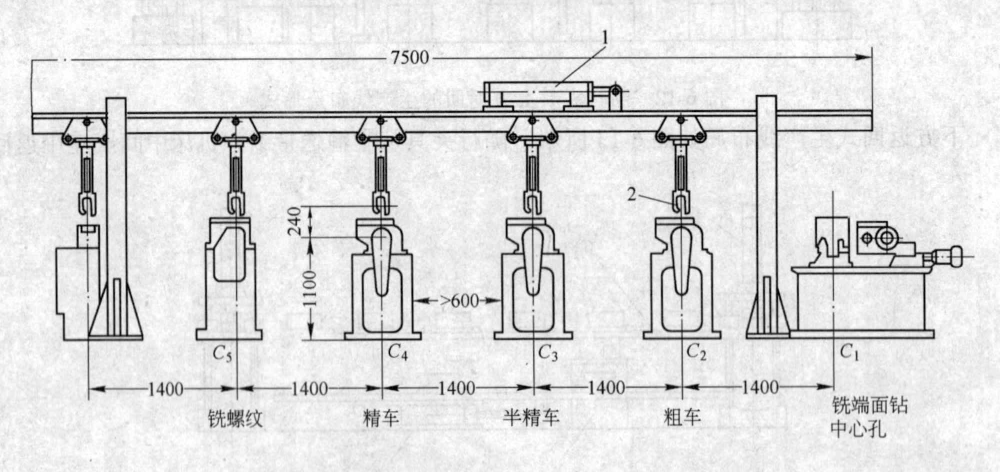

图 6-15 输送装置设于机床上方的生产线布局图

1—液压缸;2—机械手

C 输送装置设置在机床的外侧

输送装置设置在机床外侧的布局可将联线机床纵向单行排列,也可按两行面对面排列或交错排列。工件输送装置根据连线机床的排列方式可设置在机床的前方或机床的一侧。图 6-16 是机床按两行面对面排列的生产线布局形式。

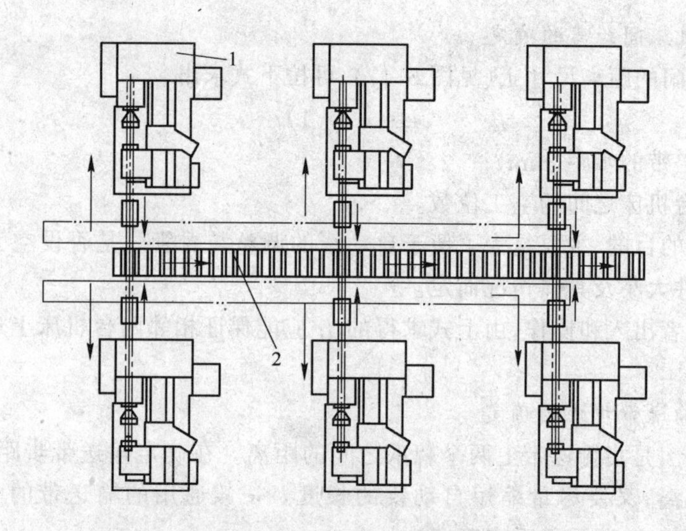

图 6-16 输送装置设于机床外侧的生产线布局图

1—机床;2—输送装置

6.4.2 机械加工生产线总联系尺寸图

生产线的总联系尺寸图主要解决生产线中机床之间、机床与辅助装置之间以及辅助装置之间的尺寸关系。它是设计生产线各个部件的依据,也是检查各个部件相互关系的重要依据。

6.4.2.1 机床与其他设备之间联系尺寸的确定

图 6-17 是一般生产线常用的部件间距联系尺寸图。

为了安全起见,相邻运动部件之间的间距,可小于 250mm 或大于 600mm,如果必需取在 250～600mm 之间时,应考虑设置防护罩。

对于需要调整而不动的相邻部件之间的间距,一般取 700mm。如果其中之一是运动部件,则这个距离应加大。例如机床与电气柜或液压站之间的间距,推荐取 800～1200mm,以便电气柜或液压站的门窗打开后,仍有 300mm 以上的活动空间。

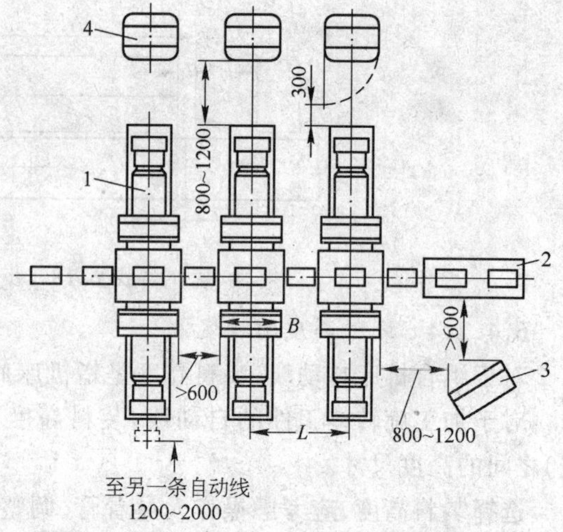

图 6-17 生产线主要设备的联系尺寸图

1—机床;2—输送装置;
3—中央操纵台;4—电气柜及油箱

生产线设备与车间柱子间的距离,为了让工作人员通过,对于不动的部件一般可取 300mm,对于运动的部件则应取 500mm。两条生产线的运动部件之间的最小间距,一般应取 1200～2000mm。

对于水平返回随行夹具的生产线,机床与随行夹具返回装置之间的水平间距,最小应取 800mm。采用上方返回随行夹具的生产线,返回滚道的倾斜度一般取 1.5/100～3.5/100,最低点的高度应比装料基面高 750～850mm,以保证不妨碍调整为准。

6.4.2.2 机床间距离的确定

两台机床之间的距离尺寸 L(见图 6-17),可按下式求出

$$L=(n+1)t \tag{6-16}$$

式中 t——输送带的步距(mm);

n——两台机床之间的空工位数。

设置空工位的目的,主要是为了便于自动线的调整与看管。是否设空工位和空工位的数目,要根据工件大小及具体情况而定。

为方便操作者出入和操作,由上式求得的 L 应能保证相邻两台机床上运动部件的间距不小于 600mm。

6.4.2.3 输送带步距的确定

输送带步距 t 是指输送带上两个棘爪之间的距离。在确定输送带步距时,既要考虑机床间有足够的距离,又要尽量缩短自动线的长度。一般通用的输送带的步距取为 350~1700mm,可按图 6-18 所示关系来确定:

$$t = A + l_1 + l_2 \tag{6-17}$$

式中 A——工件沿输送方向的长度(mm);

l_1、l_2——后备量及前备量(mm),其大小与输送带型号有关,可参考有关资料确定。

根据已确定的输送步距 t,可以选择输送装置的行程长度 L_s;

$$L_s = t + l_1 \tag{6-18}$$

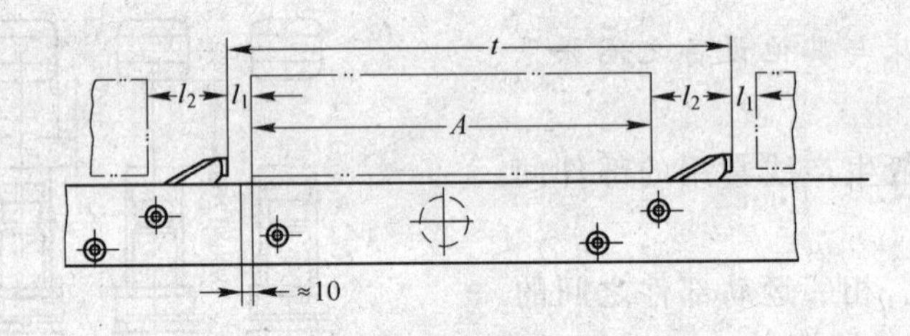

图 6-18 步距的确定

6.4.2.4 装料高度的确定

对于组合机床自动线,装料高度是指机床底平面至固定夹具上定位面之间的高度尺寸;对于加工旋转体工件的自动线,装料高度是指机床底平面至卡盘中心线(或顶尖中心线)之间的高度尺寸。

选择装料高度,应考虑操作人员看管、调整和维修设备的方便性,一般取 800~1200mm 为宜。对于较大的工件,装料高度应取低一些,一般取 850mm,考虑到中间床身排屑的可能性和结构刚性,最低不应小于 800mm。对于较小的工件,装料高度可适当增加,一般可选为 1000~1100mm。采用下方返回随行夹具的生产线,装料高度可适当增至 1200mm。

全线各台设备的装料高度,应尽可能取得一致(通用机床生产线)或完全相等(专用机床及组合机床生产线)。有时为了利用机床间的高度差来实现工件在工序间的输送,装料高度可取得不一致。但是,若全线从始端到末端都采用这一方式是不恰当的。为保证机床有合理的装料高度,常采用各种提升机构来造成必需的输送高度差。

6.4.2.5 转位台联系尺寸的确定

转位台是用于改变工件加工部位的,工件在转位过程中,必须注意不要碰到前后工件及

输送带上的棘爪,而且转位前和转位后的工件位置,应能满足两段输送带中心在一条直线上的要求。当工件在原地转位时,可取工件中心作为回转台中心。设 R 为工件或限位板的最大回转半径(如图 6-19 所示),应满足下列条件:$R < L$;$a_1 = a_2$,$c_1 = c_2$。转位台在回转时,输送带应处于退回原位的状态,并保证在转位台上的工件端面至输送带棘爪的距离大于 $R - a_1$。

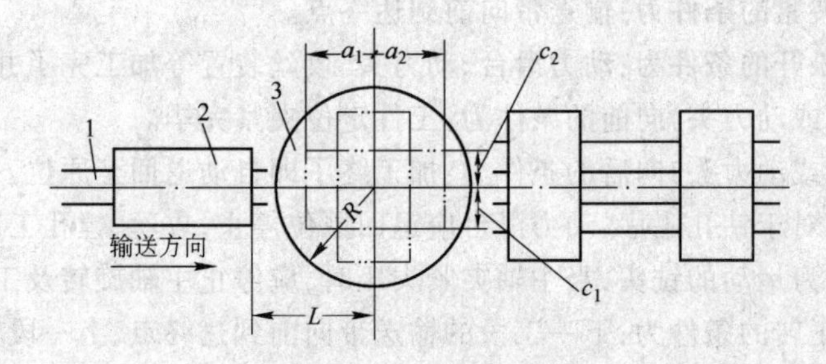

图 6-19　转位台的联系尺寸图

1—输送带;2—工件;3—转位台

6.5　生产线工作循环周期表

生产线工作循环周期表反映了生产线各台机床及辅助装置的动作顺序、动作时间、节拍时间、工作循环和各机构动作的一部分互锁要求,是电气、液压系统设计的重要依据,如图 6-20 所示。

6.5.1　工作循环周期表绘制方法

(1)根据所制定的生产线工艺和结构方案,定出各机构的动作顺序及互锁要求,计算出各机构的动作时间。

(2)在周期表上,以横坐标表示时间,以 min 为单位;纵坐标表示各机构的动作,并按动作顺序排列。用箭头表示控制信号的发出及动作顺序,粗实线表示动作时间长短,通过箭头使其首尾相接起来,即为生产线的一个完整工作循环。

(3)在一个工段内,如果有几台机床的动作循环相类似,则以其中循环时间最长的一台机床为代表。

(4) 如果是多工段生产线,一般以最后一个工段的输送带向前动作,作为编制周期表的起点。工段与工段之间,应留有 0.02～0.05min 的空隙时间。如果中间工段的循环时间最长时,也可以从中间工段开始绘制。

6.5.2　生产线主要机构互锁要求

生产线各机构的动作是按一定的顺序进行的,它们之间有着严格的互锁要求。

(1)输送带向前,即生产线开始工作,应具备的条件为:

1)夹具必须处于松开拔销状态,拔销应有行程互锁信号,采用楔铁夹紧时,松开也应有行程互锁信号;

2)各运动部件,例如动力滑台、动力头、攻丝装置、检查装置、铣床工作台、转位装置、倒屑装置、自动测量装置等,必须处于原位;

3)转位装置上有工件,卸料架上没有工件;

4)如果钻孔深度不够,或有钻头折断时,其相应的检查机构发出输送带停止向前的信号。

(2)输送带退回的条件为:夹具必须处于定位夹紧状态。一般是在夹紧后用压力继电器发信号。插销定位时,一般也有行程互锁信号。

(3)夹具定位夹紧的条件为:输送带向前到达终点。

(4)夹具拔销松开的条件为:动力滑台、动力头、攻丝装置等加工完了并退回原位。

(5)动力滑台(或动力头)向前的条件为:工件定位夹紧完毕。

(6)动力滑台(或动力头)向后的条件为:加工终了即自动退回至原位。如果采用直接夹紧,在夹紧失压时,对于钻孔工序,动力滑台应退回原位停止,攻丝、镗孔工序应就地停止,以免损坏刀具。有让刀运动的铣头,当主轴夹紧失压时,应停止主轴旋转及工作进给。

(7)转位装置正转的条件为:下一工段的输送带向前到达终点,上一段输送带处于原位。

(8)转位装置反转的条件为:下一工段的输送带经一次往返,将工件拉走并停在终点,上一工段的输送带处于原位。

6.5.3 生产线基本工艺时间和辅助时间计算

(1)基本工艺时间 t_q:按式(6-2)计算。

(2)输送带向前时间 t_{d1}(min):

$$t_{d1}=\frac{L_s}{v_1}+t_z \tag{6-19}$$

式中 L_s——输送带行程长度(m);

v_1——输送带传动装置移动速度(m/min);

t_z——输送带传动装置行程终了时的制动时间。当 $v_1<$ 7m/min 时,可不用制动或在很小一段距离内制动;当 $v_1=7\sim16$ m/min 时,则必须制动,在用行程节流阀控制时,制动时间为 0.015~0.03 min。

输送带向后的时间,一般与基本工艺时间重合,可不计算。

(3) 工件定位夹紧时间:一般取 0.03~0.1 min

(4) 动力滑台的快速行程时间:

快进时间

$$t_a=\frac{L_a}{v}\quad \text{min} \tag{6-20}$$

快退时间

$$t_b=\frac{L_b}{v}\quad \text{min} \tag{6-21}$$

式中 L_a——动力滑台快速向前行程长度(m);

L_b——动力滑台快退行程长度(m);

v——动力滑台快速行程速度(m/min)。

(5)当机床的工作循环要求动力滑台在固定挡铁上停留时,其时间一般取 0.03~0.1 min。

6.5.4 工作循环周期表实例

图 6-20 为气缸盖生产线的周期表示意图。图中 C_1 为铣床，$C_2 \sim C_4$ 为钻床。图中只表示了一个工段的自动循环。

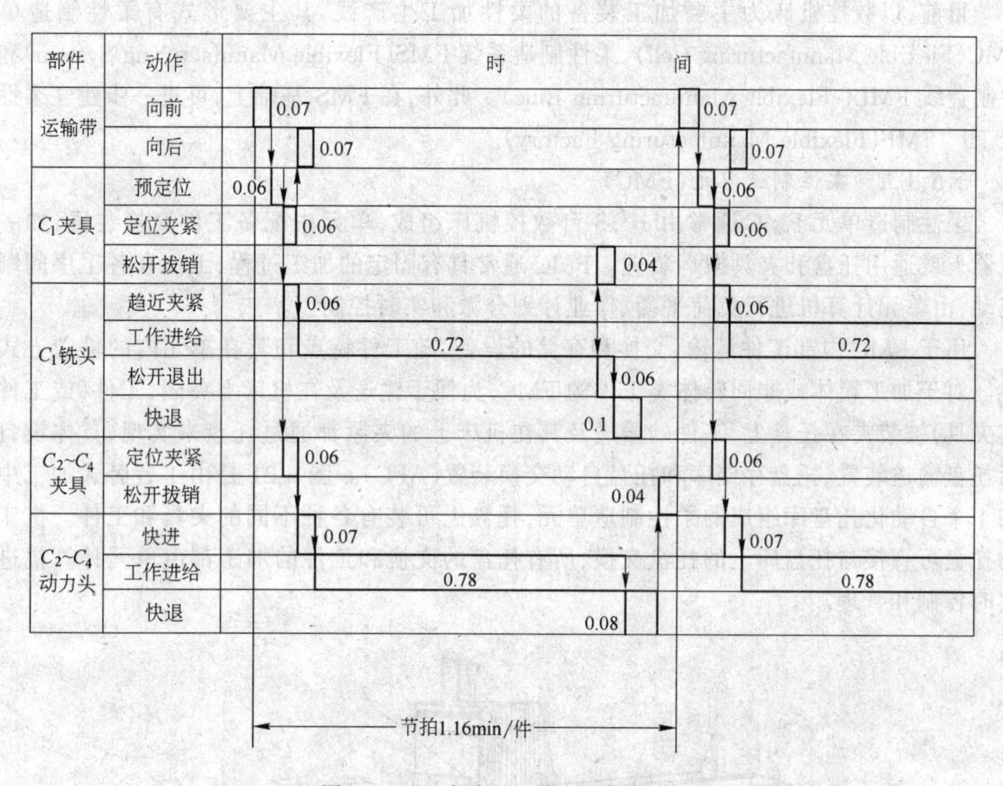

图 6-20 生产线的工作循环周期表

生产线的动作循环为，按下启动按钮，自动循环开始，输送带向前移动到终点，向铣床 C_1 的夹具发出预定位信号，随后，向铣床 C_1 的铣头和夹具以及钻床 $C_2 \sim C_4$ 的夹具发出趋近夹紧和定位夹紧信号。夹紧完毕后，向铣床 C_1 发出工作进给信号，向钻床 $C_2 \sim C_4$ 发出快速趋近信号，同时发出输送带向后返回信号。随后 $C_2 \sim C_4$ 靠近行程挡铁自动地转换为工作进给，加工完毕后，快速退回至原位停止，并发出松压、拔销信号。当 $C_1 \sim C_4$ 拔销、松压完成后，给输送带发出向前信号，生产线又重复前述动作，进入下一次自动循环。两次输送带前进的时间间隔为 1.16min，即为生产线的工作节拍。

6.6 柔性加工生产线

6.6.1 柔性加工生产线概况

在 20 世纪 50 年代，世界各国的生产线是以组合机床、专用机床为主要加工设备的刚性生产线，使大批量生产方式的生产率得到显著提高。此后，为解决单件、小批量工件及工序多、结构复杂工件的高精度和高经济性加工问题，开发研制了数控机床和加工中心，实现了单件、小批量工件的自动化加工，但其柔性自动化程度仅限于切削过程。随着社会的发展，产品品种向多样化发展，中小批量生产成为今后机械制造业中的一种主要生产方式。为适应这种变化，提高中小批量工件加工的生产率，1967 年英国 Molins 公司创建了世界上第一条以数控机床为主要加工设备，在计算机控制下实现工件输送、加工自动化的柔性加工系统，开创了柔性自动化制造和柔性制造系统的新时期。80 年代以后，以柔性制造系统 FMS 为中心的柔性自动化制造技术得到了更加蓬勃、迅猛的发展。

目前，以数控机床为主要加工装备的柔性加工生产线，其主要形式有柔性制造单元 FMC(Flexible Manufacturing Cell)、柔性制造系统 FMS(Flexible Manufacturing System)和柔性制造线 FML(Flexible Manufacturing Line)。此外，在 FMS 基础上，可进一步建立柔性制造工厂 FMF(Flexible Manufacturing Factory)。

6.6.1.1　柔性制造单元(FMC)

柔性制造单元 FMC 通常由 1～3 台数控机床组成，单元中配备工件交换装置，如一台机器人或通用托盘和夹具搬运装置。FMC 通常具有固定的加工过程，工件在各工序间顺序流动，由单元计算机进行负荷平衡、作业计划分派和实时控制。

用于 FMC 内部工件运输、交换和存储的设备，随工件特点和其在单元内的输送方式而异。对于加工箱体或非回转体类工件的 FMC，为便于输送及在机床上夹固，工件(或工件及其夹具)被装夹在托盘上，工件的输送及其在机床上的夹紧都通过托盘来实现，具体设备包括托盘输送装置、托盘存储库和托盘自动交换装置(APC)。图 6-21 是由 1 台卧式加工中心和 1 个自动化托盘库组成的柔性制造单元，托盘上可装有各种不同的夹具和工件。机床上的托盘可直接与托盘库上的托盘交换，所有托盘的交换和工件的加工都由单元计算机进行实时控制和管理。

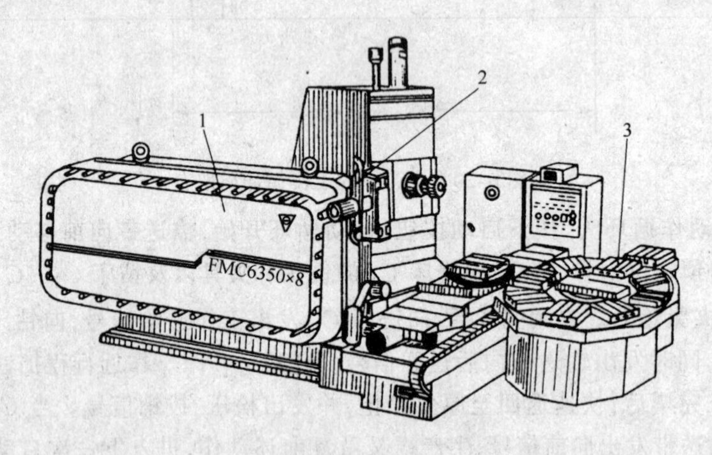

图 6-21　单台加工中心组成的 FMC

1—刀库；2—机械手；3—托盘库

对于加工回转体工件的 FMC，工件直接由机器人或机械手搬运到数控车床、数控磨床或车削中心上被夹紧加工。机床附近设有料台，用于存储料坯或工件。若 FMC 需与外部系统联系，则料台改为托盘交换台，工件连同托盘由外部输送设备(如小车)输入单元或自单元输出 。图 6-22 是由 1 台数控机床、1 台加工中心和 1 台工业机器人组成的 FMC，用以加工回转体工件。为便于工件的装卸，其布局采用以机器人为中心，周围配置机床和辅助设备的形式。

FMC 具有独立实现自动化加工的功能：

(1)自动化的核心加工功能,包括工件在机床上的自动定位夹紧,按加工要求自动进行切削加工,加工过程中自动换刀和更换工件加工程序等。

(2)单元内部的自动化工件运输、交换和存储功能。

(3)单元加工的其他功能,如清洗、检验和切屑处理等。

(4)为实现上述功能所需的控制和监视功能,包括切削加工过程控制、工件运输和交换控制及切削状态监控等功能。

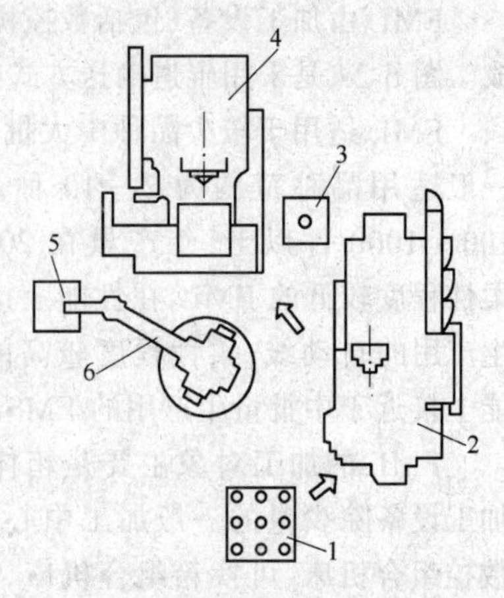

图 6-22 由两台机床组成的 FMC

1—材料托盘;2—车床;3—工件翻转台;4—加工中心;5—制品托盘;6—机器人

6.6.1.2 柔性制造系统(FMS)

目前对 FMS 尚无统一定义,但一般认为它是由若干数控加工设备、物料运储装置和计算机控制系统组成的自动化制造系统,可根据制造任务或生产环境的变化迅速进行调整,适用于多品种、中小批量生产。

在 FMC 基础上进行扩展可建成 FMS,即增加必要的加工中心或数控机床台数(一般为 4 台以上),配备完善的物料和刀具运送管理系统,通过一整套计算机控制系统管理全部生产计划进度,并对物料储运和机床群的加工过程实现综合控制,就可建成一个标准的 FMS,具有良好的生产调度和实时控制能力,如图 6-23 所示。

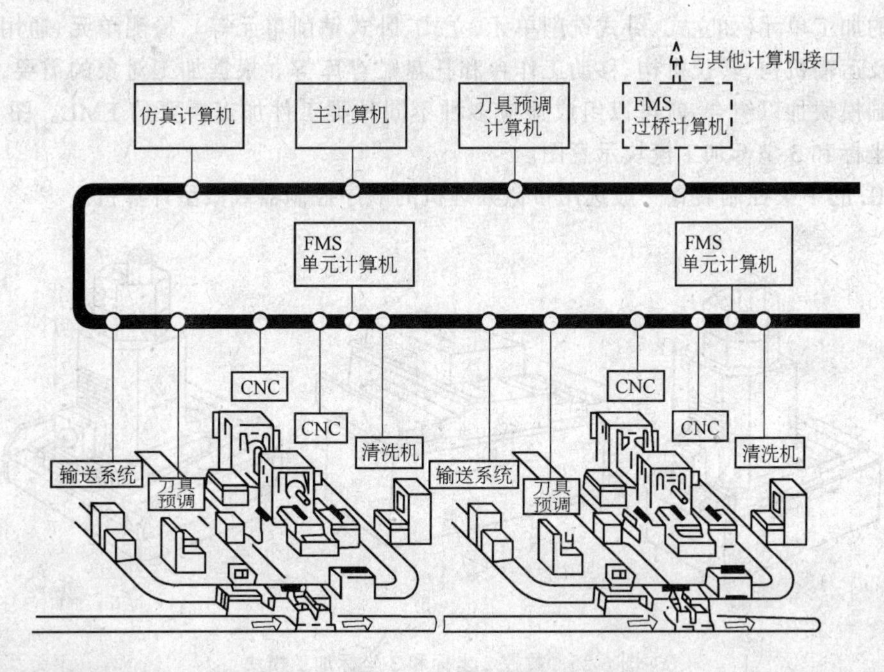

图 6-23 由 FMC 组成的柔性制造系统(FMS)

6.6.1.3 柔性制造线(FML)

柔性制造线(FML)是组合机床自动线柔性化的产物。其柔性较柔性制造系统 FMS 要稍低一些,尤其是对控制系统和输送系统方面的柔性要求不是很高。实现柔性化的关键是其基本组成设备——加工单元的柔性。

FML由加工设备(包括数控机床、专用机床和组合机床)、物料输送系统和控制系统组成。图6-24是采用辊道输送方式的FML。

FML适用于较少品种中大批量生产方式,一般适用品种范围为2～10种,生产批量在100～1000件以上,年产量在20000件左右。柔性程度较低的FML,在性能上接近于大批量生产用的自动线;柔性程度较高的FML,在性能上接近于中批量生产用的FMS。

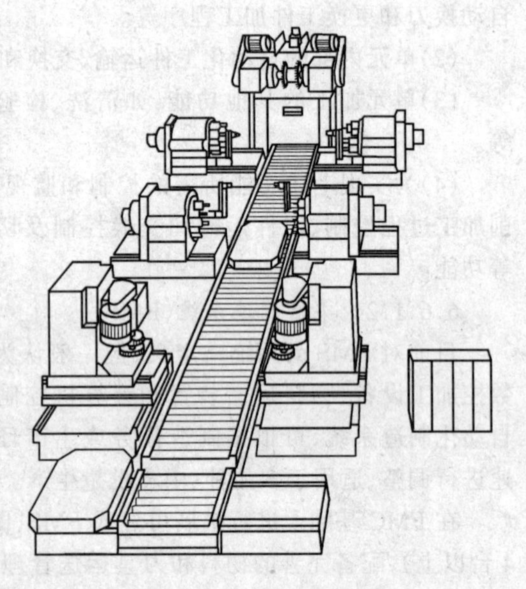
图6-24　辊道输送式FML

FML的加工对象主要是箱体类工件。其加工设备除少量的一般加工中心外,主要采用数控组合机床、可换箱组合机床、转塔机床、专用机床及专门研制的三坐标动力部件。工件一般装在托盘上输送。对于外形规整,有良好的定位、输送、夹紧条件的工件,也可直接输送。工件输送一般采用辊道式输送方式,也有采用步伐式输送带和机器人输送方式的。

为缩短柔性制造线的生产周期,降低制造成本,国外一些机床制造厂开发了FML的基础模块,又称为通用单元。这些基础模块包括标准化的加工单元(如立式、卧式铣削单元,立式、卧式钻削单元等)、检测单元、通用化的工件夹紧及运输机构、转位机构、移动工作台和托盘贮存库等。根据加工对象的需要,只要将这些基础模块加以组合,就可以组成适应多种不同种类工件加工需要的FML。图6-25是数控2坐标和3坐标加工模块示意图。

FML的中央控制装置一般选用带微处理机的顺序控制器或微型计算机。

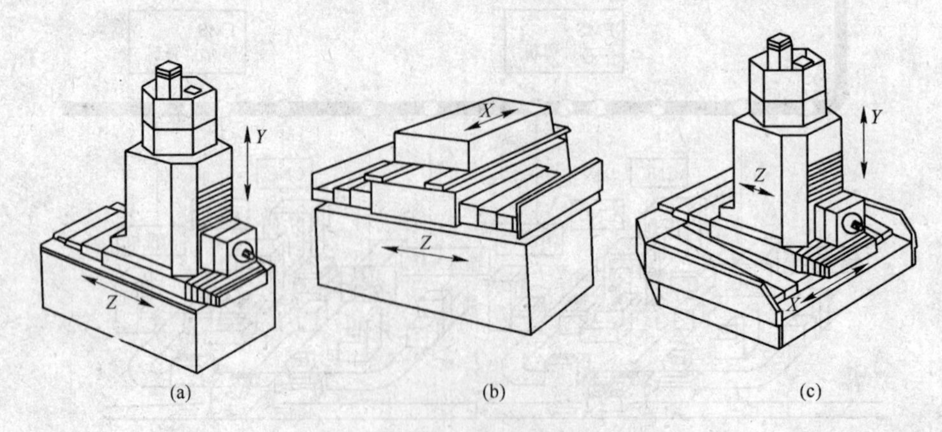

图6-25　数控2坐标和3坐标加工模块
(a),(b)2坐标加工模块;(c)3坐标加工模块

6.6.1.4　柔性制造工厂(FMF)

FMF是以FMS为主体将其扩大,达到全厂范围内的生产管理过程、机械加工过程和物料储运过程全盘自动化,并由计算机系统进行有机的联系。它的主要特点有:

(1)分布式多级计算机系统必须包括制定生产计划和日生产进度计划的生产管理级主

计算机,以它作为最高一级计算机,它往往与CAD/CAM系统相连,以取得自动编制数控程序的数据。

(2)FMF全部的日程计划进度和作业可以由主计算机和各级计算机通过在线控制系统进行调整。

(3)CNC机床数量一般在十几台以上乃至几十台,可以是各种形式的加工中心、车削中心、CNC车床、CNC磨床等。

(4)可以自动地加工各种形状、尺寸和材料的工件,全部刀具可以自动交换,并能自动更换废旧刀具。

(5)物料储运系统必须包括自动仓库,以满足大量存取为数众多的工件和刀具的需求。系统可以从自动仓库提取所需的坯料,并以最有效的途径进行物料输送与加工。

6.6.2 柔性制造系统的组成、类型及功能

6.6.2.1 柔性制造系统的组成

FMS基本上是由三大部分组成的,即机床、物料储运系统和计算机控制系统,可细分为以下几部分(如图6-26所示):

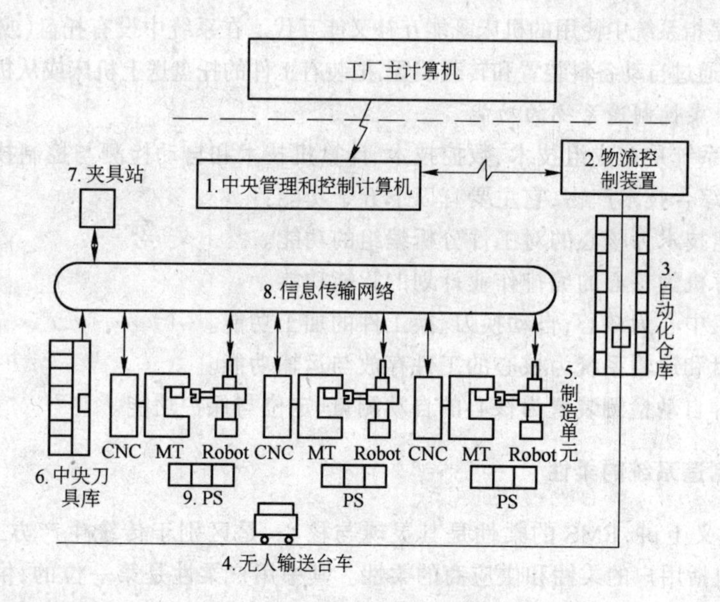

图6-26 FMS组成结构框图

(1)中央管理和控制计算机。它接收来自工厂主计算机的指令,对每一台数控机床或制造单元的加工数据实行控制,对刀具、夹具和工业机器人等实施集中管理和控制,并协调各控制装置之间的动作。

(2)物流控制装置。对自动化仓库、无人输送台车、加工毛坯、半成品和成品、夹具等实施集中管理和控制。

(3)自动化仓库。对毛坯、半成品和成品等进行自动调用或储存。

(4)无人输送台车。工件、刀具、夹具等都由此台车来完成运输任务,运行于各机床间。

(5)制造单元。它是FMS的基本单元,由CNC机床和工业机器人组成。

(6)中央刀具库。刀具的集中存储区。

(7)夹具站。对夹具进行调整和维护。

(8)信息传输网络。FMS 的通信系统。

(9)托盘或可交换工作台缓冲站。实现从无人台车到制造单元之间传送的缓冲功能。

6.6.2.2 柔性制造系统类型

FMS 按照工件输送次序的变化可分为以下几种类型:

A 机床互补柔性制造系统

“互补”就是系统中机床可以互相补充,取长补短。工件从上料工位进入系统后,在计算机的控制下顺序地由一个加工工位送到另一个加工工位。工件通过系统的路线是固定的,每台不同的机床可以完成不同的工件加工工序,并可自动选择和更换刀具。

这种类型的 FMS 通常是比较经济的,但是当某台设备有故障时,整个系统就会停止。

B 机床互代柔性制造系统

“互代”就是系统中的机床可以相互代替。在此系统中工件可以被送到任一台机床上进行加工。每台机床都具有自动换刀装置,并能部分或全部完成加工工序。所以,当系统中某台设备出现故障时,可以用另一台设备来代替,以避免系统停顿。

C 混合式柔性制造系统

“混合”式是指系统中使用的机床既能互补又能互代。在系统中设有托盘(或可交换工作台)自动交换设备,通过自动备料装置和转载装置,把装有工件的托盘送上机床或从机床上卸下来。

6.6.2.3 柔性制造系统的功能

柔性制造系统是在成组技术、数控技术、计算机技术和自动检测与控制技术的迅速发展基础上产生的综合技术产物,它主要有以下五个功能:

(1)以成组技术为核心的对工件分析编组的功能。

(2)以计算机为核心的编排作业计划的智能功能。

(3)以加工中心为核心,自动换刀、换工件的加工功能。

(4)以托盘和运输系统为核心的工件存放与运输功能。

(5)以各种自动检测装置为核心的自动测量、定位与保护功能。

6.6.3 柔性制造系统的柔性

从某种意义上讲,FMS 的柔性是其灵魂与核心,是区别于传统生产方式的关键所在。FMS 的柔性包括用户的柔性和供应商的柔性。其中用户柔性是第一位的,供应商的柔性是第二位的。

6.6.3.1 FMS 用户柔性

用户的柔性由若干项组成:

(1)瞬时柔性。是指主控计算机可以随意安排加工机床的能力。当个别机床发生故障时,可使工件在其他互替机床上继续进行加工,不使生产停滞,克服单一机床加工的瓶颈问题。此外,当 FMS 同时加工多种类型工件时,可以从调度上提高机床的利用率,使机床始终处于加工状态,无闲置时间。根据托盘数目、刀具库的刀具设置和系统的加工能力,对每一工件的加工路线进行实时规划,在多条路径中选定最佳者;而且对每一类工件的加工时间也要进行分配,不让加工能力有限的机床影响工件在其他机床上的加工。

(2)操作柔性。是指操作人员在其所处的制造环境中能够规划生产并自动运行,必要时还能进行干预和及时改变现行生产的方便程度。使操作人员能对生产中可能出现瓶颈的地方进行调整,并实时改变工件的工艺路线或对生产的规模进行调整。遇到加急定单时,不需要事先规划,立刻就能上线加工。

(3)短期的生产柔性。是指在短期内处理不同类型工件混合加工的能力。当在线的一批混合工件陆续加工完时,新的工件就不断补充上线,从而使待加工工件群处于动态的变化之中。短期柔性就可以保证FMS对任意的加工工件群进行加工,并保持很高的生产率,适应用户的需要。

(4)长期柔性。是指在FMS的生命周期内,通过主控计算机修改和更新数据库来适应产品类型、工艺路线、刀具等方面的各种变化,从而形成对新的工件族进行加工的能力。

(5)实施过程的柔性。是指不属主控计算机的功能,却又需主控计算机处理的那些柔性,主要是指设备柔性和工艺柔性。设备柔性指机床能够按任意顺序加工多种工件的能力,运输系统能在不同路线上传送各类运输单元的能力,机床CNC能够运行多种工件加工程序的能力。工艺柔性是指在不改变主控计算机软件的条件下,修改工件加工工艺过程的方便程度,这里包括取消在某类机床上的加工和安排在互替机床进行某种加工以及改变某些互替机床的加工顺序。

6.6.3.2 FMS供应商柔性

它是指主机能适应不同用户加工需求的能力,体现在要有一套能符合上述各种柔性要求的主机通用的标准软件上。这就要求有正确的软件设计思路和正确的主机系统设计思路。在硬件配置上,使主机的外设接口能够满足各种类型FMS的设计需要,应能与用户决定的各种机床相联结。在数据库的建立上,主机的软件应能对数据库进行参数化配置,建立一批特定的数据库。只要用通用标准FMS软件包对参数化的数据库进行处理,而不必对软件进行修改和再次开发,就可以适应不同FMS的要求。

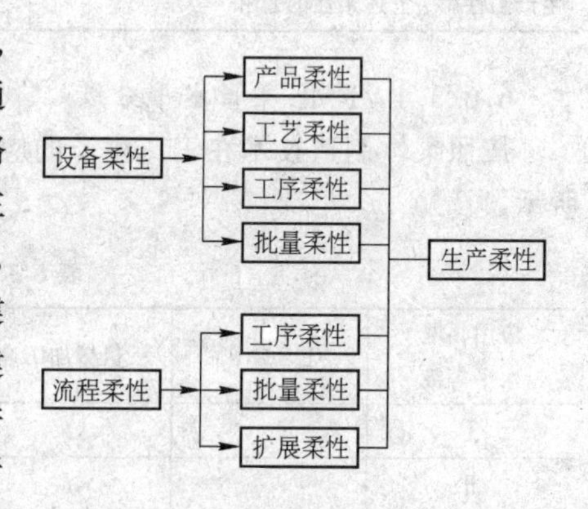

图6-27 各种柔性的相互关系

6.6.3.3 柔性及衡量指标

描述制造系统的柔性定义比较多,应力求量化,以供设计和评估时应用。柔性定义及衡量指标见表6-2。一个理想的FMS应具备所有的柔性,而这些柔性是互相影响且密切相关的,其关系如图6-27所示。

表6-2 柔性及其分类

分类	定义	衡量指标
设备柔性	系统中的设备易于实现加工不同类型零件所具备的转换能力	系统中设备实现加工不同零件所需的调整时间。包括: 1.更换磨损刀具的时间 2.为加工同一类而不同组的零件所需的换刀时间 3.组装新夹具所需的时间 4.机床实现加工不同类型零件所需的调整时间,含: (1)刀具准备时间 (2)零件安装定位和拆卸时间 (3)更换数控(NC)程序的时间

续表 6-2

分类	定义	衡量指标
工艺柔性	系统能够以多种方法加工某一零件组的能力，又称加工柔性，即系统能加工的零件品种数	系统不采用成批方式而能同时加工零件的品种数
产品柔性	系统能经济而迅速地转向生产新产品的能力，即转产能力，也称为“反应柔性”，表明为适应新环境而采取新行动的能力	系统从生产一种零件转向生产另一种零件所需的时间
流程柔性	系统处理其故障并维持其生产持续进行的能力	系统发生故障时生产率下降程度或零件能否继续加工的能力
批量柔性	系统在不同批量下运行都有经济效益的能力	系统保证有经济效益的最小运行批量
扩展柔性	系统能根据需要通过模块进行组建和扩展的能力	系统能扩展的规模大小
工序柔性	系统变换零件加工工序、顺序的能力	以实时方式进行工艺路线决策的能力
生产柔性	上述柔性的总和	系统能够生产各种类型零件的总和

6.6.3.4 FMS 柔性水平分级

按照柔性制造技术在工厂生产的应用领域，可将 FMS 的水平等级划分为 6 级，如表 6-3 所示。

表 6-3 FMS 柔性水平等级

应用领域 水平等级	毛坯加工	机械加工	工件检查	特殊加工	装配	产品检查
Ⅰ		√				
Ⅱ		√	√			
Ⅲ		√	√	√		
Ⅳ	√	√	√	√		
Ⅴ	√	√	√	√	√	
Ⅵ	√	√	√	√	√	√

目前的 FMS 几乎都只用于工件的机械加工，即Ⅱ－Ⅲ级水平，只有极少数 FMS 具有机械加工和装配功能。如果能实现Ⅵ级水平，那么 FMS 就是由柔性加工系统、柔性装配系统和柔性检验系统所组成的生产系统，使生产的全过程都是柔性的、自动化的。

6.6.4 柔性制造系统效益

FMS 是投资巨大的工程项目，因此其经济效益至关重要。但是，由于 FMS 具有柔性，其经济效益无法用确切的定量数值来衡量。企业在引进 FMS 时所追求的效益不应仅仅着眼于经济效益，应着重从市场的战略效益出发，对市场需求做出快速反应，及时推出新产品和变型产品而抓住更多的市场机遇。一个规划设计正确的 FMS 的效益，主要体现在以下几个方面：

（1）主要设备利用率高。一般情况下，FMS 中一组机床的产量是单机作业车间环境下用相同数目机床所获得的生产量的 3 倍。首先是因为通过计算机对工件作业进行调度，一旦某一机床空闲，计算机便调一个工件到该机床加工，使 FMS 可以获得很高的生产率；其次是因为工件在物流储运系统上的移动和把相应的 NC 程序传输给机床是同时进行的；第三是工件到达机床时已被装夹在托盘上，机床不必等待工件的装夹调整就可加工。

（2）减少主要设备数量。由于 FMS 的机床利用率高，因而加工同样数目的工件，FMS 所需的机床数量比通常机床数量减少 2/3。

（3）工人数量减少。由于在 FMS 中，加工、换刀、装夹、测量和物流搬运全部由计算机自动控制，只需一个系统管理人员和非技术人员在装卸站进行工件的装卸即可，所需工人数量可减少 30%～50%。

（4）在制品库存压缩、生产周期短。FMS 与常规加工车间相比，在制品的减少量相当惊人。有资料表明，在设备相同的条件下，由于计算机的有效调度以及工件生产所要求的全部设备集中在一个小范围 FMS 内，使工件等待切削加工的时间减少，在制品可减少 80%。

（5）生产具有柔性而且能响应生产变化的需求。当市场需求变化或工程设计变化时，在 FMS 总的设计能力内，系统具有制造不同产品的特有柔性，而不需要硬件结构的变化。同样，对临时需要的备用工件可以随时投入，混合在一起生产，而不会干扰 FMS 的正常生产。

（6）产品质量提高。由于 FMS 具有较高的自动化程度，采用自动检测设备和自动补偿装置，能及时发现质量问题，并能及时采取相应的调整措施。

（7）具有自诊断和维持生产的能力。FMS 具有更完善的自我诊断系统。当一台或几台机床发生故障时，很多 FMS 能够以降低了的生产率继续运行，并且物流系统能让工件通过旁路绕过有故障的机床到达加工机床。

（8）机床连续 24 小时运行，生产效率高。FMS 可以在工作时实现无人看管，工人只需为设备提供毛坯和进行必要的维修，操作人员通过计算机对加工进行控制与调整、监控等，若出现故障，机床可以自动停止加工。一般说来，FMS 可提高 50% 的生产率。

（9）占地面积可减少 40%。

（10）加工成本低。FMS 的生产批量在相当大范围内变化时，其生产成本可以降低 50%。

复习题与习题

1. 机械加工生产线可分为哪几大类，分别适应什么生产类型？
2. 固定节拍生产线和非固定节拍生产线各有何特点？
3. 简述生产线设计的内容和步骤。
4. 在生产线设计时，如何平衡生产线的节拍？
5. 在设计生产线时，如何确定加工工件的定位基面？
6. 在专用机床设计中，“三图一卡”是指哪些图和表，各起什么作用？
7. 要求某生产线年产量 7 万件，备品 30%，废品 3%，两班生产，负荷率不超过 65%，试确定其生产节拍 t_j。
8. 在设计生产线总联系尺寸图时，主要应确定哪些联系尺寸？
9. 简述柔性制造的主要形式及各自特点和适用范围。
10. FMS 主要由哪几部分构成，各部分任务是什么？

参 考 文 献

1 国家自然科学基金委员会 . 先进制造技术基础 . 北京:高等教育出版社,1998
2 机床设计手册编写组 . 机床设计手册 . 北京:机械工业出版社,1979~1986
3 王启义主编 . 金属切削机床(概论与设计). 北京:冶金工业出版社,1997
4 冯辛安主编.机械制造装备设计.北京:机械工业出版社,1999
5 王启义主编.几何量测量器具使用手册.北京:机械工业出版社,1997
6 戴曙主编.金属切削机床.北京:机械工业出版社,1994
7 顾熙堂主编.金属切削机床(上、下册).上海:上海科学技术出版社,1995
8 现代设计方法概论.潘兆庆,周济主编.北京:机械工业出版社,1991
9 (德)帕尔著.工程设计学.张直明等译.北京:机械工业出版社,1992
10 (日)畑村洋太郎主编.机械设计实践——日本式机械设计的构思和设计方法.王启义监译.北京:机械工业出版社,1998
11 李洪主编.实用机床设计手册.沈阳:科学技术出版社,1999
12 S. Kalpakjian. Manufacturing Processes for Engineering Materials. ADDison-Wesley P.C, 1984
13 廖效果.数控机床.武汉:华中理工大学出版社,1992
14 廉元国.加工中心设计与应用.北京:机械工业出版社,1995
15 吴祖育.数控机床.上海:上海科学技术出版社,1990
16 喻怀仁.自动线刀具.北京:机械工业出版社,1988
17 卓迪仕.数控技术及应用.北京:国防工业出版社,1997
18 李福生.实用数控技术手册.北京:北京出版社,1993
19 G. 施伟策等著.主动磁轴承基础、性能及应用.虞列,袁崇军译.北京:新时代出版社,1997
20 蔡光起等.机械制造工艺学.沈阳:东北大学出版社,1994
21 王先逵主编.机械制造工艺学.北京:机械工业出版社,1995
22 东北重型机械学院等.机床夹具设计手册(第2版).上海:上海科学技术出版社,1988
23 孙迪生,王炎主编.机器人控制技术.北京:机械工业出版社,1998
24 国家标准 GB /T 12643—1997.工业机器人词汇
25 国家标准 GB /T 16977—1997.工业机器人坐标系和运动命名原则
26 华中工学院机械制造教研室编著.机床自动化与自动线.北京:机械工业出版社,1981
27 沈阳工业大学,大连铁道学院,吉林工学院编.组合机床设计.上海:上海科学技术出版社,1985
28 《组合机床》编写小组编.组合机床讲义.北京:国防工业出版社,1975
29 大连组合机床研究所编.组合机床设计参考图册.北京:机械工业出版社,1975
30 张培忠主编.柔性制造系统.北京.机械工业出版社,1998
31 杨岳等.CAM技术与应用.北京:机械工业出版社,1996
32 张宝林主编.数控技术.北京:机械工业出版社,1997
33 金振华主编.组合机床及其调整与使用.北京:机械工业出版社,1990

34　大连组合机床研究所编.组合机床设计(第1册).北京:机械工业出版社,1975
35　王润孝,秦现生等.机床数控原理与系统(第2版).西安:西北工业大学出版社,1997
36　《机械工程手册》编辑委员会编.机械工程手册(第2版)机械制造工艺及设备卷(二).北京:机械工业出版社,1997
37　张佩勤编著.自动装配与柔性装配技术.北京:机械工业出版社,1998
38　杨岳编著.CAM技术与应用.北京:机械工业出版社,1996
39　李家宝主编.机械加工自动化机构.哈尔滨:哈尔滨工业大学出版社,1989
40　华中工学院机械制造教研室编著.机床自动化与自动线.北京:机械工业出版社,1981